「十三五」国家重点出版物出版规划项目

国家出版基金项目
NATIONAL PUBLICATION FOUNDATION

中国中药
资源大典

重庆卷

1

黄璐琦 / 总主编

钟国跃　瞿显友　刘正宇 / 主　编

北京科学技术出版社

图书在版编目（CIP）数据

中国中药资源大典 . 重庆卷 . 1 / 钟国跃，瞿显友，
刘正宇主编 . — 北京 : 北京科学技术出版社，2020.10
ISBN 978-7-5714-1057-5

Ⅰ.①中… Ⅱ.①钟… ②瞿… ③刘… Ⅲ.①中药资
源—资源调查—重庆 Ⅳ.① R281.4

中国版本图书馆 CIP 数据核字 (2020) 第 137415 号

策划编辑：李兆弟　侍　伟
责任编辑：侍　伟　王治华
责任校对：贾　荣
图文制作：樊润琴
责任印制：李　茗
出 版 人：曾庆宇
出版发行：北京科学技术出版社
社　　址：北京西直门南大街16号
邮政编码：100035
电　　话：0086-10-66135495（总编室）　　0086-10-66113227（发行部）
网　　址：www.bkydw.cn
印　　刷：北京捷迅佳彩印刷有限公司
开　　本：889mm×1194mm　　1/16
字　　数：1228千字
印　　张：55.5
版　　次：2020年10月第1版
印　　次：2020年10月第1次印刷
ISBN 978-7-5714-1057-5

定　　价：790.00元

《中国中药资源大典·重庆卷》
编写委员会

总 主 编　黄璐琦（中国中医科学院）

主　　编　钟国跃（江西中医药大学、重庆市中药研究院）

　　　　　　瞿显友（重庆市中药研究院）

　　　　　　刘正宇（重庆市药物种植研究所）

副 主 编　刘　翔（重庆市中药研究院）　　　　张　军（重庆市药物种植研究所）

　　　　　　王昌华（重庆市中药研究院）　　　　喻本霞（重庆市中药研究院）

　　　　　　林茂祥（重庆市药物种植研究所）　　陈绍成（重庆第二师范学院）

　　　　　　李隆云（重庆市中药研究院）　　　　张小波（中国中医科学院）

　　　　　　王　黎（重庆市药物种植研究所）

编　　委（按姓氏笔画排序）

　　　　　　王　黎（重庆市药物种植研究所）　　王长生（重庆市农业科学院）

　　　　　　王昌华（重庆市中药研究院）　　　　石汝杰（重庆三峡学院）

　　　　　　石燕红（上海中医药大学）　　　　　叶陈娟（重庆市中药研究院）

　　　　　　申　杰（重庆市药物种植研究所）　　田　婷（重庆市药物种植研究所）

　　　　　　付绍智（重庆三峡医药高等专科学校）危永胜（重庆市中药研究院）

　　　　　　刘　江（重庆市中药研究院）　　　　刘　杰（重庆市药物种植研究所）

　　　　　　刘　翔（重庆市中药研究院）　　　　刘正宇（重庆市药物种植研究所）

　　　　　　刘春雷（重庆市药物种植研究所）　　刘燕琴（重庆市药物种植研究所）

　　　　　　孙　伟（重庆市中药研究院）　　　　苏　岩（重庆市中药研究院）

　　　　　　李中娟（重庆市药物种植研究所）　　李青苗（四川省中医药科学院）

　　　　　　李隆云（重庆市中药研究院）　　　　李紫微（重庆市中药研究院）

　　　　　　吴叶宽（重庆第二师范学院）　　　　张　军（重庆市药物种植研究所）

　　　　　　张小波（中国中医科学院）　　　　　张植玮（重庆市中药研究院）

张嘉仪（重庆市中药研究院）　　　　陈玉菡（重庆市药物种植研究所）

陈绍成（重庆第二师范学院）　　　　林茂祥（重庆市药物种植研究所）

明兴加（重庆市中药研究院）　　　　岳　媛（重庆市中药研究院）

金江群（重庆市药物种植研究所）　　周　浓（重庆三峡学院）

周　游（重庆三峡学院）　　　　　　周华蓉（重庆市中药研究院）

周益权（重庆市中药研究院）　　　　赵纪峰（重庆市中药研究院）

胡　盈（重庆市中药研究院）　　　　胡开治（重庆市药物种植研究所）

胡世文（重庆第二师范学院）　　　　柯剑鸿（重庆市农业科学院）

钟国跃（江西中医药大学、重庆市中药研究院）

秦松荣（重庆市中药研究院）　　　　唐　鑫（重庆市农业科学院）

唐生斌（重庆泰尔森制药有限公司）　曹　敏（重庆市药物种植研究所）

曹维国（重庆医科大学）　　　　　　银福军（重庆市中药研究院）

梁　磊（重庆市药物种植研究所）　　梁正杰（重庆市药物种植研究所）

梁西爱（重庆三峡学院）　　　　　　蒋成英（重庆市中药研究院）

韩　凤（重庆市药物种植研究所）　　韩如刚（重庆市药物种植研究所）

喻本霞（重庆市中药研究院）　　　　傅同成（重庆市农业科学院）

焦大春（重庆市农业科学院）　　　　舒　抒（重庆市中药研究院）

廖光平（重庆市中药研究院）　　　　熊有明（重庆市万州食品药品检验所）

潘　瑞（重庆市中药研究院）　　　　薛彦斌（重庆三峡学院）

瞿显友（重庆市中药研究院）

第四次重庆市中药资源普查工作人员

（按姓氏笔画排序）

丁海飞	万成绪	马开森	马廷勇	马江成	马劲松	马勤平	王　玉
王　浩	王　培	王　黎	王之梅	王云亮	王文刚	王玉宏	王成平
王兴灵	王远兵	王志勇	王克铭	王拥军	王昌华	王建华	王晓玮
王梦洲	韦　波	文华友	文金明	方明金	方畇霏	邓兴学	邓相维
孔　中	左胜江	石发禄	石运鸿	龙　伟	龙　泉	卢吉燕	卢华平
卢其福	叶陈娟	申　平	申　杰	申明亮	田　兰	田　超	田　婷
田永红	田乾福	田维全	冉红生	冉茂平	冉柏光	冉隆邦	付绍智
付思全	付培中	代　理	冯国云	冯定全	兰小强	母之前	成　刚
朱　立	朱世才	朱仝飞	朱华李	朱红霞	朱佳妮	伍淳操	任云常
任永彪	任明波	任承先	向正文	全　健	危永胜	刘　力	刘　平
刘　旭	刘　杉	刘　杰	刘　敏	刘　锋	刘　翔	刘　瑶	刘　薇
刘　凝	刘小川	刘正宇	刘东泉	刘乐其	刘延杰	刘会康	刘治民
刘贵东	刘禹汛	刘朝敏	安中玉	安中维	孙　伟	孙玉春	孙锦荣
苏　岩	杜小浪	杜子富	杜元洪	杜在兵	杜新惠	李　坤	李　娟
李　琳	李　雄	李　毅	李小江	李小红	李中娟	李仁国	李正林
李明华	李显飞	李泉森	李隆云	李朝利	李紫微	杨　力	杨　征
杨　柳	杨　静	杨大坚	杨文兴	杨正洪	杨成前	杨会全	杨秀华
杨学兵	杨学忠	杨建全	杨顺伦	肖　忠	肖　科	肖　寒	肖连华
肖柳树	吴　英	吴西月	吴达永	吴名雄	吴安明	吴忠应	吴碧华
邱　玥	何　霞	何云树	何志伦	何丽芳	何耀东	余再柏	邹　洪
邹　薇	邹井会	闵小波	汪力华	沈　力	沈　阳	沈国亮	宋正良
张　军	张　英	张　玲	张　艳	张　琴	张　超	张　锐	张　飚
张代兵	张永吉	张安琪	张孝琴	张明春	张知文	张定安	张建海

张春林　张植玮　陈　伟　陈　琳　陈　强　陈玉菡　陈仪文　陈永华
陈亚玲　陈泽权　陈绍升　陈洪源　陈逸明　陈登伟　范少平　范利平
林茂祥　明兴加　昌继宏　易思荣　罗　春　罗　勇　罗　舜　罗小林
罗孝君　罗应琼　罗晓丽　罗能勇　岳云红　金小林　金正奎　金江群
周　川　周　彬　周　锐　周文学　周光学　周华蓉　周兴福　周孝兵
周益权　庞　成　庞　华　郑成琴　郑泽荣　封孝兰　赵永珮　赵纪峰
赵昌国　赵贵军　胡　俊　胡　盈　胡云建　胡正刚　胡生福　胡金梅
胡周强　钟卫民　钟国跃　段　礼　侯必强　侯婷婷　姜　艳　姜海涛
姜祥木　宣　力　秦　静　秦松云　袁　杰　袁官福　袁福彬　聂　静
贾尚雄　晏树云　钱齐妮　倪　波　徐　江　徐　琴　徐忠明　徐秉胜
徐艳琴　高可均　高春元　高祥国　郭　强　唐开伟　唐正琴　唐安明
唐红梅　唐丽灵　唐述权　唐益东　唐海波　唐章容　唐德胜　宴　军
陶于权　黄　静　黄开荣　黄长蓉　曹　敏　曹　蓉　曹厚强　曹清和
银福军　符美权　章开发　梁正杰　梁旭明　梁明祥　梁恩培　寇成伦
谌业聪　隆文兵　彭玉泉　彭平安　彭年光　彭明昆　彭金升　彭婷睿
彭德江　葛　菲　董　永　蒋兴武　韩　凤　韩如刚　喻本霞　程　志
程文建　傅文霞　傅念生　傅渝娟　舒　抒　鲁东波　鲁庆贵　鲁岳清
曾　洵　曾凡蛟　曾军辉　温中放　游　嘉　谢长春　谢光奎　谢崇辉
蒲盛才　窦远伦　慕泽泾　裴烈娟　廖光平　廖光成　谭　居　谭扬梅
谭宗祥　谭秋平　谭登焱　熊　凯　潘　捷　潘　瑞　戴　宇　魏　巍
魏金龙　瞿显友

主编简介

>> **钟国跃**

研究员，博士研究生导师。1998—2012年曾任重庆市中药研究院院长；2012年至今，任江西中医药大学首席教授、中药资源与民族药研究中心主任，创新药物与高效节能降耗制药设备国家重点实验室副主任，江西民族传统药现代科技与产业发展协同创新中心常务副主任，国家创新人才推进计划重点领域创新团队"中药资源创新团队"核心成员，第四次全国中药资源普查技术指导专家组副组长，广西中医药大学特聘教授。第九届国家药典委员会委员，第十届、十一届国家药典委员会执行委员会委员、民族医药专业委员会主任委员；国家自然科学基金项目，国家工业和信息化部、科学技术部、国家中医药管理局科技项目评审及验收专家；国家科学技术进步奖、中华中医药学会科学技术奖评审专家；国家食品药品监督管理局新药及保健食品审评专家，中华人民共和国濒危物种科学委员会协审专家；中国药学会中药资源专业委员会副主任委员，中国民族医药学会药用资源分会会长，中国民族医药学会科技分会副会长。《中国中药杂志》《中草药》《世界科学技术——中医药现代化》《中药新药与临床药理》《中药研究与实践》等学术期刊编委。

他从事中药与民族药资源、质量标准研究工作30余年，先后承担国家自然科学基金项目、国家科技支撑计划项目、重大新药创制科技重大专项、现代中药高技术产业发展专项、国家国际科技合作专项、国家中医药管理局项目等40余项；发表论文190余篇，获得发明专利授权4项，主编及参与编写专著10余部；主持研究制定了20余个中药材、藏药材质量标准，其中，黄连、决明子、补骨脂、翼首草（藏药）等药材的质量标准被《中华人民共和国药典》收载；获中华中医药学会科学技术奖一等奖、二等奖，中国民族医药学会学术著作二等奖，重庆市科学技术进步奖二等奖等，共7项。

主编简介

>> **瞿显友**

主任中药师，硕士研究生导师。现任重庆市中药研究院中药生药研究所所长，兼任重庆市中药研究院中药资源学重庆市重点实验室主任、国家中药资源动态监测信息和技术服务中心重庆市市级中心主任。国家中医药管理局重点学科中药鉴定学学科带头人、基本药物中药原料资源动态监测和信息服务体系技术专家委员会委员，重庆市第二届生药学学术技术带头人。国家科学技术奖励评审专家库成员，第四次全国中药资源普查技术指导专家组成员，中华中医药学会中药鉴定分会常务委员，中国民族医药学会苗族药分会常务理事，重庆市卫生技术药学专业高级职务评审委员会委员，重庆市中医药学会中药专业委员会副主任委员。

他长期从事中药及民族药资源与保护研究，曾对武陵山区土家族药资源进行系统性调查，并首次对全国民族药炮制方法进行收集、整理，编写了《中国民族药炮制集成》（主编）、《土家族医方精选》（副主编）

等。参与组织第四次重庆中药资源普查工作，编写了《重庆市中药志》（主编），作为技术支撑人员参与四川、西藏等地的中药资源普查工作。参与编写了《全国中草药汇编》（第 3 版）等大型专著 10 余部，发表论文 80 余篇。获科技成果奖 5 项，其中，省部级科技成果奖 2 项。

主编简介

>> **刘正宇**

主任技师，享受国务院政府特殊津贴专家。世界自然保护联盟（IUCN）中国植物专家组成员，国家科学技术奖励评审专家库成员，国家"863"计划专家库专家，中国科学院植物研究所特邀研究员，重庆市野生动植物保护协会副会长，全国老中医药专家学术经验继承工作指导老师，全国首批神农学者。

他40余年来致力于药用植物资源、中药材基原分类和药用植物栽培的研究工作，不仅在大山深处发现了崖柏等多种濒危动植物，为一批国内知名制药企业寻找到大量的药材资源，解决了企业生产的急需原料，还为三峡库区生态环境保护、监测和建设，以及重庆市国家级自然保护区的申报及研究做出了重要贡献。先后承担国家级及省部级等各级课题78项，发表论文158篇，编写《重庆三峡库区药用植物资源名录》等学术著作19部，获地厅级以上科技成果奖52项（次），单独或与他人共同命名发表"金佛山竹根七"等植物新种112个。

序 言

我国中药资源种类繁多、分布广泛，是中医药产业发展的物质基础。开展中药资源普查，有利于摸清家底、客观认识区域内中药资源现状，也有利于中药资源的保护、开发和合理利用。重庆地处三峡库区核心地带，此处山峦叠嶂、沟壑纵横、气候温暖、雨量充沛，这独特的地理和气候条件，为中药资源多样性创造了良好条件。重庆的中药材在历史上具有重要地位，据《山海经》记载，"十巫从此升降，百药爰在"，自古重庆就是西南地区传统药材集散地。

在国家中医药管理局组织实施的第四次全国中药资源普查工作中，重庆中药资源普查人员经过多年努力，完成了对38个区县的调查，获得了大量的第一手资料。科学地整理、总结这些宝贵资料，既有利于推广中药资源普查成果，也有利于为中医药产业发展服务。重庆中药资源普查项目牵头单位组织有关专家、学者和工作在一线的技术人员，从重庆中药资源概况、重点中药资源情况等方面进行了细致地整理研究。

由钟国跃、瞿显友和刘正宇主编的《中国中药资源大典·重庆卷》一书，共8册，收载2850种中药资源，并配有高清照片。该书是一部全面反映重庆中药资源现状的大型学术专著，具有非常重要的学术价值，可作为了解重庆中药资源的工具书。相信该书的出版将有利于加强重庆中药资源的保护、开发和合理利用，推进重庆中医药教学、科研、临床等发展。

中国工程院院士
中国中医科学院院长
第四次全国中药资源普查技术指导专家组组长

2020 年 9 月

前　言

　　重庆是我国中西部唯一的直辖市，总面积为 82339km²，辖 26 个区、8 个县、4 个自治县。重庆地处青藏高原向长江中下游平原的过渡地带，境内海拔差异大，西部多为低海拔的丘陵地区，东北部、东南部多为中高山地区，境内最高峰为位于东北部的阴条岭（海拔 2796.8m）。重庆地形具有褶带多、峡谷林立的特点，是珍稀植物的最佳"避难地"。重庆属亚热带季风性湿润气候，雨量充沛，立体气候显著，植物资源丰富，加之具有多样的地理特征，为生物多样性创造了良好的条件。

　　西汉时期《山海经·大荒西经》记载："大荒之中……有灵山（今重庆巫山一带）……百药爰在。"南北朝时期陶弘景《名医别录》记载："黄连，生巫阳（今重庆巫山境内）川谷及蜀郡。"及至清代，重庆凭借长江黄金水道的优势，自开埠以来，药材交易鼎盛，陕西、甘肃、西藏、云南、贵州所产药材均以此为集散地。

　　中药资源是中药产业和中医药事业发展的重要物质基础，是国家的战略性资源，中医药的传承与发展有赖于丰富的中药资源的支撑。中药资源普查是中药资源保护和合理开发利用的前提，也是了解中药资源现状（包括受威胁现状及特有程度等）的最有效途径。

1955 年，四川省中药研究所（今重庆市中药研究院）开始对四川中药资源进行调查研究，作为技术支撑单位，参与了第一次至第三次全国中药资源普查工作，编撰了我国首部中药志——《四川中药志》，为当地中医药产业发展提供了数据支撑。但受条件和技术的限制，当时未能对重庆境内中药资源进行全面的调查。自 1987 年第三次全国中药资源普查至今已有 30 多年，重庆中药资源种类、数量已经发生了明显变化，中药资源家底不清已成为当前中药资源可持续发展面临的重大问题。在这种情况下，开展第四次中药资源普查势在必行。

2012 年 3 月，在重庆市政府领导及各有关部门的通力合作下，以重庆市卫生健康委员会为组织单位、重庆市中药研究院和重庆市药物种植研究所为技术支撑单位，第四次重庆中药资源普查建立了"四统一、三督查、二结合"的普查规范，形成了具有重庆特色、规范化的普查模式。此次普查共调查样地 1362 块、样方套 6765 个、样方 40590 个；共发现 219 科 1162 属 4012 种药用植物，发现疑似新种 12 个、重庆新记录种 16 个，发表新种 3 个；采集腊叶标本 50200 份、药材标本 6027 份，拍摄照片 245737 幅；出版专著 3 部，发表论文 65 篇，获得省部级奖励 3 项，起草百合等 7 种中药材商品规格等级团体标准、川黄连等 11 种道地药材团体标准。同时，建立了"一中心三站"动态监测体系及中药资源重庆市重点实验室，并成立了中国中医科学院中药资源中心重庆分中心；培养了中医药传承人员 6 名，培训普查专业人员 300 余名。

为了系统总结第四次重庆中药资源普查成果，更好地利用普查数据为中医药产业发展服务，2018 年编者与北京科学技术出版社合作，开始编写《中国中药资源大典·重庆卷》。本书分上篇、中篇、下篇以及附篇。上篇介绍了重庆的生态环境、森林植被资源等基本情况，回顾了重庆中医药发展史和历次中药资源调查情况，重点介绍了此次普查取得的成果，对重庆中药资源区划进行初步分析；探索了基于种群生态学的中药资源动态监测与研究，提出了对珍稀濒危药用植物保护的建议。中篇介绍了 31 种道地、大宗中药资源的情况，包括药材名、形态特征、野生资源、栽培资源、采收加工、药材性状、功能主治、用法用量、附注等。下篇依次介绍真菌、苔藓植物、蕨类植物、裸子植物和被子植物等中药资源，共计 2799 种。附篇介绍了 20 种重庆地产动物药、矿物药资源，其中动物药资源收录 16 种，矿物药资源收录 4 种。

本书在编写过程中，得到了重庆市卫生健康委员会、重庆市中药研究院、重庆市药物种植研究所等单位的大力支持，同时得到了国家中医药管理局中药资源普查工作办公室的指导及其他省（区、市）中药资源普查单位的支持，张水寒研究员、方清茂研究员、李海涛研究员无私提供了部分图片，编者在此一并表示诚挚的感谢。本书在编写过程中，还引用了相关专家的研究成果，编者在此对原作者也表示诚挚的感谢。最后，感谢每一名普查队员在第四次重庆中药资源普查中的辛勤付出，是他们背后默默的工作，才为本书提供了丰富、科学的素材。

本书上篇、中篇的审核工作由瞿显友完成，下篇、附篇的审核工作由刘翔、刘正宇、喻本霞、张军、王昌华、陈绍成完成，其中，刘翔负责所有图片的审核，刘正宇、张军负责拉丁学名和形态特征的审核，喻本霞负责生境分布和资源情况的审核，王昌华负责药材名、采收加工、功能主治、用法用量、附注的审核，陈绍成负责药材性状的审核。审核工作大多是专家们利用休息时间完成的，对于他们的付出，编者在此也表示诚挚的感谢。

由于编者水平有限，工作仓促，本书内容难免存在差错与疏漏之处。敬请广大读者不吝指正，以便编者在今后的工作中不断完善。

编　者

2020 年 5 月

凡 例

（1）本书共收录重庆地区中药资源2850种，涉及植物药、动物药、矿物药资源，撰写过程中主要参考了《中华人民共和国药典》《中国植物志》《中华本草》《中国中药资源志要》《重庆维管束植物检索表》《重庆中草药资源目录》等。

（2）本书分为上篇、中篇、下篇以及附篇，共8册。上篇为"重庆市中药资源概论"，是第四次重庆中药资源普查成果的集中体现；中篇为"重庆市道地、大宗中药资源"，详细介绍了31种重庆道地、大宗中药资源；下篇为"重庆市中药资源各论"，依次介绍了真菌、苔藓植物、蕨类植物、裸子植物和被子植物等中药资源；附篇为"重庆市动物药、矿物药中药资源"，简要介绍了重庆地产20种动物药、矿物药资源。为检索方便，本书在第8册正文后附有1～8册所录中药资源的中文拼音索引、拉丁学名索引，另附有"重庆市植物药资源名录"和"重庆市动物药资源名录"。

（3）本书下篇"重庆市中药资源各论"在介绍中药资源时，以中药资源名为条目名，下设药材名、形态特征、生境分布、资源情况、采收加工、药材性状、功能主治、用法用量、附注项。每种中药资源各项的编写原则简述如下。

1）药材名。记述物种的药材名、药用部位、别名。未查到药材名的物种，为了使该项内容完整，采用物种的名称作为药材名，仅供参考。同一种物种作为多种药材的来源时，分别列出药材名、药用部位、别名。别名以常用别名为主，数量不超过3个。未查到别名的药材，则省略别名。

2）形态特征。记述物种的形态，突出其鉴别特征，并附以反映其形态特征的原色照片。其中，药用植物资源形态特征的描述顺序为习性、营养器官、繁殖器官。

3）生境分布。记述物种分布区域的海拔高度、地形地貌、周围植被、土壤等生境信息，同时记述其在重庆的主要分布区域（具体到县级行政区域）。

4）资源情况。记述物种的野生、栽培情况和其药材来源情况。若该物种在重庆无野生资源，则其野生资源情况从略。同样，若该物种在重庆无栽培资源，则其栽培资源情况从略。资源情况用"丰富""较丰富""一般""较少""稀少"描述，如"野生资源丰富，栽培资源较少"。药材来源用"野生"或"栽培"描述，如"药材来源于野生"。

5）药材性状、功能主治、用法用量。记述药材的采收时间、采收方式、加工方法、性状特征、性味、归经、毒性、功能、主治病证、用法、用量。未查到相关文献记载的项，该项内容从略。

6）附注。记述物种的拉丁学名在《中国植物志》英文版（*Flora of China*，FOC）中的修订情况，或在同属中的主要鉴别特征，或与相近物种、易混淆物种的鉴别要点，并简要记述该物种的生物学特性及栽培生产要点。

上 篇

重庆市中药资源概论

中 篇

重庆市道地、大宗中药资源

重庆市中药资源各论

上 篇

重庆市中药资源概论

第一章

重庆市概况

重庆①，简称"渝"，别称山城、巴渝、渝州等，是我国 4 个直辖市之一。重庆地处我国内陆西南部，总面积为 82399km²，辖 38 个区县（自治县）。重庆属亚热带季风性湿润气候，年平均气温为 17～23℃，其中，长江河谷的巴南、綦江、云阳等地可达 18.5℃以上，东南部的黔江、酉阳等地为 14～16℃，东北部海拔较高的城口仅为 13.7℃。重庆年平均相对湿度为 70%～80%，年平均日照时数为 1000～1400 小时，日照百分率仅为 25%～35%，为我国年平均日照最少的地区之一。重庆水资源总量丰富，每平方千米水面积居全国第一，流经的主要河流有长江、嘉陵江、乌江、涪江、綦江、大宁河、阿蓬江、酉水河。

重庆地处长江中上游，为三峡库区核心地，山势起伏大，海拔高度差为 2723.7m，境内山高谷深，沟壑纵横，为典型的亚热带季风气候区，四季分明，雨量充沛，水资源丰富，为生物多样性提供了良好的生态环境。据调查，重庆有近 6000 种维管束植物，其中有被称为植物"活化石"的桫椤、崖柏、水杉、秃杉、银杉、珙桐等珍稀树种，森林覆盖率为 20.49%。

第一节　重庆市生态环境

重庆地处青藏高原与长江中下游平原的过渡地带。位于东经 105°11′～110°11′，北纬 28°10′～32°13′，东西宽 475.61km，南北长 447.93km。重庆东邻湖北、湖南，南靠贵州，西接四川，北连陕西；地势由南北向长江河谷逐级降低，西北部和中部以丘陵、低山为主，东南部沿大巴山和武陵山两山脉。

一、地形地貌

（一）地貌类型多样

全市地貌类型分中山、低山、高丘陵、中丘陵、低丘陵、缓丘陵、台地、平坝 8 大类，以山地（中山和低山）、丘陵（高丘陵、中丘陵、低丘陵）为主，前者占重庆市总面积的 75.8%，后者占 18.2%。

（二）地势起伏大

全市最低点在巫山县境内长江出重庆界的巫峡长江江面，海拔随江面水位而改变；最高点为巫溪、巫山和湖北神农三县交界的阴条岭，海拔为 2796.8m。东部、东南部和南部地势高，海拔

---

① 本书正文除篇、章、节等标题外，"重庆市"通常简称"重庆"。

多在 1500m 以上；西部地势低，海拔多为 300 ～ 400m。按高程分级，重庆 1000m 以下低海拔区面积占比为 76.63%，1000 ～ 3500m 中海拔区面积占比为 23.37%。其中，城口 80% 以上的区域，巫溪、石柱 60% 以上的区域，武隆、奉节、巫山 40% 以上的区域位于中海拔区。

（三）喀斯特地貌广布

在重庆北斜条形山地中形成了渝东地区特有的喀斯特槽谷奇观。在重庆东部和东南部的喀斯特山区分布有典型的石林、峰林、洼地、浅丘、落水洞、溶洞、暗河、峡谷等喀斯特景观。

二、土地资源

（一）土地资源类型

重庆土地总面积为 82339.36km²，其中农用地占土地总面积的 74.85%（耕地占 31.05%，林地占 36.53%，园地占 1.98%，牧草地占 2.50%，水面占 2.79%）。

（二）土壤类型

重庆的土壤类型多样，共有红壤、黄壤、黄棕壤、黄褐土、棕壤、新积土、石灰（岩）土、紫色土、粗骨土、山地草甸土、水稻土 11 个土类，29 个土壤亚类（表 1）。

表 1　重庆的土壤类型及面积占比

序号	土类	面积占比 /%	亚类
1	紫色土	33.22	酸性紫色土、中性紫色土、石灰性紫色土
2	黄壤	28.78	黄壤、漂洗黄壤、黄壤性土
3	石灰（岩）土	11.69	红色石灰土、黑色石灰土、棕色石灰土、黄色石灰土
4	黄棕壤	7.90	黄棕壤、暗黄棕壤、黄棕壤性土
5	棕壤	1.42	棕壤、棕壤性土
6	黄褐土	0.99	黄褐土、黄褐土性土
7	红壤	0.24	黄红壤
8	粗骨土	0.19	酸性粗骨土、中性粗骨土、钙质粗骨土
9	新积土	0.16	新积土、冲积灰棕砂土
10	山地草甸土	0.14	山地灌丛草甸土
11	水稻土	15.27	潴育水稻土、淹育水稻土、渗育水稻土、潜育水稻土、漂洗水稻土

重庆土壤分布规律主要表现在水平分布、垂直分布、区域分布、农业利用分布方面。

1. 水平分布

重庆西部和中部丘陵地区，广布着紫色岩土发育的紫色土和新冲积母质发育的新冲积土壤；在重庆中北部的平行岭谷区，由紫色土、石灰（岩）土、黄壤、新积土呈条带状的相间分布；位于重庆东部和南部的土壤处于石英砂和黄绿、灰色泥页岩分布区，分布着黄壤、黄棕壤和草甸土。

2. 垂直分布

随着地势的上升，全市土壤垂直分布差异十分突出。重庆土壤垂直分布的大体趋势为（海拔由低到高）：新积土—紫色土—黄壤或石灰（岩）土—黄棕壤（草甸土）。沿河谷两岸（海拔 200m 以下）分布着新积土；在海拔 500m 以下的丘陵区，分布着带有明显母岩特性的紫色土；海拔 350 ~ 650m 的石灰岩槽谷区分布着石灰（岩）土；海拔 500 ~ 1000m 的低山和中山下部分布地带性土壤——黄壤；在海拔 1500m 以上则分布着黄棕壤、棕壤，并零星分布着草甸土。由于重庆地质的复杂性，土壤垂直分布上下限因各地水质条件的不同有 100 ~ 200m 的差异。

3. 区域分布

按土壤类型组合的分布规律，全市可划分为：渝西北（盆中）方山丘陵紫色土—新积土组合区，包括重庆西北部的潼南、铜梁、大足、荣昌、合川、永川等区县的大部分或部分区域；渝中（盆东）平行岭谷紫色土—黄壤（石灰岩土）—新积土组合区，北起开州，南至江津，包括重庆 30 多个区县（自治县）的全部、大部分或局部区域；渝东北、渝东南（盆周）低、中山黄壤（石灰岩土）—黄棕壤—棕壤—棕壤、草甸土组合区，位于四川盆地外围，包括万州、涪陵、黔江地区的大部分区域及重庆东南隅，地处大巴山地、巫山、七曜山、武陵山区及大娄山系。

4. 农业利用分布

全市海拔 1000m 以下地区的土壤多为农业耕作土壤，该区域是重庆的主要粮食生产基地、主要高产土壤分布区；海拔 800m 以下地区主要分布着水稻土；800m 以上地区以旱作土为主；海拔 1000m 以上地区则主要分布着园地、森林地和牧草地土壤，是重庆中药材种植的主要用地。

三、气候条件

由于受太阳辐射、大气环流、地形等因素综合影响，重庆境内有着典型的亚热带季风气候，其主要特点是：夏热、冬暖、春早，热量资源丰富；降水充沛，时空分布不均；秋多阴雨，冬多云雾，光能资源少；地域差异大，立体气候明显。

（一）气温

年平均气温是全年热量状况的一项基本指标。重庆年平均气温为 17 ~ 23℃。从各季节的平均气温来看，重庆春季平均气温为 13.6 ~ 18.5℃，夏季平均气温为 23.3 ~ 27.6℃，秋季平均气温为 14.4 ~ 19.3℃，冬季平均气温为 4.0 ~ 9.4℃。重庆平均气温的最高值出现在 8 月上旬，为 28.5℃；最低值则出现在 1 月中旬，为 6.2℃；5 ~ 9 月各旬的平均气温均在 20℃以上，7 ~ 8 月各旬的平均气温均在 25℃以上，1 ~ 2 月的各旬平均气温均低于 10℃。

重庆大部分地区的年平均气温为 17 ~ 19℃。随着海拔高程的增加，年平均气温降低，从而在城口和酉阳出现了重庆年平均气温的低值区。在长江河谷地区，尤其是在河流的交汇区，年平均气温相对较高，如嘉陵江与长江、乌江与长江、云阳的小江与长江、巫山的大宁河与长江的交汇处的年平均气温均较高。

（二）日照时数

日照与植物的生长发育有密切联系，除影响光合作用和干物质积累速度外，还通过植物的光周期效应，控制和影响植物的生长发育。重庆年日照时数为 876.1 ~ 1621.4 小时。从日照时数的月份分布来看，8 月是日照最高峰值区，月日照时数为 151.0 ~ 232.6 小时；1 月是日照最低峰值区，月日照时数为 16.4 ~ 75.8 小时。

重庆东北部的巫山、巫溪、奉节等地为日照相对高值区，年日照时数在 1500 小时以上；彭水等地为日照相对低值区，年日照时数不足 900 小时。整体的分布趋势是从东北向西北延伸，年日照时数逐渐减少，而在大足、沙坪坝、彭水等地形成相对低值区。

（三）降水量

重庆地处亚热带季风性湿润气候区，受大气环流、海陆位置、地形等因素综合影响，其降水具有显著的区域特色。重庆各地区年平均降水量为 940 ~ 1375mm。春季平均降水量为 218.5 ~ 374.8mm，占年平均降水量的 21.4% ~ 30.6%；夏季平均降水量为 407.6 ~ 632.7mm，占年平均降水量的 40.2% ~ 53.0%；秋季平均降水量为 204.4 ~ 319.3mm，占年平均降水量的 18.9% ~ 26.2%；冬季平均降水量为 41.0 ~ 107.9mm，占年平均降水量的 3.9% ~ 7.8%。此外，整个暖季（5 ~ 9 月）的平均降水量为 630.0 ~ 899.7mm，占年平均降水量的 65.0% ~ 71.6%。平均降水量的月变化则是 1 月最低，平均降水量为 56.3mm；6 月最高，平均降水量为 524.7mm。

夏季风主要由东南向西北推进，因而重庆东南部受夏季暖湿气流控制时间长，加之受地形的影响，是重庆的多雨区之一，如酉阳、秀山年平均降水量超过 1300mm，黔江、彭水为 1200mm。重庆中部降水量有所减少，绝大部分地区年平均降水量为 1100mm 左右，如巴南、渝北、长寿、涪陵、丰都、石柱等地。重庆西北部是夏季风最迟到达的地区，受暖湿气流影响的时间最短，因而年平均降水量最少，是重庆的少雨区，如潼南年平均降水量仅为 975mm。

第二节　重庆市森林植被资源

一、植被基本特征

重庆位于喜马拉雅山植物区系和中国－日本植物区系的交汇枢纽，地处我国南北植物的过渡带，是我国植物种类最为丰富的地区之一。

重庆亚热带常绿阔叶林的物种密集程度最高，堪称物种基因库，生态效益最显著，是重庆境内最珍贵的自然植被。除地带性植被外，重庆还有常绿落叶阔叶混交林、落叶阔叶林、针叶林、针阔叶混交林、竹林、灌丛、稀树草丛（草坡）、草甸等植被类型。纵观重庆森林资源，纯林比重偏大，混交林太少，并且林分树种组成相对单一，主要树种有松、栎、杉、柏等。按照优势树种统计，阔叶树种只占 30%，以马尾松为主的针叶树种分布面积多达 68% 以上，其中马尾松纯林占 50% 左右。

二、植被种类繁多

重庆植物资源丰富、种类繁多，据不完全统计，辖区内分布有维管束植物近 6000 种，其中木本植物占 1/2；被列为国家级保护的珍稀濒危维管束植物约 64 种，其中一级 12 种，二级 52 种。

重庆特有植物和模式标本植物有 200 种以上，属国家一、二、三级重点保护的高等植物有 59 科 105 属 127 种。此外，重庆还分布有大量野生药用植物、油脂植物、果品植物、芳香油植物、淀粉植物、观赏植物、纤维植物、单宁植物等各种经济植物。除野生植物外，重庆还有柑橘、桑、茶、麻、烟草、粮食、蔬菜、中药材等栽培作物 2000 余个品种。

第四纪冰期时，因北部秦巴山地的屏障，重庆境内未直接受到大陆冰川的影响，成为第三纪植物的"避难所"，为已有植物的保存、繁衍、分化提供了有利的环境条件。因此，在重庆的植物种类中，具有许多古老的孑遗种。蕨类植物有属古生代的松叶蕨、莲座蕨；属中生代的紫萁、芒萁、里白，属中生代侏罗纪的桫椤，白垩纪的瘤足蕨；属第三纪的凤尾蕨、石松等古老孑遗种。裸子植物中的银杏、银杉、水杉是驰名世界的"活化石"——世界著名的古老珍稀植物，也是我国特有种。1998 年 8 月，在城口发现了目前世界上已濒临灭绝的野生植物——崖柏。

三、植被分布特点

（一）水平差异

重庆具有地域植被差异，且东南部比西北部差异显著。例如，在重庆境内分布较广的亚热带常绿阔叶林、亚热带针叶林等植被类型，就有明显的南北差异。在重庆东南部边缘山地，气候温暖湿润，常绿阔叶林分布上限可达海拔 2000m 左右，常绿阔叶树种以栲、宜昌润楠、大叶杜鹃、川桂、湖北海棠、华山松占优势。杉木在这些地区分布广，面积也较大，这与该地区气候温和、降水丰富、空气湿度大有关；在针叶林中，有水杉、柳杉、银杉等。在重庆东北部边缘的大巴山地区，常绿阔叶林分布上限一般在海拔 1500m 以下，组成常绿阔叶林的优势树种主要是苞石栎、青冈、曼青冈、云山青冈等耐寒的种类。在亚热带针叶林中，较耐寒的巴山松代替了马尾松，杉木已少见。

（二）垂直差异

重庆多山，由于地势海拔高度差较大，造成植被垂直分布差异明显。以大巴山南坡为例，其植被垂直带谱是：海拔 1500m 以下为基带植被，除以青冈属、石栎属等耐寒树种为主所组成的常绿阔叶林为代表类型外，还有以巴山松、马尾松、杉木、柏木、铁坚油杉为主的亚热带针叶林，以慈竹、刚竹为主的亚热带竹林，局部地段有以栓皮栎、麻栎为主的落叶林；海拔 1500 ～ 2000m 的植被是以苞石栎、青冈、曼青冈、冬青、槭树、桦木等为主的常绿与落叶混交林，此外还有以华山松为主的针叶林，以及槭树、桦木等落叶树种组成的落叶阔叶林；海拔 2000 ～ 2300m 的植被是以华山松为主的针叶林和华山松、槭树、桦木组成的混交林；海拔 2300m 以上的植被，其代表类型是以巴山冷杉为主的亚高山针叶林，此外还有以杨、桦木为主的落叶阔叶林。事实上，除山地植被垂直分布具有规律性外，在海拔高度差不大的丘陵上下，因水热条件不同，丘陵顶部、坡腰、坡脚也生长着不同的植物群落。

四、主要植被类型

（一）阔叶林

阔叶林是分布于温带、亚热带和热带湿润地区的植物群落。重庆境内生境条件复杂多样，因此阔叶林树种特别繁多。根据阔叶群落的植物种类组成、群落结构、生态外貌及地理分布等特点，可将重庆的阔叶林划分为如下植被类型。

1. 亚热带常绿阔叶林

该植被类型是重庆具有代表性的地带性植被类型，主要分布在盆缘山地，尤其是东南缘山地。它主要由壳斗科、樟科、山茶科、木兰科、金缕梅科等常绿阔叶树种组成。灌木层多为杜鹃属、山茶属、杜茎山属、柃木属、山胡椒属、紫金牛属等灌木或乔木幼树组成。草本层一般以蕨类植物为主，种子植物由薹草属、山姜属、淡竹叶属等种类组成。层外植物主要有菝葜属、香花崖豆藤等藤本植物以及某些附生植物。

2. 亚热带山地常绿与落叶阔叶混交林

该植被类型是重庆山地植被垂直带谱中的一个类型，它介于亚热带常绿阔叶林和亚高山常绿针叶林之间，以大巴山地的该植被类型最为典型。该植被类型乔木层主要建群种均属壳斗科树种，其中常绿阔叶树种主要有锥属、栎属、青冈属的耐寒树种，伴生种有樟科、山茶科等。落叶树种以桦木科的鹅耳枥属、桦木属，槭树科的槭属，漆树科的漆属，壳斗科的水青冈属、栎属为主。在喀斯特地貌地区，则以山桐子属、山羊角树属占优势，其他伴生落叶树种尚多。群落结构通常可分为乔木、灌木和草本 3 层。在这种混交林中分布有不少珍稀树种，如鹅掌楸、珙桐、金钱槭等。

3. 亚热带落叶阔叶林

在亚热带地区，这是一种非地带性的、不稳定的森林类型。该植被类型主要分布在盆缘北部中山区，如大巴山地区，它是在常绿阔叶林或山地针叶林遭破坏后形成的森林迹地上出现的过渡次生林。落叶阔叶林分布地区的自然条件与上述两种森林植被大致相同，主要由壳斗科的栎属、水青冈属，桦木科的桦木属、桤木属、鹅耳枥属组成。

（二）针叶林

针叶林是以针叶树为建群种所组成的各类森林群落的总称。针叶林是分布最广、面积最大的一种植被类型，水平分布遍及重庆全市，垂直分布从海拔 200m 的河谷到 2000m 以上的中山。由于生态地理环境的差异，针叶林可分为 2 种类型。一种为暖性针叶林，重庆全市广为分布；另一种为温性针叶林，主要分布在大巴山、巫山等中山地带，海拔在 1500m 以上。

（三）竹林

竹林是分布于热带、亚热带，由竹类植物组成的常绿木本群落。重庆是我国重要的竹类植物分布区，从河谷到丘陵、山地都有成片成群的竹林，仅北碚缙云山就有 20 多种竹子。永川有大片竹林，被称为"竹海"。

（四）灌丛

灌丛指以灌木为建群种的植物群落类型，群落高度一般在 5m 以下。位于低山丘陵区的灌丛，分布有常绿阔叶林屡遭破坏之后形成的常绿阔叶灌丛，群落的种类组成比较混杂，主要树种有檵木、南烛、杜鹃、川灰木等；还分布有暖性落叶阔叶灌丛，多数也是次生的，主要树种有白栎、短柄枹栎、栓皮栎、麻栎等。在盆缘中山区温性针叶林分布范围内，生长着适应力较强的温性落叶阔叶灌丛，多数为原生植被，但也有森林屡遭破坏后形成的次生温性落叶灌丛。组成这种灌丛的植物种类主要有秀丽莓、山莓等。

（五）草丛、草甸

1. 草丛（亚热带草坡）

草丛主要为森林、灌丛被火烧或农用地弃耕后形成的次生植被，常有少量低矮灌木或稀疏孤立乔木散生，故往往称为"稀树草丛"。如涪陵境内的草丛，草本植物主要有荩草、白茅、铁芒萁等，与荆棘等形成稀树草丛。

2. 草甸（山地草甸）

草甸是一种隐域性植被类型，是在中度湿润条件下形成的草本植物类型。重庆境内的草甸属山地草甸，主要分布在中山区，一般在当地森林上界之上的地段，海拔分布不等（1500 ～ 2700m），取决于坡向、湿度等。草甸分布有半夏、白莓、睡菜、白及等药用植物。

五、自然保护区现状

重庆有 59 个自然保护区，其中，国家级自然保护区 7 个，包括森林类 6 个、鱼类 1 个；市级 19 个，县级 33 个，总面积为 850km²，占重庆总面积的 10.33%。国家级森林类自然保护区分别为大巴山、金佛山、缙云山、雪宝山、阴条岭、五里坡自然保护区。重庆自然保护区按类型可分为：森林生态系统类型 28 个、野生植物类型 9 个、地质遗迹类型 2 个、野生动物类型 10 个、内陆湿地和水域生态系统类型 10 个。自然保护区的建立对生物多样性、生态环境、水土保持、水源涵养起着重要的作用，是长江上游"绿色屏障"的重要组成部分。

重庆自然保护区主要分布于东北部秦巴山地区、三峡库区腹地和东南部武陵山区、渝西—丘陵地区。

大巴山国家级自然保护区横亘于重庆东北边境，以中山为主，与湖北神农架自然保护区毗邻。该自然保护区自然环境多变，生物区系古老，生态系统完整，有着丰富的动植物资源，其独特性、稀有性、濒危性显著，也是重庆药用植物最为丰富的地区。该保护区总面积为 1360km²，属于森林生态系统类型自然保护区，主要保护对象是亚热带森林生态系统及其生物多样性、不同自然地带的典型自然景观及典型森林野生动植物资源。据调查发现，该保护区共有药用植物（不含藻类、真菌）275 科 1344 属 4514 种。除 20 世纪曾被定为灭绝物种的我国特有珍稀植物——崖柏外，还有珙桐、红豆杉、独一味等国家重点保护植物。

金佛山是大娄山由贵州北延入重庆，导致南部隆起而形成。金佛山国家级自然保护区总面积为 1300km²，主峰风吹岭海拔为 2251m，最低海拔为 340m。金佛山是我国珍贵的生物物种基因库和天然植物园，有被称为"植物熊猫"的银杉分布。据调查，该自然保护区共有野生药用植物 132 科 311 属 4180 种（含 11 变种和 2 变型）。其中，野生珍稀濒危药用植物 98 种，部分为金佛山特有种，如毛黄堇、金佛山黄精、南川秃房茶、南川木菠萝、金佛山百合等。

缙云山国家级自然保护区，是典型的亚热带常绿阔叶林区和植物种基因库，具有很高的保护价值和科学研究价值。该自然保护区总面积为 76km²，最高海拔为 951m。该自然保护区共有植物 249 科 966 属 1915 种（地衣和菌类未统计），被列入国家保护植物 51 种；特有植物 1 种，即缙云黄芩；以采自缙云山的模式标本命名的植物有 38 种。

雪宝山国家级自然保护区，位于重庆开州，总面积为 3195km²，其中无人区面积达 186km²。雪宝山最高海拔达 2626m。据调查，该自然保护区共有高等维管束植物 215 科 1136 属 3813 种、脊椎动物 32 目 97 科 337 种。其中，世界级极危物种 1 种（崖柏）、中国特有种子植物 50 属、被列入 1999 年公布的《国家重点保护野生植物名录（第一批）》物种 33 种（包括红豆杉、南方红豆杉、银杏、珙桐、光叶珙桐 5 种国家一级重点保护植物和 28 种国家二级重点保护植物）。

阴条岭国家级自然保护区，位于巫溪境内，属秦岭山系，东接大巴山，南连巫山。该自然保护区总面积为 80km²，辐射双阳、通城、兰英 3 个乡 13 个村，是神农架原始森林的余脉，其中原始森林面积为 58km²，平均海拔为 1900m，森林覆盖率为 90.71%，为重庆市内唯一一片原始森林；主峰阴条岭海拔为 2796.8m，是重庆最高点，被称为"重庆第一峰"。该自然保护区内植物种类达 1500 多种，有多种具有代表性的生态系统，且含有大量珍稀濒危物种，有银杏、珙桐、蜡梅、崖柏、红豆杉等国家一级重点保护植物 15 种，是难得的"天然物种基因库"。阴条岭还有"头顶一颗珠""七叶一枝花""文王一支笔""江边一碗水"等珍稀濒危药用植物，并有金雕、白熊、白狐、金钱豹、小熊猫等 300 多种国家重点保护的珍禽异兽出没林间。

五里坡国家级自然保护区，位于重庆巫山，是 2013 年 6 月 4 日国务院公布新建的 21 处国家级自然保护区之一。该自然保护区管辖重庆与湖北交界的巫山官阳、当阳、庙堂、竹贤 4 个乡镇和五里坡、梨子坪 2 个国有林场，总面积达 352km²。其中，核心区面积为 173km²，占该自然保护区总面积的 49.11%，属于典型的森林生态系统类型自然保护区。该自然保护区共有野生植物 190 科 796 属 1900 多种，有珙桐、光叶珙桐、银杏、水杉、樟树、厚朴、红豆树、水青树、巴山榧、香果树、天麻、杜仲等 30 余种国家重点保护植物。

重庆的自然保护区从面积占比来看，位于我国各地前列。自然保护区的建立，不仅有力地保护了药用动植物资源和生物多样性，也成为药用动植物研究的科研基地。但重庆尚未建立野生药用动植物自然保护区，需有关部门积极筹措，以进一步加强对药用植物生态特征和群落变化的监测研究。

第三节　重庆市中药资源发展

一、重庆市中医药发展史

（一）重庆市中医药的源流

1. 新石器时代

重庆是巫文化与巴文明的诞生地。巫山大溪文化遗址中出土了两枚古针（现藏成都中医药大学医史博物馆），经考证，其属于新石器时代。这一发现将重庆的医药史至少上推至新石器时代晚期，即公元前 2000 年左右的原始社会后期。

2. 春秋战国时期

《山海经·大荒西经》记载"大荒之中……有灵山，巫咸、巫即、巫盼、巫彭、巫姑、巫真、巫礼、巫抵、巫谢、巫罗十巫从此升降，百药爰在"。大略意思为：在灵山上生长着各种各样的药物，巫咸、巫即等巫医于此山往来上下，采炼药物。其中"灵山"，袁珂《山海经校注》认为即重庆巫山。《太平御览》中注云"巫咸。尧臣也，以鸿术为帝尧医"。王逸注云"巫咸，古神巫也，当殷中宗之世"。《吕氏春秋·勿躬》有"巫彭作医，巫咸作筮"的记载。上述文献所载反映了巫彭、巫咸等十几位巫医（郭璞《山海经》注云"皆神医也"）在早期巫、医不分时期的医疗活动，具有早期医药启蒙阶段多元的历史特点。

《山海经·海内西经》记载"开明东有巫彭、巫抵、巫阳、巫履、巫凡、巫相，夹窫窳（古代传说中一种吃人的凶兽）之尸，皆操不死之药以距之"。《山海经·大荒西经》记载"巫山者，西有黄鸟。帝药，八斋"。可见当时巫医有用药的习惯。此外，《山海经》还明确记录了一些药物的用途，如"有草焉，其状如葵，其臭如蘼芜，名曰杜衡，可以走马，食之已瘿"。杜衡为马兜铃科植物杜衡 *Asarum forbesii* Maxim.，"食之已瘿"即食用后可治疗瘿瘤。杜衡在今重庆城口、巫山、巫溪分布广泛，具有散寒、止痛、消肿功效。《山海经》中共提及植物 160 种，其中大多数药用植物在重庆均有分布，述及的疾病则有瘅、疟、腹痛、心痛、呕、胕（肿）、疠、狂、肿、瘿、疣、痈、疽、痔、疥、白癣、风、聋、眯、蛊、痤、疫等多种。

《竹书经年》中记载有丹山，以出产丹砂得名，丹砂即朱砂。《史记·货殖列传》云"巴蜀亦沃野，地饶卮、姜、丹砂、石、铜、铁、竹、木之器"，并记录了当时巴人因开采丹砂而获利丰厚，"巴寡妇清，其先得丹穴，而擅其利数世，家亦不訾……秦皇帝以为贞妇而客之，为筑女怀清台"，"女怀清台"在今重庆长寿南部，正是由于巴人开采丹砂和炼制水银有名，故东汉时期在今酉阳、秀山、黔江等地置丹兴县。朱砂作为常见中药，也可用来制作装饰性颜料和涂料，现民间仍有用朱砂书写符咒的习俗，体现了朱砂与巫文化有密切的关系。朱砂产地包括重庆彭水、酉阳、秀山等地，以及湖南湘西等，重庆一带为全国优质朱砂产区。

3. 东晋时期

东晋时期，常璩《华阳国志·巴志》云"其药物之异者，有巴戟、天椒（花椒）"。花椒不仅作为中药使用，也是巴人饮食中用得最多的调料。

4. 南北朝时期

南北朝时期《名医别录》中记载巴产药物数种，出自巴郡巴县、巫阳巫山、符陵彭水等，如"黄连……生巫阳（今重庆巫山）及蜀郡（今四川雅安）……二月、八月采"。陶弘景云："巫阳在建平（今重庆巫山）。今西间者色浅而虚，不及东阳，新安诸县最胜。临海诸县者不佳。用之当布裹挼去毛，令如连珠。世方多治下痢及渴。"说明当时黄连产于重庆巫山一带，陶弘景还比较了各产地黄连的质量，并认为巫山所产比其他产地产者质量要好。同时，陶弘景明确指出黄连的主要用途为治疗痢疾及消渴病，这一功效沿用至今。

5. 唐宋时期

唐宋时期中医药发展进入鼎盛时期。唐代显庆二年，唐高宗诏令李勣、苏敬等人，收集天下药物，编撰《新修本草》。同时朝廷通令全国各郡县，把当地出产的药物，详细记录并描绘图样，送往长安，并于显庆四年成书。清代咸丰年间《开县志》曾记载"唐志开州贡苿莒实。《寰宇记》

'开州贡车前子'"。唐代张籍作《答开州韦使君寄车前子》，曰："开州午日车前子，作药人皆道有神。惭愧使君怜病眼，三千余里寄闲人。"可见，唐宋时期开县（今重庆开州）所产车前子已经非常著名，不仅作为贡品，也可作为礼物赠送贵宾。

唐代《元和郡县志》记载："唐玄宗开元二十九年定土贡，合州（今重庆合川）贡牡丹皮一斤、药子一百颗。"又记有唐宪宗元和元年复定土贡，合州仍贡牡丹皮、白药子。此外，三峡地区仅在唐宋时期被列为当地特产和贡物的就有五加皮、杜若、鬼臼、黄檗、葶苈子、巴戟、白药子、白胶香等。

宋代《本草图经》云："黄连，生巫阳川谷及蜀郡泰山，今江、湖、荆、夔州郡（今重庆奉节）亦有。"《太平寰宇记》云："忠州领五县：临江、丰都、垫江、南宾、桂溪，土产苦药子、黄连。"上述记载表明，宋代黄连在重庆多地有分布。

6. 明清及民国时期

据文献记载统计，明清时期重庆所产中药不下百种。如明代《大明一统志》"夔州府土产"中被列为重庆特产的有木药子、麝香、枫香、黄连、厚朴、栀子、贝母、覆盆、杜若、鬼臼等。清代光绪年间《大宁县志》记载重庆产"党参、黄连、杜仲、牛膝、当归、车前、厚朴、升麻"，大宁县即今重庆巫溪。《大宁县志》还描述川党参"药之属，党参以狮子头、菊花心为上品，产鞋底山、关口山及林橦垭等处"。在巫溪猫儿背林区，至今尚存清代雍正年间的完好石碑，上刻"山之高，水之冷，五谷不长，唯产党参"。民国时期《云阳县志》记载云阳所产以明参、防风、土升麻、施党参、厚朴等为多。《民国新修合川县志》记载："栝楼……元各郡县志，合州贡白药子即此物，天花粉其根也。"这一时期的各县志多有中药物产的记载，且叙述详细。

《乾隆巴县志》记载："药属，花属，其类甚广，难以枚举。"《光绪重修长寿县志》亦云："药品如薄荷、紫苏、香附、牛膝、半夏、车前、黄精、首乌、女贞子、益母草各品，不可枚举。"《光绪秀山县志》称："厚朴、黄柏岁货数百金，八面山产杜仲至万斤。"

《道光綦江县志》记载："前明有官于江西者携种来，延于附里。本药材，不中食，故人不知贵而有贱值收诸。乾隆中忽昂贵，遂获厚利以致富，人多植之。"清代光绪年间《大宁县志》称，当地药农栽种黄连、杜仲，药商常来收购。民国时期《重修丰都县志》记载："黄连，药中上品，产黄水坝，有捆载出洋者。"

（二）重庆市中药交易的历史

1. 先秦时期

我国古代中药材的流通史，可追溯至先秦时期，我国最早的中药材批量交易也产生于同一时期。《史记·货殖列传》记载"其先得丹穴，而擅其利数世，家亦不訾"，表明巴寡妇清以采丹砂致富（在今长寿建有"怀清台"）。丹砂，《名医别录》谓其"生符陵（今彭水）山谷"。这一时期的中药材交易仅局限于部分官民交易，多数则以征收、纳贡形式进行。

2. 北宋时期

重庆中药交易真正形成民间药市是在北宋时期，三峡地区有按季节定期开设的较大规模药市，《续资治通鉴长编》记载"每春州县聚游，人货药"。这种交易活动，必然会促进三峡地区的药材采集、种植和收购。依托长江通埠海内外之便，三峡地区药材出口贸易较频繁，"大宁的杜仲"等药物"行销甚远"。

3. 明清时期

清代《石柱厅志》记载："药味广产，黄连尤多，贾客往来，络绎不绝，然皆土人所蓄，历三五载出地，至数岁者为久，贩之四方，亦曰川连。"这一时期，药材来源不再单纯依赖采集猎获。其中尤以能够远销外地的厚朴、黄连种植更多，往往是由商人出资栽种，租佃给"棚户"管理。这样的药田，动辄连绵数十里，相当可观。

清代道光年间，奉节太和坪、茅草坝等地已有少数农民开荒种植党参等药材，质量较好，销往汉口、广州等地。光绪年间，奉节收购和贩运药材的商贩增多，刺激了药材生产，种植范围扩大到三角坝、冯家坝、荆竹园、竹园坪等地。宣统年间，奉节县城已有中药铺26家。

重庆通埠以来，中药交易十分兴旺，在清代康熙年间，就有江西熊长泰及重庆伍舒芳先辈开设的神香室，嘉庆年间较著名的则有壶中春、桐君阁、罗广济堂、种德堂、同壶春、大寿隆、茂生堂等，以及合川的元义堂、铜梁的桂林堂。

桐君阁于清代光绪三十四年（1908）由巴县人许连安创办，原名为"桐君阁熟药房"，取义于《本草纲目》中"桐君，黄帝时臣也，著有《桐君采药录》"一段，以"桐君"二字为名。

4. 民国时期

重庆药材市场形成于清代中期，1911—1937年逐步发展至极盛时期。因水运发达兴市后，八面来风，各地药材纷纷运至重庆。《乾隆巴县志》称"西药自陕甘运来""广药由长江运来""淮药由河南运来"，使重庆成为西部药材批发中心，药帮云集。清代末年，重庆有江西临帮、广东广帮、浙江浙帮、河南淮（怀）帮、陕西陕帮、湖北汉口帮和本地的川帮，统称"药七帮"。经过激烈的商战，川帮力克外省各帮，确立了霸主地位。

此后，重庆药材市场形成了完整的产业链。上家是贩运商，下家由咀片铺、择药铺、字号、药栈、批发商、中医院共同组成。咀片铺有仁济、庆余堂、天元堂、熊长泰、炳泰堂等。择药铺有锡祺生、裕盛昌、德盛荣、全盛昌、兴盛荣、同福源等。由择药铺发展成的字号有自立成、义和源、阿福源、裕盛昌等。药栈有惠泰永、谦泰隆、正泰和、衡丰泰等。批发商有大道生、福源长、聚义长、祥源、同义长、怡生活、大川源等。中药商号总数为300家左右，盛极一时。

为方便装卸药材，药帮店铺主要分布在长江边储奇门、羊子坝、人和湾、金紫门一带。白天货船如蚁，帆樯遮天；入夜笙歌不绝，通宵达旦。据知情者回忆，有的大药商富可敌国，求田问舍，妻妾成群。

据粗略统计，民国初期每年由重庆输出到当时我国中南、华东地区和国外的药材有当归、纹党参、黄芪、川芎、泽泻、松贝母、黄连、郁金、羌活、虫草、雅大黄、天全牛膝、天麻、巴豆、姜黄、枳壳、白姜、陈皮、附片、天雄、麦冬、白芷、白芍、半夏、杜仲、乌梅、五倍子、白木耳、丹参等品种，每年由福源长、正大诚、万福同、聚义长、同义长和聚福厚等 6 家字号输出的数量约占重庆药业输出总量的 50%。当时重庆药业"字号百余家，栈七八十，铺户以数百，营业大者百余万，其次数十万，小者也有数成……陕、甘、康、滇、黔所产药材以此为集散地，湘、鄂、赣、粤等省药材执行销西南各省，亦莫不以其为分配地"。

储奇门一带为重庆药帮的聚集之处。民国初期所建立的药材十三帮，其领会地点即在储奇门义济堂内。民国十五年（1926）撤销十三帮董事制后，成立了"重庆药材同业公会"，公会下又建立了字号、铺户和"药七帮"的基层组织，直到抗日战争爆发前夕，会员户数尚在 400 家以上。

万县濒临长江，为川东门户，历来是下川东及鄂西重要的中药材集散市场。清代光绪至宣统年间，万县经营批发业务的商号有 10 多家；辛亥革命后为 16 家，其中德兴永号资本较大，有白银 2 万两。1931 年，万县药号发展到 25 家、药铺 72 家、中药从业人员 390 余人，当时建立有行会组织药帮。市场极盛一时，上下轮船都装载药材，可说是"离了药材不圆载"。

万县的药号多集中在当铺巷和邱家巷，药铺则散在各街道。万县药市经营广货（如白蔻、砂仁、胡椒）、浙货（如白术、玄参、玄胡、浙贝母）、怀货（如地黄、山药、枣仁等）和川货（味连、川芎、党参、川贝母、巴豆、小茴香、陈皮等百余种）。万县药市的药材来源，一是从重庆市场进货；二是从万县附近收购，如小茴香，每年从云阳固陵沱乡场收 7 万千克左右，党参从巫山、巫溪及湖北恩施等地收 10 万千克左右，巴豆从忠县收 1.5 万～ 2 万千克，尤其是陈皮，收购量最为可观，远销汉口、上海、广州、天津、郑州等地，获利丰厚。

清代至民国时期，重庆伍舒芳的万应寿世膏、狗皮膏以及五毒膏等，畅销西南地区。熊长泰生产的 100 多种成药中，灵宝丹、光明眼药、生肌拔毒丹、红毛膏、十全大补丸、黑锡丹等颇有名气。桐君阁的磁朱丸、化症（癥）回生丹，庆余堂的桑菊饮、银翘散等，大都为这些店铺的拳头产品。一些县市也创出一些著名中成药，如永川大昌恒的补中益气丸，铜梁长寿春的七制香附丸，合川元仪堂的二仙丹、白膏药。

二、历次中药资源调查情况

（一）中药资源调查史

自 1949 年以来，我国先后开展过几次全国中药资源普查，取得了丰富的成果，为中医药事业发展奠定了基础。重庆是我国最早开展中药资源调查的省（区、市）之一，曾牵头负责或参与了历次中药资源调查。

1957—1960 年四川每年开展一次中药资源调查。1957 年，中国医学科学院西南中药研究所（今重庆市中药研究院）负责峨眉山地区，四川省商业厅医药局负责巫山县，四川各地医药贸易局、各生产经营部门负责所在地，曾对中药资源进行调查。当时调查的内容包括药用资源种类、药用部位、医疗用途及采收季节等。但此次调查由于种种因素，最后采集到的标本有限。1958 年四川又组织了一次中药资源调查，由中国医学科学院西南中药研究所负责米易、会理、茂汶、汶川、理县的中药资源调查。此次调查先在医、工、贸易部门摸底，然后根据当地所产药材进行品种调查，了解当地常用草药（包含验方、秘方），最后去寻找相应的药源。此次调查由于调查的时间、方法和要求未落实到位，以致获得的资料零散。

1958 年，重庆市卫生局将收集到的祖传秘方、经验良方与民间流传的单方集结出版，书名为《祖国医学采风录》，共分两集，第一集共收载秘方、验方、单方 1358 个，第二集共收载 640 个。

1959 年四川开展了大规模野生经济作物资源调查，其中，中药材为调查的重要内容之一。此次调查由中国科学院四川分院农业生物研究所等 13 家单位参与，重庆的万县、涪陵、江津被列入调查范围。此次调查共收集了 500 种药用植物标本，并掌握了天麻、贝母、大黄、当归、虫草、黄连等药材的销售情况，四川省中药研究所（今重庆市中药研究院）收藏了部分此次调查的标本。但此次调查不够系统完整，有重复或遗漏现象，也未发现新的药源。

1960 年四川开展了第四次对野生名贵药材的调查。此次调查由四川省中药研究所与中国科学院南京植物研究所共同参与，针对阿坝、甘孜、凉山三州进行调查。此次调查基本摸清了当时名贵中药材的状况。在前期调查的基础上，四川省中药研究所承担了四川省中药资源普查工作，将收集到的调查资料整理，编撰出版了我国第一部地方中药志——《四川中药志》。

1962 年四川进行了金佛山植物调查，共采集到标本 1065 号，经初步整理共 126 科 755 种，其中有 2 个新种、1 个新变种、1 个新变型。

1969—1973 年四川进行了第二次中药资源普查。1970 年，在重庆市卫生局的领导下，由四川省中药研究所、西南农学院、重庆市中药材公司、重庆市药品检验所、四川省重庆药剂学校、重庆市卫生学校组成市中草药资源普查组，对万县专区开展中药资源普查，并以此作为中药资源综合型普查的经验和示范，为第三次全国中药资源普查试点工作提供了技术保障。此次普查记录药用植物 742 种，其中《重庆常用草药手册》未收入的有 259 种，共收集单、验方 243 首。

第二次中药资源普查期间，重庆各地出版了大量中草药手册，如《四川中草药》《万县中草药》《常用中草药手册》等。《万县中草药》于 1977 年 12 月 1 日出版，共收载了万县（今万州、城口、巫山、云阳、奉节、开州、忠县、垫江）中草药 1260 种。《常用中草药手册》收载了中草药 500 种并附图，汇集验方 531 首。

1978 年四川省中药研究所派出中药资源专家 13 名，作为四川各地区中药资源普查的技术负责人，共采集到标本 4250 号，计 14000 份，并发现许多新种、新分布种和新药源，其成果"四川中草药野生资源调查"在 1978 年获全国科学大会奖。在此基础上，四川省中药研究所编撰完成 1980 年版《四川中药志》，该书获得四川省科学技术进步奖三等奖。

1983—1987 年进行第三次全国中药资源普查，以家种药材 50 种、家野兼有药材 82 种、野生药材 228 种为重点在全国范围内进行调查；主要实施单位为各地区药材公司。四川省中药研究所参与此次普查，其普查成果"四川省中药资源普查"获四川省科学技术进步奖二等奖。

据统计，至 1991 年，万县常见中药材有 1600 余种，分属 182 科 774 属，其中植物药 1474 种，动物药 106 种，矿物药 20 种，被列入收购的商品药材有 300 余种，具有药用、经济、观赏价值的有 300 余种。药用动植物中有不少国家濒危保护物种，如金钱豹、杜仲、银杏、荷叶金钱、八角莲、厚朴等，共计 40 余种。万县是四川药材主产区之一，也是川、广重要的药材集散地，栽培中药的历史悠久，该处道地药材就达 20 余种。

1999 年，程地芸、王向东、金仕勇等人对重庆地区药用两栖、爬行类动物资源进行调查，共记录药用两栖类 11 种，属 2 目 5 科，药用爬行动物 27 种，属 3 目 9 科。从地域分布看，以南川为多，占 62% 以上，巫山次之。

2000 年，刘克志、侯江等人对秀山陆生野生脊椎动物的资源状况进行调查，共记载陆生野生脊椎动物 200 种，隶属于 20 目 58 科 110 属。其中，两栖类 5 种 1 目 3 科 3 属，爬行类 8 种 1 目 5 科 8 属，鸟类 152 种 13 目 37 科 70 属，兽类 34 种 5 目 13 科 29 属。这四类动物分别占该类动物全国种数的 2.6%、2.5%、12.82% 和 7.56%。

2001—2005 年，重庆市中药研究院参与了国家基础性科研项目——中草药、民族药资源调查与整理，共整理出中药资源 162 科 489 属 872 种，包括真菌类 3 科 3 种、地衣类 2 科 3 种、苔藓类 3 科 3 种、蕨类 23 科 92 种、裸子植物 5 科 14 种、被子植物 126 科 757 种，其中有 8 种为珍稀濒危保护植物。

2005 年，由熊济华主编的《重庆缙云山植物志》记载了缙云山的维管束植物 202 科 870 属 1716 种（包括亚种、变种、变型），其中，蕨类植物 38 科 74 属 149 种 1 变种，裸子植物 7 科 25 属 37 种 5 变种 4 栽培变种，被子植物 157 科 771 属 1375 种 115 变种 10 亚种 20 变型。

2006 年，中国医学科学院中国协和医科大学药物研究所和中国科学院植物研究所的吴丰、傅连中、马林等人对金佛山药用植物资源进行调查，共记录药用植物 211 科 2896 种，其中，蕨类植物 30 科 70 属 165 种、裸子植物 10 科 23 属 42 种、双子叶植物 148 科 802 属 2308 种、单子叶植物 23 科 106 属 381 种。

2007 年，由重庆市药物种植研究所刘正宇主编的《重庆市三峡库区药用植物资源名录》出版，该书共收载三峡库区野生和栽培药用植物 278 科 1377 属 4521 种（含变种和亚种）。

2000—2007 年，重庆市中药研究院对重庆境内的中药资源再次进行调查和整理，出版了《重庆中草药资源名录》（2007 年版），收录了重庆地区植物药、动物药、矿物药共计 5500 种（含种下级），隶属于 466 科 1783 属。其中，植物药 307 科 1493 属 5014 种、动物药 159 科 290 属 466 种、矿物药 20 种。

（二）第四次重庆中药资源普查情况

2011 年 10 月，第四次重庆中药资源普查试点工作进入筹备阶段，在当时重庆市卫生和计划生育委员会（以下简称"重庆市卫计委"）的领导下，组织专家撰写实施方案，确定重庆中药资源普查试点区县；论证各试点区县重点调查品种及调查线路，确定普查具体实施方案；组建重庆中药资源普查领导组织机构，确定重庆市中药研究院为此次普查的组织实施单位。

2012 年 1 月，重庆市人民政府办公厅印发《关于成立重庆市中药资源普查试点工作领导小组的通知》，正式成立重庆市中药资源普查领导小组，重庆市发展和改革委员会、重庆市财政局、重庆市林业局、重庆市食品药品监督管理局等相关部门分管领导任小组成员。领导小组负责监督指导普查工作的全面实施，同时下设领导小组办公室，办公室设在重庆市卫生局中医处，负责全市中药资源普查的组织、协调和实施，以及日常工作。同时，在重庆市中药研究院成立项目组，分设资料组、后勤保障组、项目协调组。专家组制订了中药资源普查操作手册，培训各区县普查队的技术骨干，组建重庆万州、黔江、北碚、江津、南川、綦江、铜梁等 18 个试点区县（自治县）普查队，确定中药资源普查队春、秋两季野外调查的工作时间。

2012 年 2 月 29 日，第四次全国中药资源普查重庆试点工作启动会在重庆南山召开，18 个试点区县（自治县）卫生局分管负责人、技术支撑单位、各试点区县相关技术人员约 180 人参加了此次会议。重庆为全国省级中药资源普查启动最早的省份之一。

2012 年 3 月 1 日，重庆中药资源普查队全体成员参加第四次全国中药资源普查重庆市中药普查（试点）启动会暨培训会，学习中药资源普查相关理论知识。此次培训分为理论培训和样方调查模型培训，理论培训内容有《普查内容和工作流程》《野外样方调查技术》《药用植物标本采集规范》《重点品种鉴别要点》和《野外安全知识》，样方调查模型培训为标准样方的观摩学习。重庆作为全国省级中药资源普查规范化培训基地之一，相关普查方案和培训内容被多省借鉴和交流。

2012 年 3 月起，中药资源普查办公室协调组先后到拟进行普查试点的 18 个区县（自治县）进行沟通协调，向区县政府和区县普查办公室成员单位通报中药资源普查的背景、意义、任务、安排及需要配合的方面。通过深入细致的协调工作，提高了当地政府对中药资源普查工作的认识，得到各区县的支持与配合，为普查工作的全面开展奠定了基础。同时，在铜梁召开了中药资源普查野外实训，分组分次对普查试点区县的普查骨干和队员进行实地操练培训，让技术骨干掌握野外普查的具体内容和指标，从而保证普查质量。

2012 年 5 月，重庆市中药研究院资源普查全体技术人员分别前往梁平、秀山、万州、开县（今开州）开展野外调查工作，每支普查队统一调配技术骨干 2 ～ 3 名，区县队员 2 ～ 4 名，内业整理人员 1 ~ 2 名，向导司机 2 ~ 3 名，并明确了每名队员的工作职责和任务。同时，重庆市药物种植研究所全体技术人员再次在南川开展为期 3 天的野外调查培训。2012 年 5 月中下旬，各试点区县（自治县）陆续启动中药资源普查野外调查工作。

2012 年 6 月，重庆中药资源普查试点第一阶段野外普查工作按期完成野外样方、样品采集，药材流通，传统知识等调查工作。

2012 年 7 月 25 ~ 26 日，在重庆市药物种植研究所召开了第一批重庆中药资源普查工作中期总结会，及时总结取得的成绩和经验，发现普查存在的问题，明确下一步工作方向。第一批 18 个区县（自治县）普查队长和骨干 60 余人参会，对第一批普查区县（自治县）普查进展情况进行汇报，并讨论下半年的工作目标和内容。

2012 年 8 ~ 9 月，开展了重庆中药资源的野外补充调查。重点采集之前未收集到的药材样品，补充相关调查及药材市场的调查等工作。

2012 年 10 ~ 12 月，开展了内业整理，包括标本制作、整理、鉴定，并将调查数据录入第四次全国中药资源普查数据库。

2013 年 4 月 23 日，第二批重庆中药资源普查永川、大足、长寿、涪陵等 12 个区县（自治县）普查工作启动会议在金质花苑酒店召开，来自涪陵、潼南等 12 个区县（自治县）的卫生局分管领导、抽调的技术骨干和技术支撑单位技术人员，共计 100 余人参加会议。会上，对全体技术人员进行了理论培训。此次启动会议的召开，标志着第二批重庆中药资源普查工作正式启动。

2015 年 3 月，第三批重庆中药资源普查巴南、南岸、渝北、九龙坡、江北、沙坪坝 6 个区县中药资源普查工作启动。重庆市中药研究院承担南岸、渝北、江北的中药资源普查；重庆市药物种植研究所承担巴南、沙坪坝、九龙坡的中药资源普查工作。鉴于前两批普查工作，两个技术支撑单位有能力全面完成相关任务，经请示当时重庆市卫计委，第三批 6 个区县的普查启动会改为重庆市中药资源普查工作推进会，并于 5 月在南川召开。此次会议由重庆市中药研究院主持，重庆市药物种植研究所所长及各普查队技术人员参会。重庆中药资源普查的技术负责人瞿显友研究员介绍中药资源普查工作内容和新的技术要求，提出普查完成的时间和节点。会议后，进行了野外标本辨识培训。

2015 年，中国中医科学院中药资源中心重庆分中心建成，成为全国首个省级分中心，标志着重庆中药资源研究步入国家队。同年建立了重庆市中药原料动态监测信息与技术服务中心（简称重庆中药资源动态中心），对重庆药材市场上 100 种药材价格进行监测。分别在秀山、石柱建立县级中药资源动态监测站，对重庆道地大宗药材黄连、金银花、白术等进行动态监测和技术服务，构建了重庆中药资源动态监测体系。

2016 年底，开展了重庆江北、万盛 2 个区县的野外补充调查。重庆市中药研究院和重庆市药物种植研究所分别承担了江北、万盛的中药资源普查工作。重庆市中药研究院同时承担"药用植物重点物种保存圃建设"的任务,重点保存 600 种药用植物。

2017 年,第四次全国中药资源普查正式启动。5 月,第一批重庆中药资源普查 18 个区县(自治县)顺利通过验收,成为全国一次性通过验收的省市之一。12 月,第二批重庆中药资源普查 12 个区县(自治县)、重庆中药资源动态中心,顺利通过验收。

2018 年,重庆市中药研究院派出 9 名中药资源普查技术骨干,协助四川彭山、犍为、沙湾、泸定等县开展普查工作。11 月建立"重庆市中药资源普查成果管理系统",采用地理信息系统对全市中药资源数据与图片进行管理,并在此系统上进行数据挖掘与分析。该系统由中国测绘科学院负责承建。12 月,第三批重庆中药资源普查 4 个区县、2 个县级动态监测站,顺利通过验收。

(三)第四次重庆中药资源普查取得的成果

1. 建立了高效的普查组织模式

分析前三次中药资源普查存在问题,针对原有中药材公司解散、普查技术人员缺失等现状,此次重庆中药资源普查创新了普查组织管理模式:实施"五个统一",即普查方案制订、多层次技术培训、专业人员协调、后勤保障、野外实施期限;做到"三段控制",即事前指标分解、事中督导检查、事后考核验收;推行"两个结合",即中药资源普查与产、学、研、用充分结合,野外普查与内业整理相结合。通过实践证明,此次普查规范有序、高效安全。

2. 摸清了重庆中药资源现状

截至 2018 年 12 月,普查人员共实地调查代表区域数量 154 个,已完成样地 1362 块,样方套 6765 个;普查野生品种 4012 种、栽培品种 120 种。市场调查主流品种 167 种。采集腊叶标本 50200 份、药材标本 6027 份、种质资源 519 份,拍摄照片 245737 张,共完成 3 个监测站的建设,分别建立了现代中药资源动态监测信息和技术服务中心秀山站、现代中药资源动态监测信息和技术服务中心石柱站。

3. 提升了中药资源学学术水平

重庆在此次中药资源普查过程中,出版了《中国石蝴蝶属植物》《黄连生产加工适宜技术》等专著,并编写了《重庆中药志》《连片贫困山区武陵山中药材生产加工适宜技术》《土家族药资源与应用》。同时,受当地政府委托,起草制定了巫山、武隆、潼南、石柱中药产业发展规划,提出 34 个区县中药材产业发展规划建议,并撰写了 34 个区县中药资源普查报告和《重庆太白贝母资源专题调研报告》《传统医药知识调查》等 4 项专题报告。

重庆此次普查共发表中药资源普查相关论文 50 余篇,其中 SCI 论文 6 篇。申请发明专利 2 项:"编写标本标签程序"为国家中药资源普查办采纳;"植物标本快速烘干法"极大方便了野外标本制作。

重庆此次普查共发现疑似新种 12 个,已发表新种 3 个,正在进行淫羊藿等新种的研究工作;发现重庆市市级新分布种 16 个,以及濒危保护物种黑桫椤、野生红豆杉居群;发现太阳草(独花黄精）、羽裂金盏苣苔等民间药用新资源；开展了外来物种调查，编写了《重庆外来入侵物种目录》；共发现外来物种 80 科 500 余种，对生态影响较为严重有 222 种。

4. 培养了各层次人才

重庆在此次中药资源普查期间，共培训各区县基层中药人员 300 人次，并承办重庆市人力资源和社会保障局委托的"中药资源保护与利用高级培训班"；普查队员中，3 人进入全国中药资源普查培训班；3 人被列为重庆市中医药高级人才培训计划；培养中药资源学学科方向博士研究生 3 名，硕士研究生 5 名；开展中药实用技术的培训 10 余次，培训人数 2000 余人。

5. 搭建了中药科研平台

利用中药资源普查的契机，重庆搭建了中药资源学学科平台；成立了中国中医科学院中药资源中心分中心，建成了中药资源学重庆市重点实验室，完成国家中医药管理局中药鉴定学重点学科建设，为中药资源深入研究搭建了良好的科研平台。此外，重庆建立了重庆市中药研究院江津分院，开展以中药资源创新服务为方向的应用性研究机构。

6. 传承了中药资源文化

利用普查获得的素材，编写了《重庆市中药资源普查》画册，打造中药资源普查专题展厅，拍摄了《巴渝本草》视频，并开展"珍稀濒危植物保护"的科普教育活动 10 余次，受益市民 2000 余人。此外，依托普查为技术支撑建立了"南山生态石斛园""垫江药谷"等专题药用植物园。

7. 加强了资源方面合作

重庆在此次普查过程中，开展了重庆道地或优势药材，如枳壳、半夏、玄参、天冬、木香（云木香）、黄连、何首乌、川党参、牡丹皮、葛根、白术、灰毡毛忍冬、太白贝母等的种质资源评价工作，并对其土壤相关性进行分析，涉及 11 个基地、10 个中药企业，为各区县（自治县）中药种植规划提供技术支撑，为企业提供优质药源信息，也为优良品种选育、种植技术提升提供依据，产生经济效益 5000 多万元；完成了高原药用植物桃儿七、独一味等资源情况调查，川续断动态监测 5 个监测点第一阶段调查工作。

重庆市中药研究院等协助江西、四川、西藏等省区完成野外中药资源普查和植物分类鉴定工作，共鉴定标本万余份，发现疑似新种 26 种，省级新分布种 30 余种；并参与协助全国中药标本的整理工作，整理 5 个省区（市）标本 5 万余份。重庆市药物种植研究所协助四川、青海、西藏完成中药资源普查工作，并获得好评。

第四节　重庆市中药资源变化分析

在第四次全国中药资源普查中，重庆对 37 个区县（渝中区除外）的普查结果显示，此次普查共发现 219 科 4012 种药用植物，其中重点品种 294 种。与第三次全国中药资源普查重庆普查结果相比，变化见表 2。

表 2　第三次、第四次重庆中药资源普查结果对比

类别	第三次重庆中药资源普查	第四次重庆中药资源普查
总科数	256 科	219 科
总物种数	1504 种	4012 种
藻类	1 科 1 种	未涉及
真菌类	3 科 7 种	3 科 6 种
地衣类	4 科 5 种	未涉及
苔藓植物类	4 科 4 种	2 科 2 种
蕨类植物类	31 科 93 种	39 科 369 种
裸子植物类	8 科 14 种	8 科 42 种
双子叶植物类	124 科 1081 种	141 科 2998 种
单子叶植物类	23 科 212 种	24 科 594 种
动物类	58 科 81 种	1 科 1 种
矿物类	6 种	未涉及

注：第三次重庆中药资源普查仅对重庆部分区县进行了调查，第三次中药资源普查数据以重庆植物相对丰富的万州地区所出版的《万县中草药》为基础统计而成，仅供参考。

第四次重庆中药资源普查，根据全国中药资源普查方案目录，结合重庆中药资源特点，选择了以大宗及常用中草药为主。动物类及矿物类药物因资源蕴藏量调查方法尚不成熟，未纳入重庆重点调查中药材名录，藻类、地衣类药物在重庆调查名录中也未涉及。从表 2 可以看出，此次普查与前次相比，药用植物种数有明显上升。蕨类植物较前次普查明显增多，而蕨类植物多分布于林下、林间、荒地中，种类增多可能与退耕还林以及人口迁移而导致的土地荒芜有关。双子叶植物和单子叶植物也较前次普查明显增多，说明了自第三次重庆中药资源普查以来，重庆中医药从业人员对药用植物认识加深，开发利用也随之加大，对药用植物研究也不断深入。

第四次重庆中药资源普查与前次相比，前十科药用植物排序见表 3。菊科仍为药用植物第一大科，并较前次增加 197 种；蔷薇科药用植物种数明显增加，增加 170 种，并上升为第二大科；禾本科增加 132 种，较前次略为提升，列为第三；在前次中药资源普查列为第八的兰科植物，此次跌出前十，说明兰科植物经历生态变化，又加上人为无节制的采挖，在普查中已很少见到，这提醒人们应加大对兰科植物的保护力度。

表 3　第三次、第四次重庆中药资源普查前十科药用植物排序对比

排序	第三次重庆中药资源普查	第四次重庆中药资源普查
1	菊科 98 种	菊科 295 种
2	豆科 66 种	蔷薇科 221 种
3	百合科 62 种	禾本科 172 种
4	蔷薇科 51 种	豆科 150 种
5	唇形科 47 科	百合科 133 种
6	毛茛科 42 种	唇形科 117 种
7	禾本科 40 种	毛茛科 83 种
8	兰科 32 种	鳞毛蕨科 81 种
9	伞形科 32 种	伞形科 77 种
10	蓼科 31 种	蓼科 71 种

二、第四次中药资源普查前后重庆中药资源比较

《重庆中草药资源名录》（2007 年版）是重庆成为直辖市后，通过文献整理和实地调查，对重庆所辖范围内药用动物、植物、矿物的整理汇编。该书收录了重庆地区植物药、动物药及矿物药，共计 5500 种（含种下级），隶属于 466 科 1783 属。其中，植物药 307 种 1493 属 5014 种，动物药 159 科 290 属 466 种，矿物药 20 种。第四次全国中药资源普查中，重庆中药资源普查结果与《重庆中草药资源名录》对比，未发现的药用植物类别及数量见表 4。

表 4　《重庆中草药名录》与第四次重庆中药资源普查各类物种数量对比

类别	《重庆中草药名录》	第四次重庆中药资源普查
藻类	5 科 5 种	未涉及
真菌类	26 科 146 种	3 科 6 种
地衣类	8 科 27 种	未涉及
苔藓植物类	45 科 206 种	2 科 2 种
蕨类植物类	46 科 500 种	39 科 369 种
裸子植物类	9 科 58 种	8 科 42 种
被子植物类	169 科 4072 种	165 科 3592 种
动物类	159 科 466 种	1 科 1 种
矿物类	20 种	未涉及
总科数	307 科	219 科
总物种数	5014 种	4012 种

从表 4 可以看出，藻类、地衣类、苔藓植物类未作为第四次重庆中药资源普查重点调查对象。另外，蕨类植物多数仅在民间应用，未有相关权威药用记载，中药资源普查数据库也未将之列为药用植物，故第四次重庆中药资源普查较《重庆中草药名录》未发现的种数较多。

第四次重庆中药资源普查较《重庆中草药名录》记载未发现的药用植物种数较多的科及其数量见表 5。

表 5　第四次重庆中药资源普查未发现的药用植物种数较多的科及其数量

科名	数量
菊科	120
百合科	118
豆科	91
唇形科	89
蔷薇科	87
毛茛科	74
兰科	61
鳞毛蕨科	61
禾本科	59
伞形科	50
虎耳草科	45
玄参科	43
水龙骨科	41
荨麻科	39
芸香科	38
十字花科	37
杜鹃花科	36
樟科	35

　　从表5可以看出，菊科药用植物在第四次重庆中药资源普查中未发现的有120种，菊科作为被子植物第一大科，其药用植物种类繁多；百合科未发现的有118种；豆科未发现的有91种。

　　此次普查中未发现的药用植物有几种情况。①是否药用的标准不一。如蕨类植物入药文献记载相对较少，但民间应用较多。如菊科植物加拿大一枝黄花，作为外来物种，仅有1篇文献报道提及其药用功效，尚未见到其他相关专著记载。而《重庆中草药资源名录》凡是在民间有药用记录或药用功效的研究者，均被列入该书。②珍稀濒危导致难以采集。如兰科植物金佛山兰 *Tangtsinia nanchuanica* S. C. Chen.、罗河石斛 *Dendrobium lohohense* Tang et Wang.、伏生石豆兰 *Bulbophyllum reptans* Lindl. 等，因十分稀少，故在普查中难以采集到相关标本。另有部分虽未被列为珍稀濒危物种，但因本身数量少，故也难以采集。③部分种植或观赏药材未进行调查。如美人蕉科美人蕉 *Canna indica* L.、紫叶美人蕉 *Canna warscewiezii* A. Dietr.，兰科春兰 *Cymbidium goeringii* (Rchb. f.) Rchb. f.、芭蕉科地涌金莲 *Musella lasiocarpa* (Franchet) C. Y. Wu ex H. W. Li 等，多作为观赏植物，此次野外调查未将它们纳入。

第二章

重庆市中药资源区划

第一节 生态功能区划

生态功能区划是根据区域生态环境要素、生态环境敏感性与生态服务功能空间分异规律，将区域划分成不同生态功能区的过程。

根据《重庆市生态功能区划》的研究结果，重庆可划分为 5 个功能区。各级区划如下。

Ⅰ 秦巴山地常绿阔叶—落叶林生态区

    I_1 大巴山常绿—落叶阔叶林生态亚区

        I_{1-1} 大巴山水源涵养—生物多样性保护生态功能区

Ⅱ 三峡库区（腹地）平行岭谷低山—丘陵生态区

    II_1 三峡水库水体保护生态亚区

        II_{1-1} 巫山—奉节水体保护—水源涵养生态功能区

        II_{1-2} 三峡库区（腹地）水体保护—水土保持生态功能区

    II_2 梁平—垫江农业生态亚区

        II_{2-1} 梁平—垫江营养物质保持生态功能区

Ⅲ 渝东南、湘西及黔鄂山地常绿阔叶林生态区

    III_1 方斗山—七曜山常绿阔叶林生态亚区

        III_{1-1} 方斗山—七曜山水源涵养—生物多样性生态功能区

    III_2 渝东南岩溶石山林草生态亚区

        III_{2-1} 黔江—彭水石漠化敏感区

        III_{2-2} 酉阳—秀山水源涵养生态功能区

Ⅳ 渝中—西丘陵—低山生态区

    IV_1 长寿—涪陵低山丘陵农林生态亚区

        IV_{1-1} 长寿—涪陵水体保护—营养物质保持生态功能区

    IV_2 渝西南常绿阔叶林生态亚区

        IV_{2-1} 南川—万盛常绿阔叶林生物多样性保护生态功能区

        IV_{2-2} 江津—綦江低山丘陵水文调蓄生态功能区

    IV_3 渝西丘陵农业生态亚区

        IV_{3-1} 永川—璧山水土保持—营养物质保持生态功能区

        IV_{3-2} 渝西方山丘陵营养物质保持—水体保护生态功能区

Ⅴ都市区人工调控生态区

    V_1 都市区城市生态调控亚区

        V_{1-1} 都市核心生态恢复生态功能区

        V_{1-2} 都市外围生态调控生态功能区

在以上生态功能区划中，Ⅰ区、Ⅱ区主要为重庆东北部三峡库区，该区生物多样性丰富，定位为生态保护及水源涵养区，用于保护三峡库区的生态安全。Ⅲ区为武陵山—七曜山脉，主要位于重庆东南部，生物多样性较为丰富，也为生态保护区。

2013 年 9 月 14 日，综合考虑人口、资源、环境、经济、社会、文化等因素，重庆被划分为"五个功能区"：都市功能核心区、都市功能拓展区、城市发展新区、渝东北生态涵养发展区、渝东南生态保护发展区。

中药资源与植被分布有着紧密的关系。对重庆的植被资源进行归一化评价，结果显示，指数值高的地域主要集中在重庆东北部的城口、巫溪，重庆东南部的武隆、彭水和酉阳，以及重庆南部的江津、南川等区县。相对而言，重庆主城区及几个近郊区县的指数值较低，而重庆西部方山丘陵区及北部的长寿、垫江、梁平和忠县是传统农业主产区，由于其地域上广布农作物，因此，其指数值也相对较低。这种植被指数空间格局态势与第四次中药资源普查结果有着密切的相关性，具体表现在中药资源品种数量、物种丰富度，以及新发现物种、新分布物种的数量上。

第二节 药用植物的多样性评价

药用植物的多样性与生态环境密不可分。重庆自然生态系统中的植被垂直带、群系、群落与小生境等不同尺度的生态系统类型极具多样性。地形与气候对自然生态系统的影响、自然生态系统与人工生态系统的交融，使得生态系统的结构复杂，表现出地理区域、地形地貌、气候、植被区划等方面大尺度、复合性的过渡特征。多样化的生态系统类型对保障重庆全市药用动植物的生存、繁衍，维护三峡库区流域的生态环境和保证重庆经济与社会发展具有极其重要的意义。

动植物区系的过渡性明显，暖温带生物区系与亚热带生物区系交汇，古老成分与变异成分交融；动植物类群在科、属、种水平及其地理分布上的特有性强。城口、石柱、南川、北碚等区县的生物多样性极为丰富，这些区域是长江上游和三峡库区"绿色屏障"的重要组成部分和敏感区域。

采用格网技术，基于第四次重庆中药资源普查数据，以 30km×30km 的格网进行中药资源丰富度的分析。从整体研究区域来看，重庆中药资源种类丰富度较高的地区有 4 个，分别是城口、巫溪和开州交界处，丰都和涪陵交界处，璧山、铜梁和永川交界处，酉阳和秀山交界处。重庆中药资源种类丰富度较低的地区有 2 个，分别是北碚、南岸等主城区，以及万州、开州和云阳交界处。

植物模式标本产地的数量也是反映植物多样性的重要指标。重庆城口和南川金佛山为模式标本的主要来源地，重庆90%的保护物种都来源于这两个地区。以重庆城口模式标本为例，以城口为模式产地的药用植物有172种，其中，珍稀濒危和特有植物资源占29.07%。物种最丰富的科分别为菊科、伞形科、毛茛科、凤仙花科和报春花科。

以生物的生境敏感性指数密度来分区域：南川金佛山区 > 渝东大巴山区 > 江津四面区山 > 方斗山—七曜山区 > 三峡库区 > 秀山—黔江区 > 都市圈 > 渝西后丘陵区。南川金佛山区及渝东大巴山区也是重庆药用植物丰富的地区，应进行野生药用植物的监测，开展野生抚育的相关研究，加强南川金佛山区和渝东大巴山区的药用植物保护。

第三节　重庆市中药资源区划

一、重庆市中药资源区划的原则及体系

根据重庆土地资源、气候条件、植被状况（见第一章），并结合重庆生态功能区划、中药材生产现状，以及第四次中药资源普查结果，初步建立了重庆中药资源区划的等级。详细的重庆中药资源区划另书专述。

　　Ⅰ渝东北大巴山—巫山中药资源区

　　　　I_1 神农架—红池坝—黄安坝高山野生药材保护区

　　　　I_2 平行岭谷低山—丘陵药材种植区

　　　　I_3 三峡（腹地）河谷地带药材种植区

　　Ⅱ渝东南武陵山—七曜山中药资源区

　　　　II_1 方斗山—七曜山野生与药材种植区

　　　　II_2 武陵山中药野生及家种药材区

　　Ⅲ大娄山中药资源区

　　　　III_1 南川—万盛野生及家种药材区

　　　　III_2 江津—綦江低山丘陵药材种植区

　　Ⅳ渝西北低山丘陵中药资源区

　　　　IV_1 缙云山—华蓥山野生与种植区

　　　　IV_2 渝西浅丘药材发展区

二、重庆市各中药区系的特点

　　Ⅰ渝东北大巴山—巫山中药资源区

I₁ 神农架—红池坝—黄安坝高山野生药材保护区

该区山高谷深，沟壑纵横，山地占 75% 左右，海拔为 1200 ~ 2794m。气候温和，雨量充沛，昼夜温差大。植被的主要类型为常绿阔叶林和针阔叶混交林，植被分布垂直差异大，物种丰富，为重庆药用植物物种多样化的核心区域。该区有大巴山、红池坝、阴条岭国家级自然保护区。野生药材主要有天麻、太白贝母、川党参、延龄草、巴山榧树、红豆杉、黄连、重楼、大黄、石斛、白及等。种植的药材主要有黄连、大黄、太白贝母、川党参、桔梗、云木香、独活、重楼等。该区应加强中药种质资源保护，建立中药资源保护区。

I₂ 平行岭谷低山—丘陵药材种植区

该区为中低山区，海拔为 800 ~ 1500m，气候相对温和，雨量充沛。植被以针阔叶混交林为主。种植的药材有云木香、川党参、独活、款冬花、当归、桔梗等。该区也是 I 区中种植药材最多的区域。

I₃ 三峡（腹地）河谷地带药材种植区

该区为濒临长江或长江支流的河谷地带，海拔在 800m 以下。植被以针叶林为主，还有灌木林区域。种植的药材主要有佛手、茴香、红橘、木瓜、半夏、茯苓等。

II 渝东南武陵山—七曜山中药资源区

II₁ 方斗山—七曜山野生与药材种植区

该区位于重庆东南部，包括石柱、万州南部、丰都南部，方斗山、七曜山横贯该区。地貌类型以中低山为主。属中亚热带湿润季风气候区，区内河流众多，水资源丰富，森林覆盖率较高，林地面积占幅员面积的 61%，生物物种丰富，植被类型多样，地带性植被为亚热带常绿阔叶林。野生药材有重楼、羽叶三七、雪胆、雪里见、石吊兰、伸筋草、鱼腥草等。种植的药材有黄连、厚朴、黄柏。其中，黄连是重庆的道地药材。

II₂ 武陵山中药野生及家种药材区

该区属亚热带湿润季风气候区，具有温和湿润、雨量充沛、四季分明的特点，是典型的山区立体生物性气候。种植的药材有半夏、金银花、青蒿、白术、重楼、地榆、淫羊藿、续断、天冬、虎杖、吴茱萸、百合、黄精、白及等。该区的酉阳、秀山是传统的中药材主产地，其中，酉阳是全国优质青蒿产地，秀山为灰毡毛忍冬的主产地。

III 大娄山中药资源区

III₁ 南川—万盛野生及家种药材区

该区地貌以低山和中山为主，区内溪河众多，水资源丰富。林地面积占比为 53.52%，森林覆盖率高于重庆平均水平，生物资源丰富。金佛山位于该区。野生药用植物资源达 2000 余种，包括白及、重楼、黄精、青牛胆、山茱萸、川木通、大黄、百部、绶草、小舌唇兰、金毛狗、杜仲等，还有成片的野生银杏林。种植的药材有玄参、半夏、白术、黄精、天麻、黄连、杜仲、黄柏、白芷、金荞麦、虎杖、厚朴、金银花、枳壳、云木香、栀子等。

Ⅲ₂ 江津—綦江低山丘陵药材种植区

该区地跨平行岭谷、盆南丘陵、盆周山地3个地貌区。属中亚热带湿润气候区，具有副热带季风气候特点，立体气候明显，云多日照少，雨量充沛，温度、光照、热量地域差异大。年平均气温为18.6℃，年平均降水量为1071mm，无霜期为340天。种植的药材有金银花、枳壳、木瓜、红豆杉、银杏、重楼、杜仲、黄柏、天麻、绞股蓝、栀子、山银花等。其中，綦江的木瓜、枳壳等种植面积大；江津为川佛手、枳壳、花椒的主产区。

Ⅳ 渝西北低山丘陵中药资源区

Ⅳ₁ 缙云山—华蓥山野生与药材种植区

该区包括垫江、梁平、长寿、渝北、北碚等区县。属中亚热带湿润气候，四季分明，年平均气温为14～18℃，年平均降水量为1200～1400mm。森林覆盖率约为30%。该区有多种常见野生药材，如重楼、半夏、夏枯草、半边莲、天南星、紫花地丁、山银花、虎杖、金荞麦、杜仲等。种植的药材主要有半夏、牡丹皮、枳壳、栀子、菊花、石斛等。其中，垫江丹皮为重庆的道地药材。

Ⅳ₂ 渝西浅丘药材发展区

该区为盆周平坝—丘陵地区，平均海拔为400～500m，丘陵约占60%，水资源丰富。冬暖多雾，无霜期长达310天，空气湿度大，平均相对湿度约为80%，阴天多，日照少，为全国日照时数最少的地区之一。该区为川药传统栽培区之一，以人工栽培药材为主。主要品种有白芷、黄柏、杜仲、栀子、吴茱萸、枳壳、瓜蒌、木瓜、使君子、补骨脂、女贞子、荷叶、川牛膝、半夏、牡丹皮、薄荷、香附等。

三、重庆市区域中药保护与发展

1. 加强野生中药资源保护

从中药资源区划来看，渝东北大巴山—巫山中药资源区与渝东南武陵山—七曜山中药资源区的野生中药资源丰富，物种多样，值得大力保护。建议依托大巴山自然保护区，开辟野生中药种质资源保护区，以增加物种的遗传多样性。

2. 生态保护与开发相结合

重庆东北部既是三峡库区的核心地带，也是中药材传统种植区和药材集散区，具有较好的生产基础，适宜发展中药材生产。但该地区土壤侵蚀严重、自然灾害频发，发展中药材生产需以注重生态保护为前提，要与退耕还林、营造药用林和生态林相结合，保护药材产区的天然植被。要重视和发展野生采集与分散种植等传统方式，同时处理好野生采集与家种栽培、分散种植与集约化经营的关系。同时，重庆东南部地区的药材种植发展要与防止石漠化相结合。

3. 区域发展的差异化

中药材种植一定要因地制宜，既要注重药材种植高产，更要重视药材的优质性。各区域发展药材种植，首先，要选择本地优势品种，不断扩大种植规模，提高药材质量，并形成特色，减少同质化品种，以免形成恶性循环；其次，要依托现代科学技术，提高药材种植技术含量，形成品牌效应；此外，还应加强种植—加工开发—营销产业链的建设，这样才能推动中药材产业健康发展。

第三章

中药资源动态监测与研究

中药资源动态监测是第四次中药资源普查有别于前三次中药资源普查的重要不同点之一。受地质气候、市场需求、人为因素等影响，中药资源不是一成不变的。野生中药资源既受气候、地质、动物食用或践踏等因素的影响，也受市场需求和经济利益的驱动造成人为过度采挖的影响，而野生中药资源动态监测，是从源头监测中药资源的有效方式。

第一节　中药资源动态监测方法

一、自然更新调查

通过先期药用植物资源静态调查全面了解调查区域的详细情况，更加明确药用植物主要分布区域，选择具有典型代表性的取样区域和样地。在选定的样地上设置固定样方，共设动态样方24个。样方面积和静态调查时选用的面积一致，为2m×2m。

（一）动态样方设定要求

①样方生境能代表或者大部分能代表所调查区域的整体生境；②所调查的样方附近有较为明显的标志物，方便再次调查时找到；③样方内观察样本数量不宜过多，以便于定点观察。

（二）动态样方内植株的定点标记

因桃儿七、续断每年冬季都会倒苗，须固定标记其位置，以保证来年再进行观察时是同一株，用枝剪剪取质硬、不易腐烂的树枝，约为拇指粗，长约10cm，在红色塑料号牌上用记号笔记录植株编号，并拴在剪成小截的树枝上，插在观察植株旁，待数据测量结束后，用土或者石块将号牌掩埋，以防止记录字迹消失。

（三）地下器官的自然更新调查

药用植物资源地下器官的更新调查主要是指通过定期挖掘法和间接观察法来调查植物根及根茎的年增长量。

定期挖掘法：在一定时间间隔内挖取植物地下部分，测量其生长量，经过多年观察得出其更新周期。这种方法适用于能准确判断年龄的植物。

间接观察法：又称相关系数法。由于大多数药用植物地下器官和地上器官的生长成正相关，因此可以找出它们的相关系数。只要调查其地上部分的数量指标，通过有关公式即可推算出其地下部分的年增长量。

（四）种群动态监测

根据种群统计学的原理，种群动态可以通过"在时刻 t 时单位面积（样方）中个体数（N_t）与单位时间后个体数（N_{t+1}）之间的变动"来反映，而种群个体数量及其变化可以通过采集下列种群统计学参数和建立它们之间的关系给予量化表达。参数个体出生数（B）、死亡数（D）之间的关系可以表示如下。

$$N_{t+1} = N_t + B-D$$

由此，种群的动态（λ）可以通过年增长率（N_{t+1}/N_t）做出量化描述。当 $\lambda=1$ 时，表明种群处于稳定的平衡状态；当 $\lambda>1$ 时，表明种群处于增长状态；而当 $\lambda<1$ 时，表明种群处于衰退状态。这样可以通过对种群统计学参数的监测，掌握种群动态。

二、人工更新调查

在药用植物资源静态调查的基础上，为了更好地了解药用植物的生长发育特性，设计了药用植物的动态调查试验。由于部分药用植物野生资源稀少，且现在入药栽培品种逐年增加，因此，在动态调查中重点设计了人工更新试验调查。

第二节　中药资源动态监测实例

一、桃儿七动态监测研究

桃儿七 *Sinopodophyllum hexandrum* (Royle) Ying 为小檗科桃儿七属植物（图 1），具有悠久的药用历史。《神农本草经》以"鬼臼"之名记载桃儿七，桃儿七各部位在民间和民族医学中均可药用，具有活血止痛、解毒等功效，用于风湿关节疼痛、跌打损伤、心痛、风寒咳嗽、月经不调。目前桃儿七的药用部位，一是地下部分（鬼臼），可用于提取鬼臼毒素（合成抗癌药物 VP-16 /依托泊苷、VM-26 / 特尼泊苷的前体成分）；二是果实，可作为藏药，称"小叶莲"（藏语称"奥勒莫色"），用于各种妇科疾病，藏族人民也有食用其果实的习惯。桃儿七在我国主要分布于陕西的太白山区，甘肃天祝、和政、卓尼、文县，青海东南部，四川西部，云南德钦、香格里拉，西藏昌都、林芝等地，通常生于海拔 1500 ~ 4300m 的高山草丛或林缘，适于寒冷而湿润的生态环境。近年来，一方面，桃儿七地下部分被大量采挖用以提取鬼臼毒素，导致桃儿七野生资源量锐减且其适生生态环境也遭到破坏；另一方面，藏医将桃儿七果实作为藏药，也直接影响其资源的自然更新。目前，桃儿七尚无大规模的栽培生产，其种群数量正急剧减少，无性和有性繁殖能力大大

图 1　桃儿七植物形态

减弱，资源面临濒危的境地，已被列入《中国珍稀濒危保护植物名录》，并被《中国植物红皮书》收录，列为三级保护植物。

（一）调查区域与路线

1. 调查区域

陕西、四川、青海、甘肃、西藏。

2. 调查路线

分为 2 个调查小组进行实地调查，调查路线如下（"*"为具体的动态调查点所在地）。

调查 1 组：康定—道孚*—金川—色达—马尔康*—永登*。

调查 2 组：甘孜—德格—江达—昌都—波密*—林芝。

具体动态调查地区信息见表 6。

表 6　桃儿七资源动态调查地区

调查区域	具体调查地点	海拔 / m	经度	纬度
四川	道孚黑松林	3790	E 101° 10′ 52″	N 30° 28′ 24″
	康定雅拉	3080	E 100° 32′ 28″	N 31° 05′ 09″
	马尔康大浪脚沟	3250	E 102° 10′ 20″	N 31° 35′ 04″
青海	循化孟达国家级自然保护区	2530	E 102° 24′ 15″	N 35° 28′ 12″
甘肃	永登国家级自然保护区	2370	E 102° 25′ 26″	N 36° 25′ 17″
西藏	波密至八宿然乌	3883	E 96° 22′ 12″	N 29° 17′ 35″
	林芝鲁朗 318 国道旁	2734	E 94° 28′ 49″	N 29° 33′ 49″
	西藏类乌齐	3808	E 94° 36′ 29″	N 31° 12′ 07″

（二）调查方法

1. 自然更新调查

在选定的样地上设置固定样方，共设动态样方 24 个。样方面积和静态调查选用面积一致，为 2m×2m，设置样方如图 2 所示。

图 2　设置样方

通过对桃儿七叶的面积与桃儿七根的生物量进行相关性分析，发现二者存在正相关关系。因此，笔者通过测量不同年份的桃儿七叶（成熟叶）的面积变化，推算其根生物量的变化，从而测算其生物量及其动态生长变化。该方法的实验方案如下。

研究内容：不同产地环境的桃儿七成熟叶的叶面积与根生物量之间的关系。

实验设计：本实验在所设置的各动态调查样方附近采集相同生境下的若干桃儿七植株，根据野生桃儿七资源量的多少，分别在各省所设动态样方附近（与所设桃儿七动态样方的生态环境相同）采集 10 ~ 40 株年龄、大小不等的桃儿七，并分别测量单株桃儿七的总叶面积及根重，根据所测的数据进行回归分析，进而分析二者的相关性。

由图 3 ~图 6 可知，四川马尔康、康定，甘肃永登，青海循化的桃儿七的叶面积与根重均表现出较为显著的线性相关性（$R^2>0.9$），因此可采用相关系数法。在不同的生态环境中，其具体的相关系数也不同，可通过测量动态样方中桃儿七的叶面积的大小及其变化趋势来估计桃儿七根的生物量变化情况，以达到不破坏植物而对其进行动态监测的目的。

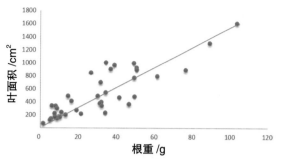

图 3 四川马尔康桃儿七总叶面积与根重相关性分析

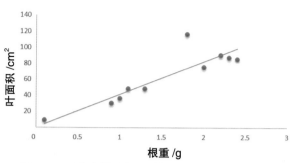

图 4 四川康定桃儿七总叶面积与根重相关性分析

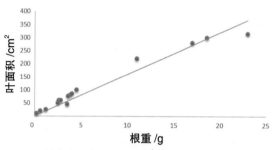

图 5 甘肃永登桃儿七总叶面积与根重相关性分析

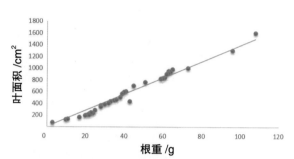

图 6 青海循化桃儿七总叶面积与根重相关性分析

2. 人工更新试验调查

在采收后的样地上进行药用植物资源的人工更新。选择桃儿七适宜的生长阶段进行人工播种或栽培，然后进行观察并记录。

人工更新的块地也可称为样方。桃儿七样方面积设为 12m²。样方的试验记录包括样方面积、群落类型、海拔、坡向、土壤、光照强度和伴生植物。

在样方上进行播种或移栽幼苗后，逐年记录其生长发育情况，特别是调查样方内苗的增长数目，并定期测量它们的增长量，记录达到采收标准的年限。通过数年的观察，即可提出桃儿七人工更新的年限和恢复资源的技术措施。

3. 标本及样品的采集

为了确定调查区域内桃儿七的分布，除了就地进行初步鉴定和研究外，还必须采集足够数量的标本和样品，并附原植物和药用部位数码照片（拍摄不同形态、不同品种的植物及植物的不同部位）。对调查地的药材样品，要求根及根茎干重 1kg、茎干重 1kg，并提供相应的各生长期和各部位的数码照片。

（三）调查内容及结果

1. 群落类型

在观测期内，对桃儿七各样方点区域群落情况、各省区桃儿七分布区域及生态类型进行了详细的调查和记录，桃儿七各动态样方点区域群落状况见表 7。

表7　桃儿七各动态样方点区域群落状况

调查地点	生境情况				
	坡向	坡度	建群种	群落盖度	伴生植物
四川马尔康	东	25°	瑞香 细叶小檗	20%～50% 30%～60%	草玉梅、接骨草、偏翅唐松草、高山唐松草、东方草莓、鹿药、瓜叶乌头、毛茛、黄果悬钩子、白花碎米荠、尼泊尔酸模、扁蕾、水芹菜、石蒜等
四川道孚松林口	东	15°	云杉和悬钩子 小果茶藨子和绢毛蔷薇 沙棘和绣线菊	60%～95% 40%～65% 60%～85%	绣线菊、岩生忍冬、老鹳草、椭圆叶花锚、东方草莓、天青地白、马先蒿属植物、穿心莛子藨、高山唐松草、白莲蒿、川西翠雀花、琉璃草、野艾、天名精、水芹、鹅绒委陵菜、白花堇菜、藁本等
四川道孚中谷		0°	云杉和悬钩子 小果茶藨子和绢毛蔷薇	60%～90% 60%～80%	椭圆叶花锚、东方草莓、天青地白、马先蒿属植物、穿心莛子藨、高山唐松草、白莲蒿等
西藏类乌齐	东	30°	云杉 圆柏	60%～80% 60%～85%	圆柏、刚毛忍冬、康藏荆芥、腺毛蒿、马先蒿、草玉梅、毛茛状金莲花、紫菀等
西藏波密	东	30°	野樱桃 绢毛蔷薇和异长穗小檗	60%～80% 40%～60%	黑茶藨子、鲜黄小檗、西藏旋覆花、川赤芍、长叶茜草、东方草莓、平车前、粘毛鼠尾草、甘西鼠尾草、翅柄蓼、椭圆叶花锚、歪头菜、皱叶酸模等
西藏林芝	北偏东	15°	大刺茶藨子	60%～80%	云南锦鸡儿、糙苏、草玉梅、甘西鼠尾草、粘毛鼠尾草、皱叶酸模、铁线莲、平车前、高山唐松草、龙芽草等
甘肃永登	东	12°	穗状小檗和悬钩子属植物 大杨树和穗状小檗	50%～80% >85%	短梗箭头唐松草、小花草玉梅、长叶茜草、天名精、东方草莓、莛子藨、附地菜、火绒草、华蟹甲、唐古特忍冬、小香薷、铁线莲、椭圆叶花锚、六叶葎、三角叶蟹甲草、禾本科植物等

由于桃儿七是一种局限分布于山谷中的植物，各个居群间缺少中间联系环节，故分布于同一山谷中的个体组成了一个有效居群。桃儿七是一种自花授粉植物，居群间很少能通过传粉的方式进行基因流动，居群间基因流动主要是通过种子的传播，但种子的散布不是十分有效。因此，桃儿七居群间是相对隔离的，这种隔离常使居群间表现出多型性。由于桃儿七的居群相对隔离，因此，在观察到的居群中，同一个地区可能有不同居群，而不同地区亦可能有相同居群，但是在同一地区，其居群的相似性还是较不同地区居群更大。在桃儿七居群中，充当保护角色的乔木树种有丝毛柳 *Salix luctuosa* Lévl.、乌柳 *Salix cheilophila* Schneid. 等，但由于桃儿七主要生存在灌丛下，且灌丛常占桃儿七居群盖度的50%以上，因此，桃儿七居群的特征可以按灌丛的类型划分，主要可分为蔷薇科植物和小檗科植物2种，而灌丛下的草本植物则多种多样，常见的有双花华蟹甲 *Sinacalia davidii* (Franch.) Koyama、高原毛茛 *Ranunculus tanguticus* (Maxim.) Ovcz.、椭圆叶花锚 *Halenia elliptica* D. Don. 等。

2. 生态环境

桃儿七通常生于海拔2000～4500m的平坦山谷及具有次生植被且透光度较好的沟谷林下、

岩石缝隙中、林缘、山坡、河边的湿地灌丛中，少数生长在高山草甸或空旷的草地上，多呈带状分布，也可呈片状或零散分布。其生长的土壤多为黑色、富含腐殖质的壤土，也有黄色黏质土及砂质土等。桃儿七的自然更新生态环境大都相似，其地理分布较广，气候条件多为大陆性气候，表现为较为湿润，夏季降雨多，昼夜温差大，光照强。群落中的盖度多为 20% ~ 80%。由于近几年被过度采挖，加之繁殖速度较慢，桃儿七在群落中已不是优势建群种。各省区桃儿七分布区域及生态状况见表 8。

表 8　各省区桃儿七分布区域及生态状况

省区	分布区域	海拔 /m	气候	土壤
四川	甘孜的康定、道孚、炉霍、理塘、德格、乡城、稻城、色达、巴塘，阿坝的马尔康、红原、若尔盖、金川等地	2000 ~ 4200	年平均气温 0.8 ~ 10.0℃，年平均降水量 557 ~ 651mm，平均相对湿度 69% ~ 100%，年日照时数 2076 ~ 2541 小时	富含腐殖质的壤土，土壤含水量 30% ~ 50%，pH 6.0 ~ 6.8，透气性良好
青海	青海中东部和青海南部的玉树，海北的门源、海晏，海南的贵德，河东地区的湟中、湟源、互助、循化、化隆等地	2500 ~ 3800	年平均气温 0 ~ 7.8℃，年平均降水量 424mm，平均相对湿度 42% ~ 75%，年日照时数 2147 ~ 2913 小时	高山灌丛草甸土，有机质较少，pH 6.2 ~ 7.3，透气性较好
甘肃	主要分布于青藏高原延伸带的甘肃西南地区的天祝、永登、榆中、临夏、临潭、碌曲、卓尼、岷县、迭部、舟曲、文县、和政等地	>3000	年平均气温 −1 ~ 5℃，年平均降水量 783 ~ 1572mm，平均相对湿度 60% ~ 90%，年日照时数 1800 ~ 2600 小时	高山草甸土，腐殖质较丰富，pH 6.0 ~ 6.8，透气性较好
西藏	巴青、索县、昌都、八宿、边坝、江达、类乌齐、丁青、察雅、林芝、朗县、米林、波密、工布江达、日喀则、定日、吉隆等地	1500 ~ 4300	年平均气温 −3.0 ~ 12.7℃，年平均降水量 556 ~ 651mm，平均相对湿度 40% ~ 70%，年日照时数 1500 ~ 3400 小时	高山草甸土、亚高山草甸土、高山灌丛草甸土，pH 接近 7.0，透气性良好

3. 各动态样方点桃儿七种群动态

四川马尔康：马尔康共设 3 个样方，其中，1 号样方在 2010 年调查时有 7 株桃儿七，2011 年死亡 1 株，2012 年新生 2 株；2 号样方在 2011 和 2012 年各新生 1 株；3 号样方在 2011 年和 2012 年各新生 2 株。根据公式可以得出 λ（马尔康）$_{2010—2011}$ = 1.09，λ（马尔康）$_{2011—2012}$=1.2，均大于 1，说明马尔康样地的桃儿七种群在 2010—2012 年处于增长状态。

青海循化：循化共设 3 个样方，其中，1 号样方在 2010 年调查时有 3 株桃儿七，2011 年死亡 1 株、新生 1 株，2012 年新生 2 株；2 号样方在 2011 年死亡 1 株、新生 1 株；3 号样方在 2011 年死亡 1 株，2012 年新生 1 株。根据公式可以得出 λ（循化）$_{2010—2011}$= 1，λ（循化）$_{2011—2012}$=1.08，说明循化样地的桃儿七种群在 2010—2011 年处于稳定状态，在 2011—2012 年处于增长状态。

西藏波密：波密共设 3 个样方，其中，1 号样方在 2010 年调查时有 32 株桃儿七，2011 年新生 2 株，2012 年新生 1 株；2 号样方在 2011 年新生 2 株，2012 年新生 2 株；3 号样方在 2011 年死亡 1 株、新生 1 株，2012 年死亡 1 株、新生 1 株。根据公式可以得出 λ（波密）$_{2010—2011}$= 1.156，

λ（波密）$_{2011-2012}$=1，说明波密样地的桃儿七种群在 2010—2011 年处于增长状态，在 2011—2012 年处于稳定状态。

西藏林芝：林芝共设 3 个样方，其中，1 号样方在 2010 年调查时有 6 株桃儿七，2011 年新生 2 株，2012 年新生 1 株；2 号样方在 2010 年调查时有 4 株桃儿七，2011 年新生 1 株，2012 年新生 1 株；3 号样方在 2010 年调查时有 10 株桃儿七，2011 年新生 1 株，2012 年新生 1 株。根据公式可以得出 λ（林芝）$_{2010-2011}$=1.5，λ（林芝）$_{2011-2012}$=1.08，说明林芝样地的桃儿七种群在 2010—2012 年处于增长状态。

四川康定：康定共设 3 个样方，其中，1 号样方在 2010 年调查时有 3 株桃儿七，2011 年死亡 1 株、新生 2 株；2 号样方在 2010 年调查时有 3 株桃儿七，2011 年新生 2 株，2012 年新生 1 株；3 号样方在 2010 年调查时有 2 株桃儿七，2011 年新生 2 株，2012 年死亡 1 株、新生 1 株。根据公式可以得出 λ（康定）$_{2010-2011}$=1.27，λ（康定）$_{2011-2012}$=1，说明康定样地的桃儿七种群在 2010—2011 年处于增长状态，在 2011—2012 年处于稳定状态。

四川道孚：道孚共设 3 个样方，其中，1 号样方在 2010 年调查时有 5 株桃儿七，2011 年和 2012 年无增减；2 号样方在 2010 年调查时有 9 株桃儿七，2011 年死亡 1 株，2012 年新生 1 株；3 号样方在 2010 年调查时有 4 株桃儿七，2011 年和 2012 年无增减。根据公式可以得出 λ（道孚）$_{2010-2011}$=0.94，λ（道孚）$_{2011-2012}$=1.06，说明道孚样地的桃儿七种群在 2010-2011 年处于衰退状态，在 2011—2012 年处于增长状态。

由于桃儿七的叶面积大小与其根生物量存在着较为显著的相关性，因此，通过测量各样方不同年份的叶面积变化，可得出各动态样地桃儿七根蕴藏量的变化趋势，如图 7 所示。

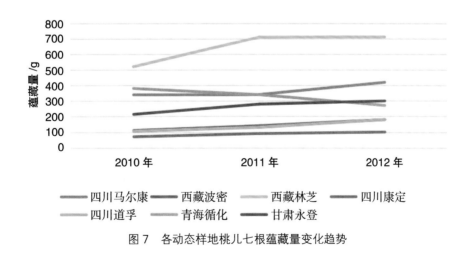

图 7 各动态样地桃儿七根蕴藏量变化趋势

由上图可以看出，2010—2012 年，除青海循化桃儿七根蕴藏量呈下降趋势外，其他样地均呈上升趋势。究其原因，青海循化桃儿七样地所在地为青海著名景区，游客众多，桃儿七的环境遭到人为破坏，其自然更新受到影响，导致青海循化桃儿七的蕴藏量下降。

4. 人工更新试验调查

试验于 2011—2012 年在四川康定雅拉王母村进行，试验地选定为农耕地，海拔高度 3030m，基本为平地。此试验地所处地区的生态和环境条件良好，环境类似于野生桃儿七的生境，适宜进行桃儿七人工更新试验。人工更新试验样地的生态环境见表 9。

表 9　人工更新试验样地生态环境

样地	四川康定雅拉王母村
全球定位系统（GPS）	N 30° 07′ 57″，E 101° 31′ 25″，海拔 2997m
地形状况	农耕地与戈壁交界处，平坦
气候状况	高原型大陆性季风气候。年平均降水量 800 ~ 950mm，无霜期 150 ~ 250 天，属山地凉温带气候
土壤状况（pH）	砂壤土（pH 6.8）
光照状况	光照强
水分状况	水分较多
群落类型	桃儿七、东方草莓、变豆菜、老鹳草、羽裂蟹甲草、黄花堇菜、伞形科植物、早熟禾、鳞毛蕨、高山露珠草
种在群落中的地位	占 60%，为优势种
种的盖度变化	不显著
管理方式	人工栽培

分别测定 2011 年 6 月、7 月、8 月桃儿七幼苗的地上高度、叶面积、株密度、单位面积产量（鲜重及干重），记录每个样方的样方号，再分别测定 1 年后，即 2012 年 6 月、7 月、8 月相应样方桃儿七幼苗的地上高度、叶面积、株密度、单位面积产量（鲜重及干重），测定结果见表 10。

表 10　四川康定雅拉王母村人工更新试验调查测定结果

日期	样方号	地上高度 /cm	叶面积 /cm²	株密度 /（株 /m²）	单位面积产量鲜重 /g·m⁻²	单位面积产量干重 /g·m⁻²
2011-6-15	1	12	25	10	21.0	14.0
	2	17	35	15	30.2	18.3
	3	15	34	11	23.3	10.3
2011-7-15	1	16	33	14	29.5	9.6
	2	21	51	12	25.3	15.3
	3	18	36	13	28.6	8.6
2011-8-15	1	21	52	14	29.1	13.5
	2	27	5	11	23.1	12.3
	3	25	54	17	35.2	23.6
2012-6-15	1	23	51	15	30.5	20.5
	2	29	60	14	29.2	18.6
	3	26	56	15	32.3	17.6
2012-7-15	1	28	63	15	30.3	15.2
	2	35	75	14	28.5	14.6
	3	31	70	11	23.5	15.2

续表

日期	样方号	地上高度 /cm	叶面积 /cm²	株密度 /（株 /m²）	单位面积产量 鲜重 /g·m⁻²	单位面积产量 干重 /g·m⁻²
2012-8-15	1	35	89	11	36.2	22.9
	2	39	102	12	32.3	17.3
	3	40	96	13	29.6	17.2

人工更新试验调查结果表明，四川康定雅拉王母村的桃儿七于 7 ~ 8 月进入快速生长期，在整个生长过程中植株重量不断增加，9 ~ 10 月进入药材生长的重要时期，桃儿七药材的最适宜采收期为 9 ~ 10 月，此时干物质量达到最大值。四川康定雅拉王母村的桃儿七在 5 月开花，7 月结果，种子的最适宜采收期是 8 月。

（四）讨论与建议

1. 市场需求及其对资源的影响

对桃儿七产地、采挖、市场收购及使用状况的调查结果显示，藏药"小叶莲"（桃儿七果实）作为藏医医疗机构用药和藏成药生产原料，其需求量为 13 ~ 14t/ 年，且需求量相对稳定；而地下部分"鬼臼"的需求量近年来急剧增加，无论是在产地收购，还是市场流通中，价格都在持续上涨。由于价格的因素，企业和药材收购商在产地的直接收购量远大于市场流通量，合计在 100t/ 年以上。产地调查结果表明，近年来受利益驱动，产地农牧民滥采滥挖桃儿七的情况十分严重，只要当地收购，采挖痕迹便随处可见，不分植株大小，所有容易采挖的桃儿七均被采挖，往往仅留下生长于灌丛中根旁或岩石缝中不易采挖的植株，已很难见到成片的分布。桃儿七果实和根茎（二者皆入药）的药用价值无疑对桃儿七资源的自然更新有着根本性的影响，就现状而言，采挖地下部分的"鬼臼"显然是导致桃儿七资源急剧减少的主要原因。同时，因砍伐森林、过度放牧引起的生态环境退化使桃儿七适生环境面积减少也是导致桃儿七资源量下降的原因之一。

2. 生态群落变化关系

桃儿七主要分布于我国中部陕西太白山区由北向南沿横断山脉两侧的中高山及青藏高原地带。该分布区域是我国地形地貌变化最为复杂、生态环境最为多样的地区。实地调查结果表明，桃儿七生长群落以林下和灌丛、草地为主，在单纯的高山草甸分布密度相对较小；分布海拔范围跨度大，为 1500 ~ 4500m；局部生境包括沟谷、湿润林下及高原面上较为干旱的矮小灌丛植被；从不同种群的形态特征来看，生长于林下、灌丛等荫蔽或群落盖度较高的生境中的植株较高大而瘦弱，植株被毛且表面褐色斑较少，生长于群落盖度低、光辐射较强生境下的植株较矮壮，植株被毛但表面褐色斑较多。

在水分充足、土层深厚且腐殖质丰富的生境下，桃儿七的根系较发达（新生根多在雨季形成）且营养繁殖旺盛。从物候期看，不论从南到北、从相对低海拔到高海拔，桃儿七的花期大多在 3 ~ 6

月，果期在 5 ~ 9 月，而这几个月是降雨相对较多的时期，有利于桃儿七生长所需的营养供给。综合分析，光照对桃儿七的分布和生长都有明显的影响，水分、土壤对桃儿七的生物产量影响较大，而温度、海拔（通过对温度和植被的影响）主要影响其物候期。

3. 桃儿七冠层与地下部分的关系

叶片面积的大小对植物光能利用、干物质积累、收获量及经济效益都有显著的影响。英国农业生态学家 Watson 认为叶面积的变化是造成植物收获量差异的主要原因。

众所周知，对生长在地下的植物根系难以进行连续观测。要获得根长、根系干物质质量等指标，往往需要进行破坏性取样，而且试验过程极为烦琐。对于桃儿七这种濒危植物，为了避免根系研究中对根长测定的烦琐过程和取样过多对根系造成破坏，笔者试图用相关系数法对桃儿七地上、地下部分的相关性进行研究。

因桃儿七叶面积相对较大，单片叶面积可达 $220cm^2$，叶面积 / 根干重也较大，一般在 $10 ~ 20cm^2/g$，在测定叶面积及冠根比时相对精确，因此，笔者试图用一些易测的指标（成熟叶的叶面积）的生长变化来测算桃儿七苗期不可见的地下部分的生长情况。桃儿七成熟叶的叶面积与根生物量之间关系的试验结果表明，桃儿七地上部分与地下部分呈显著的相关性。

4. 建议

为保障桃儿七资源的可持续利用，当前最为迫切的是政府需加强对桃儿七地下部分合理、限量的采挖管理，结合森林抚育、草场管理等工作，采取围栏、控制草场载畜量等措施以保护和恢复桃儿七的适生生态环境。同时，为满足医药产业对"鬼臼"的原料需求，应开展不同分布地区桃儿七资源利用价值的评价，如进行鬼臼毒素含量及其木质素类成分组成状况等的研究，以保护桃儿七的资源并加快发展桃儿七的人工栽培生产。

二、川续断动态监测研究

川续断为川续断科植物川续断 *Dipsacus asperoides* C. Y. Cheng et T. M. Ai 的干燥根，始载于《神农本草经》，被列为上品，具有补肝肾、强筋骨、续折、止崩漏、安胎等功效，主要用于胎漏、胎动不安、滑胎、腰膝酸软、跌仆损伤和骨折等。川续断中主要含有三萜及其皂苷类化合物、环烯醚萜苷类化合物、生物碱类化合物、酚酸类化合物、黄酮类化合物等。川续断几乎在我国各地均有分布，但川续断药材的主产地为四川凉山的西昌、盐源、会理，攀枝花的盐边、米易；湖北恩施的鹤峰、巴东、利川、咸丰，宜昌的五峰、长阳、宜都、兴山；贵州贵阳的息烽，毕节的大方、织金，遵义的湄潭；云南丽江的永胜，大理的鹤庆；湖南张家界的桑植、慈利，常德的石门等地。其中，以四川、湖北为道地产区。川续断在重庆主要分布于江津、南川、武隆、彭水、巫山、巫溪、城口、奉节、云阳、秀山、涪陵等地，其野生资源一般分布得比较分散，也有成片分布的。川续断常生长于海拔 900 ～ 2700m 的山坡草丛、沟边、林缘、荒地、田野路旁，喜温暖湿润而较凉爽的气候，以山地气候最为适宜。近年来，在一些中成药如仙灵骨葆胶囊、骨康胶囊、大活络丹、祛风止痛片等的市场需求带动下，对川续断药材资源的需求量急剧增加。为了摸清重庆地区川续断的分布现状，保证可持续利用，并提出相应保护措施，笔者对重庆部分区县的川续断进行了动态监测，以摸清川续断的动态生长状况，为了解重庆野生川续断资源的动态变化提供参考。

（一）调查区域与路线

调查区域：重庆彭水、武隆、南川、巫溪、城口。

具体动态调查地区信息见表 11。

表 11 川续断资源动态调查地区

调查区域	具体调查地点	海拔 /m	经度	纬度
彭水	靛水乡桂花村	1012	E 108°03′ 19″	N 29°13′ 26″
	桑柘镇	1165	E 108°26′ 59″	N 29°18′ 40″
	联合乡龙齿村	1068	E 108°25′ 56″	N 29°17′ 36″
武隆	巷口乡	1196	E 107°41′ 04″	N 29°19′ 48″
	车盘乡	1140	E 106°37′ 37″	N 28°21′ 10″
	仙女山镇	1318	E 107°25′ 21″	N 29°26′ 26″
南川	鱼水乡后塘	1165	E 108°26′ 59″	N 29°18′ 40″
	小河镇黄泥垭	1390	E 107°05′ 51″	N 28°59′ 42″
	三泉镇老马嘴路口	1224	E 107°48′ 02″	N 29°18′ 40″
巫溪	尖山镇九狮坪村	1396	E 108°54′ 50″	N 31°24′ 02″
	红池坝国家地质公园	1526	E 109°11′ 46″	N 31°25′ 43″
	通城镇中心村	1456	E 109°45′ 45″	N 31°24′ 18″
城口	东安乡兴田村	1360	E 109°07′ 24″	N 31°43′ 37″
	厚坪乡迎峰村	1651	E 108°49′ 47″	N 31°44′ 00″
	蓼子乡三排山村	1467	E 108°37′ 44″	N 31°49′ 41″

（二）调查方法

1. 自然更新调查

通过开展重庆中药资源普查，全面了解调查区域内川续断的分布情况，明确川续断的主要分布地区和产区，应选择具有典型代表性的取样区域和样地，在选定的样地上设置固定样方。分别选取彭水、武隆、南川、巫溪、城口等 5 个区县，每个区县设置 3 个样地，每个样地设置 3 个样方，共设置 45 个动态样方，样方面积为 2m × 2m。

因川续断每年冬季都会倒苗，须固定标记其位置，以保证来年再进行观察时是同一株，待数据测量结束后，用土或者石块将号牌掩埋，以防止下次调查时字迹消失。

对川续断的动态监测所采用的调查方法为间接观察法，又称相关系数法。为了避免根系研究中对根长测定的烦琐过程和取样过多对根系造成破坏,笔者试图用相关系数法对川续断地上、地下部分的相关性进行研究,以期为川续断的动态监测研究提供参考。

2. 川续断的高度与根重相关性研究

在所设置的各动态调查样方附近采集相同生境下的若干川续断植株,根据野生川续断资源量的多少,分别在各区县所设动态样方附近(与所设川续断动态样方的生态环境相同)采集 10 ~ 20 株年龄、大小不等的川续断,并分别测量单株川续断的高度及根重,根据所测的数据进行回归分析,进而分析二者的相关性。

3. 结果分析

由图 8 ~ 图 12 可知,重庆彭水、武隆、南川、巫溪、城口的川续断的植株高度与其根重均表现出较为显著的线性相关性(R^2>0.82),因此可采用相关系数法。在不同的生态环境中,其具体的相关系数也不同,可测量动态样方中川续断的植株高度并通过其变化趋势来估计川续断根的生

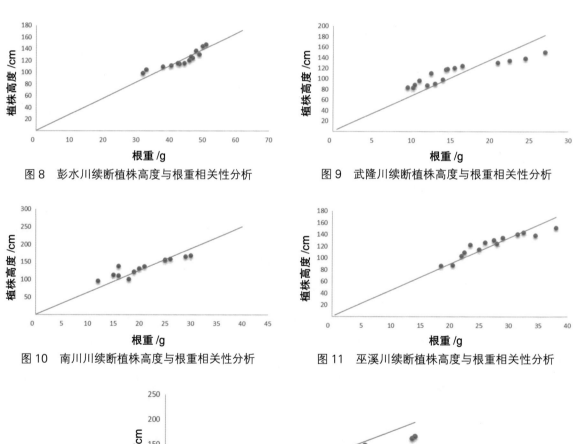

图 8　彭水川续断植株高度与根重相关性分析　　　图 9　武隆川续断植株高度与根重相关性分析

图 10　南川川续断植株高度与根重相关性分析　　图 11　巫溪川续断植株高度与根重相关性分析

图 12　城口川续断植株高度与根重相关性分析

物量变化情况，以达到不破坏植物而对其进行动态监测的目的。

（三）调查内容及结果

1. 群落类型

在观测期内，对川续断各样方点的区域群落情况、各区县川续断分布区域及生态类型进行了详细的调查和记录，川续断各动态样方点区域群落状况见表12。

表 12　川续断各动态样方点区域群落状况

调查地点	建群种	群落盖度	伴生植物
彭水	银杏和马桑 马桑和川莓 卵果蔷薇和银杏	30%～50% 20%～30% 20%～50%	天名精、仙鹤草、千里光、白花败酱、垂盆草、茜草、野棉花、三叶木通、忍冬、五节芒、车前、鱼腥草、狼尾草、马兰、腺梗豨莶、川东獐牙菜、羊耳菊、荔枝草、水蓼等
武隆	柳杉和粉花绣线菊 白桦和宜昌荚蒾	10%～20% 20%～40%	千里光、野艾、马兰、鱼腥草、车前、变豆菜、老鹳草、野菊花、仙鹤草、细风轮菜、蛇含委陵菜、三脉紫菀、白茅、白车轴草、天名精、灰苞蒿等
南川	平枝枸子和木香花 柳杉和粉花绣线菊 紫玉兰	30%～50% 20%～45% 10%～20%	五节芒、狼尾草、野青茅、白苞蒿、三脉紫菀、白车轴草、白花败酱、细风轮菜、金星蕨、长波叶山蚂蝗、紫萁、风轮菜、糯米团、龙芽草、疏花婆婆纳、水芹等
巫溪	柔毛绣球和火棘 马桑和火棘	20%～40% 20%～30%	白茅、千里光、香青、鱼腥草、蕨、川东獐牙菜、地果、狼尾草、金星蕨、三脉紫菀、野草莓、野棉花、一枝黄花、车轴草、牡蒿、天名精、中华栝楼、鹿蹄橐吾等
城口	马桑和平枝枸子 胡颓子和皱叶荚蒾 马桑和粉枝莓	20%～50% 30%～60% 20%～40%	龙芽草、野棉花、南川薹草、千里光、蕨、五节芒、金星蕨、丝叶薹草、华蟹甲、野菊、刺儿菜、车轴草等

川续断在高中山、中山、低中山和丘陵均有分布，在海拔 900～2700m 的垂直分布区均能生长良好。在海拔 800m 以下的低海拔处，其初期生长虽正常，但后期生长的主根细小、须根较多，无法入药。笔者在调查中发现，绝大多数川续断生长在山坡、草丛、荒地、土壤较湿处或溪沟旁、阳坡草地，或比较荒芜的路边、田野草地中。川续断耐寒，忌高温。川续断群落的主要建群种有马桑、火棘、平枝枸子、皱叶荚蒾、银杏、卵果蔷薇等，主要伴生植物有天名精、龙芽草、千里光、白花败酱、垂盆草、茜草、三叶木通、忍冬、白茅、蕨、车轴草、车前、鱼腥草、狼尾草、马兰、腺梗豨莶、川东獐牙菜、野菊、荔枝草、水蓼等。在部分样方中川续断为优势种，川续断的群落盖度一般为 10%～60%。

2. 生态环境

川续断喜温暖湿润而较凉爽的气候，尤喜山地气候，适合生长于年平均气温 10～18℃、年平均降水量 900～1300mm 的地区。川续断野生资源一般分布得比较分散，也有成片分布的，常生长于海拔 900～2700m 的山坡草丛、沟边、林缘、荒地、田野路旁。适合川续断生长的土壤以 pH 6.2～7.5 的黄壤、黄棕壤、紫色土等为主。重庆地区川续断的分布区域及生态状况见表13。

表 13 重庆地区川续断分布区域及生态状况

区县	分布区域	海拔 /m	气候	土壤
彭水	靛水、保家、郁山、高谷、桑柘、联合、石柳、龙塘、石盘等	900 ~ 1500	年平均气温 17.5℃，年平均降水量 1104mm，年平均日照时数 1186 小时	黄壤、黄棕壤，少紫色土，pH 6.2 ~ 7.0，透气性较好
武隆	巷口、白马、仙女山、鸭江、羊角、长坝、桐梓等	900 ~ 1500	年平均气温 17.2℃，年平均降水量 1000 ~ 1200mm，平均相对湿度 60% ~ 90%，年平均日照时数 1130 小时	黄壤、黄棕壤，少紫色土，pH 6.2 ~ 7.0，透气性较好
南川	金佛山、神龙峡、永隆山、黎香湖、山王坪、楠竹山、鱼水乡、小河、三泉等	950 ~ 1800	年平均气温 16.6℃，年平均降水量 1185 mm，平均相对湿度 69% ~ 100%，年平均日照时数 1273 小时	黄壤、黄棕壤，少紫色土，pH 6.2 ~ 7.0，透气性较好
巫溪	尖山、田坝、通城、胜利、菱角、土城、红池坝等	1100 ~ 1700	年平均气温 15.1℃，年平均降水量 1030 ~ 1950mm，年平均日照时数 1568.7 小时	黄棕壤，pH 近中性，透气性一般
城口	高观、坪坝、庙坝、巴山、明通、双河、蓼子、东安、厚坪、治坪、岚天、周溪等	1200 ~ 1800	年平均气温 13.8℃，年平均降水量 1261mm，年平均日照时数 1534 小时	黄棕壤，pH 6.8 ~ 7.5，透气性一般

3. 各动态样方点川续断种群动态

重庆各动态样方点川续断种群动态见表 14。

表 14 重庆各动态样方点川续断种群动态

调查区域	具体调查地点	种群动态
彭水	靛水桂花村	增长
	桑柘	平衡
	联合龙齿村	增长
武隆	巷口	增长
	车盘	平衡
	仙女山	增长
南川	鱼水后塘	增长
	小河黄泥垭	增长
	三泉老马嘴路口	衰退
巫溪	尖山九狮坪村	衰退
	红池坝	衰退
	通城中心村	增长
城口	东安兴田村	增长
	厚坪迎峰村	平衡
	蓼子三排山村	增长

由上表可知，彭水靛水、联合，武隆巷口、仙女山，南川鱼水、小河，巫溪通城，城口东安、蓼子等动态样方点的川续断种群呈增长状态；彭水桑柘，武隆车盘，城口厚坪等动态样方点的川续断种群处于平衡状态；南川三泉，巫溪尖山、红池坝等动态样方点的川续断处于衰退状态。

（四）讨论与建议

1. 讨论

重庆野生川续断资源减少，主要是由于近年来川续断的市场需求量逐年上升，市场价格不断攀升，刺激人们对川续断进行过度采挖，且采挖后未采取相应的繁育更新措施，以致川续断资源破坏严重。另外，川续断一般野生于山坡草地、林缘等地，但目前随着林业产权的改革，大量农户进行封山育林，许多农户将山林转包给专业户进行厚朴、黄柏、杜仲、杉木等经济林或有机蔬菜等农作物的种植，再加上川续断原有生态环境也已发生改变，从而使川续断的生存空间严重不足，川续断分布区逐渐缩小。造成野生川续断资源减少的原因是多方面的，结合访问调查和实地调查，笔者发现具体原因有以下几个方面。

（1）自然因素。分布区大面积植被被毁，导致生态环境日益恶化，野生川续断资源逐渐减少。

（2）人为因素。①政策保护不利。此次所考察的大部分县市对川续断的保护意识均较差，均未颁布过保护野生川续断的政策与法规；农民对川续断的生态保护作用认识不足，政府也没有做好宣传工作，以致农民因不认识川续断而将其当作杂草除掉或者用作牛羊的饲料。②利用过度。川续断蕴藏量骤减主要是受经济利益的驱动所致，过度利用的环节很多，可归结为两方面。一方面是过度采收。川续断的药用部分为根，生长周期为 2 ~ 3 年，相对较长。但农民为了卖钱，不考虑资源的可持续性，不顾大小、老幼，不留繁殖体，见药就采，药材"近山光、远山荒"。在调查样地只剩下很小的幼苗，如此大量采挖野生川续断，使其资源量不能及时得到恢复。另一方面是不适宜的采收方式。科学的采收方式是维系中药可持续发展的基础。但某些地区的药农为了个人利益，原本应该在川续断种子成熟倒苗后采挖药材，却提前抢收新货，使川续断的自然繁育规律遭到破坏，野生资源持续减少，年收购量骤减，质量也有所下降。

（3）其他原因。大量开垦荒地，对野生川续断资源造成破坏。川续断一般分布在山坡、荒地、草丛、沟边、路边等。当地政府为了增加土地面积，增加地方财政收入，进行了大面积的开荒造田和经济林种植等。另外，当地农民也对川续断大面积分布的山坡、荒地等进行开荒，种植蔬菜或其他价格较贵的药材。与此同时，城镇化建设等直接侵占林地，导致森林、草地中的一些物种已无栖身之地，林分和草地质量下降，进而使川续断生长缓慢，根部细小，须根较多，质量下降。

2. 建议

川续断是一种大宗常用药材。我国野生川续断的分布范围比较广，川续断分布区域的地形地貌和气候条件比较复杂。川续断资源减少的原因是多方面的，主要原因是对川续断药材的发展缺乏科学导向和管理，也没有形成道地药材种植规模，而且一部分药材基地已出现萎缩，管理落后，产量减少。对重庆的川续断资源进行保护，应充分考虑人为和客观等各方面因素，制定相关的保护对策，从而确保川续断资源的可持续利用，具体建议如下。

（1）实施就地保护。

（2）加强法制建设并加大宣传力度。

（3）建立科学的采收方法。对川续断这种根类中药材，在采挖时要根据资源的再生能力制定合理的采收计划，进行科学的采集，应采大留小，边采边育，不能挖光挖绝，确保野生川续断资源的更新和可持续利用。同时，应根据当地的川续断资源蕴藏量制定合理的采收量，保证川续断能够进行自我更新。

（4）加强科学研究。抓紧对道地药材川续断品种的历史、采收、传统加工技术的独特工艺等进行总结、挖掘、整理，同时对混乱品种也要进行调查并分析原因，做好鉴定，以正本清源，为川续断的发展提供科学依据。

三、半夏动态监测研究

半夏药材来源于天南星科植物半夏 *Pinellia ternata* (Thunb.) Breit. 的干燥块茎。其味辛，性温，有小毒，具有燥湿化痰、降逆止呕、消痞散结等功效，临床用于痰多咳喘、痰饮眩悸、风痰眩晕、痰厥头痛、呕吐反胃、胸脘痞闷、梅核气等。半夏入药历史悠久，备受历代医家推崇，是一味常用传统中药。我国的半夏资源分布十分广泛，除内蒙古、吉林、黑龙江、新疆、青海、西藏等少数几个省区外，其余各省区均有分布。半夏在重庆全市均有分布，主要分布于海拔 300 ~ 2100m 的荒地、草坡、玉米地、田边或疏林下。近年来，随着半夏市场需求量持续增加、野生资源不断减少和半夏栽培技术远远滞后三者之间矛盾的日益加剧，我国半夏资源的蕴藏量和产量都大幅下降。野生半夏资源状况不明严重影响了对半夏的开发利用，对野生半夏资源的保护和研究已迫在眉睫。为此，笔者对我国野生半夏资源进行了动态监测研究，旨在为下一步开展野生半夏资源的收集、保护及开发利用等工作打好基础。

（一）调查区域与路线

半夏的调查路线主要依据第四次全国中药资源普查重庆（试点）调查得到的半夏主要分布地和产区进行设计，共设 5 个动态样地、45 个动态样方，布置样地、样方的原则是"覆盖点、侧重面、强道地、重事实"。

重庆半夏资源具体动态调查地区见表 15。

表 15　重庆半夏资源动态调查地区

调查区域	调查具体地点	海拔 /m	经度	纬度
南川	三泉石竹沟	612	E 107°12′ 54″	N 29°08′ 35″
	三泉马嘴	603	E 107°17′ 52″	N 29°03′ 05″
	三泉	667	E 107°05′ 13″	N 29°02′ 47″
江津	四面山马家坪	667	E 106°23′ 32″	N 28°44′ 03″
	蔡家新开村	241	E 106°19′ 59″	N 28°52′ 52″
	白沙	296	E 106°12′ 45″	N 29°04′ 35″

调查区域	调查具体地点	海拔 /m	经度	纬度
大足	中敖中心路村	390	E 105°40′ 21″	N 29°45′ 59″
	白马红灯村	366	E 105°47′ 59″	N 29°36′ 13″
	雍溪玉霞村	333	E 106°00′ 35″	N 29°44′ 26″
合川	盐井水波洞村	401	E 106°20′ 35″	N 29°55′ 21″
	草街罗家湾	324	E 106°22′ 38″	N 29°56′ 58″
	通城中心村	376	E 106°03′ 24″	N 30°11′ 45″
梁平	金带牛头寨	323	E 107°43′ 42″	N 30°38′ 36″
	蟠龙	365	E 107°40′ 32″	N 31°37′ 53″
	七桥水泥厂	488	E 107°32′ 06″	N 30°37′ 11″

（二）调查方法

1. 自然更新调查

通过第四次全国中药资源普查重庆（试点）调查，全面了解调查区域详细情况，明确半夏主要分布地区和产区，以选择具有典型代表性的取样区域和样地，在选定的样地上设置固定样方。共设 45 个动态样方，样方面积为 2m × 2m。

（1）地下器官的自然更新调查。由于半夏生长期短，植物矮小，采用叶片测量时误差大，故笔者在进行半夏固定样方地下器官的自然更新调查时选用了定期挖掘法。

（2）地上器官的自然更新调查。对地上器官的自然更新调查，首先要调查药用植物资源的生活型、生长发育规律，然后调查它的投影盖度和伴生植物的单位面积药材产量、苗数及苗的高度等。调查要逐年连续进行。

自然更新调查还包括生态调查，以确定最适采收期。生态调查一般采用带状横断面调查法。这种方法是在含有该种植物群落的地区，选一个长 210m、宽 10m 的带状区，设 21 个小区，分别调查每个小区的土壤 pH、坡度、鲜度和光照强度，然后分析这些生态因子对植物生长发育和药材产量的影响。

2. 人工更新试验调查

在采收后的样地上进行半夏资源的人工更新试验。选择半夏适宜的生长阶段进行人工播种或栽培，然后进行观察、记录。人工更新的块地也称样方。样方的试验记录包括样方面积、群落类型、海拔、坡向、土壤、光照强度和伴生植物。

在样方上播种或移栽幼苗后，逐年记录其生长发育情况，特别要调查样方内苗的增长数目，并定期测量它们的增长量，记录达到采收标准的年限。通过数年的观察，即可提出半夏人工更新的年限和恢复资源的技术措施。

（三）调查内容及结果

1. 自然更新观测

在观测期内，对半夏的生态环境条件、群落类型、群落动态以及样方的盖度和密度等进行了详细的调查，调查结果见表 16 ~ 表 18。

表 16　半夏各动态样方点区域群落状况

调查地点	建群种	群落盖度	伴生植物
南川	宜昌悬钩子和扁竹兰 凹叶厚朴 杜仲	10% ~ 20% 20% ~ 50% 20% ~ 50%	凹叶景天、山麦冬、金粉蕨、滇黄精、茜草、常春藤、白木通、海金沙、蝴蝶兰、南天竹、鼠麴草、卷耳、钩吻、蕨、野蒿蒿、林地早熟禾、柳属植物、柳杉、五节芒
江津	柏木 桑和花椒	10% ~ 20% 20% ~ 40%	贯众、喜旱莲子草、夏枯草、鸭儿芹、凹叶景天、金粉蕨、黄鹌菜、早熟禾、扬子毛茛、蕺菜、风轮菜、看麦娘、莎草属植物、蒲公英、窃衣、水蓼、野蒿蒿、酢浆草、芽莓、六叶葎、商陆、通泉草
大足	女贞 银杏	10% ~ 30% 15% ~ 40%	黄鹌菜、早熟禾、白苞蒿、画眉草、酢浆草、通泉草、六叶葎、窃衣、打破碗花花、野燕麦、风轮菜、野蒿蒿、野豌豆、白茅、夏枯草、牛膝菊、野草香
合川	乌蔹莓和臭牡丹 构树	10% ~ 20% 20% ~ 30%	酢浆草、垂盆草、三叶鬼针草、喜旱莲子草、野菊、黄花蒿、鸭跖草、白苞蒿、香丝草、马兰、三裂蛇葡萄、小窃衣、线叶水芹、通泉草、抱茎小苦荬、荩草、积雪草、地果
梁平	喜树和构树 桑和柏木	20% ~ 40% 20% ~ 30%	蜈蚣草、土牛膝、马兰、喜旱莲子草、凹叶景天、野艾蒿、酢浆草、井栏边草、海金沙、贯众、紫苏、荩草、车前、刺儿菜、扬子毛茛、野菊、千里光、杠板归

表 17　一年生半夏自然更新观察记录

年份及组别	地上枝数量	根（包括根茎）的质量 /g	单株质量 /g	株密度 /m²	单位面积产量 /g·m⁻²
2013-4	53	427	26.9	12	30.0
2013-6	57	484	26.0	14	44.5
2013-7	49	413	26.5	12	57.5

表 18　自然更新观测地季相和生境变化观察记录

区县	分布地区	地形状况（坡度）	气候状况	土壤状况（pH）	光照状况	水分状况	种在群落中的地位	群落演替	药材生长数量变化	种群生态变化	种的盖度变化
南川	三泉	5° ~ 30°	年平均气温 16.6℃，年平均降水量 1185mm，年平均日照时数 1273 小时	6.5 ~ 7.3	较强	少	40% 左右	无	无显著变化	有所恢复	增大
江津	四面山、蔡家、白沙	15° ~ 40°	年平均气温 18.2℃，年平均降水量 1035mm，年平均日照时数 1208 小时	6.5 ~ 7.8	较强	少	弱	无	无显著变化	弱	减少
大足	中敖、白马、雍溪	0° ~ 20°	年平均气温 17.6℃，年平均降水量 1163mm，年平均日照时数 1183 小时	6.8 ~ 7.3	较强	少	较强	无	无显著变化	弱	减少

续表

区县	分布地区	地形状况（坡度）	气候状况	土壤状况（pH）	光照状况	水分状况	种在群落中的地位	群落演替	药材生长数量变化	种群生态变化	种的盖度变化
合川	盐井、草街、通城	5°～20°	年平均气温18.1℃，年平均降水量1112mm，平均相对湿度79%，年平均日照时数1315小时	6.5～7.3	较强	少	弱	无	无显著变化	弱	增大
梁平	金带、蟠龙、七桥	0°～30°	年平均气温17.1℃，年平均降水量1263mm，年平均日照时数1336小时	6.6～7.5	较强	少	弱	无	无显著变化	弱	增大

通过对各地区的实地调查，笔者发现半夏地理分布较广。半夏分布地区的生态环境大都相似，气候多为亚热带季风性湿润气候或亚热带季风气候，降水量较多，昼夜温差不大，光照较强，土壤pH为6.5～7.8。半夏群落中的常见优势种有黄泡子、凹叶景天、银杏、凹叶厚朴、构树、柏木、乌蔹莓、臭牡丹、桑等。野生半夏在群落中的盖度多为5%～20%，由于前几年受到过度采挖，加之半夏繁殖速度较慢，目前野生半夏已不是优势建群种。

2. 讨论

（1）半夏自然更新慢。虽然半夏是一种分布很广的草本植物，但因其生态环境遭到破坏及被大量采挖，半夏野生资源逐渐减少，急需采取有效措施对其野生资源进行保护。

（2）通过在重庆全市范围内收集半夏，笔者发现个别产区栽培半夏的直径远远超过《中国药典》的规定，其外形与天南星极为相似，栽培半夏与野生半夏的传统鉴别特征大相径庭，急需一种评价栽培和野生半夏内在品质差异的方法，以控制半夏的质量，保证临床用药安全有效。

（3）半夏种源长期的自繁、自留导致植株混杂、老化，当地农户留种质量等差异显著，直接影响了半夏的产量和质量。调查表明，重庆曾经从山西引种半夏。另外，种茎混杂情况时有出现，在半夏种茎中夹杂有天南星、虎掌半夏，由于它们的种茎在外观形态上差异很小，单凭肉眼难以区分，只有播种之后植株长到一定高度时，才可辨别出混杂有其他种。

（4）对半夏的品种选育研究薄弱。半夏的野生或栽培群体中均存在着许多种内变异类型。研究表明，竹叶型半夏的珠芽较多，但块茎较小；芍药叶型半夏的珠芽较少，但块茎较大；而且，似有叶片越窄、块茎越小的趋势。因此，从生产实际出发，在半夏栽培过程中，种下区分品系是十分必要的，在品种选育中可以叶片作为指标来培育纯系优良品种。

第四章

传统医药知识

第一节　民族医药现状

　　重庆是我国少数民族人口最多的直辖市，市内有55个少数民族，少数民族人口为193.87万人，占全市总人口的6.55%，其中，土家族为139.8万人，苗族为48.3万人。少数民族主要居住在秀山、酉阳、石柱、彭水等民族自治区域及黔江等地。土家族、苗族有民族语言而无文字，民族文化是以口耳相传的形式世代传承，民族传统医药文化的传承也是如此。

　　20世纪80年代，重庆开展中草药资源普查，基本掌握了当时重庆中草药的本底情况，如酉阳有1059个中草药品种，其中约1/3的品种为土家医、苗医常用民族药；秀山有1270个中草药品种，其中400余种为民族药。在调查中还收集到民族医药人员常用的经验方、单方、验方数千首，经筛选后汇编成册，如秀山县卫生局编印的《单验方选编》，收载1458个方，分9类。1986年6月，酉阳县卫生局编写了《单验方选编》，收录了经临床应用具有较好疗效的民间验方，如吴偶逸家传"吴氏起肺膏"外敷可治肺痨咳嗽、跌仆损伤等疾病，疗效显著；"百咪岁月酒"具有保健功效；"马蜂方"可治子宫脱垂；"八咪消毒散"可治梅毒等。

第二节　民族药的种类、分布及使用

一、巴渝传统医药文化

　　巴渝文化是重庆最富有鲜明个性的民族文化之一。巴渝文化起源于巴文化，是指巴人（或巴族）和巴国（或巴子国）在历史发展中形成的地域文化。渝东地区特别是三峡一带是我国巫文化积淀最厚重的沃土，历代巫风盛行，是巫傩文化演绎的舞台。渝东地区土家族民间的梯玛文化、苗族民间的盘瓠文化是巫文化烙在土家族、苗族文化上的印记。巫文化在土家族、苗族医药文化方面的体现有：治疗巫术，如"画水""画符"；驱邪巫术；术福巫术；预知巫术；梯玛文化的"神术疗法"及"封刀接骨术"；苗巫的"占卜术"等。

　　《山海经·大荒西经》记载："大荒之中……有灵山，巫咸、巫即、巫盼、巫彭、巫姑、巫真、巫礼、巫抵、巫谢、巫罗十巫从此升降，百药爰在。"这里的"灵山"，即指巫山；"巫咸"，则是指上古时期一位非常有名的巫师或巫医。

　　《山海经》中记载了对各种疾病的认识和许多治疗及预防疾病的单方，是当时医药兴盛的表征，且书中对疾病名称已有较为详细的记载，记载了风、痈、疽、腹病、心痛、痔瘘、疥、白癣、瘿、疣、疫疾、呕、狂、肿疾、蛊疫、蛊、痴疾、疠、腑（腑肿）、劳、底（足茧）、瞽（盲）、暴（皮皱起）、膝（大腹）、瘤（瘦）等疾病。《山海经》中所描述的医药知识对后世传统医药学有一定的影响，如在疾病的命名上，水蛊胀与《山海经》中的"蛊疫"、心痛证与"心痛"、风证与"风"有一定的联系。另外，民间习用的药物，如喜药、治不孕症药物、和气药、隔喜药（避孕药）、打药、不老药等，其称呼同《山海经》中的善走药、不怒药、大力药、不孕药等也有渊源。

二、民族民间医药知识

通过对重庆民间传统医药知识的调查，笔者收集整理了部分民族民间医生对药材的认识，如通过植物形态及性味识别药物的功效；民间对药材的命名；药材采收方法与注意事项；民间用药习俗，如鲜药鲜用的用药特点等。在调查中还发现了一批特色药材及道地药材，如渝东地区所产黄连、杜仲、天麻为道地药材，石柱为我国的"黄连之乡"。重庆特色民族药材有土家药"七类"药物、"蜈蚣"类药物、"还阳"类药物等。

1. 对药材的认识

受文化程度的影响，民族民间医生对药材的认识，多以浅显易懂的方式相传，如使用"打到地上爬，离不开祖师麻""狗咬一枝蒿，蛇咬一枝箭""家有八角莲，可以伴蛇眠""一身打起包，离不开隔山撬"等通俗的口诀，对药物功效进行通俗易懂的总结。对何种植物治疗什么病，总结归纳出一些规律。

（1）从植物形态看功效。有刺的植物多具有除风湿的作用，如刺五加、刺桐皮等；对枝对叶的植物可除红，即叶对生的植物多半有活血祛瘀的作用。

（2）从味道看功效。口尝一直是民间民族医生发现药材功效的一个重要渠道。味甘多补益，味苦多清热，味辛多活血，味麻多有毒。

（3）药材命名的民族性。受知识水平的限制，民间民族医生对一些植物只知道其功效，多根据功效及外形特点对药材进行命名，如称半夏为"麻芋子"，是因其外形虽小，但味道麻口如芋。

（4）对药物采收的认识。一般来说，药用植物春采叶，夏采枝，秋采根或果。民间用药十分注意资源的可持续利用，特别强调采大留小、注意留种、不要采绝。

（5）药材多为鲜品。民间用药多鲜用，用其鲜性药效。特别是外用药物，认为鲜品效果好于干品。鲜品多捣用，绞汁服。

2. 特色民族药材

渝东地区地理环境特殊，气候适宜，是我国中药材的主产地，被誉为"中华药库"。这一地区历史上形成了许多道地及民族特色药材，如黄连、杜仲、天麻等。最具特色的民族药材有"七类"药物、"还阳类"药物、"蜈蚣类"药物。"七类"药物，土家医又称"七十二七"，此类药物多达百余种，如棉花七、鸡心七、石三七、蓼子七、蜂子七、铜骨七、核桃七、红毛七、猴儿七、钮子七、鸡血七、荷叶七、朱砂七、海螺七等。

此次普查共收集到 25 种"七类"药物，分属 14 科。在性味上，"七类"药物性寒、凉和味苦、辛者居多，性平和味甘、酸者较少。"七类"药物的用药部位多为全草或块根，功效以活血止血、消肿祛瘀、清热解毒、祛风除湿、通经活络为主。在临床应用上，药匠（土家医的别称）多将其用于外伤内劳、风湿痹证、疡子、疱疮等疾病，也用于某些急症，如热吼、水胀等疾病，以止咳平喘、利湿泻火等。

棉花七：毛茛科植物小升麻 *Cimicifuga acerina* (Sieb. et Zucc.) Tanaka 的全草，分布于巫溪等地。用于肾虚腰痛、跌仆损伤等。每日用量 12 ~ 15g，水煎服，每日 3 次。

鸡心七：百合科植物开口箭 *Campylandra chinensis* (Baker) M. N. Tamura et al. 的根茎，分布于巫溪等地。用于心脏病。每日用量 10 ~ 15g，水煎服，每日 3 次，6 日为 1 个疗程。

石三七：苦苣苔科植物吊石苣苔 *Lysionotus pauciflorus* Maxim. 的全草，分布于巫溪等地。用于小儿食积。

蓼子七：蓼科植物短毛金线草 *Antenoron filiforme* (Thunb.) Rob. et Vaut. var. *neofiliforme* (Nakai) A. J. Li 的块根或全草，分布于巫溪等地。用于跌仆损伤、劳伤吐血。每日用量 15 ~ 20g，水煎服，每日 1 剂，每日 3 次。

蜂子七：蔷薇科植物三叶委陵菜 *Potentilla freyniana* Bornm 的全草，分布于巫溪、城口等地。用于赤白痢疾、胃出血、胃溃疡。每日用量 20g，水煎服，每日 1 剂，每日 3 次。外用适量，煎汤洗，用于烫火伤。

铜骨七：毛茛科植物鹅掌草 *Anemone flaccida* Fr. Schmidt 的根茎，分布于巫溪等地。用于虚劳内伤、风湿痹痛、跌仆损伤等。有小毒，孕妇忌服。每日用量 15g，水煎服，每日 1 剂，每日 3 次，6 日为 1 个疗程。

转筋七：黄杨科植物顶花板凳果 *Pachysandra terminalis* Sieb. et Zucc. 的全草，分布于巫溪等地。用于寒湿痹痛、小腿转筋，疗效较好。每日用量 20g，水煎服，每日 1 剂，每日 3 次，6 日为 1 个疗程。

核桃七：蛇菰科植物日本蛇菰 *Balanophora japonica* Makino 的全草，分布于巫溪等地。专治头晕头痛。每日用量 15 ~ 20g，水煎服，每日 1 剂，每日 3 次。外用适量，以醋浸泡 7 日，擦患处，治痔疮有良效。

钮子七：五加科植物珠子参 *Panax japonicus* Kurz. var. *major* (Burkill) C. Y. Wu & K. M. Feng 的全草，分布于巫溪等地。用于跌仆损伤、肿胀积聚、痈肿、劳伤吐血。每日用量 6 ~ 9g，研粉冲服或适量作酒剂服，研粉每日 1 剂，每日 3 次。

红毛七：小檗科植物红毛七 *Caulophyllum robustum* Maxim. 的根及根茎，分布于巫溪等地。用于跌仆损伤、风湿疼痛。每日用量 15g，水煎服或适量作酒剂服，水煎剂每日 1 剂，每日 3 次。

豌豆七：景天科植物菱叶红景天 *Rhodiola henryi* (Diels) S. H. Fu 的根，分布于巫溪等地。用于痢疾、风湿疼痛、体倦乏力。每日用量 30g，水煎服，每日 1 剂，每日 3 次。

窝儿七：小檗科植物南方山荷叶 *Diphylleia sinensis* H. L. Li 的根茎，分布于巫溪等地。专治腰足扭伤、瘀血肿痛。每日用量 25g，水煎服，每日 1 剂，每日 3 次。内服结合外用疗效甚佳。外用适量，捣烂或研粉，用酒、醋调敷患处。

猴儿七：蓼科植物珠芽蓼 *Polygonum viviparum* L. 的根茎，分布于巫溪等地。专治骨质增生。每日用量 20g，水煎服，每日 1 剂，每日 3 次，10 日为 1 个疗程。内服结合外用治疗。外用适量，研粉，用酒调敷患处。

鸡血七：蓼科植物中华抱茎蓼 *Polygonum amplexicaule* D. Don var. *sinense* Forb. et Hemsl. ex Stew. 的根茎，分布于巫溪等地。用于胃出血、痢疾。每日用量为干品 15g 或鲜品 30g，水煎服，每日 1 剂，每日 3 次。

鸳鸯七：秋海棠科植物秋海棠 *Begonia grandis* Dry 的块茎，分布于巫溪等地。民间在采挖后根据块根的颜色，分为红、白两类，故又称红白二丸，为民间常用跌打要药之一。红色的入心经，用于心火亢盛引起的出血证；白色的入肾经，专治肾精不足、腰损劳伤。每日用量 15g，水煎服，每日 1 剂，每日 3 次。

荷叶七：菊科植物蹄叶橐吾 *Ligularia fischeri* (Ledeb.) Turcz. 的根及根茎。用于妇女红崩白带、小腹疼痛、虚寒喘咳等疗效较好。每日用量 30g，水煎服，每日 1 剂，每日 3 次。

朱砂七：蓼科植物毛脉蓼 *Fallopia multiflora* (Thunb.) Harald. var. *ciliinerve* (Nakai) A. J. Li 的块根，分布于巫溪等地。用于胃溃疡、急性痢疾、慢性痢疾。有小毒，孕妇慎服。朱砂七 12g、葛根 10g，水煎服，每日 1 剂，每日 3 次。

猪毛七：铁线蕨科植物铁线蕨 *Adiantum capillus-veneris* L. 的全草，分布于巫溪等地。用于淋浊、牙痛、吐血、肺热咳嗽等。每日用量 30g，水煎服，每日 1 剂，每日 3 次。

金毛三七：虎耳草科植物落新妇 *Astilbe chinensis* (Maxim.) Franch. et Savat. 的根茎，分布于巫溪等地。用于腰足扭伤、寒湿痹痛等。金毛三七 20g、鸡血藤 15g、羌活 15g，水煎服，每日 1 剂，每日 3 次。

海螺七：百合科植物七叶一枝花 *Paris polyphylla* Smith 或华重楼 *Paris polyphylla* var. *chinensis* (Franch.) Hara 的根茎，分布于巫溪、城口等地。可清热解毒、消肿止痛，用于疔疮痈肿。治恶性肿瘤如胃癌疼痛有较好的疗效。海螺七 12g、白花蛇舌草 15g、半枝莲 12g，水煎服，每日 1 剂，每日 3 次，12 日为 1 个疗程。

扣子七：桔梗科植物珠儿参 *Codonopsis convolvulacea* Kurz subsp. *forrestii* (Diels) D. Y. Hong & L. M. Ma 的根茎，分布于城口等地。可祛瘀生新、止痛、止血，用于跌打损伤、吐血、衄血、劳

伤腰痛等。

鸡心七：蓼科植物草血竭 *Polygonum paleaceum* Wall. ex HK. f. 的根茎，分布于城口等地。有散血、止血的功效。

牛角七：虎耳草科植物鬼灯檠 *Rodgersia podophylla* A. Gray 的根茎，分布于城口等地。泡酒喝，用于五劳七伤。

3. 民族民间单验方

民族民间传统医药知识的主要表现形式之一是防治疾病的单验方，这些单验方已流传千百年。本次调查共收集民间药方近 200 首，整理出 157 首，其中单验方 53 首。单验方使用方便，现采现用，在用药方法上有外敷、挤汁内服、煎水内服等。以下为收集到的部分单验方。

方 1：四大天王、养血莲、隔山撬、猪尾参、凉血七、石菖蒲。

用法：水煎服。

主治：用于小儿脾胃虚弱、疳病。

方源：秀山钟灵新厂村文永杨。

方 2：五加皮、藤五加、草五加、草三加、乌泡刺、白泡刺、过山龙（地枇杷）、杉木尖、铁棱角（刺）、大风药、黄茅根、钓鱼竿。

用法：水煎服。

主治：用于跌打损伤。

方源：秀山钟灵卫生院正对面草药摊，卫生院院长母之前。

方 3：山楂、灵芝、决明子、绿茶。

用法：泡茶。

主治：用于高脂血症、高血压、高血糖。

方源：大足中医院药剂科。

方 4：白芍、白花蛇舌草、半枝莲、连翘等。

用法：水煎服。

主治：用于肝腹水、肝硬化。

方源：大足宝兴黄桥村陈术秋。

方 5：白茅根、甘蔗、马蹄等或白茅根单用。

用法：水煎服。

主治：用于清热。

方源：铜梁围龙腾龙村唐孝梅，现常居铜梁小南街（草药街）。

方 6：隔山撬 [隔山消 *Cynanchum wilfordii* (Maxim.) Hemsl.] 根茎。

用法：水煎服，每日 1 剂，每日 3 次。

主治：健脾顺气，镇静止痛。于瓦块上将隔山撬磨水吞服对小儿痞块、胃痛腹胀有特效。

方源：城口庙坝罗江村严尔得。

方 7：白旱莲草、金樱子根、鸭跖草、仙鹤草、藕节。

主治：治痫血十分见效；治妇科停经、闭经有效率可达 95%。

方源：荣昌双河梅石坝村 8 社刘大湾周奎明。

方 8：车前草、金钱草、水灯芯、金刚藤、萹蓄、旱猪毛。

主治：用于泌尿系感染。

方源：荣昌昌元街道外西步行街学院支路 49 号夏绍堂。

方 9：隔山撬、鸡矢藤、臭牡丹、石甘子。

主治：用于胃溃疡。

方源：永川钟氏百草堂钟老师、周氏草药周医生。

方 10：山百棒、黑谷七、五花血藤、石甘子、箭杆风、虎杖。

主治：用于骨质增生、腰椎间盘突出。

方源：永川钟氏百草堂钟老师、周氏草药周医生。

方 11：石韦根茎部与石豇豆、过路红一起煎水。

主治：用于胆结石。

方源：石柱三星乡。

方 12：五香藤、木香、石南藤、金钱草等。

用法：水煎服或做成水蜜丸。

主治：用于肝胆湿热。

方源：南川城东刘从健诊所刘从健。

方 13：虎耳草、蜂蜜、淘米水。

用法：涂抹。

主治：用于蜂毒。

方源：黔江黎水镇黎水村 6 组老房子邹宝全。

方 14：海金沙根、白刺、白茅根、金银花根。

用法：水煎服。

主治：用于流鼻血。

方源：黔江沙坝木良村 4 组张仁友。

方 15：肺筋草、苞谷七、散血草、山花椒、刺五加、三白草等。

主治：用于支气管炎、小儿百日咳。

方源：黔江黎水镇华阳居委 5 组徐安武。

方 16：当归 30g、党参 30g、白术 30g、茯神 30g、黄芪 40g、熟地黄 30g、生地黄 30g、艾叶 15g、枣仁 20g、柏子仁 20g、龙眼肉 20g、龙骨 40g、牡蛎 40g、海螵蛸 20g、蒲黄炭 20g、侧柏炭 10g、木香 10g、远志 7g、阿胶 30g。

用法：水煎服。

主治：用于大出血（妇科）。

方源：酉阳宜居建田村 4 组石邦祥。

方 17：马蹄草 20g、金钱草 20g、海金沙 15g、克马草 15g。

配伍：穿山甲、马鞭草、前仁、山楂、神曲、菊花等。

用法：水煎服。

主治：用于肾结石。

方源：铜鼓乡铜鼓村 2 组裴世群。

方 18：五倍子、茶叶、乌梅、尖贝、冰片、芒硝、硼砂、山楂肉。

用法：制成蜜丸含服，不分次数。

主治：用于声带息肉。

方源：云阳人和街道立新街道 86 号魏太国。

方 19：虎杖、骨碎补、白芷、细辛、刺黄芩、三颗针、防风、大力子、薄荷、黄花地丁、皂角刺（肿时加用）。

用法：水煎服，每日 3 次。

主治：用于牙痛、牙龈肿痛。

方源：云阳票草镇龙清路张定栓。

方 20：天花粉、泽泻、怀山药、生地黄、旱莲草、干苦瓜（去心）。

主治：用于 1 型、2 型糖尿病。

方源：垫江张国柱。

第三节　民族医药发展建议

一、提高对民族医药发展的重视程度和支持力度

我国对民族医药发展极为重视，2007 年 12 月 18 日，国家中医药管理局等机构联合发布了《关于切实加强民族医药事业发展的指导意见》，对民族医药发掘继承、科研工作重点做出了明确要求。近年来，国家把民族医药发展列入国家科技重大专项并给予支持。

渝东南地区武陵山脉一带是重庆土家族、苗族集聚区，也是我国土家族、苗族的核心分布区域之一。重庆本地的民族医药历史悠久，民族药资源丰富，但与毗邻的贵州、湖南等省的民族医药发展相比，重庆的民族医药发展相对滞后。贵州省政府近年出台相关政策，大力推动民族医药发展，打造民族医药产业集聚区；湖南湘西出台了《湘西土家族苗族自治州土家医药苗医药保护条例》，加大对该区域民族医药的保护与利用。民族医药来源于我国各少数民族的医疗实践，具有简、便、效等特点，原创性和独特性显著。发展民族医药不仅有利于弘扬民族文化、增强文化自信，也有利于中医药与民族医药包容互鉴、共同发展。因此，重庆各区县政府应积极将民族医药发展列为该区域发展的重点并给予保护，对民族医确有疗效的诊疗方法应予以推广，推进民族地区卫生健康事业发展。

二、加强对民族医药文献的发掘和整理

在长期医疗实践过程中，民族医将自己对疾病和药物的认识用文字记录下来。如酉阳土家族名医程其芝在所著《云水游集》卷七中说："小儿一切凶吉各症……按六经用药，自无大误，唯有暴症陡起，惊风颠来……寻方不急，有药难进，非灯火一法，其奈之何哉！灯火有拔山之力，掌稳部位，百发百中。"惜《云水游集》未被发掘和整理，至今仍散落民间。诸如此类因未被及时发掘和整理而散佚的民族医药文献还有很多，因此，加强对民族医药文献的发掘和整理，对民族医药发展显得尤为重要。

三、大力发展民族医药教育和科研

一个有利的发展环境和工作条件对民族医药人才的培养至关重要。重庆周边的高校或科研单位均设有民族医药教育和研究，如中南民族大学、西南民族大学、成都中医药大学、贵州中医药大学等均开设了民族医药教育和科研，取得了一批成果。重庆应大力发展民族医药教育和科研：一是培养民族医药人才，加大对民族医药科研的支持力度；二是加大对熟练掌握民族传统医药知识并有较高造诣的民族医的保护，授予这些民族医生在一定范围内的行医资格，使民族医药得到传承和发展。

四、加大对民族药资源的保护与利用

目前由于生态环境的变化，一些珍稀民族药药材短缺，这种情况严重制约了民族医药的发展。因此，应加强对珍稀民族药的繁育和栽培研究，通过现代技术提升药材质量和加工水平，加强民族药的综合利用和开发，最大限度利用好民族药资源。

第五章

重庆市道地和大宗特色中药资源

重庆是我国重要的中药材产区，所产药材多冠以"川"字，如川黄连、川黄柏、川党参、川枳壳、川续断等，均是全国知名的优质药材。川黄连，产于"黄连之乡"石柱，年产量占全国黄连年总产量的 60% 左右。江津的枳壳与枳实、合川的使君子与补骨脂、巫山的庙党与独活、城口的华细辛与味牛膝、涪陵的川续断等道地药材品质优良，在国内外久负盛名。酉阳系我国优质黄花蒿种质资源区，所产青蒿的青蒿素含量较高。

重庆成为直辖市后，该地中药农业得到快速发展，成为重庆各区县竞相发展的产业。但由于中药材种植不同于农作物的生产，受到种植技术、药材品质及市场行情等因素的影响，故中药种植业的发展呈现起伏不定的特点。为了掌握重庆中药种植的基本情况，重庆中药资源普查队按第四次全国中药资源普查重庆（试点）方案的要求，对重庆各区县的中药种植情况进行了调查。

重庆现有中药资源 4189 种，中药材总蕴藏量达 163 万吨；常用的中药材品种有 552 种，其中来源于栽培的药材有 104 种；常年生产、收购的地产药材有 350 余种。

2013 年重庆全市的中药种植面积达 9.1 万公顷，产值超过 5000 万元的中药材品种有 13 种，主要包括金银花、黄连、青蒿、玄参、党参等在国内外享誉盛名的重庆道地药材，以及本地大型制药企业的主要原料药材。

据统计，2018 年重庆全市中药材种植业的产值达 39.4 亿元，综合产值约为 320 亿元。全市拥有涉及中药材种植的企业 520 家、农业合作社 585 家、中药饮片生产企业 153 家、提取加工企业 40 家、中药制药企业 12 家。与 2017 年相比，2018 年重庆中药产业主体稳定增长，中药种植企业和农业合作社保持了一定的增长速率。

2018 年重庆全市的中药材种植面积达 12.7 万公顷，较 2016、2017 年有显著的提升，所产药材具有良好的市场竞争力和稳定的销售渠道。

目前，重庆栽培量较大的中药材品种有 50 余种，包括黄连、木香、牡丹皮、白术、枳壳、款冬花、党参、小茴香、天麻、半夏、青蒿、厚朴、黄柏、金银花、银杏、佛手、红豆杉、辛夷、前胡、板蓝根、金荞麦等，在全国有比较重要的地位和影响。已获得地理标识的产品有石柱黄连、酉阳青蒿、秀山白术、秀山金银花、南川天麻、南川玄参、南川金佛山蜂蜜、铜梁枳壳、铜梁使君子、铜梁粉葛、云阳乌天麻、云阳菊花、垫江丹皮、万县红橘（川陈皮）、巫山庙党、开县木香、江津花椒、东津东胜金银花、城口太白贝母、綦江木瓜等。

一、中药种植业情况

据调查统计，2013 年重庆全市的中药材种植业产值达 28.38 亿元，中药工业产值达 64.13 亿元，与 2012 年相比，2013 年重庆中药材种植业产值与其基本持平，中药工业产值略有提升。全市拥有涉及中药材种植的企业 267 家、农业合作社 287 家、中药饮片生产企业 118 家、提取加工企业 26 家、中药制药企业 8 家，与 2012 年相比，产业主体大幅增加，尤其是涉及中药材种植的企业和农业合作社。2013 年重庆五大功能区中药产业的基本情况见表 19。

表 19　2013 年重庆五大功能区中药产业的基本情况

功能区定位	种植业					加工业	
	总种植面积 / hm²	产值 / 亿元	涉及农户 / 户	涉及企业 / 家	涉及农业合作社 / 家	产值 / 亿元	涉及企业 / 家
都市功能核心区及都市功能拓展区	0.026	0.39	5606	5	1	4.10	4
城市发展新区	1.57	4.16	226689	121	60	12.50	44
渝东北生态涵养发展区	2.18	11.56	65588	78	253	38.09	76
渝东南生态保护发展区	5.34	12.27	197237	83	131	9.44	35
合计	9.12	28.38	495120	287	445	64.13	159

注：因统计来源不一，数据仅供参考。

对 2013 年重庆五大功能区中药产业发展的基本情况调查结果显示，重庆中药产业的分布及发展情况基本符合市委提出的五大功能区发展定位。中药种植业主要集中在渝东北生态涵养发展区、渝东南生态保护发展区，累计产值达 23.83 亿元，占中药种植业总产值的 83.97%。中药加工业主要集中在产业发展基础较好的渝东北生态涵养发展区，产值达 38.09 亿元，占中药加工业总产值的 59.39%；城市发展新区和渝东南生态保护发展区的产值分别为 12.5 亿元及 9.44 亿元，占总产值的 19.49% 和 14.72%。以上说明重庆中药产业区域性发展特征明显，产业布局基本合理。

第四次重庆中药资源普查对重庆种植的主要中药材品种进行了统计，统计结果见表 20、表 21。

表 20　2013 年重庆全市种植的主要中药材品种（产值超过 5000 万元）

品种	种植面积 /hm²	总产值 / 万元	涉及农户 / 户	主要分布区县
金银花	28157.7	48871	84747	秀山、江津、巴南、巫山等
木瓜	7666.7	6180	204072	綦江等
青蒿	7333.3	15020	32160	云阳、石柱、丰都、涪陵、黔江、酉阳等
木香	6269.9	17154	22098	开县（今开州，下同）、巫溪、城口、奉节等
党参	4786.7	34662	6410	奉节、城口、巫溪、巫山、开县等
桔梗	4155.5	22271	19712	巫溪、巫山、城口、云阳等
玄参	3658.6	14981	15343	武隆、南川、酉阳、秀山等
黄连	3647.9	24751	1639	石柱、开县、巫溪、城口、武隆、丰都等
白术	3373.3	14900	16500	酉阳、秀山、彭水等
厚朴	2652.7	5420	4526	城口、开县、武隆、酉阳、石柱等
独活	2644.1	7770	16523	巫溪、巫山、城口、开县、奉节等
牛膝	1570.3	8657	3480	奉节、云阳等

续表

品种	种植面积 /hm^2	总产值 / 万元	涉及农户 / 户	主要分布区县
金荞麦	1533.3	8590	8050	石柱、涪陵、黔江等

注：数据来源于各区县农业部门。

表 21 重庆主要区县种植品种

序号	地点	代表性主要品种	面积 /hm^2	主要栽培乡镇	是否作为重点
1	石柱	黄连、前胡、紫菀、金荞麦、金银花、佛手、山茱萸、青蒿、何首乌、玉竹、杭白菊、紫苏、药用大黄 珍稀：重楼、茯苓	5333.3	黄水、南宾、沿溪、鱼池、三星、三河、桥头	是
2	秀山	山银花（灰毡毛忍冬）、白术、黄精、天冬、玄参、厚朴、吴茱萸 珍稀：铁皮石斛、白及、蛇足石杉	10666.7	隘口、钟灵、干川、涌洞、龙池、膏田	是
3	城口	独活、藁本、桔梗、川党参、川牛膝、款冬花、附子、厚朴、川黄柏、杜仲、白术（平术）、云木香、玄参、葛根（野生）、药用大黄 珍稀：太白贝母、天麻、重楼	5333.3	明中、厚坪、咸宜、岚天、高楠、北屏、庙坝、明通、鸡鸣、东安、双河	是
4	巫溪	川党参、款冬花、独活、云木香、桔梗、玄参、川芎、川牛膝、川乌、厚朴、黄柏、杜仲、大黄（药用大黄、掌叶大黄）、黄连、藁本、白术（平术）、当归、大力子 珍稀：太白贝母、白及、天麻	7333.3	兰英、通城、尖山、徐家、鱼鳞、天元、中岗、田坝、白鹿、红池、土城、凤凰、城厢	是
5	巫山	川党参（庙党）、牛膝、金银花、桔梗、川牛膝、木瓜、白术、云木香、厚朴、黄柏、杜仲、防风 珍稀：太白贝母、湖北贝母、天麻	4000.0	红椿、笃坪、铜鼓、庙宇、建坪、竹贤、官阳、平和	是
6	奉节	川党参（板党）、云木香、川牛膝、藁本、玄参 珍稀：湖北贝母、天麻	5333.3	长安、云雾、太和、兴隆、龙桥、吐祥、五马、平安	是
7	云阳	菊花、佛手、枳壳、小茴香、云木香、金银花、厚朴、黄柏、杜仲 珍稀：乌天麻	4000.0	盘龙街道、龙角、堰坪、红狮、外郎、普安、水口、农坝	是
8	开州	黄连、云木香、川党参、延胡索、厚朴、川黄柏、杜仲、川枳壳、前胡、药用大黄、牛蒡子	6666.7	满月、关山、大进、白泉	是
9	酉阳	青蒿、白术、玄参、厚朴、杜仲、川黄柏、山银花	8000.0	龙潭、大溪、丁市	是
10	彭水	金银花、白术、黄连、吴茱萸、杜仲、黄柏、厚朴、枳壳、云木香、当归、附子、茯苓 珍稀：天麻	2000.0	岩东、石柳、汉葭、棣棠、太原、三义、龙射	是
11	南川	玄参、黄柏、杜仲、五倍子、白芷、云木香、黄连、黄栀子、辛夷、金荞麦、虎杖、党参、百合、山银花、厚朴、川紫菀、银杏 珍稀：铁皮石斛、茯苓、天麻、灵芝	4666.7	三泉、鱼泉、头渡、大有、水江、金山、古花、合溪、德隆	是
12	武隆	玄参、川续断、川黄柏、厚朴、当归、金银花、天冬、百合、白芷、桔梗、前胡	5333.3	仙女、巷口、黄莺、铁矿、后坪、白马	是

序号	地点	代表性主要品种	面积 /hm²	主要栽培乡镇	是否作为重点
13	江津	栀子、山银花(灰毡毛忍冬)、川枳壳、佛手、黄连、黄柏、半夏（野生）	1333.3	蔡家、柏林、嘉平、油溪、石门、广兴、永兴、四面山	
14	忠县	白芷、金银花、桔梗、杜仲、厚朴、白花前胡、红豆杉、石蒜	1333.3	花桥、拔山、双桂	
15	涪陵	前胡、紫菀、金荞麦、紫苏、白术、薄荷、桔梗、牡丹皮、杜仲、川黄柏、厚朴	1333.3	武陵山、马武、蔺市	
16	垫江	牡丹皮、莲、桔梗、丹参	666.7	太平、澄溪、新民、桂溪、沙坪	
17	万州	川陈皮、佛手、白芷、玄参	1333.3	走马、余家、铁峰山、龙驹、甘宁	
18	梁平	佛手、半夏、泽泻	666.7	任贤、屏锦、礼让、明达	
19	丰都	杜仲、黄柏、大黄、厚朴	1333.3	南天湖、太平	是
20	黔江	青蒿、白术、虎杖、木瓜、厚朴、黄柏、杜仲、金银花、吴茱萸、百合、党参、栝楼、玄参、杭白菊、花椒 珍稀：天麻	2666.7	马喇、邻鄂、金洞、金溪、城南、小南海、黑溪、鹅池、阿蓬江、石家	是
21	綦江	木瓜、枳壳(酸橙)、太子参、金银花、白果、栀子 珍稀：藏红花、天麻	4000.0	三角、郭扶、石壕、打通、赶水、新盛、永新	
22	万盛	杜仲、黄柏	666.7	关坝、黑山、青年	
23	合川	葛根（粉葛）、使君子、黄精、百合、海金沙（野生）、半夏（野生）、川黄柏、栝楼、枳壳、杜仲、青蒿	2000.0	张家、隆兴、钓鱼街道、盐井、南京街道	是
24	铜梁	枳壳、使君子、粉葛、莲、桑、金钱草	666.7	土桥、维新、水口、大庙、福果	
25	荣昌	枳壳、金银花、白芷、栝楼	666.7	荣隆、吴家、清流	
26	大足	白芷、薄荷、半夏、柴胡、栝楼 珍稀：铁皮石斛	666.7	季家、三驱、铁山	
27	长寿	银杏、灵芝、牡丹皮	666.7	云集、海棠	
28	永川	金银花、栀子、虎杖（野生）、淡竹叶（野生）	666.7	三教、红炉、茶山竹海街道	
29	璧山	白芷、佛手、黄精、姜黄、栀子	333.3	广谱、大路、七塘	
30	潼南	金银花、姜黄、白芷	133.3	塘坝、双江、群力、新胜、桂林街道	

注：数据来源于各区县中药种植主管部门。

二、中药材规范化生产与品种选育

重庆共有商品药材生产基地县（市）21 个，包括石柱的黄连、佛手、山茱萸、何首乌生产基地，巫山、巫溪的党参、独活、款冬花生产基地，垫江、长寿的牡丹皮生产基地，江津的枳实与枳壳生产基地，酉阳的青蒿生产基地，合川的葛根生产基地，江津的黄栀子生产基地，秀山、酉阳的白术、山银花生产基地，武隆、彭水的半夏生产基地，城口的薯蓣生产基地等。酉阳青蒿（原料药）基地于 2003 年通过国家中药材生产质量管理规范（GAP）认证；石柱黄连 GAP 基地于 2004 年通过国家 GAP 认证；太极集团的半夏基地于 2012 年通过国家 GAP 认证；秀山山银花基地于 2013 年通过国家 GAP 认证，玄参 GAP 基地于 2014 年通过国家 GAP 认证。中药材规范化种植不仅满足了中药现代化的需求，也保证了药材质量的稳定性和安全性。

为了保证中药材的优质性，从源头控制中药材质量，重庆开展了中药材栽培品种认证。通过开展中药材种质资源研究工作，已收集部分种质资源，包括川党参 20 余份、黄连 20 余份、何首乌 20 余份、青蒿 300 余份、玄参 10 余份、白术 10 余份、粉葛 20 余份、灰毡毛忍冬（金银花）20 余份、续断 30 余份、金荞麦 10 余份。同时，采用随机扩增多态性 DNA（RAPD）、简单重复序列间扩增（ISSR）、相关序列增多态性（SRAP）分子标记技术对青蒿、黄连、川党参、灰毡毛忍冬、玄参、粉葛等药材进行了遗传多样性评价，阐明了主要道地药材种质资源的遗传背景。

重庆采用系统选育方法、无性系育种技术选育了食用及药用粉葛新品种 2 个（合川苕葛、地金 2 号）、灰毡毛忍冬新品种 1 个（渝蕾 1 号）、青蒿新品种 1 个（渝青 1 号）。灰毡毛忍冬新品种已通过重庆市林业局林木品种审定委员会的审定。青蒿新品种、粉葛食用和药用新品种已通过重庆市非主要农作物品种鉴定委员会的鉴定。玄参新品种"渝玄 1 号""渝玄 2 号"、川枳壳新品种"渝枳 1 号"被审定为药用植物新品种。同时，重庆市农业农村委员会发布了秀山银花等 12 个中药材种植技术的地方标准。

三、中药材加工生产情况

2013 年，重庆涉及中药材的各类加工产业的产值达 64.13 万元，比 2012 年略有提高。重庆的中成药生产业是传统优势产业，其产值占中药加工业总产值的 70.39%，中药饮片加工业和提取物加工业也占有一定的比重。重庆的中药材加工产业链条初步形成，中药材种植业产品的本地加工溢价比例可达到 60% 左右。但是由于产品多元化开发不足，重庆尚缺乏具有市场竞争优势的综合开发产品，其他综合开发产品产值还较低，重庆中药材产业情况如表 22 所示。

表 22　2013 年重庆中药材产业情况

产业类型	产值 / 亿元	涉及企业 / 家
中药材种植业	28.38	267
中药饮片加工业	9.34	118
提取物加工业	8.83	26
中成药生产业	45.14	8
其他综合开发产业	0.81	7
合计	92.50	426

四、中药材发展存在的问题

（一）缺乏统一规划，生产盲目发展

重庆在中药材种植方面缺乏科学的统一规划，没有根据各地具体的自然地理环境条件及市场需求来选择品种，存在着一哄而上的"一窝蜂"现象，如20世纪80年代中期出现的"吴茱萸热"，仅酉阳就种植吴茱萸几十万株，后来因竞相降价，大片的吴茱萸只能被砍掉。2007年大规模种植青蒿、2009年大规模种植金银花等现象也是这种情况。目前对价格看好的品种（如白及、金银花、重楼等），各地竞相发展的现象十分严重。这种品种雷同化的盲目种植发展，造成药材产量过剩，药材积压，最后竞相压价，直接导致经济损失。

（二）生产水平落后，生产效益低

重庆大多数地区的中药材生产、加工处于单纯的市场价格导向模式，药材生产形式以农户个体自发生产为主。这种生产模式系原始的传统生产模式，农户个体既难以掌握现代化的种植技术，也缺乏技术革新、质量监控能力。从生产源头上不能引种优质品种，在生产过程中无法掌握优质高产的栽培技术，其结果是生产的药材质量差、产量低，因而效益低。同时由于个体形式难以掌握市场的需求变化，不能抵御市场需求量与价格波动对经济的影响，因而承担的市场风险也大。

（三）缺乏精深加工，产品附加值低

目前重庆种植的大多数药材主要作为原料药出售，大量的经济利益外流。即使作为原料药也尚未建立一个良好的销售渠道，如石柱作为黄连的主产区，却没有出口量。另外，重庆对中药材及附加产物产品的开发不够，中药材除了直接作为中药进行开发，还应在作为保健品、日化产品方面加大投入，如黄连还可开发成具有除菌作用的黄连香皂、具有止痒消肿作用的防蚊产品，金银花可开发成凉茶、保健茶等，而这些产品的价值是原料药的数十倍以上。

（四）规范化种植差，产品质量不高

由于不重视种植过程的规范化，重庆各地种植的药材存在农药残留、重金属超标的现象，造成药材具有安全性问题，进而影响产品的市场口碑和经济效益。这说明如果不制定一套质量标准并加以管控，产品将很难在市场上立足。

五、中药材产业发展的思路与对策

中药产业的发展应着重抓好3个关键环节，一是以道地药材为重点发展品种，合理规划布局种植生产；二是注重生产、加工技术水平的提升和规范，保证药材质量，树立品牌；三是加强深加工产业发展，提高经济效益。

1. 注重科学规划，促进中药产业的健康发展

中药材种植生产的模式可根据具体品种的资源、生态适宜性要求、市场需求和经济价值等要素，初步确定为人工种植、半野生抚育和野生采集 3 种基本模式，同时应注重生态环境保护，这样才能促进中药材的可持续发展。要实现这一目标，必须科学规划、合理布局，以种植道地、优质或具有自身特色的中药材为主，适当引种效益好的品种，采用长、短线种植结合的方式。

2. 推进生态种植，提高重庆道地药材质量

质量优良、稳定是未来药材市场对药材原料的基本要求，优质药材的生产必须建立在科学种植的基础上。发展中药种植要做到人无我有、人有我优，道地药材在市场上具有很强的竞争能力，应是重庆重点发展的品种。应加大对中药种植的科技投入，选育一批优良品种，不断提高中药种植的质量和水平，树立自己的品牌。

3. 依靠科技进步，推动中药材产业提质增效

中药材加工购销企业是产业开发的中间力量，通过中药材加工购销拉动产业链条，实现多层次增值，增强市场竞争力，才能全面提高中药材产业的经济效益。应重点利用本地的中草药资源进行新产品及新药的研发。

可通过选择黄连、党参、金银花等 10 种道地或优势药材进行精加工及深度开发研究，如加工或开发成精制饮片、速溶颗粒饮片、浸膏、保健型产品等，并示范推广，以此带动重庆中药材的开发研究，改革中药材粗、脏、混杂的传统形象，提高产品的科技含量和附加值。

建立和完善科技运作体系，要以重庆市内或国内的中药科研院所、大专院校为骨干力量，形成科技成果的研制开发、嫁接转换和推广的良性运作机制。

4. 建立龙头企业中成药原料药材生产基地

根据大型企业拳头产品主要原料药材及其他中成药厂药材品种目录与年基本需求量，并结合重庆地区特定的自然地理条件、最适宜发展区域选择品种，如太极集团需求量大的鱼腥草、苦荞头、紫菀、薄荷、荆芥、苍术等品种，建立长期稳定的优质原料药材生产基地，既可保证药厂生产和市场需求，又可发展农村经济。

5. 加快出台扶持中药材产业的实施办法和配套措施

（1）建议设立中药材产业发展基金，用于对重庆境内连片种植面积达 100 亩[②]以上的大宗中药材基地补助。资金来源可由两级财政、涉农部门、龙头企业共同筹集。

（2）要将中药材产业开发同退耕还林、扶贫开发、一村一品建设、农业综合开发、食品放心工程、科技开发、土地整治、生态农业发展等工作有机结合，增加对中药材产业开发的投入，扶持龙头企业，扩大种植户的规模并提高其种植水平，使其真正发挥示范带动作用。

---

② 亩为中国传统土地面积单位，一亩约等于 $667m^2$。在中药材生产实践中，亩为常用面积单位，本书未作换算。

（3）重庆农业产业化财政贷款贴息资金，应优先对中药材加工企业进行技术改造、提升再生产能力等方面进行扶持。

（4）积极探索土地流转新机制。在尊重农民意愿的前提下，通过租赁、承包、转让、入股、联营等多种方式，加速土地向龙头企业、种植大户、经营实体聚集，实现规模化开发。

6. 加强对珍稀名贵药材品种的资源保护

应加强对珍稀名贵药材品种、特有珍稀药用植物资源进行收集、鉴定研究，建立种质资源基因保存基地或基因库。政府及相关部门应采取相应措施，加大资金投入，以科研院校为技术支撑，尽快开展重楼、延龄草等野生变家种的研究，逐步建立种源基地。这不仅能有效保障临床用药和市场需求，也能在一定程度上带动山区经济的发展。

7. 建立中药材监测与服务平台

建立野生中药资源、中药种植、企业生产及市场需求一体化的监测与信息服务体系，逐步完善中药材物流管理，对检测合格的中药材进行互联网交易，从而促进中药材的便捷流通。建立市级中药材生产技术服务平台，促进产、学、研相结合，将专家教授、药材企业、药材商、种植户联系起来，建立多种形式的服务体系，从而促进中药材产业迅速发展。

第六章

重庆市珍稀濒危药用植物现状

　　根据《中国植物红皮书（第一批）》及 1999 年 8 月 4 日经国务院批准的《国家重点保护植物名录（第一批）》，经不重复统计，第四次重庆中药资源普查共发现国家重点保护植物 24 科 30 属 35 种，其中，属《中国植物红皮书（第一批）》的有 24 种（包括一级 3 种、二级 9 种、三级 12 种），属《国家重点保护植物名录（第一批）》的有 26 种（包括一级 6 种、二级 20 种），见表 23。

　　根据国家中医药管理局 1987 年公布的《国家重点保护野生药材物种名录》，第四次重庆中药资源普查共发现国家重点保护野生药材 15 种，占全国（47 种）的 31.9%，说明重庆分布的国家重点保护野生药材十分丰富。在重庆发现的 15 种国家重点保护野生药材中，二级有 5 种，占 33.3%；三级有 10 种，占 66.7%，见表 24。这说明重庆地区的药用植物有重大的保护价值和使用价值。

表 23　重庆珍稀濒危药用植物名录

种名	红皮书*	名录**	入药部位及功效	生境	分布区域	海拔 /m
金毛狗 *Cibotium barometz* (L.) J. Sm.		二级	根茎：补肝肾，除风湿，健腰膝，利关节 柔毛：止血消炎	溪边或山地林下酸性土壤中	璧山、大足、涪陵、江津、南川、铜梁、永川	500 ~ 800
荷叶铁线蕨 *Adiantum reniforme* L. var. *sinense* Y. X. Lin	一级		全草：清热解毒，利尿通淋	悬崖边或岩石上	石柱	250
桫椤 *Alsophila spinulosa* (Wall. ex Hook.) R. M. Tryon	一级	二级	根茎：清热解毒，止咳平喘，强筋骨	溪边林下	涪陵、江津	300 ~ 800
粗齿桫椤 *Alsophila denticulata* Baker		二级	根茎：清肺胃热，祛风除湿	溪边或阴湿杂木林下	大足、铜梁	250 ~ 800
小黑桫椤 *Alsophila metteniana* Hance		二级	根茎：清肺胃热，祛风除湿	溪边或阴湿杂木林下	永川、铜梁	250 ~ 900
银杏 *Ginkgo biloba* L.	二级	一级	种子：敛肺定喘，止带缩尿 叶：益心敛肺，化湿止泻	栽培或生于山地溪谷边	璧山、城口、大足、垫江、丰都、南川、黔江、石柱、潼南、万州、秀山、云阳、长寿、忠县、荣昌、巫山、永川	850 ~ 1800
水杉 *Metasequoia glyptostroboides* Hu et Cheng	一级	一级	叶、果实：清热解毒，消肿止痛	生于山地杂木林中或栽培	垫江、江津、黔江、石柱、万州、秀山、云阳、长寿	400 ~ 2000
福建柏 *Fokienia hodginsii* (Dunn) Henry et Thomas	二级	二级	心材：行气止痛，降逆止呕	杂木林中	江津	600 ~ 1800
篦子三尖杉 *Cephalotaxus oliveri* Mast.	二级	二级	种子、枝、叶：杀虫，润肺，消积，抗肿瘤	溪边或山地	梁平	300 ~ 1500

续表

种名	红皮书*	名录**	入药部位及功效	生境	分布区域	海拔 /m
红豆杉 *Taxus chinensis* (Pilger) Rehd.		一级	树皮：抗肿瘤 果实：消食驱虫	山地阔叶林中	石柱、巫山	1200 ~ 2200
南方红豆杉 *Taxus chinensis* (Pilger) Rehd. var. *mairei* (Lemée et Lévl.) Cheng et L. K. Fu		一级	树皮：抗肿瘤 果实：消食驱虫	山地杂木林中	北碚、垫江、丰都、江 津、梁平、巫山、秀 山、云阳	600 ~ 1500
巴山榧树 *Torreya fargesii* Franch.		二级	树皮：祛风除湿 果实：消积杀虫， 行气利水	山地或溪边杂 木林中	城口	1200 ~ 1800
华榛 *Corylus chinensis* Franch.	三级		种仁：和中开胃， 明目，利便	阴湿杂木林中	城口、石柱	900 ~ 2100
金荞麦 *Fagopyrum dibotrys* (D. Don) Hara		二级	根茎：清热解毒， 祛痰止咳，健脾 利湿	路旁或荒地	重庆各区县	250 ~ 1850
领春木 *Euptelea* *pleiospermum* Hook. f. et Thoms.	三级		根及茎皮：清热泻 火，祛风除湿， 止痛接骨	阔叶林中	城口、南川、巫溪、 巫山	600 ~ 2100
连香树 *Cercidiphyllum* *japonicum* Sieb. et Zucc.	二级	二级	果实：祛风定惊， 止痉	亚高山阔叶 林中	长寿、巫山	1400 ~ 2200
黄连 *Coptis chinensis* Franch.	三级		根茎：清热泻火， 燥湿解毒	栽培或生于山 地疏林下	城口、丰都、涪陵、江 津、开州、南川、黔 江、石柱、巫山	1450 ~ 2200
八角莲 *Dysosma versipellis* (Hance) M. Cheng ex Ying	三级		根茎：清热解毒， 化痰散结，祛瘀 消肿	阴湿杂木林下 或溪沟边	城口、大足、丰都、奉节、 江津、开州、铜梁	300 ~ 2100
水青树 *Tetracentron* *sinense* Oliv.	二级	二级	树皮及根皮：活血 化瘀，通络止痛	阴湿阔叶林中	黔江、巫山	1500 ~ 2200
鹅掌楸 *Liriodendron* *chinense* (Hemsl.) Sargent.	二级	二级	树皮及根：祛风除 湿，强筋壮骨	山地杂木林中	江津、石柱、万州、巫 溪、秀山、长寿	1200 ~ 2100
厚朴 *Magnolia officinalis* Rehd. et Wils.	三级	二级	树皮及根皮：温中， 下气，燥湿，消 痰	栽培	城口、丰都、开州、南 川、石柱、巫山、巫 溪、万州、秀山	800 ~ 2000
凹叶厚朴 *Magnolia officinalis* Rehd. et Wils. subsp. *biloba* (Rehd. et Wils.) Law	三级	二级	树皮及根皮：温中， 下气，燥湿，消 痰	栽培	开州、云阳、忠县、城口、 垫江、奉节、涪陵、 梁平、南川、荣昌、 石柱、万州、秀山	800 ~ 2000
巴东木莲 *Manglietia* *patungensis* Hu		二级	皮：温中除湿，止 血止痛	溪边山谷林中	长寿	750 ~ 1000

续表

种名	红皮书*	名录**	入药部位及功效	生境	分布区域	海拔/m
樟 *Cinnamomum camphora* (L.) Presl		二级	根：理气活血，祛风除湿 提取物：通关窍，利滞气	栽培或生于山坡杂木林中	重庆各区县	200~1500
杜仲 *Eucommia ulmoides* Oliver	二级	二级	树皮：补肝肾，强筋骨，安胎	杂木林中	璧山、城口、大足、垫江、丰都、奉节、涪陵、合川、江津、开州、梁平、南川、黔江、荣昌、石柱、潼南、万州、巫山、巫溪、秀山、永川、云阳、长寿、忠县	200~1600
野大豆 *Glycine soja* Sieb. et Zucc.	三级	二级	全草：清热敛汗，舒筋止痛	沟边草丛中	垫江、忠县	500~1600
红豆树 *Ormosia hosiei* Hemsl. et Wils.	三级	二级	种子：理气止痛	溪边或山地杂木林中	城口、潼南	250~1250
川黄檗 *Phellodendron chinense* Schneid.		二级	树皮：清热燥湿，消炎，解毒	栽培或生于杂木林中	城口、丰都、开州、石柱	800~1950
红椿 *Toona ciliata* Roem.	三级	二级	根皮：祛风除湿，止血止痛	山地或溪边林中	丰都、涪陵、云阳、长寿	250~1300
喜树 *Camptotheca acuminata* Decne.		二级	根、果实、树皮、树枝、叶：抗肿瘤，清热，杀虫	溪谷两岸、路旁	北碚、璧山、城口、大足、垫江、丰都、奉节、涪陵、合川、黔江、荣昌、石柱、潼南、万州、秀山、永川、云阳、长寿、忠县	300~1000
珙桐 *Davidia involucrata* Baill.		一级	根：收敛止血，止泻 叶：杀虫	杂木林中	巫山	1600~1950
光叶珙桐 *Davidia involucrata* Baill. var. *vilmoriniana* (Dode) Wanger		一级	根：收敛止血，止泻 叶：杀虫	杂木林中	黔江、云阳	1600~2150
延龄草 *Trillium tschonoskii* Maxim.	三级		根茎：降压镇静，活血止痛，止血延寿	阴湿林下	巫山	1600~2200
天麻 *Gastrodia elata* Bl.	三级		块茎：息风止痉，平肝活血，祛风通络	阔叶林下	丰都、奉节、开州、黔江、石柱、巫山、巫溪、云阳	800~2200
铁皮石斛 *Dendrobium officinale* Kimura et Migo	三级		茎：生津养胃，滋阳清热，润肺益肾	大棚栽培，或贴生栽培于杂木林中、石壁上	大足	300~1200
金佛山兰 *Tangtsinia nanchuanica* S. C. Chen		二级	全草：清热化痰，润肺止咳	山地稀疏针叶林下或林缘草丛中	南川、石柱	1600

注："*"为《中国植物红皮书（第一批）》，"**"为《国家重点保护野生植物名录（第一批）》。

表 24　重庆国家重点保护野生药材物种名录

药材名	保护级别	植物名	拉丁学名	生境	海拔 /m
黄连	二级	黄连	*Coptis chinensis* Franch.	山地疏林中	1450 ～ 2400
杜仲	二级	杜仲	*Eucommia ulmoides* Oliver	山地杂木林中	450 ～ 1600
厚朴	二级	厚朴	*Magnolia officinalis* Rehd. et Wils.	山地杂木林中	850 ～ 1850
凹叶厚朴	二级	凹叶厚朴	*Magnolia officinalis* Rehd. et Wils. subsp. *biloba* (Rehd. et Wils.) Law	山地杂木林中	1000 ～ 1600
黄柏	二级	川黄檗	*Phellodendron chinense* Schneid.	山地杂木林中	800 ～ 1950
天门冬	三级	天门冬	*Asparagus cochinchinensis* (Lour.) Merr.	山地疏林中	1000 ～ 2500
猪苓	三级	猪苓	*Polyporus umbellatus* (Pers.) Fries	阔叶次生林中	1000 ～ 2000
远志	三级	远志	*Polygala tenuifolia* Willd.	山地路旁草丛中	250 ～ 850
远志	三级	西伯利亚远志	*Polygala sibirica* L.	山地林缘或路旁草丛中	300 ～ 1600
细辛	三级	细辛	*Asarum sieboldii* Miq.	亚高山溪谷杂木林中	1700 ～ 2650
华中五味子	三级	华中五味子	*Schisandra sphenanthera* Rehd. et Wils.	溪边或山地林缘灌丛中	500 ～ 2000
枣皮	三级	山茱萸	*Cornus officinalis* Sieb. et Zucc.	山地杂木林中	750 ～ 1400
石斛	三级	铁皮石斛	*Dendrobium officinale* Kimura et Migo	杂木林中大树上	1250 ～ 1650
金钗石斛	三级	石斛	*Dendrobium nobile* Lindl.	杂木林中石上或树干上	400 ～ 1200
连翘	三级	连翘	*Forsythia suspensa* (Thunb.) Vahl	山沟、山谷疏林中	250 ～ 1000

　　重庆地处长江三峡核心区域，原本生物多样性程度高，特有珍稀濒危植物众多。但是，随着人类活动对生物的影响，特别是对珍稀名贵药用植物的掠夺性采挖，致使重庆生物多样性遭到破坏，不少稀有药用植物濒临灭绝。因此，建议加强对珍稀药用植物资源的保护，具体保护措施如下。一是就地保护，建立以药用植物为主的自然保护区，保护药用植物种质和物种多样性。二是进行迁地保护，建立药用（动）植物园。药用（动）植物园是生物多样性保护和利用的重要基地，对物种保护和资源开发利用具有重要的作用。现重庆三峡库区珍稀植物园和石柱黄水药用植物园等都保存了武陵山区七曜山、方斗山等很多珍稀、濒危、名贵的药用植物种质资源。三是建立物种种质基因库，保存种质资源。通过现代化制冷空调技术，建立具有低温、超低温干燥贮藏条件的种质库。超低温保存不受自然条件的限制，具有安全稳定，遗传变异小，保存时间长，节省人力、物力等优点，是长期保存种质资源的有效方法。

中 篇

重庆市道地、
大宗中药资源……

毛茛科 Ranunculaceae 黄连属 *Coptis*

黄连 *Coptis chinensis* Franch.

药材名

黄连（药用部位：根茎。别名：味连、川连、鸡爪黄连）。

形态特征

多年生草本。根茎黄色，常分枝，密生多数须根。叶有长柄；叶片稍带革质，卵状三角形，宽达 10cm，3 全裂，羽状深裂片间距离稀疏，彼此相距 2 ~ 6mm，边缘生具细刺尖的锐锯齿，侧全裂片具长 1.5 ~ 5mm 的柄，斜卵形，比中央全裂片短，不等 2 深裂，两面的叶脉隆起，除表面沿脉被短柔毛外，其余无毛；叶柄长 5 ~ 12cm，无毛。花葶 1 ~ 2，高 12 ~ 25cm；二歧或多歧聚伞花序，花 3 ~ 8；苞片披针形，3 或 5 羽状深裂；萼片黄绿色，长椭圆状卵形，长 9 ~ 12.5mm，宽 2 ~ 3mm；花瓣线形或线状披针形，长 5 ~ 6.5mm，先端渐尖，中央有蜜槽；雄蕊约 20，花药长约 1mm，花丝长 2 ~ 5mm；心皮 8 ~ 12，花柱微外弯。蓇葖果长 6 ~ 8mm，柄约与之等长；种子 7 ~ 8，长椭圆形，长约 2mm，宽约 0.8mm，褐色。花期 2 ~ 3 月，果期 4 ~ 6 月。

黄连

野生资源	生于海拔 1000 ~ 2000m 的山地密林中或山谷阴凉处。分布于重庆黔江、江津、丰都、城口、石柱、南川、涪陵、武隆、开州、巫溪、巫山、奉节、彭水、酉阳、秀山等地。
栽培资源	（1）栽培条件。本种为阴生植物，可利用林间间隙照射的阳光，忌直射强光。本种在重庆多种植于海拔 1200 ~ 1800m、年平均气温为 10℃ 左右的山地。本种耐肥力很强，栽培土壤宜上泡下实，上层以含腐殖质、肥沃疏松的砂壤土，下层以保水保肥力较强的黏壤土最适宜。

（2）栽培区域。主要栽培于重庆石柱、开州、丰都、巫溪、城口、武隆、黔江等地。

（3）栽培要点。①采种。黄连一般在立夏前后采种，将采收的种子置室内晾 5 天左右，然后与湿沙抖匀，置室内阴凉处，也可选择在相对干燥的土壁上挖穴保存。至 11 月初，将黄连种子取出，进行育种。②育苗。苗地宜选择避风的阴山或日晒时间短的半阳山，以土壤肥沃、腐殖质层深厚、排水良好的地块作育苗地。首先整地作厢，搭棚，荫蔽度在 70% 左右。在厢面铺 1 层细的腐殖土，每亩撒 5kg 种子。第 2 年春季可进行种苗移栽。③移栽。黄连移栽地一般应选择海拔 1200 ~ 1700m 的早晚阳山，坡度为 10° ~ 30°，以腐殖质含量高、上层疏松、下层较紧密（上泡下实）的轮作地为宜。所选移栽地如果是荒山土或撂荒土，应先清除地上的杂物，挖出树根和草根。将枯枝、草根等杂物堆集成堆，用火熏烧，至土壤受熏发黑、表面凝聚了水汽即可。然后粗挖翻土，再进行细耕，将土块打碎以备开厢作畦。若准备春季移栽，整地可在 12 月进行，经过冻垄，既减少了病虫害的发生，也增加了土壤的疏松度，有利于黄连苗的移栽和生长。

④搭棚。山地栽培时因地形差异大，故搭棚的方式应根据地形而定，灵活掌握。搭棚顺序为先埋桩，后放树枝，然后自下而上将遮盖物放上，后搭成棚。桩距在 2m 左右，每根桩埋入 40cm 左右，将桩周围的土壤压实，并在桩边栽 1 棵高约 1m 的树苗，当地称为"一桩一树"。若用遮阳网遮阴，需在遮阳网 40cm 左右处用细铁丝捆紧，遮阳网与遮阳网边缘也得用细铁丝捆紧，棚架四周用石块或土块将网缘压紧，防止遮阳网被风吹起。在冬季来临时，则需将遮阳网束起，防止积雪压垮。黄连移栽的时期以春季最好。适宜栽植规格一般为 10cm 的方窝，每亩约 6 万株。若土壤特别肥沃，也可采用 10cm×12cm 的株行距。⑤田间管理。田间管理应主要做好施肥、培土、除草。黄连根茎具有向上生长而又不长出土面的特性，必须逐年培土（习惯称"上泥"），以促进根茎生长（伸长）。移栽 1 个月左右，当秧苗发根后，每亩可用尿素 7kg 或碳酸氢铵 15kg 拌细土，在晴天无露水时撒施，撒肥后即用竹子或细树枝在厢面上轻扫 1 次，将肥料颗粒扫进土里，以免肥料烧叶。若是春排栽的秧苗，于 8 月、9 月还可施尿素 10kg 或碳酸氢铵 30kg，以促进幼苗生长发叶。第 2 年 3 月施春肥 1 次，每亩用厩肥 1500kg，也可单用尿素 10kg 或碳酸氢铵 20kg 拌细土撒施。于 5 月、6 月每亩施用捣碎腐熟的厩肥 1500kg 或熏土 2000kg。第 3 年、第 4 年黄连进入旺盛期，需肥量较多，因此，5 月、6 月追肥很重要，可每亩用腐熟厩肥 3000kg，拌石灰 300kg 施用。冬肥每亩用腐熟厩肥 3000kg 或熏土 4000kg，拌过磷酸钙 150kg。撒施后马上培土 3cm 左右厚。第 5 年一般不施肥。

（4）栽培面积与产量。重庆的栽培面积达 4500hm²，年产量达 3000t。

| **采收加工** | 秋季采挖，除去须根和泥沙，干燥，撞去残留须根。栽后 5 ~ 6 年的 10 ~ 11 月收获。用黄连抓子连根抓起，抖掉泥土，剪去须根和叶，取根茎在黄连炕上烘炕干燥，烘时用操板翻动，并打掉已干燥的泥土。烘至五六成干时出炕，根据根茎大小分为 3 ~ 4 等，再分别细炕，勤翻动，待根茎断面呈干草色时即可出炕，装入槽笼，撞掉泥土和须根即成。

| **药材性状** | 本品多集聚成簇，常弯曲，形如鸡爪，单枝根茎长 3 ~ 6cm，直径 0.3 ~ 0.8cm。表面灰黄色或黄褐色，粗糙，有不规则结节状隆起、须根及须根残基，有的节间表面平滑如茎秆，习称"过桥"。上部多残留褐色鳞叶，先端常留有残余的茎或叶柄。质硬，断面不整齐，皮部橙红色或暗棕色，木部鲜黄色或橙黄色，呈放射状排列，髓部有的中空。气微，味极苦。

| 功能主治 | 苦，寒。归心、脾、胃、肝、胆、大肠经。清热燥湿，泻火解毒。用于湿热痞满，呕吐吞酸，泻痢，黄疸，高热神昏，心火亢盛，心烦不寐，心悸不宁，血热吐衄，目赤，牙痛，消渴，痈肿疔疮。外用于湿疹，湿疮，耳道流脓。

| 用法用量 | 内服煎汤，1.5 ~ 3g；研末，每次 0.3 ~ 0.6g；或入丸、散。外用适量，研末调敷；或煎汤洗；或熬膏；或浸汁用。胃虚呕恶、脾虚泄泻、五更肾泻者均应慎服。

| 附　　注 | （1）栽培历史。早在南北朝时期就有黄连产于重庆的记载。陶弘景《本草经集注》记载："黄连生巫阳川谷及蜀郡太山……巫阳在建平，今西间者色浅而虚，不及东阳、新安诸县最胜。临海诸县者不佳。"巫阳即今重庆巫山境内。宋代《本草图经》记载："（黄连）今江、湖、荆、夔州郡亦有。"夔州即今重庆奉节，当时辖巫山县。宋代《太平寰宇记》记载："忠州领五县：临江、丰都、垫江、南宾、桂溪，土产苦药子、黄连。"南宾即今重庆石柱南宾。清代黄宫绣《本草求真》记载："黄连出重庆，瘦小，状类鸡爪，连爪连珠者良。"清代道光二十三年（1843）《补辑石柱厅志》记载："黄连产最多，性与雅连相埒。"光绪十九年（1893）《巫山县志》记载："以黄连、党参、杜仲、牛膝、当归、厚朴、升麻为大宗，余或产而不甚广或有而不甚佳。"《城口厅志》记载："黄连产高山厅，居民植之以为货，种子八年后始可采。年久愈佳，获利数十倍。"《四川省之药材》记载："味连只有家种，专产石柱。"《巫溪县志》记载："黄连产荒山老林，野人匀山地种子，借密枝作矮棚，去地不过三尺，以蔽风日，每年上土薙草亦须伛偻以入，凡七年连始成，极阴之气，所以苦寒也，连形如鸡爪，故名鸡爪连，药贾收贩下江获利甚厚，野人所沾不及什一，仅偿其辛苦

之值，种过之山，土性已寒，不利别值，待过数年，土性稍复，仍可种连。"《南川乡土志》记载："黄连，性凉，根如建蒲，剪芦为种，栽于高寒之地，一岁一节，七年采起炕干，运售出洋，岁值数万，黄连、大黄由重庆销售外洋，每岁数万斤。"从以上文献记载来看，重庆栽培黄连的历史悠久。

（2）物种鉴别。重庆所产的黄连为毛茛科植物黄连 *Coptis chinensis* Franch. 的根茎。黄连根茎常分枝，密生须根；叶的全裂片上的羽状深裂片间的距离稀疏，相距 2 ~ 6mm；花瓣线形、狭披针形或披针形；萼片长 9 ~ 12.5mm，比花瓣长约 1 倍；外轮雄蕊比花瓣稍短或近等长。三角叶黄连根茎不分枝或少分枝；叶的全裂片上的羽状深裂片彼此邻接或近邻接，裂片近三角形；花瓣线形、狭披针形或披针形；雄蕊短，长为花瓣长度的 1/2 左右。云连根茎较少分枝，节间密；叶的全裂片的羽状深裂片间的距离稀疏；花瓣椭圆形。

（3）市场信息。全国黄连需求量较为稳定，年需求量在 2000t 左右。石柱作为黄连的集散地，黄连年交易量约为全国黄连年总交易量的 60%。由于人工费及物价上涨因素，近 5 年黄连统货价格大幅上涨，见表 25。2000 年与 2018 年重庆黄连产业发展情况对比见表 26。

表 25　2015—2019 年重庆黄连（鸡爪黄连）统货价格（元 / kg）

年份	1 月	2 月	3 月	4 月	5 月	6 月	7 月	8 月	9 月	10 月	11 月	12 月
2015	78	77	78	78	66	66	72	70	70	65	63	63
2016	63	63	63	64	64	69	80	79	79	89	95	95
2017	95	100	120	120	120	120	120	135	140	140	140	138
2018	138	140	140	140	140	135	130	130	130	130	115	105
2019	120	125	125	110	110	110	105	105	110	110	110	105

表 26 2000 年与 2018 年重庆黄连产业发展情况对比

年份	大品种种植信息				种苗繁育基地面积/hm²	农民增收	
	示范基地种植面积/hm²	全市种植面积/hm²	全市产量/t	全市产值/万元		与当地主要作物比较年均亩产增收/（元/hm²）	与当地主要作物比较年均增收总值/万元
2000	333.3	3333.3	2000	16000	66.7	36000	12000
2018	1333.3	3733.3	3000	36000	333.3	81420	30397

（4）濒危情况、资源利用。本种野生品的药材被列入濒危药材目录，十分稀少。本种除根茎入药外，其须亦可入药，名为"黄连须"，多作畜药用，治疗牲畜痢疾等。

毛茛科 Ranunculaceae 芍药属 *Paeonia*

牡丹
Paeonia suffruticosa Andr.

| 药 材 名 | 牡丹皮（药用部位：根皮。别名：丹皮、粉丹皮、刮丹皮）。

| 形态特征 | 落叶灌木茎高达 2m；分枝短而粗。叶通常为二回三出复叶，偶尔近枝顶的叶为 3 小叶；顶生小叶宽卵形，表面绿色，无毛，背面淡绿色，有时具白粉；侧生小叶狭卵形或长圆状卵形；叶柄长 5 ~ 11cm，与叶轴均无毛。花单生枝顶，苞片 5，长椭圆形；萼片 5，绿色，宽卵形；花瓣 5 或为重瓣，玫瑰色、红紫色、粉红色至白色，通常变异很大，倒卵形，先端呈不规则的波状；花药长圆形，长 4mm；花盘革质，杯状，紫红色；心皮 5，稀更多，密生柔毛。蓇葖果长圆形，密生黄褐色硬毛。花期 5 月，果期 6 月。

牡丹

| **野生资源** | 生于山坡疏林中。分布于重庆垫江、巫山、涪陵、长寿、丰都、万州、云阳、南川、南岸、江津、巴南、梁平、奉节、武隆、合川、璧山等地。

| **栽培资源** | （1）栽培条件。本种在重庆多种植于海拔 500 ~ 700m 的疏松、深厚、肥沃、地势高、排水良好的矿子黄泥土壤中。充足的阳光对本种生长较为有利，但本种不耐烈日暴晒，温度在 25℃ 以上时则植株呈休眠状态。开花适温为 17 ~ 20℃，但花前必须经过 1 ~ 10℃ 的低温处理 2 ~ 3 个月才可；最低能耐 −30℃ 的低温。

（2）栽培区域。主要栽培于垫江，集中在太平、澄溪、新民、桂溪、沙坪 5 个乡镇，其中太平还有"丹皮之乡"的美誉。

（3）栽培要点。本种在种植管理过程中应注意亮根、排渍和摘花蕾。亮根即在移栽的第 2 年春季出苗后揭去覆盖物，扒开根际周围的泥土，亮出根苑，使其接受光照。排渍即雨季应及时清沟排水，防止积水烂根。摘花蕾即在春季将花蕾全部摘除，促进根部生长。本种最佳生长年限为 5 年，最佳采收时间为 10 ~ 11 月。

（4）栽培面积与产量。垫江的栽培面积达 1250hm^2，实际年产量 20t 左右。

| **采收加工** | 牡丹皮一般在移栽后的 3 ~ 5 年采收，以 4 年生为佳。此外，适时采收是牡丹皮质量的重要保证。一般以枝叶枯萎期，即 9 ~ 10 月采收较好，秋分到寒露期间采收为佳。采收时间也不宜过迟，气温过低既影响晒根的质量，也影响分栽后植株的成活率。牡丹皮的加工方法如下。

（1）分拣。新鲜根挖出后，除去茎苗和泥沙、残留的根茎基等非药用部分以及其他杂质，及时将直径 0.5cm 以上的根自根茎基部剪下。

（2）发汗。分拣后的根于阴凉通风处堆置 1 ~ 2 天进行"发汗"，使新鲜药材内部水分外溢，药材稍失水分而变软，其根皮部与木心部易于剥离，根皮外形保持完整。

（3）去心。将变软后的根除去须根，用力捻转先端使根皮一侧破裂，根皮与木心略脱离，一手捻住不裂口的一侧，一手捏住木心，把木心顺破裂口往下边拉，边分离边剥出，除去木心后，趁根皮柔软时，用手把根条捻直，并搓合裂缝口。对于皮色稍逊的根条，可借助玻璃片、瓷片人工刮去外表面栓皮（也可机械刮去外表面栓皮），并将药材砸裂后抽取木心。

（4）干燥。选择晴天，将去心后的牡丹皮置晾晒场晾晒。晾晒过程中严防淋雨、露宿和接触水分，否则牡丹皮会发红变质，影响药材质量。

| 药材性状 | 本品呈筒状或半筒状，有纵剖开的裂缝，略向内卷曲或张开，长5～20cm，直径0.5～1.2cm，厚1～4mm，外表面灰褐色或黄褐色，有多数横长皮孔及细根痕，栓皮脱落处粉红色。内表面淡灰黄色或浅棕色，有明显的细纵纹，常见发亮的结晶（牡丹酚结晶）。质硬而脆，易折断，断面较平坦，淡粉红色，粉性。气芳香，味微苦而涩。以皮厚、肉质、断面色白、粉性足、香气浓、亮星多者为佳。饮片为淡粉红色弯月状或环状薄片。刮丹皮外表面有刮刀削痕，外表面红棕色或淡灰黄色，有时可见灰褐色斑点状残存外皮。|

| 功能主治 | 苦、辛，微寒。归心、肝、肾经。清热凉血，活血化瘀。用于热入营血，温毒发斑，吐血衄血，夜热早凉，无汗骨蒸，经闭痛经，痈肿疮毒，跌仆伤痛等。|

| 用法用量 | 内服煎汤，6～12g。孕妇慎服。|

| 附　注 | （1）栽培历史。始建于南梁大通年间的垫江新民大通寺，当时已把牡丹作为寺花栽培，在当地一种被称为"大通墨玉"的牡丹至今仍有种植，栽培历史达1470年以上。另据1913年《垫江乡土志》记载："本境货丹皮远销重庆、达县等地，年值银数百两。"1918年县外商人在太平场（今垫江太平镇）设点收购粉丹、丹皮。《垫江县志》记载，民国十五年（1926），粉丹可换黄谷1石（162kg）。以上文献记载说明垫江种植牡丹历史悠久。全国现有两大丹皮道地产区，即重庆垫江和安徽铜陵。前者产丹皮称"川丹皮"，后者产丹皮称"凤丹皮"。受多种因素的影响，目前我国川丹皮产量逐年下降。|

（2）物种鉴别。《中国植物志》中共收载芍药属牡丹组植物 8 个种，均特产于我国。分布于四川、重庆、陕西以及我国东部地区的牡丹组植物包括四川牡丹、牡丹、矮牡丹、卵叶牡丹、凤丹和紫斑牡丹 6 种，当以广布种牡丹为主流。同属植物分为牡丹组和芍药组。牡丹组为灌木或亚灌木，花盘发达，革质或肉质，包裹心皮达 1/3 以上；芍药组为多年生草本，花盘不发达，肉质，仅包裹心皮基部。牡丹组下级分类有 3 个品种，分别是牡丹、野牡丹、四川牡丹。牡丹又有 2 个变种，分别为矮牡丹、紫斑牡丹。牡丹与矮牡丹的区别在于：牡丹叶轴和叶柄均无毛，顶生小叶 3 裂至中部，侧生小叶不裂或 3 ~ 4 浅裂；矮牡丹叶轴和叶柄均生短柔毛，顶生小叶 3 深裂，裂片再浅裂。牡丹与紫斑牡丹的区别在于：牡丹花瓣内面基部无紫色斑块，顶生小叶 3 裂，侧生小叶不裂或 3 ~ 4 浅裂；紫斑牡丹花瓣内面基部具深紫色斑块，顶生小叶通常不裂，稀 3 裂。

（3）市场信息。重庆垫江牡丹皮 2019 年货少价稳，其中抽芯 90% 以上的选装货售价 32 ~ 33 元 /kg，抽芯 70% 的统货售价 22 ~ 23 元 /kg；2018 年抽芯挂丹统货售价 23 元 /kg，优质选装货 33 元 /kg；2013 年未刮皮牡丹皮（0.5cm）统货售价在 45 元 /kg 左右，出口货售价在 65 元 /kg 左右，抽芯率 85% 的大条选货售价在 40 元 /kg 左右，抽芯率 60% 左右的小统货售价在 21 元 /kg 左右。

桔梗科 Campanulaceae 党参属 Codonopsis

川党参
Codonopsis tangshen Oliv.

川党参

药 材 名

党参（药用部位：根。别名：川党、条党、庙党）。

形态特征

多年生草本。根常肥大呈纺锤状或纺锤状圆柱形，较少分枝或中部以下略有分枝，长15～30cm，直径1～1.5cm，表面灰黄色，上端1～2cm部分有稀或较密的环纹，下部则疏生横长皮孔，肉质。茎基微膨大，具多数瘤状茎痕。植株除叶片两面密被微柔毛外，全体几近光滑无毛。茎缠绕，有多数分枝，侧枝长15～50cm，小枝长1～5cm。具叶，不育或先端着花，淡绿色、黄绿色或下部微带紫色；叶在主茎及侧枝上的互生，在小枝上的近对生，叶柄长0.7～2.4cm，叶片卵形、狭卵形或披针形，长2～8cm，宽0.8～3.5cm，先端钝或急尖，基部楔形或较圆钝，仅个别叶片偶近心形，边缘具浅钝锯齿，上面绿色，下面灰绿色。花单生枝端，与叶柄互生或近于对生；花有梗；花萼几乎完全不贴生于子房上，几全裂，裂片矩圆状披针形，长1.4～1.7cm，宽5～7mm，先端急尖，微波状或近全缘；花冠上位，与花萼裂片着生处相距约3mm，钟状，长1.5～2cm，

直径 2.5 ～ 3cm，淡黄绿色而内有紫斑，浅裂，裂片近于正三角形；花丝基部微
扩大，长 7 ～ 8mm，花药长 4 ～ 5mm；子房下位，直径 0.5 ～ 1.4cm。蒴果下
部近球形，上部短圆锥形，直径 2 ～ 2.5cm；种子多数，椭圆形，无翼，细小，
光滑，棕黄色。花果期 7 ～ 10 月。

| **野生资源** | 生于海拔 900 ～ 2300m 的山地林缘灌丛中。分布于重庆城口、巫山、奉节、彭水、
丰都、石柱、巫溪、南川、黔江、开州、万州等地。

| **栽培资源** | （1）栽培条件。本种对气候适应性较强，耐寒，喜温暖，怕水涝，根系入土较深，
宜选择土层深厚，土质疏松、肥沃，富含腐殖质的壤土或砂壤土种植，地势低洼

处、质地黏重土壤及盐碱土均不宜栽培。高温对本种生长不利，温度在30℃以上时则本种生长受到抑制。本种对光照要求特别严格，其幼苗喜阴，需适当遮阴，幼苗期需光15%～20%，成株期需光90%～100%。本种对水分要求不严格，一般在年平均降水量为500～1200mm、平均相对湿度为70%左右的地区即可正常生长。

（2）栽培区域。主要栽培于重庆巫山、巫溪、奉节、城口、开州、云阳、南川、武隆。

（3）栽培要点。本种育苗移栽产量高于直播产量。移栽宜在冬季进行，传统的移栽时间为"宜冬不宜春，宜早不宜迟"。施肥应尽量少量多次。植株生长过程中需开展搭架、打叶、疏花的植株调整方式，以提高叶片的光合利用率，最终提高药材产量。无论是春播还是秋播，都要根据川党参幼苗期喜湿润、怕旱涝、喜阴、怕强光直射的习性进行荫蔽，方法有用盖草遮阴、遮阳网遮阴和间作高杆作物遮阴等。忌连作，前茬作物以玉米、马铃薯为好。

（4）栽培面积与产量。重庆的栽培面积达4300hm²，年产量300t左右。

| **采收加工** | 栽培3年以上即可采收。采收期为9～11月，当地上部分枯萎后采收根。除去泥沙，洗净，晒干。待根晒晾半干后，揉搓，整形，再晒，再揉搓，直到根直条顺，晒至全干。贮存在阴凉干燥通风处，温度保持在30℃下，平均相对湿度保持在70%～75%。川党参产品的安全水分含量为9%～12%。

| **药材性状** | 本品根呈圆柱形，末端稍细，很少有分枝，长10～30cm，直径0.5～1.5cm。表面灰黄色至黄棕色，有明显不规则的纵沟。遍体或只先端有较稀的横纹。支根脱落处有乳汁溢出凝成的黑褐色类胶状物。质较软而结实，断面裂隙较少，皮部黄白色。气香，味甜。

| **功能主治** | 甘，平。归脾、肺经。补中益气，健脾益肺，养血生津。用于脾肺气虚，食少倦怠，咳嗽虚喘，气血不足，面色萎黄，心悸气短，津伤口渴，内热消渴。

| **用法用量** | 内服煎汤，9～30g。不宜与藜芦同用。

| **附　注** | （1）栽培历史。清代末期，川党参药材来源由野生转为栽培，距今已有100多年的栽培历史。清代光绪年间《大宁县志》记载大宁产"党参、黄连、杜仲、牛膝、当归、车前、厚朴、升麻"，其中川党参"以狮子头、菊花心为上品，产鞋底山、关口山及林樟垭等处"。据《巫山县志》记载，1949年前巫山的川党参、黄连、五倍子等常出口到欧美国家，其中川党参年出口量约100t。在巫溪猫儿背林区，

至今尚存清代雍正年间的完好石碑，上刻"山之高，水之冷，五谷不长，唯产党参"。《云阳县志》记载该地所产以明参、防风、土升麻、施党参（即川党参，因销恩施而命名）、厚朴等为多。据 1995 年版《中国药典》记载："党参味甘，功能是补中气不足、润肺止咳，尤以巫山庙宇党参最佳。"巫山庙党获国家地理标志产品称号。目前巫山红椿、笃坪建有川党参种植基地，种植面积约 130hm²。

（2）物种鉴别。本种与党参 Codonopsis pilosula (Franch.) Nannf.、素花党参（西党参）Codonopsis pilosula Nannf. var. modesta (Nannf.) L. T. Shen 的区别在于：本种茎下部的叶基部楔形或较圆钝，仅偶呈心形；花萼仅贴生于子房最下部，子房对花萼而言几乎为全上位。党参和素花党参茎下部的叶基部深心形至浅心形，极少为平截形或圆钝，茎有较多分枝，叶片有深或较浅的锯齿缘，先端微尖或钝，花萼贴生至子房中部，裂片间弯缺尖狭。与本种易混的同属物种还有管花党参 *Codonopsis ubulosa* Kom.、绿花党参 *Codonopsis viridiflora* Maxim.、秦岭党参 *Codonopsis tsinlingensis* Pax & K. Hoffmann、新疆党参 *Codonopsis clematidea* (Schrenk) C. B. Cl. 等。本种与其他 4 种党参的区别在于：本种茎缠绕，不为直立，亦非花葶状或攀缘状；管花党参、绿花党参、秦岭党参、新疆党参茎均不缠绕，通常直立，花葶状，有时攀缘或蔓生状。

（3）市场信息。近年重庆川党参的市场情况见表 27。

表 27　2000 年与 2018 年重庆川党参产业发展情况对比

| 年份 | 大品种种植信息 | | | | 种苗繁育基地面积/hm² | 农民增收 | |
	示范基地种植面积/hm²	全市种植面积/hm²	全市产量/t	全市产值/万元		与当地主要作物比较年均亩产增收/（元/hm²）	与当地主要作物比较年均增收总值/万元
2000	66.7	2533.3	1500	7600	5000	18000	456
2018	666.7	4333.3	3000	16500	10000	23070	1000

（4）资源利用和可持续发展。本种分布较广，野生资源较丰富。近年来，重庆东北部等地区大力发展川党参种植，其产量逐年增加。本种的药材多销往广东等地，多被用来煲汤，亦被开发成糕点、饮料等产品。

柑橘
Citrus reticulata Blanco

药材名

陈皮（药用部位：成熟果皮。别名：橘皮、黄橘皮、橘柑皮）、青皮（药用部位：干燥幼果或未成熟果实的果皮。别名：青橘皮、青柑皮）、橘红（药用部位：外层果皮。别名：芸皮、芸红）、橘络（药用部位：果皮内层筋络。别名：橘瓤上筋膜、橘瓤上丝、橘丝）、橘核（药用部位：种子。别名：橘子仁、橘子核、橘米）。

形态特征

常绿小乔木或灌木，高 3 ~ 4m。分枝多，枝扩展或略下垂，刺较少。单生复叶，翼叶通常狭窄，或仅有痕迹；叶片披针形、椭圆形或阔卵形，大小变异较大，先端常有凹口，中脉由基部至凹口附近呈叉状分枝；叶缘上半段常有钝或圆裂齿，很少全缘。花单生或 2 ~ 3 簇生；花萼不规则 3 ~ 5 浅裂；雄蕊 20 ~ 25，花柱细长，柱头头状。果形种种，通常扁圆形至近圆球形，果皮甚薄而光滑，或厚而粗糙，淡黄色、朱红色或深红色，甚易或稍易剥离，橘络甚多或较少，呈网状，易分离，瓤囊 7 ~ 14，稀较多，汁胞通常纺锤形，短而膨大，果肉酸或甜，或有苦味，或另有特异

柑橘

气味；种子通常卵形，顶部狭尖，基部浑圆，子叶深绿色、淡绿色或间有近于乳白色，合点紫色，多胚，少有单胚。花期 4 ~ 5 月，果期 10 ~ 12 月。

| **野生资源** | 生于海拔 500m 以下的荒坡。重庆各地均有分布，万州、江津所产质量最佳。

| **栽培资源** | （1）栽培条件。本种喜高温多湿的亚热带气候，不耐寒，稍耐阴，宜在阳光充足、地势高燥、土层深厚、通气性能良好的砂壤土或壤土栽培。

（2）栽培区域。重庆各地均有栽培，主要栽培于忠县、开州、长寿、云阳、奉节、万州。

（3）栽培要点。栽培过程中需对土壤进行适当培肥和改良，及时排除积水，以免苗木出现烂根问题。在土壤改良中，可利用尚未结籽的杂草或作物秸秆覆盖土壤，提高土壤的蓄水、保土能力。如果土壤 pH 过高或过低，需要利用硫黄粉、白云石粉等调节酸碱状态。栽培时应做到合理选择树种、适地种植、合理施肥、科学灌溉、适时剪修、科学防治病虫草害，并且应做到规范采收。

（4）栽培面积与产量。截至 2017 年，重庆柑橘种植面积达 22.1 万公顷，成熟果实产量达 312 万吨。

| **采收加工** | 陈皮：10 ~ 12 月果实成熟时摘下果实，剥取果皮，阴干或烘干。

青皮：5 ~ 6 月收集自落的幼果，晒干，习称个青皮；7 ~ 8 月采收未成熟的果实，在果皮上纵剖成 4 瓣至基部，除尽瓤瓣，晒干，习称"四花青皮"。

橘红：秋末冬初果实成熟后采收，用刀削下外果皮，晒干或阴干。

橘络：将橘皮剥下，自皮内或橘瓣外表撕下白色筋络，晒干或微火烘干。比较完整而理顺成束者，称为"凤尾橘络"（又名顺筋）；多数断裂、散乱不整者，称为"金丝橘络"（又名乱络、散丝橘络）；用刀自橘皮内铲下者，称为"铲络"。

橘核：果实成熟后收集种子，洗净，晒干。

| **药材性状** | 陈皮：本品常剥成数瓣，基部相连，有的呈不规则的片状，厚 1 ~ 4mm。外表面橙红色或红棕色，有细皱纹和凹下的点状油室；内表面浅黄白色，粗糙，附黄白色或黄棕色筋络状维管束。质稍硬而脆。气香，味辛、苦。

青皮：四花有皮果皮剖成 4 裂片，裂片长椭圆形，长 4 ~ 6cm，厚 0.1 ~ 2cm。外表面灰绿色或黑绿色，密生多数油室；内表面类白色或黄白色，粗糙，附黄白色或黄棕色小筋络。质稍硬，易折断，断面外缘有油室 1 ~ 2 列。气香，味苦、辛。个青皮呈类球形，直径 0.5 ~ 2cm。表面灰绿色或黑绿色，微粗糙，有细密凹下的油室，先端有稍凸起的柱基，基部有圆形果梗痕。质硬，断面果皮黄白

色或淡黄棕色，厚 0.1 ~ 0.2cm，外缘有油室 1 ~ 2 列。瓤囊 8 ~ 10 瓣，淡棕色。气清香，味酸、苦、辛。

橘红：本品呈长条形薄片，周边向内卷曲，呈波浪状，似云头，故又称"川芸红"；橘红外表面深红色，有光泽，鲜艳油润，密布点状凹下或凸起的油点，俗称"棕眼"；内表面淡黄色，亦有明显的油点，由于中果皮基本刮净，故对光视之透明，香气浓郁。

橘络：本品凤尾橘络呈长条形而松散的网络状，上端与蒂相连，其下则筋络交叉而顺直。蒂呈圆形帽状。多为淡黄白色，陈久则变成棕黄色，每束长 6 ~ 10cm，宽 0.5 ~ 1cm。十余束或更多压紧成长方形块状。质轻而软，干后质脆易断。气香，味微苦。金丝橘络呈不整齐的松散状，又如乱丝，长短不一，与蒂相混连；其余与凤尾橘络相同。铲络筋络多疏散碎断，并连带少量橘白，呈白色片状小块，有时夹带橘蒂及少量内瓤碎片。

橘核：本品略呈卵形，长 0.8 ~ 1.2cm，直径 0.4 ~ 0.6cm。表面淡黄白色或淡灰白色，光滑，一侧有种脊棱线，一端钝圆，另一端渐尖成小柄状。外种皮薄而韧，内种皮菲薄，淡棕色，子叶 2，黄绿色，有油性。气微，味苦。

| 功能主治 | 陈皮：苦、辛，温。归肺、脾经。理气健脾，燥湿化痰。用于脘腹胀满，食少吐泻，咳嗽痰多。

青皮：苦、辛，温。归肝、胆、胃经。疏肝破气，消积化滞。用于胸胁胀痛，疝气疼痛，乳癖，乳痈，食积气滞，脘腹胀痛。

橘红：辛、苦，温。归肺、脾经。理气宽中，燥湿化痰。用于咳嗽痰多，食积伤酒，呕恶痞闷。

橘络：甘、苦，平。归肝、肺、脾经。通络，理气，化痰。用于经络气滞，久咳胸痛，痰中带血，伤酒口渴。

橘核：苦，平。归肝、肾经。理气，散结，止痛。用于疝气疼痛，睾丸肿痛，乳痈，乳癖。

| 用法用量 | 陈皮：内服煎汤，3 ~ 10g。

青皮：内服煎汤，3 ~ 10g。

橘红：内服煎汤，3 ~ 10g。

橘络：内服煎汤，2.5 ~ 4.5g。

橘核：内服煎汤，3 ~ 9g。

| **附 注** | （1）物种鉴别。本种与同属植物的主要区别在于其叶柄颇长，花瓣白色（极少半野生状态时为淡紫红色），单花腋生或数花簇生，子叶绿色，通常多胚，果皮稍易剥离或甚已剥离，果肉甜或酸，无柠檬气味。药材枳壳、枳实的来源为同属植物酸橙 *Citrus aurantium* L.。酸橙与本种的区别在于其为总状花序，有时兼有腋生单花，果皮不易剥离，橙红色，果实直径 10cm 以内，果顶通常无乳头状突起，可育种子的种皮圆滑，或有细肋纹，种子先端尖或稍宽阔而截平，子叶乳白色，果肉微酸，有时带有苦味或特异气味。

（2）资源利用和可持续发展。川陈皮主要来源于红橘（当地称"大红袍"），因其口味逊于其他品种，随着其他橘类品种的兴起，红橘种植面积不断减少。现万州对古红橘种质资源进行保护。橘红为本种去络的皮，专治咳嗽，为本草所载橘红正品，但现已被化橘红代替。对于橘红的功效和橘红与化橘红的区分有待深入研究。

芸香科 Rutaceae 柑橘属 *Citrus*

佛手
Citrus medica L. var. *sarcodactylis* Swingle.

| 药 材 名 | 佛手（药用部位：果实。别名：佛手香橼、密罗柑、五指柑）、佛手花（药用部位：花朵和花蕾。别名：佛柑花）。

| 形态特征 | 不规则分枝的灌木或小乔木。幼枝略带紫红色，茎枝有刺，短而硬，刺长达 4cm。单叶，稀兼有单身复叶，有关节，无翼叶；叶柄短，叶片椭圆形或卵状椭圆形，长 6 ~ 12cm，宽 3 ~ 6cm，或有更大，顶部圆或钝，稀短尖，叶缘有浅钝裂齿。总状花序，有花达 12，有时兼有单花腋生；花两性，有单性花趋向，则雌蕊退化；花瓣 5，长 1.5 ~ 2cm；雄蕊 30 ~ 50；子房圆筒状，花柱粗长，柱头头状，子房在花柱脱落后即行分裂，在果实的发育过程中成为手指状肉条。

佛手

果皮橙黄色，粗糙，甚厚或颇薄，难剥离，内皮淡黄色，棉质，瓤囊 10 ～ 15，通常无种子，果肉无色，近于透明或淡乳黄色，爽脆，味酸或略甜，有香气。花期 4 ～ 5 月，果期 10 ～ 12 月。

| 野生资源 | 生于海拔 400 ～ 700m 的丘陵地带，尤其在丘陵顶部分布较多。分布于重庆云阳、石柱、开州、丰都、酉阳、綦江、巴南、北碚、合川、江津、彭水、垫江等地。

| 栽培资源 | （1）栽培条件。本种喜温暖湿润气候，怕严霜、干旱，耐涝，喜阳光，宜栽培

于富含腐殖质、排水良好的微酸性砂壤土中。本种生长适温为 22 ～ 24℃，越冬温度 5℃ 以上，在年平均降水量 1000 ～ 1200mm、年平均日照时数 1200 ～ 1800 小时的地区栽培为宜。

（2）栽培区域。主要栽培于重庆云阳、万州、石柱、梁平、合川、江津。

（3）栽培要点。栽培过程中应注意定植后第 2 年的秋季 (重庆地区在 9 月初) 需要进行重剪，这与其他柑橘树管理有很大差别。重剪时应剪去老枝、弱枝、病枝，观察整个树势，保留 3 ～ 5 个方向的二级分枝，在离主干 7 ～ 10cm 处修剪，所留长度以整个树形呈圆头形为基准。在 4 月初，如果同一枝头有花芽，同时也有枝芽，就要在疏花的同时及时掰去枝芽；在 4 月下旬注意打顶，留下 4 ～ 8cm （ 视植株株型而定) 的嫩枝，这样可明显减少生理性落果。6 月后出现的夏梢应全部齐根掰掉，这样可使植物营养集中到佛手果实上，提高佛手果实产量。

（4）栽培面积与产量。栽培面积约 460hm²，年产量约 100t。

| **采收加工** | 佛手：秋季果实尚未变黄或变黄时采收，采收时应用剪刀从瓜柄处剪下，避免伤及瓜蔓。纵切成薄片，晒干或低温干燥。

佛手花：4 ～ 5 月早晨日出前疏花时采摘，或拾取新鲜落花，晒干或炕干。

| **药材性状** | 佛手：本品为类椭圆形或卵圆形的薄片，常皱缩或卷曲，长 6 ～ 10cm，宽 3 ～ 7cm，厚 0.2 ～ 0.4cm，先端稍宽，常有 3 ～ 5 手指状的裂瓣，基部略窄，有的可见果梗痕。外皮黄绿色或橙黄色，有皱纹和油点。果肉浅黄白色或浅黄色，散有凹凸不平的线状或点状维管束。质硬而脆，受潮后柔。气香，味微甜后苦。

佛手花：本品长约 1.5cm，呈淡棕黄色，基部带有短花梗；花萼杯状，略有皱纹；花瓣 4，呈线状矩圆形，外表面可见众多的凹窝，质厚，两边向内卷曲；雄蕊多数，着生于花盘的周围；子房上部较尖。气微，味微苦。

| **功能主治** | 佛手：辛、苦、酸，温。归肝、脾、胃、肺经。疏肝理气，和胃止痛，燥湿化痰。用于肝胃气滞，胸胁胀痛，胃脘痞满，食少呕吐，咳嗽痰多。

佛手花：微苦，微温。疏肝理气，和胃快膈。用于肝胃气痛，食欲不振。

| **用法用量** | 佛手：内服煎汤，3 ～ 10g。

佛手花：内服煎汤，3 ～ 6g。

| **附　注** | （1）物种鉴别。本种与同属植物的区别在于其果顶部分裂成手指状肉条，果皮比果肉厚或为果肉厚度的一半，叶为单叶，无翼叶。

（2）市场信息。2018年重庆合川的佛手产量与往年基本持平，但买货商家极少，货源走动比较迟缓，行情低迷运行，产地统货报价在24元左右。2019年由于受自然灾害影响，佛手产量减少60%，导致统货价格从年初的22元/kg上涨到现在的32元/kg，价格上涨46%，价格上涨带动佛手苗走动加快。

（3）资源利用。佛手为我国传统的药食两用中药材之一，是中成药金佛止痛丸、佛手咳喘灵的主要原料。佛手中主要含有挥发油、黄酮类、多糖等化学成分，具有抗炎、抗菌、降血压、抗肿瘤、抗抑郁的作用。佛手提取液具有抗皮肤衰老的作用，现多用于美容产品，另外，佛手提取物还被广泛用于食品和日化用品，具有广阔的开发应用前景。

棟科 Meliaceae　棟属 *Melia*

川楝
Melia toosendan Sieb. et Zucc.

｜药 材 名｜

川楝子（药用部位：成熟果实。别名：川楝实、楝子、金铃子）、苦楝皮（药用部位：树皮及根皮。别名：楝木皮、楝树枝皮、苦楝树白皮）、苦楝叶（药用部位：叶）、苦楝花（药用部位：花）。

｜形态特征｜

乔木，高超过 10m。幼枝密被褐色星状鳞片，老时无，暗红色，具皮孔，叶痕明显。二回羽状复叶，长 35 ～ 45cm，每 1 羽片有小叶 4 ～ 5 对，具长柄；小叶对生，具短柄或近无柄，膜质，椭圆状披针形，长 4 ～ 10cm，宽 2 ～ 4.5cm，先端渐尖，基部楔形或近圆形，两面无毛，全缘或有不明显钝齿，侧脉 12 ～ 14 对。圆锥花序聚生小枝顶部之叶腋内，长约为叶的 1/2，密被灰褐色星状鳞片；花具梗，较密集；萼片长椭圆形至披针形，长约 3mm，两面被柔毛，外面较密；花瓣淡紫色，匙形，长 9 ～ 13mm，外面疏被柔毛；雄蕊管圆柱形，紫色，无毛而有细脉，先端有 3 裂的齿 10，花药长椭圆形，无毛，长约 1.5mm，略凸出于管外；花盘近杯状；子房近球形，无毛，6 ～ 8 室，花柱近圆柱形，无毛，柱头不明显的 6 齿裂，包藏于雄蕊管内。

川楝

核果大，椭圆状球形，长约 3cm，宽约 2.5cm，果皮薄，成熟后淡黄色；核稍坚硬，6 ~ 8 室。花期 3 ~ 4 月，果期 10 ~ 11 月。

| **野生资源** | 生于海拔 500 ~ 2100m 的杂木林、疏林或平坝。重庆各地均有分布。

| **栽培资源** | （1）栽培条件。本种喜温暖湿润气候，喜阳，不耐荫蔽，在海拔 2000m 以下的地区均可生长，适宜栽培于年平均气温 16 ~ 18℃、10℃以上活动积温 4500 ~ 6000℃且持续期为 8 ~ 9 个月、无霜期 280 ~ 350 天、年平均降水量 1000 ~ 1300mm 的地区，以阳光充足、土层深厚、疏松、肥沃的砂壤土栽培为宜。

（2）栽培区域。重庆大部分地区均有栽培。

（3）栽培要点。11 ~ 12 月采摘浅黄色成熟果实作种，清水浸泡 2 ~ 3 天，去果肉，取出果核，晾干，用湿沙贮藏催芽。翌年 2 月下旬至 3 月下旬播种，条播，按行距 30cm 开横沟，沟深约 6cm，株距 12cm。每穴放果核 1 枚，随即施腐熟粪水，覆土 8 ~ 10cm。播种后 1 个月左右出苗，每枚果核可出苗 3 ~ 5 株。苗高 10 ~ 15cm 时中耕除草 1 次，施腐熟粪水。当苗高 18 ~ 20cm 时，进行第 2 次中耕除草。培育 1 年，于冬季或第 2 年春季发芽前移栽。按行距 2.5 ~ 3.5cm、株距 2.5 ~ 3.5cm 开穴，每穴 1 株，覆土压实，浇足水。冬季果实成熟时采收，除去杂质，干燥。

| **采收加工** | 川楝子：11 ~ 12 月果皮呈浅黄色时采摘，晒干或烘干。临床用药须炒制。

苦楝皮：全年或春、秋季采收，剥取干皮或根皮，除去泥沙，晒干。

苦楝叶：全年均可采收，鲜用或晒干。

苦楝花：4 ~ 5 月采收，晒干、阴干或烘干。

| **药材性状** | 川楝子：本品呈类球形，直径 2 ~ 3.2cm。表面金黄色至棕黄色，微有光泽，少

数凹陷或皱缩，具深棕色小点。先端有花柱残痕，基部凹陷，有果梗痕。外果皮革质，与果肉间常成空隙，果肉松软，淡黄色，遇水润湿显黏性。果核球形或卵圆形，质坚硬，两端平截，有 6 ~ 8 纵棱，内分 6 ~ 8 室，每室含黑棕色长圆形的种子 1。气特异，味酸、苦。

苦楝皮：本品呈不规则板片状、槽状或半卷筒状，长宽不一，厚 2 ~ 6mm。外表面灰棕色或灰褐色，粗糙，有交织的纵皱纹和点状灰棕色皮孔，除去粗皮者淡黄色；内表面类白色或淡黄色。质韧，不易折断，断面纤维性，呈层片状，易剥离。气微，味苦。

| **功能主治** | 川楝子：苦，寒；有小毒。归肝、小肠、膀胱经。疏肝泻热，行气止痛，杀虫。用于肝郁化火，胸胁、脘腹胀痛，疝气疼痛，虫积腹痛。

苦楝皮：苦，寒；有毒。归肝、脾、胃经。杀虫，疗癣。用于蛔虫病，蛲虫病，虫积腹痛。外用于疥癣瘙痒。

苦楝叶：苦，寒；有毒。清热燥湿，杀虫止痒，行气止痛。用于湿疹瘙痒，疮癣疥癞，蛇虫咬伤，滴虫性阴道炎，疝气疼痛，跌打肿痛。

苦楝花：苦，寒。清热祛湿，杀虫，止痒。用于热痱，头癣。

| **用法用量** | 川楝子：内服煎汤，5 ~ 10g。外用适量，研末调涂。

苦楝皮：内服煎汤，3 ~ 6g。外用适量，研末，用猪脂调敷患处。

苦楝叶：内服煎汤，5 ~ 10g。外用适量，煎汤洗；捣敷；或绞汁涂。

苦楝花：外用适量，研末撒或调涂。

| **附　注** | （1）物种鉴别。本种同属植物楝 *Melia azeaarach* L. 的果实也作川楝子用。FOC 将本种与楝合并为一。本种与楝的区别在于：本种子房 6 ~ 8 室，果实较大，长约 3cm，下叶近全缘或具不明显的锯齿，花序长约为叶的一半；而楝的子房 5 ~ 6 室，果实较小，长通常不超过 2cm，小叶具钝齿，花序常与叶等长。

（2）资源利用。本种适应性较广，生长迅速，各地多用于造林，还可用于提取川楝素。川楝素是抗肉毒的有效药物，亦有杀农业害虫的作用，可用于开发生物农药。此外，本种的根皮或树皮亦作苦楝皮使用，具有综合开发价值。

楝科 Meliaceae 楝属 *Melia*

楝
Melia azedarach L.

| 药 材 名 |　川楝子（药用部位：成熟果实。别名：川楝实、楝子、金铃子）、苦楝皮（药用部位：树皮及根皮。别名：楝木皮、楝树皮、苦楝树白皮）、苦楝叶（药用部位：叶）、苦楝花（药用部位：花）。

| 形态特征 |　落叶乔木，高超过 10m。树皮灰褐色，纵裂。分枝广展，小枝有叶痕。叶为二至三回奇数羽状复叶，长 20 ~ 40cm；小叶对生，卵形、椭圆形至披针形，顶生 1 片通常略大，长 3 ~ 7cm，宽 2 ~ 3cm，先端短渐尖，基部楔形或宽楔形，多少偏斜，边缘有钝锯齿，幼时被星状毛，后两面均无毛，侧脉每边 12 ~ 16，广展，向上斜举。圆锥花序约与叶等长，无毛或幼时被鳞片状短柔毛；花芳香；花萼 5 深裂，裂片卵形或长圆状卵形，先端急尖，外面被微柔毛；花瓣淡紫色，倒卵状匙形，长约 1cm，两面均被微柔毛，通常外面较密；雄蕊管紫色，无毛

楝

或近无毛，长 7 ~ 8mm，有纵细脉，管口有钻形、2 ~ 3 齿裂的狭裂片 10，花药 10，着生于裂片内侧，且与裂片互生，长椭圆形，先端微凸尖；子房近球形，5 ~ 6 室，无毛，每室有胚珠 2，花柱细长，柱头头状，先端具 5 齿，不伸出雄蕊管。核果球形至椭圆形，长 1 ~ 2cm，宽 8 ~ 15mm，内果皮木质，4 ~ 5 室，每室有种子 1；种子椭圆形。花期 4 ~ 5 月，果期 10 ~ 12 月。

| **野生资源** | 生于低海拔旷野、路旁或疏林中，目前已广泛栽培。重庆各地均有分布。

| **栽培资源** | （1）栽培条件。本种喜温暖湿润气候，稍耐干瘠，对土壤要求不严，在酸性、中性、石灰岩山地、盐碱地中都能生长。
（2）栽培区域。主要栽培于重庆巫山、奉节、黔江、涪陵、南川等地。
（3）栽培要点。在 3 月上旬至 4 月上旬，用温水浸泡本种的种子，7 天后搓去果肉，将种子用清水洗净，然后混以湿沙催芽，将其堆积于温暖处，覆盖稻草，待种子发芽率达到 70% 时即行播种。一般采用点播方式。每穴点播种子 1 ～ 2 粒，覆土厚度 3cm 左右。待幼苗出土后，及时除去覆盖。每粒种子可生出 3 ～ 5 株幼苗，当苗高 15 ～ 20cm 时，趁阴雨天及时间苗，每簇选留 1 株健壮幼苗。6 月、7 月及时抹芽，使其生长直立。秋季或翌年春季将苗移栽到苗地，秋季即可出圃定植。
（4）栽培面积与产量。本种在重庆多零星栽培，年产量达 100t 以上。 |

采收加工　川楝子：秋、冬季果实成熟呈黄色时采收，或收集落下的果实，晒干、阴干或烘干。
苦楝皮：全年或春、秋季采收，剥取干皮或根皮，除去泥沙，晒干。
苦楝叶：全年均可采收，鲜用或晒干。
苦楝花：4 ～ 5 月采收，晒干、阴干或烘干。

药材性状　川楝子：本品核果长圆形至近球形，长 1.2 ～ 2cm，直径 1.2 ～ 1.5cm。外表面棕黄色至灰棕色，微有光泽，干皱。先端偶见花柱残痕，基部有果梗痕。果肉较松软，淡黄色，遇水润湿显黏性。果核卵圆形，坚硬，具 4 ～ 5 棱，内分 4 ～ 5 室，每室含种子 1 。气特异，味酸、苦 。
苦楝皮：本品呈不规则板片状、槽状或半卷筒状，长、宽不一，厚 2 ～ 6mm。外表面灰棕色或灰褐色，粗糙，有交织的纵皱纹和点状灰棕色皮孔，除去粗皮者淡黄色；内表面类白色或淡黄色。质韧，不易折断，断面纤维性，呈层片状，易剥离。气微，味苦。

功能主治　川楝子：苦，寒；有小毒。归肝、胃经。行气止痛，杀虫。用于脘腹、胁肋疼痛，疝痛，虫积腹痛，头癣，冻疮。
苦楝皮：苦，寒；有毒。归肝、脾、胃经。杀虫，疗癣。用于蛔虫病，蛲虫病，虫积腹痛。外用于疥癣瘙痒。
苦楝叶：苦，寒；有毒。清热燥湿，杀虫止痒，行气止痛。用于湿疹瘙痒，疮癣疥癞，蛇虫咬伤，滴虫性阴道炎，疝气疼痛，跌打肿痛。
苦楝花：苦，寒。清热祛湿，杀虫，止痒。用于热痱，头癣。

用法用量　川楝子：内服煎汤，3 ～ 10g。外用适量，研末调涂。行气止痛炒用，杀虫生用。

苦楝皮：内服煎汤，3～6g。外用适量，研末，用猪脂调敷患处。

苦楝叶：内服煎汤，5～10g。外用适量，煎汤洗；捣敷；或绞汁涂。

苦楝花：外用适量，研末撒或调涂。

| 附　　注 | 本种的药材川楝子货源充足，价格为3～5元/kg，市场需求量稳定。

豆科 Leguminosae　补骨脂属 *Psoralea*

补骨脂 *Psoralea corylifolia* L.

| 药 材 名 |　补骨脂（药用部位：果实。别名：黑故子、破固子、川故子）。

| 形态特征 |　一年生直立草本，高 60 ~ 150cm。枝坚硬，疏被白色绒毛，有明显腺点。叶为单叶，有时有 1 片长 1 ~ 2cm 的侧生小叶；托叶镰形，长 7 ~ 8mm；叶柄长 2 ~ 4.5cm，有腺点；小叶柄长 2 ~ 3mm，被白色绒毛；叶宽卵形，长 4.5 ~ 9cm，宽 3 ~ 6cm，先端钝或锐尖，基部圆形或心形，边缘有粗而不规则的锯齿，质地坚韧，两面有明显黑色腺点，被疏毛或近无毛。花序腋生，有花 10 ~ 30，呈密集的总状或小头状花序，总花梗长 3 ~ 7cm，被白色柔毛和腺点；苞片膜质，披针形，长 3mm，被绒毛和腺点；花梗长约 1mm；花萼长 4 ~ 6mm，被白色柔毛和腺点，萼齿披针形，下方 1 个较长；花

补骨脂

冠黄色或蓝色；花瓣具明显瓣柄，旗瓣倒卵形，长 5.5mm；雄蕊 10，上部分离。荚果卵形，长 5mm，具小尖头，黑色，表面具不规则网纹，不开裂，果皮与种子不易分离；种子扁。花果期 7 ~ 10 月。

野生资源	生于山坡、溪边、田边。分布于重庆南川、南岸、合川等地。
栽培资源	（1）栽培条件。本种是一种喜温、喜光、耐旱、抗寒植物。种子在高于 8℃的温度下即可萌发，萌发适温为 15 ~ 18℃，生长适温为 15 ~ 20℃，在年平均气温为 10℃以下的地区只能开花而不能结实。本种对土壤的要求不严，但以缓坡或平地的紫色土、砂壤土栽培为宜。本种在阳光充足的地方既可单种，也可与玉米间作。 （2）栽培区域。在重庆合川有种植，但因价格等原因其种植面积已经减少。 （3）栽培要点。在播种前将补骨脂种子用温水浸泡 2 ~ 3 小时，再用清水洗 1 遍，沥干。在清明前后进行播种，以条播为主，将行距控制在 45cm 左右，播种后覆盖 4cm 左右的土壤。正常管理情况下，1 周左右即可出苗。当幼苗长出后，在 5 月左右进行间苗工作，株距每 18cm 左右，留苗不可超过 2 株。应做好中耕除草工作，防止大雨过后的积水导致补骨脂幼苗烂根，引发病虫害等。在种植过程中必须追肥 2 次以上，每亩用厩肥 2500 ~ 3000kg。 （4）栽培面积与产量。栽培面积仅 0.7hm² 左右，年产量 1000kg 左右。
采收加工	8 ~ 10 月果实成熟时随熟随收，割取果穗，晒干，打出种子，除去杂质即可。入药须盐炒。酒浸水漂炮制法可降低其毒性。
药材性状	本品呈肾形，略扁，长 3 ~ 5mm，宽 2 ~ 4mm，厚约 1.5mm。表面黑色、黑褐色或灰褐色，具细微网状皱纹。先端圆钝，有 1 小凸起，凹侧有果梗痕。质硬。果皮薄，与种子不易分离。种子 1，子叶 2，黄白色，有油性。气香，味辛、微苦。
功能主治	辛、苦，温。归肾、脾经。温肾助阳，纳气平喘，温脾止泻，消风祛斑。用于肾阳不足，阳痿遗精，遗尿尿频，腰膝冷痛，肾虚作喘，五更泄泻。外用于白癜风，斑秃。
用法用量	内服煎汤，6 ~ 10g。外用 20% ~ 30%酊剂涂患处。
附 注	（1）栽培历史。补骨脂原产于波斯国，大约在唐代，通过诃陵国舶主和节度使传入我国，后被我国引种栽培。补骨脂主产于河南、四川、安徽、河北、陕西等地，其中产于河南者称"怀故子"，产于四川者称"川故子"，以重庆合川所产者质量最佳。明代医家缪希雍指出治肾阳火衰无子的"种子方"要用"真合川补骨脂"。重庆合川是补骨脂的国内道地产区。 （2）市场信息。由于成本因素，目前本种在国内少有种植，仅作为种质资源被

保存。市场上的补骨脂多来源于缅甸。我国对补骨脂的年需求量为 80 万 ~ 100 万千克，补骨脂价格在 7 ~ 13 元 /kg 波动。

（3）资源利用和可持续发展。合川虽然是补骨脂的国内道地产区，但从 20 世纪末开始，我国从缅甸大量进口补骨脂，进口补骨脂价格低廉，供应量巨大，导致国内补骨脂种植面积逐渐减少，仅种植少量补骨脂以保存种质资源。补骨脂果实的提取物有防治斑秃、脱发作用，可用于开发日化产品。补骨脂根的石油醚提取物具有抑制昆虫进食的作用，可用作杀虫剂。补骨脂有固氮作用，可用于改良土壤。

芸香科 Rutaceae 柑橘属 Citrus

酸橙 *Citrus aurantium* L.

| 药 材 名 |

枳壳（药用部位：未成熟的果实。别名：皮头橙、钩头橙）、枳实（药用部位：幼果。别名：鹅眼枳实）。

| 形态特征 |

小乔木，枝叶密茂，刺多，徒长枝的刺长达8cm。叶色浓绿，质地颇厚，翼叶倒卵形，基部狭尖，长 1～3cm，宽 0.6～1.5cm，或个别品种几无翼叶。总状花序有花少数，有时兼有腋生单花，有单性花倾向，即雄蕊发育，雌蕊退化；花蕾椭圆形或近圆球形；花萼 4 或 5 浅裂，有时花后增厚，无毛或个别品种被毛；花大小不等，直径 2～3.5cm；雄蕊 20～25，通常基部合生成多束。果实圆球形或扁圆形，果皮稍厚至甚厚，难剥离，橙黄色至朱红色，油胞大小不均匀，凹凸不平，果心实或半充实，瓢囊 10～13，果肉味酸，有时有苦味或兼有特异气味；种子多且大，常有肋状棱，子叶乳白色，单或多胚。花期 4～5 月，果期 9～12 月。

酸橙

| 野生资源 | 多生于海拔 500m 以下的疏林中。分布于重庆涪陵、酉阳、秀山、北碚、合川、綦江、江津、永川、奉节等地。

| 栽培资源 | （1）栽培条件。本种喜温暖湿润、雨量充沛、阳光充足的环境，一般在年平均气温 15℃以上的地区生长良好，对土壤的适应性较广，红、黄壤土均能栽培，以中性砂壤土栽培最理想，过于黏重的土壤不宜栽培。定植场地以定植前 2 年垦荒翻耕为好。

（2）栽培区域。在重庆江津、荣昌、铜梁有规模化栽培。

（3）栽培要点。栽培过程中整枝方法随树龄不同而有所差异，待幼树定植后3～4年、树高1.5m时进行整枝，将离地1m以下小枝除去，使枝条伸向四方，树冠呈圆形或塔形。成年树的整枝常在春节后进行，主要剔除病虫枝、密生枝、交叉枝及下垂枝，也可适当修剪结果的老枝。

（4）栽培面积与产量。本种在重庆铜梁、荣昌、潼南栽培面积较大。铜梁枳壳核心基地面积约37hm²，示范基地面积约200hm²；荣昌枳壳基地面积约67hm²；潼南在建枳壳基地面积约667hm²。铜梁、荣昌的枳壳基地年产量为5000t左右。

| 采收加工 | 枳壳：7月果皮尚绿时采收，自中部横切为两半，晒干或低温干燥。

枳实：5～6月收集自落的果实，除去杂质，自中部横切为两半，晒干或低温干燥，较小者直接晒干或低温干燥。

| 药材性状 | 枳壳：本品呈半球形，直径3～5cm。外果皮棕褐色至褐色，有颗粒状突起，凸起的先端有凹点状油室；有明显的花柱残迹或果梗痕。切面中果皮黄白色，光滑而稍隆起，厚0.4～1.3cm，边缘散有1～2列油室，瓤囊7～12，少数至15，汁囊干缩呈棕色至棕褐色，内藏种子。质坚硬，不易折断。气清香，味苦、微酸。

枳实：本品呈半球形，少数为球形，直径0.5～2.5cm。外果皮黑绿色或棕褐色，具颗粒状突起和皱纹，有明显的花柱残迹或果梗痕。切面中果皮略隆起，厚0.3～1.2cm，黄白色或黄褐色，边缘有1～2列油室，瓤囊棕褐色。质坚硬。气清香，味苦、微酸。

| 功能主治 | 枳壳：苦、辛、酸，微寒。归脾、胃经。理气宽中，行滞消胀。用于胸胁气滞，胀满疼痛，食积不化，痰饮内停，脏器下垂。

枳实：苦、辛、酸，微寒。归脾、胃经。破气消积，化痰散痞。用于积滞内停，痞满胀痛，泻痢后重，大便不通，痰滞气阻，胸痹，结胸，脏器下垂。

| 用法用量 | 枳壳：内服煎汤，3～10g。

枳实：内服煎汤，3～10g。

| 附 注 | （1）物种鉴别。本种与同属植物的主要区别在于，本种为总状花序，有时兼有腋生单花，果皮不易剥离，橙红色，果实直径10cm以内，果顶通常无乳头状突起，

可育种子的种皮圆滑，或有细肋纹，先端尖或兼有稍宽阔而截平的种子，子叶乳白色，果肉微酸，有时带有苦味或特异气味。药材陈皮、青皮来源于同属植物柑橘 *Citrus reticulata* Blanco。柑橘与本种的区别在于其叶柄颇长，花瓣白色（极少半野生状态时为淡紫红色），单花腋生或数花簇生，子叶绿色，通常多胚，果皮易剥离或已剥离，果肉甜或酸，无柠檬气味。

（2）市场信息。2020 年江津货源供应充足，统货售价维持在 16 元 /kg 左右。2019 年万州枳壳产地统货报价在 16 元 /kg 左右，江津产地报价 18 元 /kg 左右。

（3）资源可持续发展。国内各地枳壳来源不同，且同一地区出现多个栽培品种的分化，如江枳壳就有来源于臭橙 *Citrus aurantium* L. cv. *Xiucheng* 者。臭橙为酸橙的栽培变种，主产于江西樟树、新干、新余、靖安和九江等地。新干三湖所产枳壳享有较高声誉，被称为"商州枳壳"。来源于臭橙的枳壳各项检测指标均符合《中国药典》的规定，但臭橙不是《中国药典》注明的枳壳基原。另有鸡子橙 *Citrus aurantium* L. cv. *Jizicheng*、柚子橙 *Citrus auranlium* L. cv. *Youziclieng*、勒橙 *Citrus aurantium* L. cv. *Lecheng*，均为酸橙的栽培变种，分别产于江西樟树和丰城等地。深入开展枳壳种质资源的收集与评价，进行种质创新，可提升本种的药材质量。

大戟科　Euphorbiaceae　巴豆属　*Croton*

巴豆 *Croton tiglium* L.

| 药材名 |

巴豆（药用部位：果实。别名：巴菽、刚子、江子）、巴豆油（药用部位：油）、巴豆壳（药用部位：种皮。别名：巴豆皮）、巴豆叶（药用部位：叶。别名：双眼龙叶、大叶双眼龙叶）、巴豆树根（药用部位：根。别名：大叶双眼龙根、挡蛇剑、独行千里）。

| 形态特征 |

灌木或小乔木，高 3 ～ 6m。嫩枝被稀疏星状柔毛，枝条无毛。叶纸质，卵形，稀椭圆形，长 7 ～ 12cm，宽 3 ～ 7cm，先端短尖，稀渐尖，有时长渐尖，基部阔楔形至近圆形，稀微心形，边缘有细锯齿，有时近全缘，成长叶无毛或近无毛，干后淡黄色至淡褐色；基出脉 3（～ 5），侧脉 3 ～ 4 对；基部两侧叶缘上各有 1 盘状腺体；叶柄长 2.5 ～ 5cm，近无毛；托叶线形，长 2 ～ 4mm，早落。总状花序，顶生，苞片钻状，长约 2mm；雄花花蕾近球形，疏生星状毛或几无毛；雌花萼片长圆状披针形，长约 2.5mm，几无毛；子房密被星状柔毛，花柱 2 深裂。蒴果椭圆形，长约 2cm，直径 1.4 ～ 2cm，被疏生短星状毛或近无毛；种子椭圆形，长约 1cm，直径 6 ～ 7mm。花期 4 ～ 6 月。

巴豆

| 野生资源 | 生于村旁或山地疏林中。分布于重庆巫溪、开州、忠县、石柱、彭水、南岸、北碚、大足、合川、铜梁、荣昌、綦江、黔江、江津、酉阳、长寿、城口、云阳、垫江、永川、巴南、九龙坡等地。

| 栽培资源 | （1）栽培条件。本种喜温暖湿润气候，不耐寒，怕霜冻，喜阳光，适宜栽培于年平均气温 17 ~ 19℃、年平均降水量 1000mm、年日照时数 1000 小时、无霜期 300 天以上、海拔 1600m 以下的地区。

（2）栽培区域。主要栽培于万州、重庆市郊等地。

（3）栽培要点。雨水节气前后，选晾干、饱满的种子作种，播种后第 2 年即可移栽。栽完巴豆苗后，应及时浇定根水并保持土壤湿润。巴豆较少发生病虫害，但雨水过多易遭虫害，可喷 40% 杀虫净 500 倍液，防治率可达 90% 以上。

（4）栽培面积与产量。多散在栽培，重庆各地产量较少。

| 采收加工 | 巴豆：秋季果实成熟时采收，堆置 2 ~ 3 天，摊开，干燥。

巴豆油：取巴豆种仁，研烂，压取油。

巴豆壳：8 ~ 9 月采收种子时剥取种皮，鲜用或晒干用。

巴豆叶：随采随用，或采后晒干用。

巴豆树根：全年均可采收，洗净，切片，晒干。

| 药材性状 | 巴豆：本品呈卵圆形，一般具 3 棱，长 1.8 ~ 2.2cm，直径 1.4 ~ 2cm。表面灰黄色或稍深，粗糙，有 6 纵线，先端平截，基部有果梗痕。破开果壳，可见 3 室，每室含种子 1。种子呈略扁的椭圆形，长约 1cm，直径 6 ~ 7mm，表面棕色或灰棕色，一端有小点状的种脐和种阜的疤痕，另一端有微凹的合点，其间有隆起的种脊；外种皮薄而脆，内种皮呈白色薄膜；种仁黄白色，油质。气微，味辛辣。

巴豆叶：本品为单叶，具柄；叶片卵形或椭圆状卵形，长 7 ~ 12cm，宽 3 ~ 7cm，先端长尖，基部阔形，边缘有浅疏锯齿；上面深绿色，下面色较淡，幼叶两面疏被星状毛，基部具 3 脉，近柄两侧各具 1 腺体。气微，味苦、涩。

| 功能主治 | 巴豆：辛，热；有大毒。归胃、大肠经。蚀疮。外用于恶疮疥癣，疣痣。

巴豆油：辛，热；有毒。归肺、大肠经。通关开窍，峻下寒积。用于厥证，喉痹，寒积腹痛。

巴豆壳：辛，温。归大肠经。温中消积，解毒杀虫。用于泄泻，痢疾，腹部胀痛，瘰疬痰核。

巴豆叶：辛，温；有毒。祛风活血，杀虫解毒。用于疟疾，痹证，跌打损伤，

缠腰火丹，疮癣，毒蛇咬伤。

巴豆树根：辛，温；有毒。归胃、肝经。温中散寒，祛风镇痛，杀虫解毒。用于胃痛，寒湿痹痛，牙痛，外伤肿痛，痈疽疔疮，毒蛇咬伤。

| 用法用量 | 巴豆：外用适量，研末涂患处；或捣烂以纱布包擦患处。孕妇禁用。不宜与牵牛子同用。

巴豆油：外用，纸包巴豆压取油作纸捻搐鼻；或点燃巴豆油纸后吹灭，以油烟熏。

巴豆壳：内服适量，烧灰存性，入丸、散。外用适量，捣敷。

巴豆叶：内服研末，酒冲或装胶囊，0.03 ~ 0.15g。外用适量，煎汤洗；或捣敷；或浸酒搽。

巴豆树根：内服煎汤，3 ~ 6g。外用适量，捣敷；或煎汤熏洗；或浸酒搽；或研末调敷。

| 附　注 | （1）物种鉴别。本种与同属植物的区别在于，叶纸质，宽3 ~ 7cm，基部具腺体，雄花的萼片先端无毛，嫩枝被疏生星状毛，成长叶无毛，叶柄长于2.5cm，叶柄先端或叶片基部的腺体无柄，盘状，果实椭圆形。

（2）市场信息。近年来巴豆的市场价格缓慢上涨。

（3）资源利用。本种含油量高，质优。巴豆脂肪油是巴豆的有效成分，也是主要的毒性成分，可诱导皮肤肿瘤，使用时应注意。巴豆的60%或100%醇提物可使HIV-1潜伏感染再激活，有利于机体免疫系统及抗病毒药物的识别、杀伤。巴豆对烟草甲成虫有触杀毒力和驱避毒力，对桑螟、水稻螟虫、蚜虫等害虫有杀灭作用，可用于开发生物农药；对钉螺有触杀作用，可用于防治血吸虫病。

| 使君子科 | Combretaceae | 使君子属 | Quisqualis

使君子
Quisqualis indica L.

| 药 材 名 | 使君子（药用部位：果实。别名：留求子）。

| 形态特征 | 攀缘状灌木，高 2 ～ 8m。小枝被棕黄色短柔毛。叶对生或近对生，叶片膜质，卵形或椭圆形，长 5 ～ 11cm，宽 2.5 ～ 5.5cm，先端短渐尖，基部钝圆，表面无毛，背面有时疏被棕色柔毛，侧脉 7 或 8 对；叶柄长 5 ～ 8mm，无关节，幼时密生锈色柔毛。穗状花序顶生，组成伞房花序式；苞片卵形至线状披针形，被毛；萼管长 5 ～ 9cm，被黄色柔毛，先端具广展、外弯、小形的萼齿 5；花瓣 5，长 1.8 ～ 2.4cm，宽 4 ～ 10mm，先端钝圆，初为白色，后转淡红色；雄蕊 10，不凸出花冠外，外轮着生于花冠基部，内轮着生于萼管中部，花药长约 1.5mm；子房下位，胚珠 3。果实卵形，短尖，长 2.7 ～ 4cm，直径 1.2 ～ 2.3cm，无毛，具明显的锐棱角 5，成熟时外果皮脆薄，呈青黑色或栗色；种子 1，白色，长 2.5cm，直径约 1cm，圆柱状纺锤形。花期初夏，果期秋末。

使君子

| **野生资源** | 生于海拔 600m 以下的山坡、路旁、平地、灌丛中。分布于重庆铜梁、合川、开州、江津、渝北等地。 |

| **栽培资源** | （1）栽培条件。本种喜温暖、阳光充足的环境，怕风寒，喜中等肥沃的砂壤土，栽培于海拔 1200m 的山谷林缘、溪边及平原地区向阳的路旁。栽培宜选向阳、多湿、排灌便利、土层深厚的耕地，土质以肥沃、疏松、排水良好的砂壤土为宜。

（2）栽培区域。主要栽培于重庆铜梁、合川。

（3）栽培要点。本种是深根系植物，以果实入药，地上藤本比较长，因此定植时不能过密，太密会影响本种的光合作用和通风透气，导致植株长势弱，影响结实。大田栽植时以株距 200cm、行距 200cm 时果实产量最高，阳坡栽植的本种长势明显优于阴坡栽植者。 |

（4）栽培面积与产量。栽培面积达 260hm^2。

| 采收加工 | 秋天果皮变紫黑色时采收，除掉杂质，干燥。

| 药材性状 | 本品外果皮脆薄，呈青黑色或栗色；种子白色，呈圆柱状纺锤形。

| 功能主治 | 甘，温；有小毒。杀虫止痛，健脾消积。用于钩虫病腹痛，小儿疳积，乳食停滞，腹胀泻痢。

| 用法用量 | 内服煎汤，15 ~ 25g；或入丸、散。

| 附　注 | （1）栽培历史。清代光绪年间《铜梁县志》卷 3 "仓货志·物产"中有关于使君子的记载。民国时期，新修《合川县志》卷 13 "土物"中则记载："使君子其茎柔软绕树而上，其叶如两指头，长二寸，三月生花，五瓣，淡红色，久乃深红，六七月结子，长寸许，似栀子，有五棱，壳青黑色，内有黄裹白仁，出临渡河两岸人家多，麻柳树田边土边皆是……盖特产，人多贩售外省。"《合川县志》记载："田边土边皆是……盖特产，人多贩售外省。"以上记载说明，在民国时期，使君子的主产区和道地产区已集中在四川，其中合川使君子的产量最大，质量

最好。胡世林主编的《中国道地药材》记载使君子"今以四川合川产量最大"。现代资源调查与近期开展的第四次全国中药资源普查结果显示，现仅有重庆涪江以南的合川铜溪、南津街以及铜梁水口、白羊、二坪等地还规模化种植使君子，其中铜梁水口已成为全国最大的使君子生产基地。铜梁使君子已被评为国家地理标志保护产品。

（2）物种鉴别。使君子属植物在我国有2种，即本种和小花使君子 *Quisqualis caudata* Craib。两者的区别在于：本种花序较疏，花初为白色，后转淡红色，萼管长5cm以上，花瓣长1.8～2.4cm，叶柄长，无关节；而小花使君子花序极密，花红色或淡红色，萼管长不超过2.5cm，花瓣长约5mm，叶柄短，有关节。本种与其变种毛使君子 *Quisqualis indica* L. var. *villosa* C. B. Clarke 的区别在于：本种叶片椭圆形或卵形，上面无毛，背面有时疏被棕色柔毛；毛使君子叶片卵形，两面被绒毛。

（3）市场信息。2016年合川产地统货价格8元/kg左右，2017年铜梁产地报价7元/kg左右，2018年合川产地带壳干货报价7元/kg左右，2019年合川产地使君子带壳统货报价9元/kg左右。

（4）资源利用和可持续发展。使君子仁油是具有抗氧化作用的植物源脂肪油，也是开发和利用十六烷酸甲酯和 γ- 生育酚的理想原料，在食用、医疗保健方面具有巨大潜力和广阔前景。但由于近年来人们对于使君子的需求降低，使君子的种植面积已萎缩。

伞形科　Umbelliferae　当归属　Angelica

重齿当归

Angelica biserrata (Shan et Yuan) Yuan et Shan

｜药 材 名｜

肉独活（药用部位：根。别名：香独活、家
独活、川独活）。

｜形态特征｜

多年生高大草本。根类圆柱形，棕褐色，长
至 15cm，直径 1 ~ 2.5cm，有特殊香气。茎
高 1 ~ 2m，直径至 1.5cm，中空，常带紫
色，光滑或稍有浅纵沟纹，上部被短糙毛。
叶 2 回三出羽状全裂，宽卵形，长 20 ~ 30
（~ 40）cm，宽 15 ~ 25cm；茎生叶叶柄
长达 30 ~ 50cm，基部膨大成长 5 ~ 7cm 的
长管状、半抱茎的厚膜质叶鞘，开展，背面
无毛或稍被短柔毛，末回裂片膜质，卵圆形
至长椭圆形，长 5.5 ~ 18cm，宽 3 ~ 6.5cm，
先端渐尖，基部楔形，边缘有不整齐的尖锯
齿或重锯齿，齿端有内曲的短尖头，顶生的
末回裂片多 3 深裂，基部常沿叶轴下延成翅
状，侧生的具短柄或无柄，两面沿叶脉及边
缘被短柔毛。序托叶简化成囊状膨大的叶
鞘，无毛，偶被疏短毛。复伞形花序顶生或
侧生，花序梗长 5 ~ 16（~ 20）cm，密被
短糙毛；总苞片 1，长钻形，有缘毛，早落；
伞辐 10 ~ 25，长 1.5 ~ 5cm，密被短糙毛；
伞形花序，有花 17 ~ 28（~ 36）；小总苞

重齿当归

片 5 ～ 10，阔披针形，比花柄短，先端有长尖，背面及边缘被短毛；花白色，无萼齿，花瓣倒卵形，先端内凹，花柱基扁圆盘状。果实椭圆形，长 6 ～ 8mm，宽 3 ～ 5mm，侧翅与果体等宽或略狭，背棱线形，隆起，棱槽间有油管（1 ～）2 ～ 3，合生面有油管 2 ～ 4（～ 6）。花期 8 ～ 9 月，果期 9 ～ 10 月。

| 野生资源 | 生于海拔 1200 ～ 2600m 的高寒山区的山谷、山坡、草丛、灌丛中或溪沟边。分布于重庆巫山、巫溪、奉节、石柱、城口、开州、黔江、南川等地。

| 栽培资源 | （1）栽培条件。本种喜冷凉、湿润气候，多栽培于海拔 1200 ～ 2000m 的中山地区，以土层深厚、肥沃、富含腐殖质的黑色灰泡土、夹沙土为好，土层浅、积水地和黏性土不宜种植。

（2）栽培区域。栽培于重庆城口、巫溪等地。

（3）栽培要点。种子繁殖一般采用直播。冬播在 10 月采鲜种后立即进行，春播在清明前后进行。种子要进行专门培育，在采收独活时，选择中等大小、分

枝少、无破损的根作种，建立种子田，按行窝距 50cm 挖窝，每窝栽 1 株。第 2
年出苗后，在 3 月、5 月、7 月各中耕、除草、追肥 1 次。待 10 ~ 11 月种子成
熟时，采割果序，阴干脱粒，储藏备用。根芽繁殖则于秋后地上部分枯萎时进行，
先挖出母株，切下带芽的根头（不宜选大条）做种。

（4）栽培面积与产量。栽培面积约 130hm²，年产量 1200t。

| 采收加工 | 春初苗刚发芽或秋末茎叶枯萎时采挖，除去须根及泥沙，烘至半干，堆置 2 ~ 3
天，待发软后再烘至全干。

| 药材性状 | 本品根略呈圆柱形，下有 2 ~ 3 或更多分枝，长 10 ~ 30cm。根头部膨大，圆锥形，
多横皱纹，直径 1.5 ~ 3cm，先端有茎、叶残基或凹陷，表面灰褐色或棕褐色，
具纵皱纹，有横长皮孔样突起及稍凸起的细根痕。断面皮部灰白色，有多数散
在的棕色油室，木部灰黄色至黄棕色，形成层环棕色。质较硬，受潮则变软。
有特异性香气，味辛、苦，微麻舌。

| 功能主治 | 微温，辛、苦。归肾、膀胱经。祛风除湿，通痹止痛。用于风寒湿痹，腰膝疼痛，
少阴伏风头痛，风寒挟湿头痛。

| 用法用量 | 内服煎汤，3 ~ 9g。

| 附　注 | （1）物种鉴别。2015 年版《中国药典》记载本种中文学名为重齿毛当归，其拉
丁学名为 *Angelica pubescen* Maxim. f. *biserrata* Shan et Yuan。本种与同属植物的
区别在于：茎高 1 ~ 2m，直径可达 1.5cm；茎上部叶鞘囊状，茎顶部叶鞘为囊
状或阔兜状；小总苞片阔披针形，先端有长尖；花白色或黄绿色；分生果棱槽
中有油管 1 ~ 3，合生面有油管 2 ~ 6。

（2）市场信息。独活是传统出口商品，近年来的正常年出口量约 100t。目前，
独活行情保持稳定，价格多在 20 ~ 30 元 /kg 波动。

（3）资源可持续发展。本种药材来源于野生或栽培，栽培独活因受不同地区的
气候、土壤等自然条件及产地加工等的影响，成分存在差异。因此，开展种质
资源评价、选育出独活优良品种是独活规范化种植的前提。

川续断科 Dipsacaceae 川续断属 Dipsacus

川续断
Dipsacus asper Wall. ex Henry

| 药 材 名 | 续断（药用部位：根茎。别名：五鹤续断、萝卜七、和尚头）。

| 形态特征 | 多年生草本，高达 2m。主根明显，圆柱形，黄褐色，稍肉质。茎直立，多分枝，具棱和浅槽，被细柔毛，棱上疏生刺毛。叶对生；基生叶有长柄，叶片羽状深裂，先端裂片较大，叶端渐尖，边缘有粗锯齿；茎生叶多为 3 裂，中央裂片最大，椭圆形至卵状披针形，长 11 ~ 13cm，宽 4 ~ 6cm，边缘具粗锯齿，两面被白色柔毛；茎梢的叶 3 裂或全缘，具短柄，毛较少。花小，多数，聚成球形头状花序；总苞片数枚，狭披针形；花冠白色或浅黄色，具较深的裂片 4，花冠管基部渐狭，外侧密被长柔毛；雄蕊 4，着生于花冠管上部，花丝细长，伸出花冠外；雌蕊 1，柱头短杆状而扁。瘦果椭圆状楔形，淡褐色。花期 7 ~ 9 月，果期 9 ~ 11 月。

川续断

| 野生资源 | 生于海拔 900 ~ 2300m 的沟边草丛、林缘。分布于重庆黔江、丰都、綦江、巫山、城口、奉节、忠县、酉阳、彭水、石柱、云阳、长寿、江津、巫溪、秀山、万州、垫江、南川、涪陵、武隆、开州等地。

| 栽培资源 | （1）栽培条件。本种喜凉爽、湿润的气候，耐寒，忌高温，对土壤要求不严，以肥沃、疏松、富含腐殖质的土壤栽培为宜。在干燥地区或质地黏重、排水不良的土壤栽培时，本种生长不良，易染病死亡。当夏季气温达 30 ℃以上时，本种叶片萎垂，停止生长。本种抗旱能力弱，易遭受旱害，遇多雨或潮湿环境时地下部分易发病腐烂。

（2）栽培区域。主要栽培于武隆、南川、酉阳等地。

（3）栽培要点。将本种的种子用 40℃温水浸泡 10 小时，捞出摊于盆内或放在纱布袋中，置温暖处催芽，催芽期间每天浇水 1 ~ 2 次，待芽萌动时可行播种。播种可行春播或秋播，种子用量一般为 37.5kg/hm²，穴播或条播。当苗长到 10cm 时，可移植定苗，加强中耕除草和肥水管理。本种栽培 2 年即可采收。

（4）栽培面积与产量。栽培面积约 13hm²。年产量 40 ~ 50t。

| 采收加工 | 秋季采收，将全根挖起，除去泥土，用微火烘至半干，堆置"发汗"至内心成绿色时再烘干。忌日晒，以免影响质量。

| 药材性状 | 本品根呈长圆柱形，略扁，微弯，长 5 ~ 15cm，直径 0.5 ~ 2cm，表面红褐色或灰褐色，有多数明显而扭曲的纵皱纹及沟纹，并可见横长皮孔及少数须根痕。质稍软，久置干燥后变硬。易折断，断面不平坦，皮部绿褐色或浅褐色，木部黄褐色，可见放射状花纹。气微香，味苦、微甜而后涩。

| 功能主治 | 辛、苦，微温。归肝、肾经。补肝肾，强筋骨，续折伤，止崩漏。用于肝肾不足，腰膝酸痛，风湿痹痛，跌打损伤，崩漏，胎漏。

| 用法用量 | 内服煎汤，6～15g；或入丸、散。外用鲜品适量，捣敷。

| 附　注 | （1）栽培历史。续断始载于《神农本草经》，被列为上品。《理伤续断方》指出："凡所用药材，有外道者，有当土者（本地为地道品）。"该书首次在续断药材名前冠以"川"字。宋代《普济本事方》中也多次提到川续断。明代李时珍认为，续断以来自四川（包括今重庆）者为上品。清代吴其濬在《植物名实图考》中第一次对川续断的形态进行了详细的描述，曰："今滇中生一种续断，极似芥菜，亦多刺，与大蓟微类。梢端夏出一苞，黑刺如球，大如千日红花苞，开白花，宛如葱花，茎劲，经冬不折，土医习用。滇蜀密迩，疑川中贩者即此种，绘之备考，原图俱别存。"根据其描述及附图考证应是川续断。在此后的文献中，川续断一直被作为中药续断的唯一正品来源。《中药材手册》记载续断又名六汗、黑老虎叶根，主产于四川涪陵、湖北鹤峰、湖南石门及桑植等地，以四川、湖北产者质量佳。《常用中药材品种整理和质量研究》记载，通过实地调查发现，现今川续断的主产地在湖北的西部地区，如巴东、长阳等县，以及重庆地区，如奉节、巫山等县，以长阳所产质量最佳，巴东产量最大。自古以来续断的主产地为四川东部，即今重庆涪陵、黔江和湖北恩施。

（2）物种鉴别。本种与其变种峨眉续断 *Dipsacus asperoides* C. Y. Cheng et T. M. Ai var. *omeiensis* Z. T. Yin 的主要区别在于：叶先端的裂片为宽的长椭圆形，偶尔为三角形，主脉和侧脉凸出，叶面疏被白色短毛，背面近光滑；小苞片喙尖两侧无刺毛，仅被白色短毛。

（3）市场信息。目前，本种药材多来源于野生，主产于重庆东南及东北部地区，年收购量在10t左右。本种药材市场需求稳定，统货价格多在12～18元/kg波动。

（4）资源可持续发展。本种同属植物中供续断药用的尚有峨眉续断（产于四川峨眉山）、康定续断（产于四川、重庆、贵州、云南东北部）、大理续断（产于云南、贵州和四川西部）、玉龙续断（产于云南丽江玉龙雪山）、丽江续断（产于云南丽江）、日本续断（除黑龙江、吉林、新疆、西藏、台湾、广东和海南外，广泛分布于其他各省区）、深紫续断（产于重庆南川）、涪陵续断（产于重庆涪陵）等。

忍冬科 Caprifoliaceae 忍冬属 *Lonicera*

菰腺忍冬

Lonicera hypoglauca Miq.

| 药 材 名 | 山银花（药用部位：花蕾）、忍冬藤（药用部位：茎枝）。

| 形态特征 | 落叶藤本。幼枝、叶柄、叶两面中脉及总花梗均密被上端弯曲的淡黄褐色短柔毛，有时还有糙毛。叶纸质，卵形至卵状矩圆形，长6～9（～11.5）cm，先端渐尖或尖，基部近圆形或带心形，下面有时粉绿色，有无柄或具极短柄的黄色至橘红色蘑菇形腺；叶柄长5～12mm。双花单生至多朵集生侧生短枝上，或于小枝顶集合成总状，总花梗比叶柄短或有时较长；苞片条状披针形，与萼筒几等长，外面被短糙毛和缘毛；小苞片圆卵形或卵形，先端钝，很少卵状披针形而先端渐尖，长约为萼筒的1/3，有缘毛；萼筒无毛或有时略被毛，萼齿三角状披针形，长为萼筒的1/2～2/3，有缘毛；花冠白色，有时有淡红色晕，后变黄色，

菰腺忍冬

长 3.5 ～ 4cm，唇形，花冠筒比唇瓣稍长，外面疏生倒微伏毛，并常具无柄或有短柄的腺；雄蕊与花柱均稍伸出，无毛。果实成熟时黑色，近圆形，有时具白粉，直径 7 ～ 8mm；种子淡黑褐色，椭圆形，中部有凹槽及脊状突起，两侧有横沟纹，长约 4mm。花期 4 ～ 5（～ 6）月，果期 10 ～ 11 月。

| **野生资源** | 生于海拔 500 ～ 1000m 的灌丛或疏林中。分布于重庆黔江、綦江、秀山、长寿、万州、永川、垫江、石柱、酉阳、涪陵、丰都、南川、云阳、忠县、江津、巫山、合川等地。

| 栽培资源 | （1）栽培条件。本种的适应性很强，对土壤和气候的要求并不严格，耐寒冷，耐酷热，耐干旱，耐瘠薄，在石多土少、漏水漏肥、夏季高温的石漠化岩溶山区栽种都能正常生长发育，在山坡、梯田、地堰、堤坝、瘠薄的丘陵都可栽培，但以土层较厚的砂壤土栽培为最佳。

（2）栽培区域。本种主要分布于重庆东南部一带，多作为种质资源被收集保存，未见专门栽培者。

（3）栽培要点。繁殖可采用播种、插条和分根等方式。扦插宜于每年 3 月进行。选生长健壮、无病虫害的当年生半木质化嫩枝或二年生至三年生硬枝，剪成长 20 ～ 30cm、带 3 个节以上的插穗，每个插穗留最上方的节位的 1/3 叶片 2 片，其他节位的叶片全部剪掉。嫩枝插穗用 NAA40mg/L 浸泡 4 小时，硬枝插穗用 IAA300mg/L 浸泡 2 小时，然后扦插。6 ～ 8 月即可定植，定植时间以 10 ～ 11 月为好。田间管理应注意剪枝整形。

（4）栽培面积与产量。种植面积仅 0.07 ～ 0.13hm²，产量为 600 ～ 750kg/hm²。

| 采收加工 | 山银花：红腺忍冬扦插苗次年开花，4 ～ 5 年进入盛产期，一般在 5 月中下旬采花。当花蕾上部膨大尚未开放，基部呈青白色时采收最适宜。采后应立即晾干或烘干。

忍冬藤：秋、冬季割取，除去杂质，捆成束或卷成团，晒干。

| 药材性状 | 山银花：本品长 2.5 ～ 4.5cm，直径 0.8 ～ 2mm。表面黄白色至黄棕色，无毛或疏被毛。萼筒无毛，先端 5 裂，裂片长三角形，被毛。开放者花冠上唇常不整齐，花柱下部密被长柔毛。气清香，味甘、微苦。

忍冬藤：本品常捆成束或卷成团。茎枝长圆柱形，多分枝，直径 1.5 ～ 6mm，节间长 3 ～ 6cm，有残叶及叶痕。表面棕红色或暗棕色，有细纵纹，老枝光滑，细枝有淡黄色毛茸；外皮易剥落而露出灰白色内皮。质硬脆，易折断，断面黄白色，中心空洞。气微，老枝味微苦，嫩枝味淡。以表面棕红色、质嫩者为佳。

| 功能主治 | 山银花：甘，寒。归肺、心、胃经。清热解毒，凉散风热。用于痈肿疔疮，喉痹，丹毒，热毒血痢，风热感冒，温病发热。

忍冬藤：甘，寒。归心、肺经。清热解毒，通络。用于温病发热，疮痈肿毒，热血血痢，风湿热痹。

| 用法用量 | 山银花：内服煎汤，9 ～ 15g；或泡酒。外用适量，捣敷。

忍冬藤：内服煎汤，10 ～ 30g；或入丸、散；或浸酒。外用适量，煎汤熏洗；

或熬膏贴；或研末调敷，亦可用鲜品捣敷。

| **附　注** | （1）物种鉴别。本种与同亚组的其他种的主要区别在于，叶下面具明显的无柄或具极短柄的蘑菇状腺（由橘黄色变为橘红色）。净花菰腺忍冬 *Lonicera hypoglauca* Miq. subsp. *nudiflora* Hsu et H. J. Wang 与本种的主要区别在于，花冠无毛或仅筒部外面有少数倒生微伏毛而无腺体。

（2）资源利用。本种野生资源丰富且容易栽培和管理，还可以绿化荒山，防止水土流失，有利于改善石漠化地区的生态环境。

忍冬科 Caprifoliaceae 忍冬属 Lonicera

灰毡毛忍冬 *Lonicera macranthoides* Hand.-Mazz.

| 药 材 名 | 山银花（药用部位：花蕾。别名：山银花、岩银花、大银花）。

| 形态特征 | 藤本。幼枝或其顶梢及总花梗有薄绒状短糙伏毛，有时兼具微腺毛，后变栗褐色有光泽而近无毛，很少在幼枝下部有开展长刚毛。叶革质，卵形、卵状披针形、矩圆形至宽披针形，长 6 ~ 14cm，先端尖或渐尖，基部圆形、微心形或渐狭，上面无毛，下面被由短糙毛组成的灰白色或有时带灰黄色毡毛，并散生暗橘黄色微腺毛，网脉凸起而呈明显蜂窝状；叶柄长 6 ~ 10mm，有薄绒状短糙毛，有时具开展长糙毛。花有香味，双花常密集于小枝梢成圆锥状花序；总花梗长 0.5 ~ 3mm；苞片披针形或条状披针形，长 2 ~ 4mm，连同萼齿外面均有细毡毛和短缘毛；小苞片圆卵形或倒卵形，长约为萼筒之半，有短糙缘毛；萼筒常有蓝白色粉，无毛或有时上半部或全部有毛，长近 2mm，萼齿三角形，长

灰毡毛忍冬

1mm，比萼筒稍短；花冠白色，后变黄色，长 3.5 ~ 4.5cm，外被倒短糙伏毛及橘黄色腺毛，唇形，筒纤细，内面密生短柔毛，与唇瓣等长或略较长，上唇裂片卵形，基部具耳，两侧裂片裂隙深达 1/2 处，中裂片长为侧裂片之半，下唇条状倒披针形，反卷；雄蕊生于花冠筒先端，连同花柱均伸出而无毛。果实黑色，常有蓝白色粉，圆形，直径 6 ~ 10mm。花期 6 月中旬至 7 月上旬，果熟期 10 ~ 11 月。

野生资源 生于海拔 500 ~ 2400m 的丘陵、山谷或林缘。分布于重庆秀山、万州、忠县、彭水、奉节、酉阳、城口、云阳、江津、綦江、武隆、开州、梁平、沙坪坝等地。

| 栽培资源 | （1）栽培条件。灰毡毛忍冬的适应性很强，对土壤和气候的要求并不严格，以土层较厚的砂壤土栽培为最佳，在山坡、梯田、地堰、堤坝、瘠薄的丘陵都可栽培。

（2）栽培区域。主要栽培于重庆秀山、酉阳、綦江、黔江等地。

（3）栽培要点。选择藤茎生长旺盛的枝条，截成长 30cm 左右的插条，每根至少具有 3 个节位，摘下叶片，将下端切成斜口，扎成小把，用植物激素生长素 500mg/kg 浸泡插口，趁鲜进行扦插。扦插时间以 10 ~ 11 月或 2 月为好。扦插方法为：在平地或缓坡地按行株距 1.5 ~ 2m 挖穴，然后将 2 条山银花的插条放入，地上留 1/3 的茎，确保至少有 1 个芽露出土面，踩紧压实，浇透水，扦插完成后覆盖地膜，并在地膜两侧压紧。扦插后 1 个月左右即可生根发芽。移栽成活后，每年要中耕除草 3 ~ 4 次。春季、秋季要结合除草追肥，使用农家肥或有机肥，每亩追农家肥 500 ~ 1000kg，同时培土保根。从定植开始抚育期为 2 ~ 3 年。投产期每年施 2 ~ 3 次肥，其中追肥 1 ~ 2 次，冬肥 1 次，施肥量增加 1 倍。修剪是提高山银花产量的重要措施之一，以"枯枝全剪，病枝重剪，弱枝轻剪，壮枝不剪"为原则。栽后 1 ~ 2 年内主要培育直立粗壮的主干。当主干高度为 30 ~ 40cm 时，剪去顶梢，以促进侧芽萌发成枝。第 2 年春季山银花萌发后，在主干上部选留粗壮枝条 4 ~ 5 个作主枝，分 2 层着生，在从主枝上长出的一级分枝中保留 5 ~ 6 对芽，剪去上部顶芽。

（4）栽培面积与产量。在 2009 年，本种的种植面积较大，后来因受市场行情的影响，种植面积缩减。

| 采收加工 | 6 ~ 7 月，当花蕾上部膨大但尚未开放、呈青白色时采收最适宜，采收应于晴天上午进行，采后应立即烘干或晾干。

| 药材性状 | 本品呈棒状而稍弯曲，长 3 ~ 4.5cm，上部直径约 0.2cm，下部直径约 0.1cm，表面绿棕色至黄白色。总花梗集结成簇，开放者花冠裂片不及全长之半，质稍硬，手捏之稍有弹性。气清香，味微苦、甘。

| 功能主治 | 甘，寒。归肺、心、胃经。清热解毒，凉散风热。用于痈肿疔疮，喉痹，丹毒，热毒血痢，风热感冒，温病发热。

| 用法用量 | 内服煎汤，6 ~ 15g。

| 附　注 | （1）栽培历史。在 20 世纪 70 年代，本种在重庆秀山、綦江等地就有种植。秀山从 1972 年开始进行山银花驯化，至 1983 年，山银花栽培面积达 1000hm²，成

为山银花生产扶持的基地县，山银花产量从 1951 年收购野生山银花 12 担，到 1988 年收购家种山银花 1491 担，1992 年山银花产量达 3000 余担。1986 年《秀山农业资源调查与农业区划报告集》记载，秀山半山地带有丰富的山银花资源，经鉴定，秀山山银花入药的有 5 种，分布于孝溪、峻岭、塘坳、钟灵、中溪等乡。本种是秀山山银花的当家种，其产量约占秀山全县山银花药材收购量的 70%。

（2）物种鉴别。本种与近似种大花忍冬 *Lonicera macrantha* (D. Don) Spreng.、细毡毛忍冬 *Lonicera similis* Hemsl. 和菰腺忍冬 *Lonicera hypoglauca* Miq. 的区别在于，叶下面具有由稠密的短糙毛所组成的、通常呈灰白色的毡毛，网脉隆起呈蜂窝状，幼枝通常不具开展长糙毛。大花忍冬的幼枝有开展的长糙毛，叶下面有糙毛而不具毡毛。细毡毛忍冬的叶下面被由细短柔毛组成的毡毛而无腺毛。菰腺忍冬的叶下面具短柔毛，并有无柄或具极短柄的蘑菇状腺。FOC 将本种与黄褐毛忍冬 *Lonicera fulvotomentosa* Hsu et S. C. Cheng 归并为大花忍冬 *Lonicera macrantha* (D. Don) Spreng.。

（3）资源利用。本种作为重庆地产药材，既可作药用，也可作茶饮，还可用于开发饮料及日化产品。

菊科 Compositae 蒿属 Artemisia

黄花蒿 *Artemisia annua* L.

| 药 材 名 | 青蒿（药用部位：地上部分。别名：苦蒿、草蒿、臭蒿）、青蒿根（药用部位：根）、青蒿子（药用部位：果实）。

| 形态特征 | 一年生草本。植株有浓烈的挥发性香气。茎单生，高 100 ～ 200cm，基部直径可达 1cm，有纵棱，幼时绿色，后变褐色或红褐色，多分枝。茎、枝、叶两面及总苞片背面无毛或初时背面微有极稀疏短柔毛，后脱落无毛。叶纸质，绿色；茎下部叶宽卵形或三角状卵形，长 3 ～ 7cm，宽 2 ～ 6cm，绿色，两面具细小、脱落性的白色腺点及细小凹点，3（～ 4）回栉齿状羽状深裂，每侧有裂片 5 ～ 8（～ 10），裂片长椭圆状卵形，再次分裂，小裂片边缘具多枚栉齿状三角形或长三角形的深裂齿，裂齿长 1 ～ 2mm，宽 0.5 ～ 1mm，中肋明显，在叶面上稍隆起，中轴两侧有狭翅而无小栉齿，稀上部有数枚小栉齿，叶柄长 1 ～ 2cm，基部有半抱茎的假托叶；中部叶 2（～ 3）回栉齿状羽状深裂，小裂片栉齿状三

黄花蒿

角形，稀少为细短狭线形，具短柄；上部叶与苞片叶 1（～ 2）回栉齿状羽状深裂，近无柄。头状花序球形，多数，直径 1.5 ～ 2.5mm，有短梗，下垂或倾斜，基部有线形的小苞叶，在分枝上排成总状或复总状花序，并在茎上组成开展、尖塔形的圆锥花序；总苞片 3 ～ 4 层，内外层近等长，外层总苞片长卵形或狭长椭圆形，中肋绿色，边缘膜质，中层、内层总苞片宽卵形或卵形，花序托凸起，半球形；花深黄色，雌花 10 ～ 18，花冠狭管状，檐部具 2（～ 3）裂齿，外面有腺点，花柱线形，伸出花冠外，先端二叉，叉端钝尖；两性花 10 ～ 30，结实或中央少数花不结实，花冠管状，花药线形，上端附属物尖，长三角形，基部具短尖头，花柱近与花冠等长，先端二叉，叉端截形，有短睫毛。瘦果小，椭圆状卵形，略扁。花果期 8 ～ 11 月。

| **野生资源** | 生于海拔 200 ～ 1650m 的旷野、村旁及田园杂草丛中。重庆各地均有分布。

| **栽培资源** | （1）栽培条件。本种喜温暖湿润气候，不耐荫蔽，忌涝。在年平均降水量大于 970.5mm，7 月平均气温大于 27.55℃，土壤类型为紫色土、黄红壤和黄壤的条件下栽培，青蒿素含量较高。

（2）栽培要点。一般在 9 ~ 10 月采种，然后将种子晾干，除去外壳和杂质，储藏备用。一般 2 月播种，3 月上旬至中旬出苗，4 ~ 7 月植物生长旺盛，此时应注意肥水管理，加强病虫害防治。7 ~ 8 月孕蕾，8 ~ 9 月开花，9 ~ 10 月结实。

（3）栽培面积与产量。栽培面积 13000hm²（盛产期），年产量 1200t 左右。

| 采收加工 | 青蒿：秋季花盛开时采割，除去老茎，阴干。除去杂质，喷淋清水，稍润，切段，干燥。

青蒿根：秋、冬季采挖，洗净，切段，晒干。

青蒿子：秋季果实成熟时，割取果枝，打下果实晒干。

| 药材性状 | 青蒿：本品茎呈圆柱形，上部多分枝，长 30 ~ 80cm，直径 0.2 ~ 0.6cm，表面黄绿色或棕黄色，具纵棱线；质略硬，易折断，断面中部有髓。叶互生，暗绿色或棕绿色，卷缩易碎，完整者展平后为 3 回羽状深裂，裂片和小裂片矩圆形或长椭圆形，两面被短毛。气香特异，味微苦。

| 功能主治 | 青蒿：苦、辛，寒。归肝、胆经。清虚热，除骨蒸，解暑热，截疟，退黄。用于温邪伤阴，夜热早凉，阴虚发热，骨蒸劳热，暑邪发热，疟疾寒热，湿热黄疸等。

青蒿根：辛、苦，凉。归肝、肾经。用于劳热骨蒸，关节酸痛，大便下血等。

青蒿子：甘，凉。归肝、肾经。清热明目，杀虫。用于劳热骨蒸，痢疾，恶疮，疥癣，风疹。

| 用法用量 | 青蒿：6 ~ 12g，入煎剂宜后下；治疟疾可用 20 ~ 40g，不宜久煎；鲜品用量加倍，水浸绞汁饮；或入丸、散。外用适量，研末调敷；或鲜品捣敷；或煎汤洗。脾胃虚寒者慎服。

青蒿根：内服煎汤，3 ~ 15g。

青蒿子：内服煎汤，3 ~ 6g；或研末。外用适量，煎汤洗。

| 附 注 | （1）物种鉴别。本种为中药青蒿的基原，具有抗疟作用。而植物青蒿 *Artemisia carvifolia* Buch.-Ham. ex Roxb. 无抗疟作用。青蒿与本种的区别在于：茎下部叶 3 回栉齿羽状分裂；头状花序半球形或近半球形，直径 3.5 ~ 4mm，在分枝上排成穗状花序式的总状花序，花淡黄色；花果期 6 ~ 9 月。

（2）市场信息。本种主要用于提取青蒿素，其价格与质量有关，一般为 3 ~ 5 元 /kg，青蒿素含量高的药材达 11 元 /kg 左右。重庆酉阳周边地区产者质量较好。

（3）资源可持续发展。本种主要分布于四川东部、重庆西部、贵州、广西、云南西部、湖北东部等。影响黄花蒿地理分布的生态因子主要是气候因子和土壤因子。所产黄花蒿中青蒿素含量较高（≥ 0.7%）的区域主要包括重庆、四川、贵州、广西、云南和湖南等省（区、市），这些地区可作为高品质黄花蒿的首选栽培地区。土壤类型和年均辐射量是探测到的影响青蒿酸积累的主要因素，黄花蒿主要生长的土壤为深层新土。黄花蒿中的青蒿素含量与其自身遗传特性及生长环境有较大关系。

菊科 Compositae 风毛菊属 Saussurea

云木香 *Saussurea costus* (Falc.) Lipech.

云木香

| 药 材 名 |

木香（药用部位：干燥根。别名：广木香、木香、云木香）。

| 形态特征 |

多年生高大草本，高 1.5 ~ 2m。主根粗壮，圆形，直径可达 5cm，表面黄褐色，有稀疏侧根。茎直立，被毛。基生叶大型，具长柄，叶片三角状卵形，基部心形，下延直达叶柄基部，叶缘波状，疏生短刺，上面深绿色，被短毛，下面淡绿色带褐色，被短毛；茎生叶较小，叶基翼状，下延抱茎。头状花序顶生及腋生，通常 2 ~ 3 丛生于花茎先端，几无总花梗，腋生者单一，有长的总花梗；总苞片约 10 层，三角状披针形，长 9 ~ 25mm，外层较短，疏被微柔毛；花全部管状，暗紫色，花冠管长 1.5cm，先端 5 裂；雄蕊 5，花药联合，上端稍分离，有 5 尖齿；子房下位，花柱伸出花冠之外，柱头 2 裂。瘦果浅褐色，三棱状，长 8mm，有黑色色斑，先端截形，有锯齿小冠；冠毛 1 层，浅褐色，羽毛状，长 1.3cm。花果期 7 月。

野生资源	分布于重庆开州、黔江、巫溪、云阳、武隆、奉节、南川、南岸、巫山、城口等地。
栽培资源	（1）栽培条件。本种喜冷凉湿润的气候，耐寒，耐旱，怕高温和强光，幼苗期怕直射光。在海拔 800 ~ 2500m 山区的阴坡地，选朝北或东北坡向，以土层深厚、疏松、肥沃、富含腐殖质、排水良好、pH 6.5 ~ 7.0 的砂壤土或壤土栽培为宜，不宜栽培于低洼易涝地。本种采用种子繁殖。7 ~ 8 月采收种子，晒干备用。3 月中旬至 4 月上旬春播，8 月上旬至 9 月中下旬秋播。 （2）栽培区域。重庆以开州产量最大，巫山、巫溪、奉节、梁平等地也有种植。 （3）栽培要点。每亩用种量 1kg 左右。播种后 15 天即可出苗，出苗后要及时间苗，以增强幼苗间的通透性，做好中耕除草。苗高 4 ~ 6cm 时定苗，每穴留苗 3 株。每年中耕除草 3 ~ 4 次。幼苗期宜施稀释的人粪尿，第 2 年可追施人粪尿或尿素、过磷酸钙。冬季施用腐熟厩及土杂肥、草木灰、饼肥等。

将不留种的花薹全部打掉。本种病害较少，主要病害是根腐病，应注意植株间通风和土壤的利水。

（4）栽培面积与产量。栽培面积约 1867hm²，年产量 1200t 左右。

| 采收加工 | 秋、冬季采挖（10 月采收产量最高），除去泥沙和须根，切段，大的再纵剖成瓣，干燥后撞去粗皮。

| 药材性状 | 本品呈圆柱形或半圆柱形，长 5 ～ 10cm，直径 0.5 ～ 5cm。表面黄棕色至灰褐色，有明显的皱纹、纵沟及侧根痕。质坚，不易折断，断面灰褐色至暗褐色，周边灰黄色或浅棕黄色，形成层环棕色，有放射状纹理及散在的褐色点状油室。气香特异，味微苦。

| 功能主治 | 木香：辛、苦，温。归脾、胃、大肠、三焦、胆经。行气止痛，健脾消食。用于胸胁、脘腹胀痛，泻痢后重，食积不消，不思饮食。
煨木香：实肠止泻。用于泄泻腹痛。

| **用法用量** | 内服煎汤，3 ~ 6g。阴虚津液不足者慎服。

| **附　　注** | （1）栽培历史。20世纪60年代，开州从云南引进并种植本种。据《开县志》所载，20世纪80年代，开县（今开州）被定为木香、玄胡生产基地县。现开州关面乡七里坪年产木香达2500t，该地木香产量占全国木香总产量的一半以上。开州建有木香规范化生产基地。

（2）物种鉴别。本种与同属其他植物的区别在于其叶不分裂，有圆齿状浅裂的翼柄。

（3）市场信息。本种种植技术成熟，病虫害相对少，在高山地带多有种植，市场需求稳定，行情波动不大。现统货市场价格在12 ~ 15元/kg波动。

（4）资源利用和可持续发展。本种不仅是我国传统中药材，同时也是民族药，是藏族、蒙古族、傣族、维吾尔族常用药材。

菊科 Compositae 苍术属 Atractylodes

白术 Atractylodes macrocephala Koidz.

| **药 材 名** | 白术（药用部位：根茎。别名：术、山蓟、杭白术）。

| **形态特征** | 多年生草本，高 20 ~ 60cm。根茎结节状。茎直立，通常自中下部分枝，全部光滑无毛。中部茎叶有长 3 ~ 6cm 的叶柄，叶片通常 3 ~ 5 羽状全裂，极少兼杂不裂而为长椭圆形的叶；侧裂片 1 ~ 2 对，倒披针形、椭圆形或长椭圆形，长 4.5 ~ 7cm，宽 1.5 ~ 2cm；顶裂片比侧裂片大，倒长卵形、长椭圆形或椭圆形；自中部茎叶向上向下，叶渐小，与中部茎叶等样分裂，接花序下部的叶不裂，椭圆形或长椭圆形，无柄；或大部茎叶不裂，但总兼杂有 3 ~ 5 羽状全裂的叶；全部叶质地薄，纸质，两面绿色，无毛，边缘或裂片边缘有长或短针刺状缘毛或细刺齿。头状花序单生茎枝先端，6 ~ 10，但不形成明显的花序式排列；苞叶绿色，长 3 ~ 4cm，针刺状羽状全裂；总苞大，宽钟状，直径 3 ~ 4cm，

白术

总苞片 9 ～ 10 层，覆瓦状排列，外层及中外层长卵形或三角形，长 6 ～ 8mm，中层披针形或椭圆状披针形，长 11 ～ 16mm，最内层宽线形，长 2cm，先端紫红色；全部苞片先端钝，边缘有白色蛛丝毛；小花长 1.7cm，紫红色，冠檐 5 深裂。瘦果倒圆锥形，长 7.5mm，被顺向顺伏的稠密白色的长直毛；冠毛刚毛羽毛状，污白色，长 1.5cm，基部结合成环状。花果期 8 ～ 10 月。

| **野生资源** | 生境分布。生于山坡草地及山坡林下。重庆有栽培种，未见野生种。

| **栽培资源** | （1）栽培条件。本种喜凉爽气候，喜阳光，忌高温多湿，怕干旱，水渍容易烂根。宜选地势高燥且稍有倾斜的坡地，以土层深厚、疏松、肥沃、排水良好的砂壤土栽培，忌连作，最好在新垦地上栽培。种过的地须隔5年以上才能再次种植，否则所种白术易发病。

（2）栽培区域。主要栽培于重庆酉阳、秀山、彭水、黔江等地海拔1000m左右的地区。

（3）栽培要点。一般采用种子育苗，然后移栽，第2年可采收。在3月下旬至4月上旬选择籽粒饱满、无病虫害的种子，在30℃的温水中浸泡1天后捞出，催芽播种。条播或撒播，每亩用种5~7kg，播后7~10天出苗，出苗后揭掉盖草，加强田间管理，至冬季，每亩可培育出400~600kg的鲜术栽苗。当年冬季至翌年春季可移植，选择主芽健壮、根茎如杏核大的健苗移栽。移栽时剪去须根，按行距25cm、株距15cm、沟深10cm左右的规格，将苗放入沟内，牙尖朝上并与地面齐平，两侧稍压，栽后浇水。每亩需鲜白术50~60kg。

（4）栽培面积与产量。栽培面积3000hm²，年产量300t左右。

| **采收加工** | 冬季下部叶枯黄、上部叶变脆时采挖，除去泥沙，烘干或晒干，再除去须根。除去杂质，洗净，润透，切厚片，干燥。

| **药材性状** | 本品为不规则的肥厚团块，长3~13cm，直径1.5~7cm。表面灰黄色或灰棕色，有瘤状凸起及断续的纵皱和沟纹，并有须根痕，先端有残留茎基和芽痕。质坚硬不易折断，断面不平坦，黄白色至淡棕色，有棕黄色的点状油室散在；烘干

者断面角质样，色较深或有裂隙。气清香，味甘、微辛，嚼之略带黏性。

| **功能主治** | 苦、甘，温。归脾、胃经。健脾益气，燥湿利水，止汗，安胎。用于脾虚食少，腹胀泄泻，痰饮眩悸，水肿，自汗，胎动不安等。

| **用法用量** | 内服煎汤，6 ~ 12g；熬膏；或入丸、散。阴虚燥渴、气滞胀闷者忌服。

| **附　　注** | （1）栽培历史。宋代本草始载白术的名称，其后本草多沿用。《本草纲目拾遗》曰："于术，即野术之产于潜（今浙江临安县）者，出县治后鹤山（今湖南靖县）为第一，今难得。"清代康熙年间，白术由浙江于潜引入江西，18世纪中叶传入湖南，再由湖南扩展至湖南、湖北和重庆三省交界处，如湖南的龙山、溆浦（今龙庄湾乡）、隆回（今麻塘山乡和小沙江镇），重庆的秀山、酉阳。

（2）物种鉴别。我国有苍术属植物5种。白术与苍术 *Atractylodes lancea* (Thunb.) DC. 的区别在于：白术根茎结节状或拳状，有瘤状突起，下部叶片是羽状全裂，叶缘刺比较小而密集，头状花序大，多单生，小花红紫色；苍术根茎平卧或斜生，粗长或通常呈疙瘩状，茎下部多呈紫红色，下部叶片羽状半裂，上部叶缘的刺大而稀疏，头状花序多生，小花白色。

（3）市场信息。白术年需求量约1万吨，商品完全来自家种。由于各主产区气候、土壤、种植习惯等不尽相同，白术质量差别较大。白术生产易受高温和雨水等自然灾害影响，自然灾害可直接导致其价格起伏。

兰科 Orchidaceae 天麻属 Gastrodia

天麻 *Gastrodia elata* Bl.

天麻

| 药 材 名 |

天麻（药用部位：块茎。别名：赤箭、离母、鬼督邮）。

| 形态特征 |

腐生草本，高30～100cm。根茎肥厚，块茎状，椭圆形至近哑铃形，肉质，长8～12cm，直径3～5（～7）cm，有时更大，具较密的节，节上被许多三角状宽卵形的鞘。茎直立，橙黄色、黄色、灰棕色或蓝绿色，无绿叶，下部被数枚膜质鞘。总状花序，长5～30（～50）cm，通常具花30～50；苞片长圆状披针形，长1～1.5cm，膜质；花梗和子房长7～12mm，略短于苞片；花扭转，橙黄色、淡黄色、蓝绿色或黄白色，近直立；萼片和花瓣合生成花被筒，长约1cm，直径5～7mm，近斜卵状圆筒形，先端具裂片5，基部向前方凸出；外轮裂片卵状三角形，先端钝；内轮裂片近长圆形，较小；唇瓣长圆状卵圆形，长6～7mm，宽3～4mm，3裂，基部贴生于蕊柱足末端与花被筒内壁上并有1对肉质胼胝体，上部离生，上面具乳突，边缘有不规则短流苏；蕊柱长5～7mm，有短的蕊柱足。蒴果，倒卵状椭圆形，长1.4～1.8cm，宽8～9mm。花果期5～7月。

野生资源	生于海拔 1200 ~ 1800m 的林下阴湿、腐殖质较厚的地方，现多人工栽培。分布于重庆云阳、巫山、石柱、黔江、南川、城口、巫溪、奉节、忠县、丰都、开州、武隆、江津等地。
栽培资源	（1）栽培条件。本种喜凉爽、湿润环境，怕冻，怕旱，怕高温和积水。最适生长温度为 18 ~ 23℃，长时间低温易发生冻害。天麻由种子萌发到开花结果的整个 3 年生活周期中，除有性期约 70 天在地表外，常年以块茎潜居于土中，完全依赖侵入体内的蜜环菌菌丝提供营养。宜选腐殖质丰富、疏松、肥沃、pH 5.5 ~ 6.0、排水良好的砂壤土栽培。 （2）栽培区域。云阳、巫山、石柱、城口等地种植面积较大。 （3）栽培要点。一般阔叶树都可用作培养蜜环菌的材料，但以槲栎、板栗、栓皮栎等树种为最好。宜选无明显顶芽、个体较小的白麻和米麻作种麻，以白麻为好。11 月为栽种适期，采用菌材伴栽法或菌床栽培法。栽时在蜜环菌生长良好的菌材上，视种麻大小，按间距 6 ~ 12cm 放种麻，然后用培养料填平菌材空隙，上面覆土 10 ~ 15cm，再盖落叶。 （4）栽培面积与产量。栽培面积超过 66hm²，年产量 750 ~ 1000t。
采收加工	宜在休眠期，即冬季进行采收。冬栽的第 2 年 10 ~ 11 月或第 3 年 3 ~ 4 月采挖。收获后要及时加工，趁鲜除去泥沙，按大小分级水煮，150g 以上者煮 10 ~ 15 分钟，100 ~ 150g 者煮 7 ~ 10 分钟，100g 以下者煮 5 ~ 8 分钟，等外的煮 5 分钟，以能透心为度。后用文火烘烤，炕上温度以 50 ~ 60℃为宜，烘烤至七八成干时，取出用手压扁，继续上炕，此时温度应在 70℃左右，待全干后立即出炕。
药材性状	本品块茎呈长椭圆形或长条状，扁缩而稍弯曲，长 3 ~ 12cm，宽 1.5 ~ 6cm，厚 0.5 ~ 2cm。表面黄白色或淡黄棕色，微透明，有纵皱纹及潜伏芽排列而成的横环纹多轮，有时可见棕褐色菌索。先端有红棕色至深棕色芽苞，俗称鹦哥嘴（冬麻），或残留茎基或茎痕（春麻）；底部有圆脐形瘢痕。质坚硬，不易折断，断面较平坦，角质样，米白色或淡棕色，有光泽，内心有裂隙。气特异，味甘、微辛。
功能主治	甘、辛，平。归肝经。息风止痉，平肝阳，祛风通络。用于急慢惊风，抽搐拘挛，破伤风，眩晕，头痛，半身不遂，肢体麻木，风湿痹痛。
用法用量	内服煎汤，3 ~ 10g；研末，每次 1 ~ 1.5g；或入丸、散。气血虚甚者慎服。

附　　注	（1）物种鉴别。天麻属在我国已被确认的有 13 个种，只有天麻这 1 个种被列入《中国药典》。天麻在我国分布较广，在种内产生了许多变型。①红天麻。植株较高大，常达 1.5 ～ 2m。根茎较大，常呈哑铃形，单个最大重量达 1kg，含水量在 85% 左右。茎橙红色。花黄色而略带橙红色。花期 4 ～ 5 月。本种种子发芽率和产量高，适应性和耐旱性强，目前已广泛栽培。重庆巫山多种植本种。②绿天麻。植株较高大，一般高 1 ～ 1.5m。根茎呈长椭圆形或倒圆锥形，节较密，节上鳞片状鞘多，单个最大重量达 600g，含水量在 70% 左右。茎淡蓝绿色。花淡蓝绿色至白色。花期 6 ～ 7 月。产于东北至西南诸省区。③乌天麻。植株高大，高 1.5 ～ 2m 或更高。根茎呈椭圆形至卵状椭圆形，节较密，最长可达 15cm 以上，单个最大重量达 800g，含水量常在 70% 以内，有时仅为 60%。茎灰棕色，带白色纵条纹。花蓝绿色。花期 6 ～ 7 月。产于贵州西部、云南东北部至西北部。此变型根茎折干率特高，是优良品种。在重庆云阳、石柱栽培的天麻多为此变型。④松天麻。植株高约 1m。根茎常为梭形或圆柱形，含水量在 90% 以上。茎黄白色。花白色或淡黄色。花期 4 ～ 5 月。产于云南西北部。常生于松栎林下。因本种折干率低，故未被引种栽培。⑤黄天麻。植株高 1m 以上。根茎呈卵状长椭圆形，单个最大重量达 500g，含水率在 80% 左右。茎淡黄色，幼时淡黄绿色。花淡黄色。花期 4 ～ 5 月。产于四川、河南、湖北、贵州西部和云南东北部。常生于疏林林缘。四川野生天麻主要为黄天麻。此外，生产中还有乌天麻与红天麻的杂交类型——乌红天麻，其块茎繁殖率、种子发芽率较低，平均单产较红天麻低 40%。但乌红天麻含水量低，干品质量好。

（2）市场信息。目前鲜天麻价格在 30 ～ 40 元 /kg，统货价格在 130 元 /kg 左右。天麻作为传统药食两用的药材，市场预期较好。近年来，天麻价格指数高于中药材总指数，天麻销售去向多为普通民众，说明人们对健康的需求拉动了天麻销量。重庆东北部、东南部等地区天麻的种植面积不断扩大，但因受菌材资源的限制，整体上种植规模不大。从全国范围来看，近年来天麻的种植面积有较大增加，大面积种植应谨慎。

（3）资源可持续发展。随着野生天麻资源日渐稀少，天麻种质资源保护亟须加强。目前，多地在种植天麻时采用无性繁殖方式，天麻种源退化现象严重，造成产量下降、病害增加。原来栽培天麻 3 年采收，现在快则 1 年采收，天麻的整体药效有待深入研究。另外，需加大对天麻野生抚育的研究力度。

玄参科 Scrophulariaceae 玄参属 Scrophularia

玄参 *Scrophularia ningpoensis* Hemsl.

| 药 材 名 | 玄参（药用部位：根。别名：元参、重台、正马）。

| 形态特征 | 高大草本，高超过 1m。支根数条，纺锤形或胡萝卜状膨大，直径可达 3cm 以上。茎四棱形，有浅槽，无翅或有极狭的翅，无毛或多少有白色卷毛，常分枝。叶在茎下部多对生而具柄，上部的有时互生而柄极短，叶柄长者达 4.5cm，叶片多变化，多为卵形，有时上部的为卵状披针形至披针形，基部楔形、圆形或近心形，边缘具细锯齿，稀为不规则的细重锯齿，大者长达 30cm，宽达 19cm，上部最狭者长约 8cm，宽仅 1cm。花序为疏散的大圆锥花序，由顶生和腋生的聚伞圆锥花序合成，长可达 50cm，但在较小的植株中，仅有顶生聚伞圆锥花序，长不及 10cm，聚伞花序常 2 ~ 4 回复出，花梗长 3 ~ 30mm，有腺毛；花褐紫色，花萼长 2 ~ 3mm，裂片圆形，边缘稍膜质；花冠长 8 ~ 9mm，花冠筒多少

玄参

球形，上唇长于下唇约 2.5mm，裂片圆形，相邻边缘相互重叠，下唇裂片多少卵形，中裂片稍短；雄蕊稍短于下唇，花丝肥厚，退化雄蕊大而近圆形；花柱长约 3mm，稍长于子房。蒴果卵圆形，连同短喙长 8 ～ 9mm。

野生资源	生于海拔 800～1700m 的竹林、溪旁、丛林及高草丛中。分布于重庆黔江、丰都、江津、城口、南川、酉阳、武隆、北碚、巫溪、巫山等地。

| **栽培资源** | （1）栽培条件。本种喜温暖湿润、雨量充沛、日照时间短的气候，耐寒，忌高温、干旱。积温多少是衡量是否适宜本种生长的重要温度指标。活动积温在 3400℃左右、有效积温在 1400℃的地区适宜本种生长。本种生长期为 200 天左右，总生长期适宜日平均气温为 17℃，当气温达到 10℃时开始出苗，在 20～23℃时茎叶生长发育较快，在地上部分生长发育达高峰之后，根部生长才逐步加快。块根膨大期适宜日平均气温为 17.8℃，当气温低于 15℃时，本种进入块根充实期，当低于 10℃时，本种进入收获期。本种以土层深厚、向阳、疏松、肥沃、排水良好的砂壤土种植为佳，忌连作，前作植物以豆科或禾本科作物为好，不宜同白术等药材轮作。 |

（2）栽培区域。重庆主要栽培地为南川、武隆，其中南川的玄参通过中药材 GAP 认证。

（3）栽培要点。采用开穴栽种法，具体为：穴深约 10cm，穴口直径 8～10cm，双行种植的行株距为 35～45cm，子芽每穴 1 个，芽尖向上，子芽直者直栽，弯者弯摆，务必使芽尖向上，栽后盖土杂肥或腐熟的火土，每亩约 1000kg，然后再覆盖细土，不要露出芽头，浇水保湿。每亩栽子芽 40～50kg。田间管理应做好追肥、除草、去蘖打顶。病虫害主要为叶斑病、红蜘蛛。立冬前后采收。

（4）栽培面积与产量。玄参种植面积达 206.7hm^2。南川的年产量为 7800t 左右。

| **采收加工** | 于 10～11 月地上部分枯萎时采挖。去茎秆，然后将地下部分刨起，把带有子芽的根茎择出。将块根白天晾晒，夜间堆积。暴晒 6～7 天，待表皮皱缩后，堆积麻袋或草，使其"发汗"，然后进行晾晒，3～5 天即可晒干。如遇雨天可烘烤，温度控制在 40～50℃，并适时翻动。 |

| **药材性状** | 本品呈类圆柱形，中间略粗或上粗下细，有的微弯曲，长 6～20cm，直径 1～3cm。表面灰黄色或灰褐色，有不规则的纵沟、横长皮孔样突起和稀疏的横裂纹和须根痕。质坚实，不易折断，断面黑色，微有光泽。本品以肥大、皮细、外表灰白色、内部黑色、无油、无芦头者为佳。 |

| **功能主治** | 甘、苦、咸，微寒。归肺、胃、肾经。清热凉血，滋阴降火，解毒散结。用于热入营血，温毒发斑，热病伤阴，舌绛烦渴，津伤便秘，骨蒸劳嗽，目赤，咽痛，白喉，瘰疬，痈肿疮毒。 |

| **用法用量** | 内服煎汤，9～15g，不宜与藜芦同用。 |

| **附 注** | （1）栽培历史。宋代之前，玄参产地为河间、冤句；至明代，产地增加了江州、衡州、邢州、干州（今陕西境内）。清代《药物出产辨》记载："产浙江杭州府。"现代《金世元中药材传统鉴别经验》记载："玄参分布地区甚广，主产浙江盘安、东阳、仙居、临海、缙云、永康、桐乡，四川北川、重庆、南川、秀山、酉阳、巫山，湖南怀化、桑植、龙山，湖北恩施、建始、巴东、竹溪，陕西镇坪、平利，河北、山东亦产。产量最大的应属浙江和四川，但以浙江质量为优。"可见，玄参是四川、重庆的大宗药材。 |
| | （2）物种鉴别。本种为我国物产，分布较广。同属植物北玄参 *Scrophularia buergeriana* Miq. 与本种极相似，主要区别在于：北玄参的根呈圆柱形，有纵皱 |

纹，表面灰褐色，有细根及细根痕；叶较小，叶片卵形至长卵形，长 5 ～ 12cm，宽 2 ～ 5cm；聚伞花序紧缩成穗状，小聚伞花序无总花梗，或有长达 5mm 的短梗，常互生而不成轮，花萼裂片卵形，花冠黄绿色；蒴果卵形。北玄参与本种的药材性状区别在于：北玄参药材的根呈圆柱形，有纵皱纹，表面灰褐色，有细根及细根痕。

（3）市场信息。目前市场统货价格为 7 ～ 10 元 /kg，走货顺畅。销售方向主要是当地饮片厂和药材市场。

芸香科 Rutaceae　花椒属 *Zanthoxylum*

花椒 *Zanthoxylum bungeanum* Maxim.

| 药 材 名 |

花椒（药用部位：果皮。别名：大椒、秦椒、蜀椒）、椒目（药用部位：种子。别名：川椒目）、花椒茎（药用部位：茎）、花椒叶（药用部位：叶。别名：椒叶）。

| 形态特征 |

落叶小乔木，高 3 ~ 7m。茎干上的刺常早落，枝有短刺，小枝上的刺为劲直的长三角形，基部宽而扁，当年生枝被短柔毛。叶有小叶 5 ~ 13，叶轴常有甚狭窄的叶翼；小叶对生，无柄，卵形、椭圆形，稀披针形，位于叶轴顶部的较大，近基部的有时圆形，长 2 ~ 7cm，宽 1 ~ 3.5cm，叶缘有细裂齿，齿缝有油点，其余无或散生肉眼可见的油点，叶背基部中脉两侧有丛毛，或小叶两面均被柔毛，中脉在叶面微凹陷，叶背干后常有红褐色斑纹。花序顶生或生于侧枝之顶，花序轴及花梗密被短柔毛或无毛；花被片 6 ~ 8，黄绿色，形状及大小大致相同；雄花雄蕊 5，或多至 8，退化雌蕊先端叉状浅裂；雌花很少有发育雄蕊，有心皮 2 或 3，间有 4，花柱斜向背弯。果实紫红色，单个分果瓣直径 4 ~ 5mm，散生微凸起的油点，先端有甚短的芒尖或无；种子长 3.5 ~ 4.5mm。花期 4 ~ 5 月，果期 8 ~ 9 月或 10 月。

花椒

| **野生资源** | 生于海拔 700 ~ 2450m 的山坡灌丛或密林中。重庆各地均有分布。 |

| **栽培资源** | （1）栽培条件。本种为浅根性树种，耐贫瘠，对土壤要求不严，一般在 pH 6.5 ~ 8.0 的土壤中都能种植，但在 pH 7.0 ~ 7.5 的土壤中种植最好。本种耐寒，能够耐 −21℃的低温，在年平均气温为 8 ~ 10℃的地区均能栽培；喜光照，一般要求年平均日照时数不少于 1800 小时。本种根系耐水性差，适宜在山地栽培，不宜栽培于低洼易涝地。

（2）栽培区域。栽培于江津、合川、永川、綦江、大足、璧山、铜梁、潼南、荣昌、涪陵和长寿等地。

（3）栽培要点。选择茎干粗壮、枝木、根系多、顶芽饱满的花椒壮苗，栽植前应定干截梢。为了防止叶面水分蒸发，可以适当剪去部分枝叶。栽植坑穴的深度大约在 70cm，直径大约 60cm。底部施农家肥或有机肥，盖 2cm 左右土，再 |

栽上花椒苗，用土把周围填满、压实。追肥以氮肥和钾肥为主，一年施 2 ~ 4 次，即施花前肥、采果肥，在树冠周围环状沟施。通常在采椒完成之后就要施用基肥。

（4）栽培面积与产量。重庆花椒种植面积共计 4.23 万公顷，年产量 28 万吨左右。

| 采收加工 |　花椒：9 ~ 10 月果实成熟时采摘，选晴天，留下果穗，摊开晾晒，待果实开裂，将果皮与种子分开，晒干。

椒目：9 ~ 10 月果实成熟时采摘，晾干，待果实开裂，果皮与种分开时，取出种子。

花椒茎：全年均可采收，砍取茎，切片晒干。

花椒叶：全年均可采收，鲜用或晒干。

| 药材性状 |　花椒：本品蓇葖果多单生，直径 4 ~ 5mm，外表面紫红色或棕红色，散有多数疣状凸起的油点，直径 0.5 ~ 1mm，对光观察呈半透明；内表面淡黄色。香气浓，味麻辣而持久。

椒目：本品种子呈椭圆形、类圆形或半球形，直径 3 ~ 4mm，外表面黑色，具光泽，密布细小疣点。表皮脱落后露出黑色多边形网状纹理。种脐椭圆形，种脊明显。种皮质硬脆，剥除后可见淡黄色胚乳或子叶，胚乳发达；子叶肥厚，位于胚乳中央，有的种子内面大部中空，仅残留黄白色胚乳。气芳香浓烈，味辛辣凉口。

花椒叶：本品为奇数羽状复叶或散落的小叶。小叶片卵形或卵状长圆形，较大，长 1.5 ~ 6cm，宽 0.6 ~ 3cm。表面暗绿色或棕绿色，先端急尖，基部钝圆，边缘具钝齿，对光透视，齿缝间有大而透明的油点，主脉微凹，侧脉斜向上展。具叶轴者，叶轴腹面具狭小翼，背面有小皮刺。气香，味微苦。

| 功能主治 |　花椒：辛，温。归脾、胃、肾经。温中止痛，杀虫止痒。用于脘腹冷痛，呕吐泄泻，虫积腹痛。外用于湿疹，阴痒。

椒目：苦、辛，温；有小毒。归脾、肺、膀胱经。利水消肿，祛痰平喘。用于水肿胀满，哮喘。

花椒茎：辛，热。祛风散寒。用于风疹。

花椒叶：辛，热。归脾、胃、大肠经。温中散寒，燥湿健脾，杀虫解毒。用于奔豚，寒积，霍乱转筋，脱肛，脚气，风弦烂眼，漆疮，疥疮，毒蛇咬伤。

| 用法用量 |　花椒：内服煎汤，3 ~ 6g。外用适量，煎汤熏洗。

椒目：内服煎汤，2 ~ 5g；研末，1.5g；或制成丸、片、胶囊剂。外用适量，研末，醋调敷。

花椒茎：外用 30 ～ 60g，煎汤洗。

花椒叶：内服煎汤，3 ～ 9g。外用适量，煎汤洗浴；或鲜叶捣敷。

| 附 注 | （1）栽培历史。花椒始载于《尔雅》，名檓、大椒。《神农本草经》中有秦椒及蜀椒之分。东晋常璩《华阳国志·巴志》云："其药物之异者，有巴戟、天椒（花椒）。"《名医别录》曰："（秦椒）生太山（泰山）及秦岭上。"《新修本草》记载："（蜀椒）一名巴椒，生武都（甘肃东南部）川谷及巴郡（重庆）……出蜀都北部，人家种之。皮肉厚，里白，气味浓。江阳（四川泸州）、晋原（四川崇州）及建平（重庆巫山）间亦有，而细赤，辛而不香，力势不如巴郡巴椒。"《本草图经》记载："蜀椒，生武都川谷及巴郡，今归、峡及蜀川、陕洛间人家多作园圃种之。高四五尺，似茱萸而小，有针刺；叶坚而滑，可煮饮……此椒江淮及北土皆有之，茎实都相类，但不及蜀中者，皮肉浓，腹里白，气味浓烈耳。"《证类本草》曰："蜀椒，陶隐居云：出蜀都北部，人家种之。皮肉厚，腹里白，气味浓。江阳、晋原及建平间亦有而细赤，辛而不香，力势不如巴郡。"清代《救荒本草》云："蜀椒……蜀川、陕洛间人家园圃多种之，高四五尺，似茱萸而小，有针刺，叶似刺蓟叶微小，叶坚而滑，可煮食，甚辛香。"清代《本草求真》云："蜀椒，川椒（专入肺、脾、肾）。辛热纯阳……出四川。肉浓皮皱者是。"近代《增订伪药条辨》记载："川椒，《本经》名蜀椒，列于中品。产于巴蜀，颗如小豆而圆，皮紫赤色，皮厚而里白，味极辛烈而香，凡闭口者去之……产地首推中州，名约南椒，颗粒大，外紫里白，气味浓厚，椒多目少，最佳。"从上述内容可以看出，本草所言的蜀椒以花椒 *Zanthoxylum bungeanum* Maxim. 为主，重庆一直是花椒的主产地。

（2）物种鉴别。本种有 2 个变种，即油叶花椒 *Zanthoxylum bungeanum* Maxim. var. *punctatum* Huang 和毛叶花椒 *Zanthoxylum bungeanum* Maxim. var. *pubescens* Huang。油叶花椒的主要特征为：小叶有肉眼可见的油点，油点干后稍凸起，叶轴、果序及分果瓣干后红棕色；果期 7 ~ 8 月。毛叶花椒主要特征为：嫩枝、叶轴及花序轴、小叶片两面均被柔毛，有时果梗及小叶腹面无毛。毛叶花椒分为两类。一类小叶薄纸质，干后两面颜色明显不同，叶背淡灰白色，果梗纤细而延长；另一类小叶厚纸质，叶面及果梗无毛，侧脉在叶面凹陷成细裂沟状，小叶两面近于同色，干后红棕色，果梗较粗。毛叶花椒花期 5 ~ 6 月，果期 10 ~ 11 月。

（3）市场信息。市场上有陕西韩城所产的大红袍，四川汉源、茂县所产的正路椒，四川金阳和重庆江津所产的青花椒，以及遍及各地的构椒等品种，其中大红袍占比为 45%，青花椒占比为 25%，正路椒占比为 10%，构椒占比为 20%。花椒除药用外，主要作为调味品，以重庆用量最大。目前花椒统货价格为60 元 /kg 左右，大红袍统货价格为 110 元 /kg 左右。花椒种植面积大，市场行情相对稳定。

白芷

Angelica dahurica (Fisch. ex Hoffm.) Benth. et Hook. f. ex Franch. et Sav.

| **药 材 名** | 白芷（药用部位：根、根茎。别名：杭白芷、川白芷、大活）、白芷叶（药用部位：叶）。

| **形态特征** | 多年生高大草本，高 1 ~ 2.5m。根圆柱形，有分枝，直径 3 ~ 5cm，外表皮黄褐色至褐色，有浓烈气味。茎基部直径 2 ~ 5cm，有时可达 7 ~ 8cm，通常带紫色，中空，有纵长沟纹。基生叶 1 回羽状分裂，有长柄，叶柄下部有管状抱茎、边缘膜质的叶鞘；茎上部叶 2 ~ 3 回羽状分裂，叶片卵形至三角形，长 15 ~ 30cm，宽 10 ~ 25cm，叶柄长至 15cm，下部为囊状膨大的膜质叶鞘，无毛或稀有毛，常带紫色；末回裂片长圆形、卵形或线状披针形，多无柄，长 2.5 ~ 7cm，宽 1 ~ 2.5cm，急尖，边缘有不规则的白色软骨质粗锯齿，具短尖头，基部两侧常不等大，沿叶轴下延成翅状；花序下方的叶简化

白芷

成无叶的、显著膨大的囊状叶鞘，外面无毛。复伞形花序顶生或侧生，直径 10 ~ 30cm，花序梗长 5 ~ 20cm，花序梗、伞辐和花柄均被短糙毛；伞辐 18 ~ 40，中央主伞有时伞辐多至 70；总苞片通常缺或有 1 ~ 2，成长为卵形膨大的鞘；小总苞片 5 ~ 10，线状披针形，膜质，花白色；无萼齿；花瓣倒卵形，先端内曲成凹头状；子房无毛或有短毛；花柱比短圆锥状的花柱基长 2 倍。果实长圆形至卵圆形，黄棕色，有时带紫色，长 4 ~ 7mm，宽 4 ~ 6mm，无毛，背棱扁，厚而钝圆，近海绵质，远较棱槽为宽，侧棱翅状，较果体狭；棱槽中有油管 1，合生面有油管 2。花期 7 ~ 8 月，果期 8 ~ 9 月。

| **野生资源** | 生于林下、林缘、溪旁、灌丛及山谷草地。分布于重庆大足、南川、云阳、开州、忠县、武隆、涪陵、江津、铜梁、永川等地。

| **栽培资源** | （1）栽培条件。本种喜温暖湿润气候，耐寒，适宜栽培于年平均气温 18℃左右、最高平均气温 28℃、最低平均气温 5℃、年平均日照时数 1333.4 小时、年平均辐射总量 87.4kcal、年平均降水量 993mm 的地区。宜选阳光充足，土层深厚、疏松、肥沃，排水良好的砂壤土栽培。

（2）栽培区域。栽培于重庆大足、潼南、荣昌、南川等地。

（3）栽培要点。本种的种子在恒温下发芽率较低，在变温下发芽率较高，以 10 ~ 30℃的变温为佳。成熟种子当年发芽率为 70% ~ 80%，隔年种子发芽率低，甚至不发芽。本种在 8 ~ 9 月播种，采用穴播，行株距 30cm×25cm，穴深 8cm 左右，每穴播种 3 ~ 5 粒。播后 10 ~ 15 天出苗，结合间苗。翌年 4 ~ 5 月植株生长最旺，4 月下旬至 6 月根部生长最快，这段时间应做好施肥工作。7 月以后，植株渐变黄、枯死，根已长成。留种植株在 8 月下旬天气转凉时又重生新叶，第 3 年 4 月开始抽薹，5 月下旬至 6 月上旬开花，6 月下旬至 7 月种子陆续成熟。不可连作。

（4）栽培面积与产量。栽培面积超过 530hm²，年产量 4000t 左右。

| **采收加工** | 白芷：春播在当年 10 月中下旬，秋播在翌年 8 月下旬叶枯萎时采收，抖去泥土，晒干或烘干。

白芷叶：春、夏季采收，晒干。

| **药材性状** | 本品根呈圆锥形，长 10 ~ 20cm，直径 2 ~ 2.5cm。根头部近方形或类方形，表面灰棕色，有多数皮孔样横向突起，长 0.5 ~ 1cm，略排成 4 纵行，先端有凹陷的茎痕。质坚实，断面白色，粉性，皮部密布棕色油点，形成层环棕色，近方形。气芳香，味辛、微苦。

| 功能主治 | 白芷：辛，温。归胃、大肠、肺经。祛风除湿，通窍止痛，消肿排脓。用于感冒头痛，眉棱骨痛，牙痛，鼻塞，鼻渊，湿胜久泻，妇女带下，痈疽疮疡，毒蛇咬伤。

白芷叶：辛，平。祛风解毒。用于瘾疹，丹毒。

| 用法用量 | 白芷：内服煎汤，3 ~ 10g；或入丸、散。外用适量，研末撒或调敷。

白芷叶：外用适量，煎汤洗；或研粉扑。

| 附　　注 | （1）物种鉴别。《中国植物志》在白芷项下分成 3 个变种，其中杭白芷（川白芷）基原为 *Angelica dahurica* (Fisch. ex Hoffm.) Benth. et Hook. f. ex Franch. et Sav. cv. *Hangbaizhi*，主要特征为：植株高 1 ~ 1.5m，茎及叶鞘多为黄绿色；根长圆锥形，上部近方形，表面灰棕色，有多数较大的皮孔样横向突起，略排列成数纵行，质硬较重，断面白色，粉性大。祁白芷（禹白芷）基原为 *Angelica dahurica* (Fisch. ex Hoffm.) Benth. et Hook. f. ex Franch. et Sav. cv. *Qibaizhi*，主要特征为：根圆锥形，表面灰黄色至黄棕色，皮孔样的横向突起散生，断面灰白色，粉性略差，油性较大。

（2）市场信息。重庆大足区高升、铁山、季家镇有栽培白芷的传统，所产的白芷在当地被称为"红皮白芷"，主要用作香料并出口。目前铁山、高升、季家镇形成了白芷集散交易市场。当前白芷的价格为 9 ~ 13 元 /kg，市场相对稳定。

（3）资源可持续发展。白芷药材以川白芷、杭白芷质量为佳。近年来各地广泛引种白芷，有的地区则已经形成一定规模，逐渐成为新的白芷主产区，如安徽亳州。

蔷薇科 Rosaceae 木瓜属 Chaenomeles

皱皮木瓜 *Chaenomeles speciosa* (Sweet) Nakai

皱皮木瓜

| 药 材 名 |

木瓜（药用部位：近成熟果实。别名：贴梗海棠、川木瓜、铁脚梨）。

| 形态特征 |

落叶乔木，高可达 7m，无枝刺。小枝圆柱形，紫红色，幼时被淡黄色绒毛；树皮片状脱落，落后痕迹显著。叶片椭圆形或椭圆状长圆形，长 5 ~ 9cm，宽 3 ~ 6cm，先端急尖，基部楔形或近圆形，边缘具刺芒状细锯齿，齿端具腺体，表面无毛，幼时沿叶脉被稀疏柔毛，背面幼时密被黄白色绒毛；叶柄粗壮，长 1 ~ 1.5cm，被黄白色绒毛，上面两侧具棒状腺体；托叶膜质，椭圆状披针形，长 7 ~ 15cm，先端渐尖，边缘具腺齿，沿叶脉被柔毛。花单生短枝端，直径 2.5 ~ 3cm；花梗粗短，长 5 ~ 10mm，无毛；萼筒外面无毛，花萼裂片三角状披针形，长约 7mm，先端长渐尖，边缘具稀疏腺齿，外面无毛或被稀疏柔毛，内面密被浅褐色绒毛，较萼筒长，果时反折；花瓣倒卵形，淡红色；雄蕊长约 5mm；花柱长约 6mm，被柔毛。梨果长椭圆形，长 10 ~ 15cm，深黄色，具光泽，果肉木质，味微酸、涩，有芳香，具短果梗。花期 4 月，果期 9 ~ 10 月。

| 野生资源 | 分布于重庆綦江、江津、万州、巫山、巫溪、城口等地。

| 栽培资源 | （1）栽培条件。本种的适应性特强，喜阳光，能耐干旱、瘠薄和高温，宜在pH6.5～7.5、土层深厚、质地疏松、有机质含量丰富、排水良好的砂壤土中栽培。

（2）栽培要点。本种可采用种子或分株繁殖方式。种子繁殖因时间长，故性状分化严重；分株繁殖成活率高，效果好。移栽一般在冬季至翌年春季进行，株行距2m；等到第3年，可按株挖穴施厩肥；成龄后，注意修剪整枝，使树成内空外圆的冠状。

（3）栽培面积与产量。綦江有14个街、镇，111个村，762个合作社的近5万农户规模种植木瓜，种植面积达到6766.7hm²（其中有近百年的老木瓜约100hm²）。綦江已建成县级和街镇级66.7hm²以上木瓜种植示范片20个，2010年产鲜木瓜果近8500t。

| 采收加工 | 夏、秋季果实呈绿黄色时采收，置沸水中烫至外皮灰白色，对半纵剖，晒干。

| 药材性状 | 本品呈长圆形，多纵剖成两半，长4～9cm，宽2～5cm，厚1～2.5cm。外表面紫红色或红棕色，有不规则的深皱纹；剖面边缘向内卷曲，果肉红棕色，中心部分凹陷，棕黄色；种子扁长三角形，多脱落。质坚硬。气微清香，味酸。

| 功能主治 | 酸，温。归肝、脾经。舒筋活络，和胃化湿。用于风湿痹痛，肢体酸重，筋脉拘挛，吐泻转筋，脚气水肿。

| 用法用量 | 内服煎汤，6 ~ 9g。

| 附　注 | （1）栽培历史。《金世元中药材传统鉴别经验》记载："主产于安徽宣城、宁国、广德，浙江淳安、开化，湖北长阳、资丘、巴东、五峰、鹤峰，四川江津，重庆綦江、铜梁，湖南桑植、慈利。云南、贵州也有少量出产。"重庆綦江种植木瓜的历史已有百年。

（2）市场信息。药用木瓜分为三大产地：宣木瓜，产于安徽宣城一带；资丘木瓜，产于湖北长阳；川木瓜，产于重庆綦江。川木瓜已被列入国家地理标志保护产品。綦江已经建立了宣木瓜 GAP 规范化种植基地，2011 年被评为"中国优秀木瓜之乡"。

（3）濒危情况。木瓜的农家品种有芝麻点、苹果型和罗汉脐。浸出物等测定结果表明，芝麻点木瓜质量最优，罗汉脐木瓜质量较优，而苹果型木瓜质量较次。目前芝麻点木瓜已属濒危特种，建议对其加大保护力度。

蓼科 Polygonaceae 荞麦属 *Fagopyrum*

金荞麦 *Fagopyrum dibotrys* (D. Don) Hara.

| 药 材 名 | 金荞麦（药用部位：根茎。别名：苦荞头、天荞麦、野荞麦）、金荞麦茎叶（药用部位：茎叶）。

| 形态特征 | 多年生宿根草本，高 0.5 ~ 1.5m。主根粗大，呈结节状，横走，红棕色。茎直立，多分枝，具棱槽，淡绿微带红色，全株微被柔毛。单叶互生，具柄，柄上有白色短柔毛；叶片戟状三角形，长、宽约相等，但顶部叶长大于宽，一般长 4 ~ 10cm，宽 4 ~ 9cm，先端长渐尖或尾尖状，基部心状戟形，先端叶狭窄，无柄抱茎，全缘成微波状，下面脉上有白色细柔毛；托叶鞘抱茎。秋季开白色小花，顶生或腋生，聚伞花序稍有分枝；花被片 5；雄蕊 8，2 轮；雌蕊 1，花柱 3。瘦果呈卵状三棱形，红棕色。花期 7 ~ 8 月，果期 10 月。

金荞麦

| **野生资源** | 生于路边、沟旁较阴湿地。分布于重庆綦江、丰都、石柱、长寿、酉阳、江津、忠县、黔江、云阳、涪陵、城口、开州、垫江等地。 |

| **栽培资源** | （1）栽培条件。本种适应性较强，喜温暖气候，适宜生长的温度为 15 ~ 30℃，在冬季 –10℃左右的气温下可以安全越冬。栽培土壤以肥沃、疏松的砂壤土为好，黏壤土及排水不良的低洼地不宜种植。
（2）栽培要点。金荞麦可采用种子繁殖方式：春播于 4 月下旬进行，开沟撒种，覆土，在 10 ~ 18℃的温度下，15 ~ 20 天可出苗；秋播于 10 月下旬或 11 月进行，播种后畦面覆草，第 2 年 4 月出苗，出苗率可达 60% ~ 80%。也可采用根茎繁殖方式：选取根茎的幼嫩部分及根茎芽苞作繁材，切成小段，按行距 45cm 开沟，沟深 10 ~ 15cm，然后按株距 30cm 把根茎栽入沟中，覆土压实；当苗高 50 ~ 60cm 时，追肥 1 次，也可在开花前施用，每亩施 15 ~ 20kg 复合肥。 |

（3）栽培面积与产量。栽培面积 1067hm²，年产量约 6000t。

| 采收加工 | 金荞麦：在秋季地上部分枯萎后采收，先割去茎叶，将根茎刨出，去除泥土，洗净，晒干或阴干，或低于 50℃烘干。

金荞麦茎叶：夏季采集茎叶，鲜用或晒干。

| 药材性状 | 金荞麦：本品呈不规则团块状，常具瘤状分枝，长短、大小不一，直径 1 ～ 4cm。表面棕褐色至灰褐色，有紧密的环节及不规则的纵皱纹，以及众多的须根或须根痕；先端有茎的残基。质坚硬，不易折断，切断面淡黄白色至黄棕色，有放射状纹理，中央有髓。气微，味微涩。本品以个大、质坚硬者为佳。

金荞麦茎叶：本品呈圆柱形，具纵棱，枯绿色或微带淡紫红色，节明显，可见灰白色膜质叶鞘，断面多中空。叶互生，多皱缩，湿润展平后，完整的叶片呈戟状三角形，长、宽相等，先端渐尖，基部心状戟形，基出脉 7，全缘；质脆，易碎。气微，味微苦、涩。

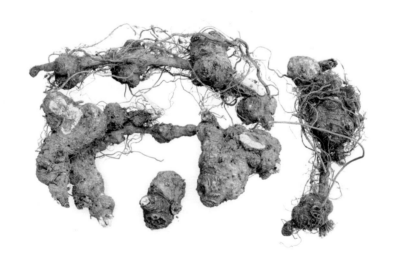

| 功能主治 | 金荞麦：酸、苦，寒。归肺、胃、肝经。清热解毒，活血消痈，祛风除湿。用于肺痈，肺热咳喘，咽喉肿痛，痢疾，风湿痹证，跌打损伤，痈肿疮毒，蛇虫咬伤。

金荞麦茎叶：苦、辛，凉。归肺、脾、肝经。清热解毒，健脾利湿，祛风通络。用于肺痈，咽喉肿痛，肝炎腹胀，消化不良，痢疾，痈疽肿毒，瘰疬，蛇虫咬伤，风湿痹痛，头风痛。

| 用法用量 | 金荞麦：内服煎汤，15 ～ 30g；或研末。外用适量，捣汁或磨汁涂敷。

金荞麦茎叶：内服煎汤，9 ～ 15g，鲜品 30 ～ 60g。外用适量，捣敷或研末调敷。

| 附　注 | （1）市场信息。太极集团在涪陵、石柱、丰都等地建有本种药材种植基地。本种在市场上属冷背品种，目前价格为 10 ～ 14 元 /kg。

（2）濒危情况、资源利用和可持续发展。本种野生资源因过度采伐而濒临灭绝，我国已将其列为国家二级重点保护植物。2003 年，国家农业农村部科技教育司在重庆黔江建立了我国第 1 个"野生金荞麦原生境保护区"，进行野生金荞麦的原地保护。近年来，各地大力发展本种的种植，但没有对本种的品种选育、生态环境、规范化种植、产地采收加工等进行系统研究。本种叶中的芦丁含量达 4% ～ 8.5%，可作为提取芦丁的原料。

伞形科 Umbelliferae ▏茴香属 Foeniculum

茴香
Foeniculum vulgare Mill.

| **药 材 名** | 小茴香（药用部位：干燥成熟果实。别名：怀香、怀香籽、香丝菜）。

| **形态特征** | 草本，高 0.4 ~ 2m。茎直立，光滑，灰绿色或苍白色，多分枝。较下部的茎生叶叶柄长 5 ~ 15cm，中部或上部的叶叶柄部分或全部呈鞘状，叶鞘边缘膜质；叶片阔三角形，长 4 ~ 30cm，宽 5 ~ 40cm，4 ~ 5 回羽状全裂，末回裂片线形，长 1 ~ 6cm，宽约 1mm。复伞形花序顶生与侧生，花序梗长 2 ~ 25cm；伞辐 6 ~ 29，不等长，长 1.5 ~ 10cm；小伞形花序有花 14 ~ 39；花柄纤细，不等长；无萼齿；花瓣黄色，倒卵形或近倒卵圆形，长约 1mm，先端有内折的小舌片，中脉 1；花丝略长于花瓣，花药卵圆形，淡黄色；花柱基圆锥形，花柱极短，向外叉开或贴伏在花柱基上。果实长圆形，长

茴香

4 ～ 6mm，宽 1.5 ～ 2.2mm，主棱 5，尖锐；每棱槽内有油管 1，合生面有油管 2；胚乳腹面近平直或微凹。花期 5 ～ 6 月，果期 7 ～ 9 月。

| **野生资源** | 分布于重庆云阳、垫江、大足、巫山、长寿、忠县、丰都、黔江、石柱、开州、璧山、北碚、荣昌等地。

| **栽培资源** | （1）栽培条件。本品适应性较强，喜阳，耐寒，耐旱，稍耐高温，适于在砂壤土中栽培，忌在黏壤土及低洼之地栽种。

（2）栽培区域。主要栽培于重庆云阳、万州等地。

（3）栽培要点。春、秋季均可播种或春季分株繁殖。春播一般在 3 ～ 4 月进行。播种前选择健壮饱满的种子，用温水浸泡 24 小时，捞出稍晾干。在整好的畦面上，按 30cm 开沟，沟深 3 ～ 4cm，将种子均匀撒入沟内，覆盖土，保湿。每亩用种量 2 ～ 4kg。当苗高 15cm 左右时即可移栽。按株行距 20cm×30cm 移栽。生长初期中耕宜浅，以施氮肥为主；开花前期增施磷肥、钾肥，促进开花结实。9 月采收种子。

（4）栽培面积与产量。重庆云阳种植面积为 333.3hm^2，最高产量为 20t。

| **采收加工** | 秋季果实初熟时采割植株，晒干，打下果实，除去杂质。

| **药材性状** | 本品为双悬果，呈圆柱形，有的稍弯曲，长 4 ～ 6mm，直径 1.5 ～ 2.2mm。表面黄绿色或淡黄色，两端略尖，先端残留有黄棕色凸起的柱基，基部有时有细小的果梗。分果呈长椭圆形，背面有 5 纵棱，接合面平坦而较宽。横切面略呈五边形，背面的四边约等长。有特异香气，味微甜、辛。

| **功能主治** | 辛，温。归肝、肾、脾、胃经。散寒止痛，理气和胃。用于寒疝腹痛，睾丸偏坠，痛经，少腹冷痛，脘腹胀痛，食少吐泻，睾丸鞘膜积液。 |

| **用法用量** | 内服煎汤，3～6g。 |

| **附　　注** | （1）栽培历史。云阳从清代末年才开始种植茴香，1979 年达到鼎盛时期，年收购量高达 2559t，收购的茴香被大批运至天津、青岛、上海等地；1980 年后主要由外贸公司经营出口业务，医药部门主管中断；1985 年外贸销路转滞，茴香生产受阻。目前云阳堰坪、故陵、票草仍种植小茴香。
（2）资源利用。本种又称"茴香菜"，嫩叶可作蔬菜食用或作调味品用，亦为著名的香料。 |

菊科 Compositae 款冬属 Tussilago

款冬 *Tussilago farfara* L.

| 药 材 名 | 款冬花（药用部位：干燥花蕾。别名：冬花、款花、看灯花）。

| 形态特征 | 多年生草本。根茎横生地下，褐色。基生叶后生，阔心形，具长叶柄，叶片长3 ~ 12cm，宽4 ~ 14cm，边缘有波状、先端增厚的疏齿，掌状网脉，下面被密白色茸毛；叶柄长5 ~ 15cm，被白色绵毛。早春花叶抽出数个花葶，高5 ~ 10cm，密被白色茸毛，苞叶淡紫色。头状花序单生先端，初时直立，花后下垂；总苞片1 ~ 2层，总苞钟状，常带紫色，被白色柔毛，有时具黑色腺毛；边缘有多层雌花，花冠舌状，黄色；柱头2裂；中央的两性花少数，花冠管状，先端5裂；花药基部尾状；柱头头状，通常不结实。瘦果圆柱形，长3 ~ 4mm；冠毛白色，长10 ~ 15mm。

款冬

| **野生资源** | 常生于山谷湿地或林下。分布于重庆巫山、丰都、城口、巫溪、开州等地。

| **栽培资源** | （1）栽培条件。本种喜凉爽潮湿环境，耐严寒，忌高温、干旱，适宜生长温度为 15 ~ 25℃。宜选山区或阴坡栽种，在平原可与果树间作，栽培土壤以腐殖质丰富或微酸性砂壤土为宜。

（2）栽培区域。主要栽培于重庆巫溪。

（3）栽培要点。一般采用根茎繁殖。早春解冻后，将根茎挖出，截成 10 ~ 13cm 的长段，每段有芽 2 ~ 3 个，按行距 25 ~ 30cm 开沟，株距 6 ~ 10cm，将种根平施在沟内，覆土 5cm。20 天左右出苗。秋天追肥增土。若冬初土壤封冻前采收花蕾，则将刨出的根茎贮存于地窖或埋于土中，1 层根茎 1 层土，最上1 层土需达 45 ~ 60cm 厚，以防病害。

（4）栽培面积与产量。栽培面积约 40hm²，年产量约 30t。

| **采收加工** | 12 月或地冻前，当花尚未出土时采挖，除去花梗和泥沙，阴干。

| **药材性状** | 本品呈长圆棒状。单生或 2 ~ 3 基部连生，长 1 ~ 2.5cm，直径 0.5 ~ 1cm。上端较粗，下端渐细或带有短梗，外面被有多数鱼鳞状苞片。苞片外表面紫红色或淡红色，内表面密被白色絮状茸毛。体轻，撕开后可见白色茸毛。气香，味微苦而辛。

| **功能主治** | 辛、微苦，温。归肺经。润肺下气，止咳化痰。用于新久咳嗽，喘咳痰多，劳嗽咯血。

| 用法用量 |　　内服煎汤，5 ～ 10g。

| 附　　注 |　　（1）栽培历史。重庆巫溪最早将款冬野生变家种，并建立了通过国家中药材 GAP 认证的款冬花种植基地。

（2）市场信息。目前，重庆款冬种植面积已日渐萎缩。市场上款冬花主要来源于甘肃，统货价格为 50 ～ 70 元 /kg。由于款冬花是冷背药材，其走势不畅。

（3）资源利用和可持续发展。目前，野生款冬资源日渐减少，种质资源收集和保护显得尤为重要。相关研究显示，款冬的花与叶具有相同的药效，对款冬叶进行深入研究，有利于提高款冬资源的综合利用。

小檗科 Berberidaceae 淫羊藿属 *Epimedium*

川鄂淫羊藿 *Epimedium fargesii* Franch.

| 药 材 名 |　川鄂淫羊藿（药用部位：全草）。

| 形态特征 |　多年生草本，植株高 30 ～ 70cm，有时可达 80cm。根茎匍匐状，横走，质硬，多须根。一回三出复叶基生和茎生；茎生叶 2，对生，每叶具小叶 3；小叶革质，狭卵形，长 4 ～ 15cm，宽 1.3 ～ 7cm，先端渐尖，基部深心形，顶生小叶基部裂片圆形，近等大，侧生小叶基部裂片不等大，内侧裂片圆形，外侧裂片三角形，急尖，上面暗绿色，无毛，背面苍白色，无毛或被疏柔毛，两面网脉显著，叶缘具刺锯齿；花茎具对生叶 2 或偶有 3 叶轮生。总状花序具花 7 ～ 15，花序轴被腺毛，无总梗；花梗长 1.5 ～ 4cm，被腺毛；花紫红色，长约 2cm；萼片 2 轮，外萼片狭卵形，先端钝圆，长 3 ～ 4mm，宽约 1.5mm，

川鄂淫羊藿

带紫蓝色，内萼片狭披针形，渐尖，向下反折，长 1.5 ～ 1.8cm，宽约 4mm，白色或带粉红色；花瓣远较内萼片短，暗紫蓝色，呈钻状距，挺直，长约 7mm，瓣片 2 ～ 3 浅裂；雄蕊长约 9mm，显著伸出，花药长 3 ～ 4mm，紫色；子房长约 1.3cm。蒴果连同宿存花柱长约 2cm。花期 3 ～ 4 月，果期 4 ～ 6 月。

| **野生资源** | 生于海拔 200 ～ 1700m 的山坡针阔叶混交林下或灌丛中。分布于重庆城口、开州、梁平、石柱等地。

| **采收加工** | 夏、秋季茎叶茂盛时采收，阴干或晒干。

| **功能主治** | 补肾壮阳，祛风除湿。用于肾阳虚衰，阳痿遗精，筋骨痿软，风湿痹痛，麻木拘挛。

| **用法用量** | 内服煎汤，6 ～ 10g。

| **附　注** | 本种在重庆、湖北恩施一带作淫羊藿入药。通过对各地资源进行初步分析，发现本种中淫羊藿苷含量达到 2015 年版《中国药典》的要求。因此，本种是值得保护与开发的药源。

小檗科 Berberidaceae 淫羊藿属 Epimedium

巫山淫羊藿 *Epimedium wushanense* Ying

| **药材名** | 巫山淫羊藿（药用部位：干燥叶）。

| **形态特征** | 多年生常绿草本，植株高 50 ～ 80cm。根茎结节状，粗短，质地坚硬，表面被褐色鳞片，多须根。一回三出复叶基生和茎生，具长柄，小叶 3；小叶具柄，叶片革质，披针形至狭披针形，长 9 ～ 23cm，宽 1.8 ～ 4.5cm，先端渐尖或长渐尖，边缘具刺齿，基部心形，顶生小叶基部具均等的圆形裂片，侧生小叶基部的裂片偏斜，内边裂片小，圆形，外边裂片大，三角形，渐尖，上面无毛，背面被绵毛或秃净，叶缘具刺锯齿；花茎具对生叶 2。圆锥花序顶生，长 15 ～ 30cm，偶达 50cm，具多数花朵，花序轴无毛；花梗长 1 ～ 2cm，疏被腺毛或无毛；花淡黄色，直径达 3.5cm；萼片 2 轮，外萼片近圆形，长

巫山淫羊藿

2 ~ 5mm，宽 1.5 ~ 3mm，内萼片阔椭圆形，长 3 ~ 15mm，宽 1.5 ~ 8mm，先端钝；花瓣呈角状距，淡黄色，向内弯曲，基部浅杯状，有时基部带紫色，长 0.6 ~ 2cm；雄蕊长约 5mm，花丝长约 1mm，花药长约 4mm，瓣裂，裂片外卷；雌蕊长约 5mm，子房斜圆柱形，有长花柱，含胚珠 10 ~ 12。蒴果长约 1.5cm，宿存花柱喙状。花期 4 ~ 5 月，果期 5 ~ 6 月。

| 野生资源 | 生于草丛、沟边、灌木林中。分布于重庆黔江、垫江、忠县、綦江、南川、涪陵、巫溪等地。

| 栽培资源 | （1）栽培条件。本种喜阴湿环境，喜散射光，土壤湿度以 25% ～ 30%、空气相对湿度以 70% ～ 80% 为宜，以中性偏酸或稍偏碱，疏松，含腐殖质、有机质丰富的砂壤土栽培为好，宜在海拔 450 ～ 1200m 的低、中山地的疏林下半阴环境种植。

（2）栽培区域。栽培于重庆巫山、石柱、垫江等地。

（3）栽培要点。本种可以采用种子繁殖或根茎繁殖方式。种子繁殖：在 5 月末至 6 月上旬采收成熟的种子，6 月中旬散播，覆土，以落叶等物覆盖，保持土壤湿度。根茎繁殖：一般在 9 ～ 10 月进行，选择根系发达、越冬芽饱满、无病虫害侵染的根茎，切成长 10 ～ 15cm 的小段，扎把备用，按株距 15cm、行距 25cm 移植，实行半野生管理。

（4）栽培面积与产量。栽培面积超过 67hm²，年产量 750 ～ 1000t。

| 采收加工 | 夏、秋季茎叶茂盛时采收，除去杂质，晒干或阴干。

| 药材性状 | 本品为三出复叶，小叶片披针形至狭披针形，长 9 ～ 23cm，宽 1.8 ～ 4.5cm，先端渐尖或长渐尖，边缘具刺齿，侧生小叶基部的裂片偏斜，内边裂片小，圆形，外边裂片大，三角形，渐尖。下表面被绵毛或秃净。近革质。气微，味微苦。

| 功能主治 | 辛，温。归肝，肾经。补肝肾，强筋骨，助阳益精，祛风除湿。用于阳痿，腰膝痿弱，风寒湿痹，神疲健忘，四肢麻木及更年期高血压。

| 用法用量 | 内服煎汤，3 ～ 9g。阴虚阳旺者忌用。

| 附　注 | （1）物种鉴别。淫羊藿属植物在我国约有 40 余种，形成药材商品的主要有 15 种。2015 年版《中国药典》将淫羊藿 *Epimedium brevicorum* Maxim.、柔毛淫羊藿 *Epimedium pubescens* Maxim.、箭叶淫羊藿 *Epimedium sagittatum* (Sieb. et Zucc.) Maxim.、朝鲜淫羊藿 *Epimedium koreanum* Nakai 作为淫羊藿的基原。由于巫山淫羊藿的成分及其组成与其他种有较大差异，2015 年版《中国药典》已经将其独立为巫山淫羊藿。上述各种中，除朝鲜淫羊藿仅分布于我国东北地区外，其他种的主产区为四川、陕西、重庆、贵州。

（2）市场信息。淫羊藿为中药材大宗品种，也是中成药仙灵骨葆等的重要原料。市场上淫羊藿的价格随着淫羊藿品质的提升而上涨。

（3）资源利用。淫羊藿属植物除了《中国药典》收载的品种外，还有粗毛淫羊藿 *Epimedium acuminatum* Franch.、宝兴淫羊藿 *Epimedium davidii* Franch.、川鄂淫羊藿 *Epimedium fargesii* Franch.、四川淫羊藿 *Epimedium sutchuenense* Franch.、黔岭淫羊藿 *Epimedium leptorrhizum* Stearn 等品种，这些品种在全国不同地区形成商品或在民间入药。东北地区使用淫羊藿品种较单一，仅使用朝鲜淫羊藿；甘肃、山西及陕西南部使用淫羊藿；安徽、江西、江苏、福建、广东和上海使用箭叶淫羊藿；贵州作药用的淫羊藿品种较多，主流品种为粗毛淫羊藿，其次为黔岭淫羊藿、巫山淫羊藿；四川、重庆使用的主流品种为粗毛淫羊藿和柔毛淫羊藿，其次为巫山淫羊藿、宝兴淫羊藿。

百合科 Liliaceae 贝母属 Fritillaria

太白贝母
Fritillaria taipaiensis P. Y. Li

太白贝母

药 材 名

川贝母（药用部位：鳞茎。别名：川东贝母、尖贝母、川贝）。

形态特征

多年生草本，植株长 30 ～ 40cm。鳞茎由 2 鳞片组成，直径 1 ～ 1.5cm。叶通常对生，有时中部兼有 3 ～ 4 轮生或散生的，条形至条状披针形，长 5 ～ 10cm，宽 3 ～ 7（～ 12）mm，先端通常不卷曲，有时稍弯曲。花单朵，绿黄色，无方格斑，通常仅在花被片先端近两侧边缘有紫色斑带；每花有叶状苞片 3，苞片先端有时稍弯曲，但绝不卷曲；花被片长 3 ～ 4cm，外 3 片狭倒卵状矩圆形，宽 9 ～ 12mm，先端浑圆，内 3 片近匙形，上部宽 12 ～ 17mm，基部宽 3 ～ 5mm，先端骤凸而钝，蜜腺窝几不凸出或稍凸出；花药近基着，花丝通常具小乳突；花柱分裂部分长 3 ～ 4mm。蒴果长 1.8 ～ 2.5cm，棱上只有宽 0.5 ～ 2mm 的狭翅。花期 5 ～ 6 月，果期 6 ～ 7 月。

| **野生资源** | 生于海拔 1800 ~ 2700m 的亚高山草甸或灌丛中。分布于重庆城口、巫溪、巫山、奉节等地。 |

| **栽培资源** | （1）栽培条件。本种喜阴凉湿润气候，耐寒，怕炎热，怕干旱，怕污水。宜选背风的阴山或半阴山，土层深厚、质地疏松、富含腐殖质的壤土或油沙土栽培。本种生长适温为 5 ~ 24℃。

（2）栽培区域。栽培于重庆巫溪、城口、巫山等地。

（3）栽培要点。在 6 ~ 7 月采挖鳞茎时，选直径为 2cm 以上的鳞茎作种苗，随挖随栽。隔年可收种子。如种源不足，用直径为 2cm 以上的鲜鳞茎分瓣繁殖，繁殖速度比用种子繁殖快。栽种前先整地，然后施基肥，条栽，株距 6cm，深度 8cm，将鳞茎栽入沟心。每亩用鲜鳞茎 100kg 左右。结合除草、4 ~ 5 月施氮肥 1 次来提苗，10 月左右施冬肥 1 次。

（4）栽培面积与产量。栽培面积 4.7hm² 左右，年产量约为 130kg。 |

| **采收加工** | 夏、秋季或积雪融化后采挖，除去须根、粗皮及泥沙，晒干或低温干燥。 |

| **药材性状** | 本品呈扁卵圆形或略呈圆锥形，直径 0.6 ~ 2.3cm，高 0.8 ~ 1.7cm。表面黄白色， |

外层 2 鳞叶近等大，先端钝尖，开裂，底部较平整，表面较光滑或略有细小颗粒状突起，质硬而脆，断面白色，富粉性。气微，味微苦。

| 功能主治 | 苦、甘，微寒。归肺、心经。清热润肺，化痰止咳，散结消痈。用于肺热燥咳，干咳少痰，阴虚劳嗽，痰中带血，瘰疬，乳痈，肺痈等。

| 用法用量 | 内服煎汤，3 ~ 10g；研粉冲服，每次 1 ~ 2g。不宜与川乌、制川乌、草乌、制草乌、附子同用。

| 附　　注 | （1）栽培历史。清代道光二十三年（1843）《城口厅志》记载的处方中有"尖贝母"一药。当地一直称太白贝母为"尖贝母"。清代光绪十一年（1885）《大宁县志》记载："贝母，银厂坪所产者为佳。"银厂坪即今红池坝银厂坪，为野生太白贝母的主产地。城口、巫溪均产太白贝母。

（2）物种鉴别。本种在形态上很接近川贝母 *Fritillaria cirrhosa* D. Don，两者主要区别在于：本种内花被片匙形，最宽的地方在上部 4/5 ~ 5/6 处，宽 12 ~ 17mm，近基部宽 3 ~ 5mm，在先端两侧边缘有紫色斑带；川贝母则最宽在中部或上部 2/3 处，上部与下部宽度相差不超过 1 倍。

（3）市场信息。本种药材在市场中被作为川贝销售。

（4）濒危情况、资源可持续发展。2015 年版《中国药典》将本种新增为川贝母的基原之一。本种野生资源十分稀少，大巴山自然保护区建立了本种保护地。本种主要分布于秦岭—大巴山以南，资源极为稀少，但由于相对川贝母其他种而言，本种适宜于中山地区发展生产，现重庆巫溪、巫山与湖北鹤峰已有栽培川贝母。

百合科 Liliaceae 延龄草属 *Trillium*

延龄草
Trillium tschonoskii Maxim.

| 药 材 名 | 头顶一颗珠（药用部位：根茎。别名：一颗珠、头顶珠、芋儿七）。

| 形态特征 | 多年生草本，高 8 ～ 35cm，全株光滑无毛。根茎短而粗壮，匍匐状。茎直立，1 ～ 3，不分枝，圆柱形，无节，直径 0.5 ～ 10mm，表面有纵纹。叶 3，轮生于茎顶，无柄；叶片菱状卵形或宽菱状卵形，通常长稍大于宽，先端渐尖或锐尖，基部楔形。花梗由叶丛中抽出，花单一，顶生；花被 6，外列 3 绿色，卵形至长卵形，长 1.7 ～ 2cm，宽 0.7cm，内列 3 通常白色，有时为淡紫色，卵形，长约 1.5cm，宽约 0.5cm；雄蕊 6，长 6 ～ 10mm，花丝扁平，花药矩形；雌蕊 1，与雄蕊等长或稍长，子房 3 室，表面具 6 棱，花柱 3 裂。浆果卵球形，直径约 2cm，花柱宿存；种子多数，卵形，长约 2mm，褐色。花期 5 ～ 6 月，果期 7 ～ 8 月。

延龄草

| **野生资源** | 生于海拔 1600 ~ 3200m 的林下、山谷阴湿处、山坡或路旁岩石下。分布于重庆巫溪、巫山、开州、万州、城口等地。

| **栽培资源** | （1）栽培条件。多栽培于海拔 1000m 以上的阴凉环境。

（2）栽培区域。丰都有小面积的试种。

（3）栽培要点。种子繁殖的方法为：8 月下旬采集果实，分离种子，将其与细湿河沙混匀，贮藏；11 月上旬或翌年 3 ~ 4 月，在整细的苗床上施 10cm 厚的腐殖土，条播或撒播，播后再盖 1 层腐殖土，保持土壤湿润；播后 2 年才能出苗。无性繁殖的方法为：等延龄草倒苗后至发芽前，将延龄草破为 4 块，放入干地灰；在移栽地施有机基肥，按 20cm 宽开浅沟，将种块头上尾下放在沟中，覆盖细土至芽头上 3cm；加强除草和追肥；二年生移栽种植 5 年以后即可收获。

（4）栽培面积。目前重庆栽培面积较小。

| **采收加工** | 夏、秋季采挖，剪去茎叶及须根，洗净，晒干。

| **药材性状** | 本品干燥根茎呈圆柱形，肉质肥厚，直径 0.5 ~ 1cm，表面暗褐色，无明显环节，上端有棕色膜质鳞片及残留的茎基，下方具凹陷的根痕。根多数，细柱状，表面有环状横纹。

| **功能主治** | 甘、辛，温。归心、肝经。祛风，疏肝，活血，止血。用于高血压，头昏头痛，跌仆骨折，腰腿疼痛，外伤出血。

| **用法用量** | 内服煎汤，10 ~ 15g；研末冲服，5g。外用研末撒。

| 附　注 | （1）物种鉴别。延龄草属植物在我国有 3 种，即西藏延龄草 *Trillium govanianum* Wall. ex Royle、吉林延龄草 *Trillium kamtschaticum* Pall. ex Pursh 及本种。前 1 种与后 2 种的主要区别在于：西藏延龄草茎单生，叶小有短柄，花小。后 2 种的区别在于：吉林延龄草花药长 7 ~ 8mm，花药长于花丝；本种花药长 3 ~ 4mm，花药短于花丝或与花丝等长。

（2）市场信息。本种为冷背品种。从全国来看，本种货源多来自吉林、黑龙江。荷花池药材市场有货，走势较缓。

（3）濒危情况、资源利用和可持续发展。本种为国家珍稀濒危保护植物，野生资源稀少。本种在各地虽有一定量的栽培，但由于需求量不大，各地种植面积较小。相对来说，吉林、黑龙江的种植面积较大，种植品种为吉林延龄草。本种药材是一味市场前景非常广阔的药物，未来将在制作保健品、天然药物中间体提取等方面发挥重要的作用。

小檗科 Berberidaceae 山荷叶属 Diphylleia

南方山荷叶
Diphylleia sinensis H. L. Li

| **药 材 名** | 山荷叶（药用部位：根茎。别名：阿儿七、窝儿七、旱荷）。

| **形态特征** | 多年生草本，高达 50cm。根茎横走而粗壮，其上有旧茎枯死后残留的臼状疤痕，连续排列，呈结节状，老者具超过 10 个臼窝，其下着生多数须根。茎直立，不分枝，稍被柔毛。基生叶 1，有长柄；茎生叶 2，互生，扁圆状肾形，宽 20 ~ 38cm，向中央 2 深裂，边缘呈浅裂状，并有大小不等的浅齿芽，齿端尖锐，上面绿色，下面淡绿色，被柔毛。夏季开白色花，复聚伞花序顶生，花序柄被小柔毛，花序的着生点在叶片之下 5 ~ 8cm 处，花具柄；萼片 6，早落；花瓣 6，卵形或倒卵形；雄蕊 6，内藏，花丝较粗，花药延长；雌蕊子房上位。浆果椭圆形或球形，蓝黑色，无毛，有白粉，内有种子数粒。

南方山荷叶

| **野生资源** | 生于海拔 1800 ~ 3700m 的落叶阔叶林或针叶林下、竹丛或灌丛下。分布于重庆城口、巫溪等地。 |

| **采收加工** | 秋季采挖，去残茎及须根，洗净，阴干备用。 |

| **药材性状** | 本品根茎横生，呈扁圆柱形，直径 1.5 ~ 2cm。表面黄棕色，上方有众多圆形凹陷茎痕，呈切向排列，茎痕直径约 1cm，周围环节明显，下方着生多数细根。根弯曲，长 5 ~ 6cm，直径 1mm。质硬，折断面平坦，颗粒状，皮部浅棕红色，维管束色稍深，稀疏排列，形成层环明显，髓部大，黄白色。气微，特异，味苦。 |

| **功能主治** | 苦、辛，温；有毒。归肝经。祛风除湿，破瘀散结，清热解毒，导泻，活血止痛。用于风湿关节痛，腰腿疼痛，骨蒸劳热，跌打损伤，月经不调，小腹结痛，疮肿痈疖，毒蛇咬伤。 |

| 附 注 | （1）物种鉴别。南方山荷叶属仅1种，但几种形态相近的植物，包括小檗科植物桃儿七 *Sinopodophyllum hexandrum* (Royle) Ying、八角莲 *Dysosma versipellis* (Hance) M. Cheng ex Ying、六角莲 *Dysosma pleiantha* (Hance) Woods. 的根茎都被称为"江边一碗水"，使用时应注意区别。

（2）市场信息。市场中少见，多在民间应用。

（3）濒危情况。本种生长在潮湿环境，且需多年生长，野生资源十分稀少，属珍稀濒危植物，应加强对其繁育保护的研究。

下 篇

重庆市中药资源各论

真 菌

多孔菌科 Polyporaceae 灵芝属 Ganoderma

赤芝

Ganoderma lucidum (Curtis) P. Karst.

| 药 材 名 | 灵芝（药用部位：子实体。别名：茵、芝、灵芝草）。

| 形态特征 | 子实体中等至较大或更大。菌盖直径 5 ~ 15cm，厚 0.8 ~ 1cm，半圆形、肾形或近圆形，木栓质，红褐色并有油漆光泽，具有环状棱纹和辐射状皱纹，边缘薄，往往内卷。菌肉白色至淡褐色，管孔面初期白色，后期变浅褐色、褐色，平均每毫米 3 ~ 5。菌柄长 3 ~ 15cm，直径 1 ~ 3cm，侧生或偶偏生，紫褐色，有光泽。

| 生境分布 | 生于栎及其他阔叶树的木桩上。分布于重庆綦江、丰都、黔江、彭水、江津、合川、永川、秀山、垫江、南川、九龙坡、武隆、城口、北碚、开县、巴南、沙坪坝等地。

| 资源情况 | 野生资源稀少。药材主要来源于栽培。

赤芝

| 采收加工 | 全年均可采收，除去杂质，剪除附有朽木、泥沙或培养基的下端菌柄，阴干或在 40 ~ 50℃下烘干。

| 药材性状 | 本品呈伞状。菌盖肾形、半圆形或近圆形，直径 5 ~ 15cm，厚 0.8 ~ 1cm，皮壳坚硬，黄褐色至红褐色，有光泽，具环状棱纹和辐射状皱纹，边缘薄而平截，常稍内卷。菌肉白色至淡棕色。菌柄圆柱形，侧生，偶偏生，长 7 ~ 15cm，直径 1 ~ 3cm，红褐色至紫褐色，光亮。孢子细小，黄褐色。气微香，味苦、涩。

| 功能主治 | 甘，平。归心、肺、肝、肾经。补气安神，止咳平喘。用于心神不宁，失眠心悸。

| 用法用量 | 内服煎汤，6 ~ 12g。

| 附　　注 | 本种为腐生菌，由于可寄生在活树上，故又称为兼性寄生菌。生长的温度范围为 3 ~ 40℃，以 26 ~ 28℃为最佳。在基质含水量接近 200%、空气相对湿度 90%、pH 5 ~ 6 的条件下生长良好。赤芝为好气菌，子实体培养时应有充足的氧气和散射的光照。

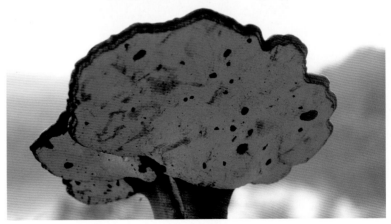

紫芝

紫芝

多孔菌科 Polyporaceae 灵芝属 Ganoderma

紫芝

Ganoderma sinense J. D. Zhao, L. W. Hsu et X. Q. Zhang

药材名

灵芝（药用部位：子实体。别名：灵芝草、木灵芝、菌灵芝）。

形态特征

子实体中等至大，一年生，木质。菌盖直径 5 ~ 30cm，厚 0.6 ~ 1cm，半圆形至肾形，极少数为近圆形，表面黑色有光泽。菌肉锈褐色。菌管也为锈褐色，硬，平均每毫米有 5 个管孔。菌柄细长，长 10 ~ 15cm，有漆黑色光泽，侧生。孢子内壁深褐色，有小疣，外壁无色，广椭圆形，（10 ~ 12）μm×（6 ~ 9）μm。

生境分布

生于阔叶树或松科松属的树桩上。分布于重庆忠县、黔江、城口、巫溪、巫山、石柱、南川等地。

资源情况

野生资源较少。药材主要来源于栽培。

采收加工

全年均可采收，除去杂质，剪除附有朽木、泥沙或培养基质的下端菌柄，阴干或在

40 ～ 50℃下烘干。

| **药材性状** | 本品皮壳紫黑色，具漆样光泽。菌肉锈褐色。菌柄长 10 ～ 15cm。

| **功能主治** | 甘，平。归心、肺、肝、肾经。补气安神，止咳平喘。用于心神不宁，失眠心悸，
肺虚咳喘，虚劳短气，不思饮食。

| **用法用量** | 内服煎汤，6 ～ 12g。

多孔菌科 Polyporaceae 多孔菌属 *Polyporus*

猪苓
Polyporus umbellatus (Pers.) Fr.

| 药 材 名 | 猪苓（药用部位：菌核。别名：猪屎苓、猪茯苓、野猪粪）。

| 形态特征 | 菌核形状不规则，呈大小不一的团块状，坚实，表面紫黑色，有多数凹凸不平的皱纹，内部白色，大小一般为（3～5）cm×（3～20）cm。子实体从埋生于地下的菌核上发出，有柄并多次分枝，形成1丛菌盖，总直径可达20cm。菌盖圆形，直径1～4cm，中部脐状，有淡黄色的纤维鳞片，近白色至浅褐色，无环纹，边缘薄而锐，常内卷，肉质，干后硬而脆。菌肉薄，白色。菌管长约2mm，与菌肉同色，下延。管口圆形至多角形，每毫米间3～4。孢子无色，光滑，圆筒形，一端圆形，一端有歪尖，大小（7～10）μm×（3～4.2）μm。

| 生境分布 | 生于林中树根旁地上或腐木桩旁。重庆各地均有分布。

猪苓

| **资源情况** | 野生资源一般。药材主要来源于野生，亦有栽培。

| **采收加工** | 春、秋季采挖，除去泥沙，干燥。

| **药材性状** | 本品呈条形、类圆形或扁块状，有的有分枝，长 3 ~ 20cm，直径 3 ~ 5cm。表面黑色、灰黑色或棕黑色，皱缩或有瘤状突起。体轻，质硬，断面类白色或黄白色，略呈颗粒状。气微，味淡。

| **功能主治** | 甘、淡，平。归肾、膀胱经。利水渗湿。用于小便不利，水肿，泄泻，淋浊，带下。

| **用法用量** | 内服煎汤，6 ~ 12g。

多孔菌科 Polyporaceae 卧孔属 Poria

茯苓 *Poria cocos* (Schw.) Wolf

药 材 名	茯苓（药用部位：菌核。别名：松腴、不死面、松薯）、茯苓皮（药用部位：菌核的外皮。别名：苓皮）、茯神木（药用部位：菌核中间的松根。别名：黄松节、松节、茯神心）、茯神（药用部位：菌核中间松根的白色部分。别名：伏神）。
形态特征	子实体巨大。菌核直径 20 ~ 50cm，近球形或不规则块状，深褐色或暗棕褐色，内部白色或稍带粉红色，鲜时稍软，干时硬，表面粗糙，或多皱呈壳皮状、粉粒状。子实层白色，老后变浅褐色，生于菌核表面，平伏，厚 3 ~ 8mm。管孔多角或不规则或齿状，孔口 0.5 ~ 1.55mm。孢子长方形或近圆形，大小（7.5 ~ 8）μm×（3 ~ 3.5）μm。
生境分布	生于松树根上。重庆各地均有分布。
资源情况	野生资源丰富。药材来源于野生和栽培。

茯苓

| 采收加工 | 茯苓：7～9月采挖，除去泥沙，堆置"发汗"后，摊开晾至表面干燥，再"发汗"，反复数次至现皱纹、内部水分大部散失后，阴干，称为"茯苓个"；或将鲜茯苓按不同部位切制，阴干，分别称为"茯苓块"及"茯苓片"。
茯苓皮：7～9月采挖，加工"茯苓片""茯苓块"时，收集削下的外皮，阴干。
茯神木：采茯苓，选择中有松根者，敲去苓块（作茯苓用），拣取细松根。
茯神：取茯苓切去白茯苓后，选茯苓中间抱有松根者，除去杂质，晒干。

| 药材性状 | 茯苓：本品有茯苓个、茯苓块、茯苓片之分。茯苓个，呈类球形、椭圆形、扁圆形或不规则团块状，大小不一。外皮薄而粗糙，棕褐色至黑褐色，有明显的皱缩纹理。体重，质坚实，断面颗粒性，有的具裂隙，外层淡棕色，内部白色，少数淡红色，有的中间抱有松根。气微，味淡，嚼之黏牙。茯苓块，为去皮后切制的茯苓，呈立方块状或方状厚片，大小不一，白色、淡红色或淡棕色。茯苓片，为去皮后切制的茯苓，呈不规则厚片，厚薄不一，白色、淡红色或淡棕色。
茯苓皮：本品呈长条形或不规则块片，大小不一。外表面棕褐色至黑褐色，有疣状突起，内面淡棕色并常带有白色或淡红色的皮下部分。质较松软，略具弹性。气微，味淡，嚼之黏牙。

| 功能主治 | 茯苓：甘、淡，平。归心、肺、脾、肾经。利水渗湿，健脾，宁心。用于水肿尿少，痰饮眩悸，脾虚食少，便溏泄泻，心神不安，惊悸失眠。
茯苓皮：甘、淡，平。归肺、脾、肾经。利水消肿。用于水肿，小便不利。
茯神木：甘，平。归肝、心经。平肝安神。用于惊悸健忘，中风语謇，脚气转筋。
茯神：甘、淡，平。归心、脾经。宁心，安神，利水。用于惊悸，健忘，失眠，惊痫，小便不利。

| 用法用量 | 茯苓：内服煎汤，10～15g。
茯苓皮：内服煎汤，15～30g。
茯神木：内服煎汤，6～9g；或入丸、散。
茯神：内服煎汤，9～15g；或入丸、散。

| 附　注 | 药材土茯苓和茯苓的基原及药用价值完全不同，不能混用。

羊肚菌科 Morchellaceae 羊肚菌属 Morchella

羊肚菌 *Morchella esculenta* (L.) Pers.

羊肚菌

| 药 材 名 |

羊肚菌（药用部位：子实体。别名：羊肚菜、羊肚蘑、编笠菌）。

| 形态特征 |

菌盖近球形、卵形至椭圆形，高 4 ~ 10cm，宽 3 ~ 6cm，先端钝圆，表面有似羊肚状的凹坑。凹坑不定形至近圆形，宽 4 ~ 12mm，蛋壳色至淡黄褐色，棱纹色较浅，不规则地交叉。菌柄近圆柱形，近白色，中空，上部平滑，基部膨大并有不规则的浅凹槽，长 5 ~ 7cm，直径约为菌盖的 2/3。子囊圆筒形，（280 ~ 320）μm×（280 ~ 320）μm。孢子长椭圆形，无色，每个子囊内含 8 个，呈单行排列。侧丝先端膨大，直径达 12μm。

| 生境分布 |

生于海拔 800 ~ 1000m 的阔叶林中地上或林缘空旷处。重庆各地均有分布。

| 资源情况 |

野生资源稀少。药材主要来源于栽培。

| 采收加工 | 春、夏季之交采摘，洗去菌柄泥土，晒干。

| 药材性状 | 本品菌盖椭圆形或卵圆形，先端钝圆，长 4 ~ 8cm，直径 3 ~ 6cm，表面有多数小凹坑，外观似羊肚。小凹坑呈不规则形或类圆形，棕褐色，直径 4 ~ 12mm，棱纹黄棕色。菌柄近圆柱形，长 5 ~ 7cm，直径 2 ~ 4cm，类白色，基部略膨大，有的具不规则沟槽，中空。体轻，质酥脆。气弱，味淡、微酸、涩。

| 功能主治 | 甘，平。归脾、胃经。和胃消食，理气化痰。用于消化不良，痰多咳嗽。民间用于胃癌、食管癌。

| 用法用量 | 内服煎汤，30 ~ 60g。

马勃科 Lycoperdaceae 秃马勃属 Calvatia

大马勃

Calvatia gigantea (Batsch ex pers.) Lloyd

| 药 材 名 | 马勃（药用部位：子实体。别名：大秃马勃、马庀、灰菇）。

| 形态特征 | 子实体近圆球形，直径 15 ～ 25cm，不孕基部不明显。包被白色，渐转成淡黄色或淡青黄色，外包被膜质，早期外表有绒毛质地，后脱落而光滑；内包被较厚，由疏松的菌线组成。成熟后包被裂开，成残片状剥落。造孢组织初白色，后青褐色。孢子球形，壁光滑，淡青黄色，直径 3.8 ～ 4.7μm。孢丝长，稍有分枝及稀少的横隔，直径 2.5 ～ 6μm。

| 生境分布 | 生于旷野草地或山坡砂质土草坡草丛中。分布于重庆合川等地。

| 资源情况 | 野生资源稀少。药材主要来源于栽培。

大马勃

| 采收加工 | 夏、秋季子实体成熟时及时采收，除去泥沙，干燥。 |

| 药材性状 | 本品不孕基部小或无。残留的包被由黄棕色的膜状外包被和较厚的灰黄色内包被所组成，光滑；质硬而脆，成块脱落。孢体浅青褐色，手捻有润滑感。 |

| 功能主治 | 辛，平。归肺经。清肺利咽，解毒止血。用于风热郁肺，咽喉痛，咳嗽，喑哑，吐血，衄血，创伤出血。 |

| 用法用量 | 内服煎汤，2 ~ 6g。外用适量，敷患处。 |

苔藓植物

地钱科 Marchantiaceae 地钱属 Marchantia

地钱 *Marchantia polymorpha* L.

| 药 材 名 | 地钱（药用部位：叶状体。别名：巴骨龙、脓痂草、米海台）。

| 形态特征 | 叶状体扁平，带状，多回二歧分枝，淡绿色或深绿色，宽约1cm，长可达10cm，边缘略具波曲，多交织成片生长。背面具六角形气室，气孔口为烟突式，内着生多数直立的营养丝。叶状体的基本组织厚12～20层细胞；腹面具6列紫色鳞片，鳞片尖部有呈心形的附着物；假根密生鳞片基部。雌雄异株。雄托圆盘状，波状浅裂成7～8瓣。雌托扁平，深裂成6～10指状瓣。

| 生境分布 | 生于阴湿土坡、湿石、潮湿的墙基。重庆各地均有分布。

| 资源情况 | 野生资源丰富。药材主要来源于野生。

地钱

| 采收加工 | 全年均可采收，洗净，鲜用或晒干。 |

| 药材性状 | 本品叶状体呈皱缩的片状或小团块，湿润后展开呈扁平阔带状，多回二歧分叉。表面暗褐绿色，可见明显的气孔和气孔区划，下面带褐色，有多数鳞片和成丛的假根。气微，味淡。 |

| 功能主治 | 淡，凉。解毒，祛瘀，生肌。用于烫火伤，骨折，毒蛇咬伤，疮痈肿毒，臁疮，癣等。 |

| 用法用量 | 外用适量，鲜品捣烂敷患处；或干品研粉，调菜油外敷。 |

葫芦藓科 Funariaceae 葫芦藓属 Funaria

葫芦藓
Funaria hygrometrica Hedw.

| 药 材 名 | 葫芦藓（药用部位：全草。别名：石松毛、红孩儿、牛毛七）。

| 形态特征 | 植物体矮小，淡绿色，直立，高 1 ～ 3cm。茎单一或从基部稀疏分枝。叶簇生茎顶，长舌形，叶端渐尖，全缘；中肋粗壮，消失于叶尖之下；叶细胞近于长方形，壁薄。雌雄同株异苞，雄苞顶生，花蕾状；雌苞则生于雄苞下的短侧枝上；蒴柄细长，黄褐色，长 2 ～ 5cm，上部弯曲，孢蒴弯梨形，不对称，具明显台部，干时有纵沟槽；蒴齿 2 层；蒴帽兜形，具长喙，形似葫芦瓢状。

| 生境分布 | 生于氮肥丰富的阴湿地上。重庆各地均有分布。

| 资源情况 | 野生资源丰富。药材主要来源于野生。

葫芦藓

| 采收加工 | 春、夏、秋季采收，鲜用或晒干。

| 药材性状 | 本品为皱缩的散株，或数株丛集成的团块，黄绿色，无光泽。每株可长达3cm，茎多单一，茎顶密集簇生众多的皱缩小叶，湿润展平后呈长舌状，全缘，中肋较粗，不达叶尖，有的可见紫红色细长的蒴柄，上部弯曲，着生梨形孢蒴，不对称，其蒴帽兜形，有长喙。气微，味淡。

| 功能主治 | 淡，平。归肺、肝、肾经。祛风除湿，止痛，止血。用于风湿痹痛，鼻窦炎，跌打损伤，劳伤吐血。

| 用法用量 | 内服煎汤，30 ~ 60g。外用适量，捣敷。体虚者及孕妇慎服。

真藓科 Bryaceae 大叶藓属 *Rhodobryum*

暖地大叶藓 *Rhodobryum giganteum* (Schwaegr) Par.

药 材 名	岩谷伞（药用部位：全草。别名：茴心草、茴新草）。
形态特征	苔藓类植物，体较大，鲜绿色或略呈褐绿色，略具光泽。疏生或成片散生。茎直立，具明显横生根茎。茎下部叶片小，鳞片状，紫红色，紧密贴茎，顶叶大，簇生，如花苞状，长倒卵形或长舌形，具短尖，边缘明显分化，上部有细齿，下部有时内曲，中肋长达叶尖。雌雄异株；蒴柄紫红色，直立，顶部弯曲成弓形；抱蒴下垂，圆柱形，台部短；蒴齿2层；蒴盖凸形，有短喙。孢子球形，黄棕色。
生境分布	生于海拔2000m以下的山坡上、溪边或阴湿林地。分布于重庆巫山、巫溪、石柱、酉阳、秀山、南川、奉节、云阳、开州等地。
资源情况	野生资源稀少。药材来源于野生。

暖地大叶藓

| **采收加工** | 夏、秋季采收。

| **功能主治** | 辛、苦，平。镇静安神，清心明目。用于心脏病，神经衰弱，阳痿。

蕨类植物

石杉科 Huperziaceae 石杉属 *Huperzia*

蛇足石杉 *Huperzia serrata* (Thunb. ex Murray) Trev.

| 药 材 名 | 千层塔（药用部位：全草。别名：矮杉树、虱子草、生扯拢）。

| 形态特征 | 多年生草本，土生植物。茎直立或斜生，高 10 ～ 30cm，中部直径 1.5 ～ 3.5mm，枝连叶宽 1.5 ～ 4cm，2 ～ 4 回二叉分枝，枝上部常有芽胞。叶螺旋状排列，疏生，平伸，狭椭圆形，向基部明显变狭，通直，长 1 ～ 3cm，宽 1 ～ 8mm，基部楔形，下延有柄，先端急尖或渐尖，边缘平直不皱曲，有粗大或略小而不整齐的尖齿，两面光滑，有光泽，中脉凸出明显，薄革质。孢子叶与不育叶同形。孢子囊生于孢子叶的叶腋，两端露出，肾形，黄色。

| 生境分布 | 生于海拔 300 ～ 2700m 的林下、灌丛下、路旁。分布于重庆北碚、黔江、万州、綦江、垫江、丰都、璧山、忠县、南岸、大足、潼南、巫山、

蛇足石杉

江津、秀山、彭水、沙坪坝、长寿、永川、奉节、酉阳、合川、涪陵、石柱、城口、云阳、梁平、铜梁、巫溪、南川、九龙坡、武隆、开州、巴南、荣昌等地。

| 资源情况 | 野生资源一般。药材主要来源于野生。

| 采收加工 | 夏末秋初采收，除去泥土，晒干。7 ~ 8 月间采收孢子，干燥。

| 药材性状 | 本品长 10 ~ 15cm。根须状。根茎棕色，断面圆形或类圆形，直径 2 ~ 3mm。茎呈圆柱形，表面绿褐色，直径 2 ~ 3mm。叶绿褐色，对生，叶片皱缩卷曲或破碎，完整者展平后呈长椭圆形，长 18 ~ 27mm，宽 3 ~ 5mm，先端急尖，叶缘呈锯齿状，基部渐狭，无叶柄。孢子囊淡黄色，单生于叶腋，呈肾形。孢子同形。气微，味苦。

| 功能主治 | 苦、辛、微甘，平；有小毒。散瘀止血，消肿止痛，除湿，清热解毒。用于跌打损伤，劳伤吐血，尿血，痔疮下血，水湿臌胀，带下，肿毒，溃疡久不收口，烫火伤。

| 用法用量 | 内服煎汤，5 ~ 15g；或捣汁。外用适量，煎汤洗；捣敷；研末撒或调敷。孕妇禁服。本品有毒，中毒时可出现头昏、恶心、呕吐等，内服不宜过量。

| 附　注 | 由于自然繁殖能力较差，野生状态下通过孢子和生殖芽繁殖，孢子萌发后配子体需 6 ~ 15 年才能成熟，生长周期长，蕴藏量非常少。光照强度和环境相对湿度是制约本种生长的两大生态环境因子。

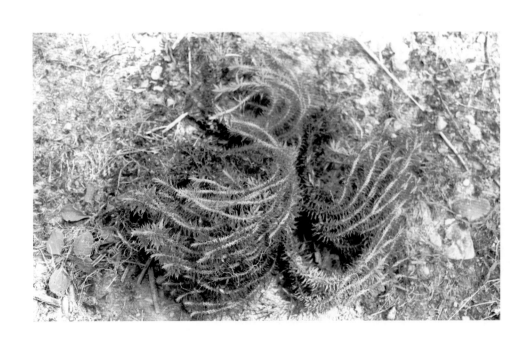

石杉科 Huperziaceae 石杉属 Huperzia

四川石杉
Huperzia sutchueniana (Herter) Ching

四川石杉

| 药 材 名 |

小蛇足石杉（药用部位：全草）。

| 形态特征 |

多年生草本，土生植物。茎直立或斜生，高
8 ~ 15（~ 18）cm，中部直径 1.2 ~ 3mm，
枝连叶宽 1.5 ~ 1.7cm，2 ~ 3 回二叉分枝，
枝上部常有芽胞。叶螺旋状排列，密生，平
伸，上弯或略反折，披针形，向基部不明显
变狭，通直或镰状弯曲，长 5 ~ 10mm，宽
0.8 ~ 1mm，基部楔形或近截形，下延，无柄，
先端渐尖，边缘平直不皱曲，疏生小尖齿，
两面光滑，无光泽，中脉明显，革质。孢子
叶与不育叶同形。孢子囊生于孢子叶的叶腋，
两端露出，肾形，黄色。

| 生境分布 |

生于海拔 800 ~ 2000m 的林下或灌丛下及湿
地、草地或岩石上。分布于重庆城口、巫溪、
开州、石柱、武隆、南川、丰都等地。

| 资源情况 |

野生资源一般。药材主要来源于野生。

| 采收加工 | 夏末秋初采收，除去泥土，晒干。

| 药材性状 | 本品茎呈方柱形，长短不等，直径 1.2 ～ 3mm，表面紫色或黄紫色；质坚硬，折断面纤维性，黄白色，中央有白色的髓。叶向基部不明显变狭，通体笔直或镰状弯曲，长 5 ～ 10mm，宽 0.8 ～ 1mm，基部楔形或近截形，下延，无柄，先端渐尖，边缘平直不皱曲，疏生小尖齿，两面光滑，无光泽，中脉明显，革质。搓碎后有强烈香气，味辛，有清凉感。

| 功能主治 | 微甘，平。消肿止血，祛风散寒。用于跌打瘀肿，外伤出血。

| 附　注 | 孕妇忌用。

石松科 Lycopodiaceae 扁枝石松属 Diphasiastrum

扁枝石松 *Diphasiastrum complanatum* (L.) Holub.

扁枝石松

药材名

过江龙（药用部位：全草。别名：蒲地虎、地蜈蚣、风藤草）。

形态特征

多年生草本，小型至中型土生植物。主茎匍匐状，长达 100cm。侧枝近直立，高达 15cm，多回不等位二叉分枝，小枝明显扁平状，灰绿色或绿色。叶 4 行排列，密集，三角形，长 1 ~ 2mm，宽约 1mm，基部贴生在枝上，无柄，先端尖锐，略内弯，全缘，中脉不明显，草质。孢子囊穗（1 ~ ）2 ~ 5（~ 6）生于长 10 ~ 20cm 的孢子枝先端，圆柱形，长 1.5 ~ 3cm，淡黄色；孢子叶宽卵形，覆瓦状排列，长约 2.5mm，宽约 1.5mm，先端急尖，尾状，边缘膜质，具不规则锯齿；孢子囊生于孢子叶腋，内藏，圆肾形，黄色。

生境分布

生于海拔 850 ~ 2790m 的林下、灌丛下或山坡草地。分布于重庆万州、丰都、涪陵、垫江、石柱、武隆、彭水、酉阳、秀山、南川、北碚、合川、江津、黔江、綦江、城口、奉节、巫溪、开州、梁平等地。

| 资源情况 | 野生资源丰富。药材来源于野生。

| 采收加工 | 夏、秋季采收，除去杂质，干燥。

| 药材性状 | 本品茎呈圆柱形，细长，长达 1m。小枝压扁状，多回二叉分枝，表面黄绿色。叶 4 行排列，鳞片状，背叶及腹叶钻形，侧叶三角形，长 0.1 ~ 0.2cm，宽 1mm，全缘，革质。有的具孢子囊穗，孢子囊穗圆柱形，长约 2cm。质韧，不易折断，断面浅黄色，有白色木心。气微，味淡。

| 功能主治 | 甘、辛，温。归肝、脾、肾经。祛风除湿，舒筋活络，利尿散瘀。用于湿痹，四肢麻木，筋骨疼痛，淋证，跌打损伤。

| 用法用量 | 内服煎汤，9 ~ 15g；或浸酒。

| 附　　注 | 在 FOC 中，本种的拉丁学名被修订为 *Lycopodium complanatum* L.。

石松科 Lycopodiaceae 藤石松属 *Lycopodiastrum*

藤石松 *Lycopodiastrum casuarinoides* (Spring) Holub ex Dixit

藤石松

| 药 材 名 |

舒筋草（药用部位：全草。别名：石子藤石松、千金藤、吊白伸筋）。

| 形态特征 |

多年生草本，大型土生植物。地下茎长而匍匐。地上主茎木质藤状，伸长攀缘达数米，圆柱形，直径约 2mm，具疏叶；叶螺旋状排列，贴生，卵状披针形至钻形，长 1.5 ~ 3mm，宽约 0.5mm，基部凸出，弧形，无柄，先端渐尖，具 1 膜质、长 2 ~ 5mm 的长芒或芒脱落。不育枝柔软，黄绿色，圆柱形，枝连叶宽约 4mm，多回不等位二叉分枝；叶螺旋状排列，但叶基扭曲使小枝呈扁平状，密生，上斜，钻状，上弯，长 2 ~ 3mm，宽约 0.5mm，基部下延，无柄，先端渐尖，具长芒，全缘，背部弧形，腹部有凹槽，无光泽，中脉不明显，草质。能育枝柔软，红棕色，小枝扁平，多回二叉分枝；叶螺旋状排列，稀疏，贴生，鳞片状，长约 0.8mm，宽约 0.3mm，基部下延，无柄，先端渐尖，具芒，全缘；苞片形同主茎，仅略小；孢子囊穗每组 6 ~ 26，生于多回二叉分枝的孢子枝先端，排列成圆锥形，具直立的总柄和小柄，弯曲，长 1 ~ 4cm，直径 2 ~ 3mm，红棕色；孢子叶阔卵形，覆瓦状排列，长 2 ～ 3mm，宽约 1.5mm，先端急尖，具膜质长芒，边缘具不规则钝齿，厚膜质；孢子囊生于孢子叶腋，内藏，圆肾形，黄色。

| **生境分布** | 生于海拔 100 ～ 2750m 的林下、林缘、灌丛下或沟边。分布于重庆石柱、彭水、南川、垫江、江津、北碚、南岸、奉节、丰都等地。

| **资源情况** | 野生资源丰富。药材主要来源于野生。

| **采收加工** | 夏、秋季采收，鲜用或晒干。

| **药材性状** | 本品茎弯曲而细长，长 1 ～ 4m，直径 2 ～ 5mm，多回二叉分枝，末回营养枝纤细，扁平，黄绿色。主茎上的叶疏生，钻状披针形，先端膜质，灰白色；末回小枝上的叶 3 列，第 1、2 列贴生于小枝的同一面，第 3 列贴生于另一面的中央。孢子囊穗成对着生于孢子枝末回分枝上，圆柱形，长 1 ～ 4cm，直径 2 ～ 3mm，无臭，无味。

| **功能主治** | 微甘，温。归肝、脾、肾经。舒筋活血，消炎除湿。用于风湿麻木，跌打扭伤，筋骨疼痛，经期腰腹胀痛。

| **用法用量** | 内服煎汤，15 ～ 30g。

石松科 Lycopodiaceae 石松属 Lycopodium

石松
Lycopodium japonicum Thunb. ex Murray

石松

| 药 材 名 |

伸筋草（药用部位：全草。别名：铺筋草、抽筋草、分筋草）。

| 形态特征 |

多年生草本，土生植物。匍匐茎地上生，细长横走，2～3回分叉，绿色，被稀疏的叶；侧枝直立，高达40cm，多回二叉分枝，稀疏，压扁状（幼枝圆柱状），枝连叶直径5～10mm。叶螺旋状排列，密集，上斜，披针形或线状披针形，长4～8mm，宽0.3～0.6mm，基部楔形，下延，无柄，先端渐尖，具透明发丝，全缘，草质，中脉不明显。孢子囊穗（3～）4～8集生于长达30cm的总柄上，总柄上苞片螺旋状稀疏着生，薄草质，形状如叶片；孢子囊穗不等位着生（即小柄不等长），直立，圆柱形，长2～8cm，直径5～6mm，具长1～5cm的长小柄；孢子叶阔卵形，长2.5～3mm，宽约2mm，先端急尖，具芒状长尖头，边缘膜质，啮蚀状，纸质；孢子囊生于孢子叶腋，略外露，圆肾形，黄色。

| 生境分布 |

生于海拔100～2750m的林下、灌丛下、草

坡、路边或岩石上。分布于重庆北碚、黔江、万州、大足、巫山、城口、彭水、潼南、秀山、奉节、长寿、酉阳、合川、丰都、垫江、石柱、南川、涪陵、璧山、武隆、巫溪、九龙坡、綦江、开州、铜梁、梁平、巴南、荣昌等地。

| **资源情况** | 野生资源丰富。药材主要来源于野生。

| **采收加工** | 夏、秋季茎叶茂盛时采收，除去杂质，晒干。

| **药材性状** | 本品茎呈细圆柱形，略弯曲，长可达 2m，直径 1 ~ 3mm，其下有黄白色细根；直立茎二叉分枝。叶密生茎上，螺旋状排列，皱缩弯曲，线形或披针形，长 3 ~ 5mm，黄绿色至淡黄棕色，无毛，先端芒状，全缘，易碎断。质柔软，断面皮部浅黄色，木部类白色。气微，味淡。

| **功能主治** | 微苦、辛，温。归肝、脾、肾经。祛风除湿，舒筋活络。用于关节酸痛，屈伸不利。

| **用法用量** | 内服煎汤，3 ~ 12g。

石松科 Lycopodiaceae 石松属 Lycopodium

笔直石松

Lycopodium obscurum L. f. *strictum* (Milde) Nakai ex Hara

笔直石松

药材名

石松子（药用部位：孢子）、玉柏（药用部位：全草。别名：千年柏、万年松、伸筋草）。

形态特征

多年生草本，土生植物。匍匐茎地下生，细长横走，棕黄色，光滑或被少量的叶；侧枝斜立，高 15 ~ 50cm，下部不分枝，单干，顶部二叉分枝，分枝密接，枝系圆柱形。叶螺旋状排列，稍疏，斜立或近平伸，线状披针形，长 3 ~ 4mm，宽约 0.6mm，基部楔形，下延，无柄，先端渐尖，具短尖头，全缘，中脉略明显，革质。孢子囊穗单生于小枝上，直立，圆柱形，无柄，长 2 ~ 3cm，直径 4 ~ 5mm；孢子叶阔卵形，长约 3mm，宽约 2mm，先端急尖，边缘膜质，具啮蚀状齿，纸质；孢子囊生于孢子叶腋，内藏，圆肾形，黄色。

生境分布

生于海拔 1000 ~ 2790m 的灌丛下、草丛中、针阔混交林下或岩壁阴湿处。分布于重庆巫溪、城口、奉节、南川等地。

| 资源情况 |

野生资源一般。药材来源于野生。

| 采收加工 |

石松子：7～9月孢子囊尚未完全成熟或未裂
开时，剪下孢子囊穗放防水布上晒干，击震，
使孢子脱落，过筛。

玉柏：夏、秋季采收，晒干。

| 药材性状 |

石松子：本品微细而疏松，呈粉末状，淡黄色。
质轻，无吸湿性。

| 功能主治 |

石松子：苦，温。收湿，敛疮，止咳。用于皮
肤湿烂，小儿夏季汗疹，咳嗽。

玉柏：酸、微辛，温。归肺、肾经。祛风除湿，
舒筋通络，活血化瘀。用于风湿痹痛，腰腿痛，
肢体麻木，跌打扭伤，小儿麻痹后遗症。

| 用法用量 |

石松子：内服入丸、散，3～9g；或浸酒。外
用适量，研末撒布。

玉柏：内服煎汤，6～15g；或浸酒。

| 附　　注 |

在 FOC 中，本种的拉丁学名被修订为
Dendrolycopodium verticale (Li Bing Zhang) Li
Bing Zhang et X. M. Zhou。

石松科 Lycopodiaceae　垂穗石松属 *Palhinhaea*

垂穗石松
Palhinhaea cernua (L.) Vasc. et Franco

| 药 材 名 | 垂穗伸筋草（药用部位：全草。别名：伸筋草、小伸筋草、抽筋草）。

| 形态特征 | 多年生草本，中型至大型土生植物。主茎直立，高达 60cm，圆柱形，中部直径 1.5 ～ 2.5mm，光滑无毛，多回不等位二叉分枝；主茎上的叶螺旋状排列，稀疏，钻形至线形，长约 4mm，宽约 0.3mm，通直或略内弯，基部圆形，下延，无柄，先端渐尖，全缘，中脉不明显，纸质。侧枝上斜，多回不等位二叉分枝，被毛或光滑无毛；侧枝及小枝上的叶螺旋状排列，密集，略上弯，钻形至线形，长 3 ～ 5mm，宽约 0.4mm，基部下延，无柄，先端渐尖，全缘，表面有纵沟，光滑，中脉不明显，纸质。孢子囊穗单生于小枝先端，短圆柱形，成熟时通常下垂，长 3 ～ 10mm，直径 2 ～ 2.5mm，淡黄色，无柄；孢子叶卵状菱形，覆瓦状排列，长约 0.6mm，宽约 0.8mm，先端急尖，

垂穗石松

尾状，边缘膜质，具不规则锯齿；孢子囊生于孢子叶腋，内藏，圆肾形，黄色。

| 生境分布 |

生于海拔 100 ～ 1800m 的林下、林缘及灌丛下阴处或岩石上。分布于重庆涪陵、九龙坡、垫江、秀山、巴南、江北、綦江、合川、大足、璧山、江津、铜梁、永川、荣昌等地。

| 资源情况 |

野生资源丰富。药材主要来源于野生。

| 采收加工 |

夏、秋季茎叶茂盛时采收，除去杂质，晒干。

| 药材性状 |

本品茎呈多回不等位二叉分枝。叶稀疏，通常向下弯弓，分枝上的叶密，细条状钻形，长 2 ～ 3mm，宽不及 1mm，全缘，常向上弯曲。有时可见孢子囊穗，较小，长 0.3 ～ 1cm，无柄，单生于小枝先端。质较脆。易折断。

| 功能主治 |

微苦、辛，温。归肝、肾经。祛风除湿，舒筋活络。用于风寒湿痹，关节疼痛，屈伸不利。

| 用法用量 |

内服煎汤，9 ～ 12g。

石松科 Lycopodiaceae 垂穗石松属 Palhinhaea

毛枝垂穗石松 *Palhinhaea cernua* (L.) Vasc. et Franco f. *sikkimense* (Mull.) H. S. Kung

| 药 材 名 | 毛枝垂穗石松（药用部位：全草）。

| 形态特征 | 多年生草本，中型至大型土生植物。主茎直立，高 30 ~ 60cm，圆柱形，中部直径 1.5 ~ 2.5mm，光滑无毛，多回不等位二叉分枝；主茎上的叶螺旋状排列，稀疏，钻形至线形，长约 4mm，宽约 0.3mm，通直或略内弯，基部圆形，下延，无柄，先端渐尖，全缘，中脉不明显，纸质。侧枝上斜，多回不等位二叉分枝，被毛，毛的多少变异很大；侧枝及小枝上的叶螺旋状排列，密集，略上弯，钻形至线形，长 3 ~ 5mm，宽约 0.4mm，基部下延，无柄，先端渐尖，全缘，表面有纵沟，光滑，中脉不明显，纸质。孢子囊穗单生小枝先端，短圆柱形，成熟时通常下垂，长 3 ~ 10mm，直径 2 ~ 2.5mm，淡黄色，无柄；孢子叶卵状菱形，覆瓦状排列，长约 0.6mm，宽约 0.8mm，

毛枝垂穗石松

先端急尖，尾状，边缘膜质，具不规则锯齿；孢子囊生于孢子叶腋，内藏，圆肾形，黄色。

| **生境分布** | 生于阴湿的针叶林。分布于重庆开州、石柱、武隆、南川等地。

| **资源情况** | 野生资源稀少。药材来源于野生。

| **采收加工** | 夏、秋季茎叶茂盛时采收，除去杂质，晒干。

| **功能主治** | 祛风除湿，舒筋活络。用于风寒湿痹，关节疼痛，屈伸不利。

| **用法用量** | 外用适量，煎汤洗，捣敷，研末撒或调敷。孕妇禁服。

布朗卷柏 *Selaginella braunii* Baker

| 药 材 名 | 毛枝卷柏（药用部位：全草。别名：拨云丹、岩白草、土柏子）。

| 形态特征 | 多年生草本，土生或石生，旱生，常绿或夏绿植物，直立，高10～45cm。具有长的不分枝的主茎，上部羽状，呈复叶状，主茎通常禾秆色或偶呈红色，基部具沿地面匍匐的根茎和游走茎。根托生于匍匐的根茎或游走茎上，极短，长0.2～0.5cm，直径0.5～1mm，先端多次分叉，密被毛。主茎从中部或上部开始分枝，下部不分枝的主茎长（3～）8～13（～25）cm，直径0.5～2（～3）mm，茎通常近四棱柱形或偶呈圆柱形，不具纵沟，光滑或被毛，主茎先端不变黑，分枝4～8对，2～3回羽状分枝，分枝稀疏，主茎上相邻分枝相距（3～）5～8（～11）cm，分枝上、下两面被毛，背腹压扁，末回分枝连叶宽2.5～4.5mm。叶除主茎上的外全部交

布朗卷柏

互排列，二型，质地较厚，表面光滑，皱缩，不具白边，叶脉不分叉。不分枝的主茎的叶长远离，一型，长圆形，贴生，不呈龙骨状，主茎下部和横走的根茎及游走茎上的叶盾状着生，边缘撕裂或撕裂并具睫毛。分枝上腋叶对称，长椭圆形、狭椭圆形或长圆形，长 1.8 ~ 3.2mm，宽 0.6 ~ 1.4mm，近全缘或边缘具微细齿，或具短睫毛，基部无耳。分枝部分主茎上的中叶不明显大于分枝上的，分枝上的狭椭圆形或镰形，紧接或覆瓦状，长 1.6 ~ 2.8mm，宽 0.4 ~ 1.2mm，不呈龙骨状，叶尖渐尖，基部斜楔形或渐狭，近全缘。侧叶不对称，分枝部分主茎上的叶不明显大于分枝上的叶，分枝上的叶卵状三角形、长圆状镰形，斜向上，长 1.6 ~ 2.2mm，宽 1 ~ 1.8mm，叶尖急尖或具短尖头，上侧基部圆形，不覆盖茎和分枝，下侧基部不扩大，下延，上侧边和下侧边近全缘，略内卷。孢子叶穗紧密，四棱柱形，单生小枝末端，长 5 ~ 6mm，宽 1.4 ~ 2.3mm；孢子叶一型，不具白边，上侧孢子叶阔卵形，边缘具细齿，下侧孢子叶阔卵形，近全缘或边缘具细齿；大孢子叶分布于孢子叶穗的下侧。大孢子叶白色；小孢子叶淡黄色。

| 生境分布 | 生于海拔 400 ~ 1400m 的石灰岩石缝。分布于重庆彭水、云阳、涪陵、开州、巫溪、武隆、黔江、彭水、秀山、酉阳等地。

| 资源情况 | 野生资源一般。药材主要来源于野生。

| 采收加工 | 全年均可采收，洗净，晒干或鲜用。

| 药材性状 | 本品主茎呈四棱柱形，淡黄绿色或红褐色，表面光滑，其上有极稀疏贴伏的叶；无根托；分枝及叶片卷缩，侧叶（背叶）卵状三角形或长圆状镰形，中叶（腹叶）狭卵圆形或镰形。气微，味淡、微苦、涩。

| 功能主治 | 辛、微甘，平。清热利湿，止咳。用于黄疸，痢疾，肺热咳嗽，烫火伤。

| 用法用量 | 内服煎汤，15 ~ 30g。外用适量，捣敷。

卷柏科 Selaginellaceae **卷柏属** *Selaginella*

薄叶卷柏 *Selaginella delicatula* (Desv.) Alston

| **药 材 名** | 薄叶卷柏（药用部位：全草。别名：山柏枝、山扁柏、地柏）。

| **形态特征** | 多年生草本，土生，直立或近直立，基部横卧，高 35 ~ 50cm，基部有游走茎。根托只生于主茎的中下部，自主茎分叉处下方生出，长 1.5 ~ 12cm，直径 0.4 ~ 2mm，根少分叉，被毛。主茎自中下部羽状分枝，不呈"之"字形，无关节，禾秆色，主茎下部直径 1.8 ~ 3mm，茎卵圆柱形或近四棱柱形或具沟槽，维管束 3，主茎先端黑褐色或不呈黑褐色，或连同上部侧枝的基部也变成黑褐色，侧枝 5 ~ 8 对，1 回羽状分枝，或基部 2 回，小枝较密排列规则，主茎上相邻分枝相距 2.8 ~ 5.2cm，分枝无毛，背腹压扁，主茎在分枝部分中部连叶宽 5 ~ 6mm，末回分枝连叶宽 4 ~ 5mm。叶（不分枝主茎上的除外）交互排列，二型，草质，表面光滑，全缘，具狭窄的白边；不

薄叶卷柏

分枝主茎上的叶排列稀疏，不比分枝之上的大，一型，绿色，卵形，背腹压扁，背部不呈龙骨状，全缘。主茎上的腋叶明显大于分枝上的，长 2.4 ~ 3.6mm，宽 1.6 ~ 2.4mm，长圆状卵圆形，基部钝，分枝上的腋叶不对称，窄椭圆形，长 2.2 ~ 2.6mm，宽 0.8 ~ 1mm，全缘。中叶不对称，主茎上的略大于分枝上的，分枝上的中叶斜，窄椭圆形或镰形，长 1.8 ~ 2.4mm，宽 0.8 ~ 1.2mm，排列紧密，背部不呈龙骨状，先端渐尖或急尖，基部斜，全缘。侧叶不对称，主茎上的较侧枝上的大，分枝上的侧叶长圆状卵形或长圆形，略上升，紧接或覆瓦状，长 3 ~ 4mm，宽 1.2 ~ 1.6mm，先端急尖或具短尖头，具微齿，上侧基部不扩大，不覆盖小枝，上侧全缘，下侧基部圆形，下侧全缘。孢子叶穗紧密，四棱柱形，单生小枝末端，长 5 ~ 10（~ 20）mm，宽 1.4 ~ 2.8mm；孢子叶一型，宽卵形，全缘，具白边，先端渐尖；大孢子叶分布于孢子叶穗中部的下侧。大孢子白色或褐色；小孢子橘红色或淡黄色。

| **生境分布** | 生于海拔 100 ~ 1000m 的林下或阴处岩石上。分布于重庆巫溪、云阳、梁平、石柱、武隆、彭水、酉阳、秀山、南川、大足、璧山、江津、潼南、永川、巴南、南岸、长寿、丰都、万州、云阳、涪陵、忠县等地。

| **资源情况** | 野生资源丰富。药材主要来源于野生。

| **采收加工** | 全年均可采收，鲜用或晒干。

| **药材性状** | 本品卷缩成团。主茎呈圆柱形，较纤细而略弯曲，长 20 ~ 40cm，直径 0.5 ~ 1mm，上部分枝，黄绿色；质脆，易断。叶片上表面黄绿色，下表面淡绿色。主茎上的叶卵形或卵状心形，疏生，斜展。分枝上的中叶指向枝顶，长卵形，明显内弯，全缘；侧叶长圆形，全缘，较平展。孢子囊穗四棱柱形，生于枝端。质较柔软。气微，味淡、微涩。

| **功能主治** | 苦、辛，寒。清热解毒，活血，祛风。用于肺热咳嗽或咯血，肺痈，急性扁桃体炎，乳腺炎，眼结膜炎，漆疮，烫火伤，月经不调，跌打损伤，小儿惊风，麻疹，荨麻疹。

| **用法用量** | 内服煎汤，10 ~ 30g。外用适量，鲜品捣敷；或煎汤洗；或干品研末撒。

卷柏科 Selaginellaceae 卷柏属 Selaginella

深绿卷柏 *Selaginella doederleinii* Hieron.

深绿卷柏

药材名

石上柏（药用部位：全草。别名：大叶菜、梭罗草、龙鳞草）。

形态特征

多年生草本。土生，近直立，基部横卧，高 25 ~ 45cm。无匍匐根茎或游走茎。根托达植株中部，通常由茎上分枝的腋处下面生出，偶有同时生 2 根托，1 个由上面生出，长 4 ~ 22cm，直径 0.8 ~ 1.2mm，根少分叉，被毛。主茎自下部开始羽状分枝，不呈"之"字形，无关节，禾秆色，主茎下部直径 1 ~ 3mm，茎卵圆形或近方形，不具沟槽，光滑，维管束 1；侧枝 3 ~ 6 对，2 ~ 3 回羽状分枝，分枝稀疏，主茎上相邻分枝相距 3 ~ 6cm，分枝无毛，背腹压扁，主茎在分枝部分中部连叶宽 0.7 ~ 1mm，末回分枝连叶宽 4 ~ 7mm。叶全部交互排列，二型，纸质，表面光滑，无虹彩，边缘不为全缘，不具白边。主茎上的腋叶较分枝上的大，卵状三角形，基部钝，分枝上的腋叶对称，狭卵圆形至三角形，长 1.8 ~ 3mm，宽 0.9 ~ 1.4mm，边缘有细齿。中叶不对称或多少对称，主茎上的略大于分枝上的，边缘有细齿，先端具芒或尖头，基部钝；分枝上的中叶长圆状卵形或卵状椭圆形或窄卵形，长 1.1 ~ 2.7mm，宽 0.4 ~ 1.4mm，覆瓦状排列，背部明显龙骨状隆起，先端与轴平行，先端具尖头或芒，基部楔形或斜近心形，边缘具细齿。侧叶不对称，主茎上的较侧枝上的大，分枝上的侧叶长圆状镰形，略斜升，排列紧密或相互覆盖，长 2.3 ~ 4.4mm，宽 1 ~ 1.8mm，先端平或近尖或具短尖头，具细齿，上侧基部扩大，加宽，覆盖小枝，上侧基部边缘不为全缘，边缘有细齿，基部下侧略膨大，下侧边近全缘，基部具细齿。孢子叶穗紧密，四棱柱形，单个或成对生于小枝末端，长 5 ~ 30mm，宽 1 ~ 2mm；孢子叶一型，卵状三角形，边缘有细齿，白边不明显，先端渐尖，龙骨状；孢子叶穗上大、小孢子叶相间排列，或大孢子叶分布于基部的下侧。大孢子白色；小孢子橘黄色。

| 生境分布 | 生于海拔 420 ~ 2300m 林下。分布于重庆万州、垫江、彭水、江津、酉阳、巫溪、梁平、九龙坡、开州、綦江、荣昌、南川、巴南等地。

| 资源情况 | 野生资源一般。药材主要来源于野生。

| 采收加工 | 全年均可采收，洗净，鲜用或晒干。

| 药材性状 | 本品长 15 ~ 35cm。主茎禾秆色，有棱，常于分枝处生支撑根；侧枝密，多回分枝。营养叶上面深绿色，下面灰绿色，叶二型，背腹各 2 列，腹叶（中叶）矩圆形，龙骨状，具短刺头，边缘有细齿，背叶（侧叶）卵状矩圆形，钝头，上缘有微齿，下缘全缘，向枝的两侧斜展，连枝宽 5 ~ 7mm。孢子囊穗四棱形，生于枝顶；孢子叶卵状三角形，渐尖头，边缘有细齿，4 列，交互覆瓦状排列；孢子囊卵圆形。孢子二型。气淡，味微苦。

| 功能主治 | 甘、微苦、涩，凉。归肺、肝经。清热解毒，祛风除湿。用于咽喉肿痛，目赤肿痛，肺热咳嗽，乳腺炎，湿热黄疸，风湿痹痛，外伤出血。

| 用法用量 | 内服煎汤，10 ~ 30g，鲜品加倍。外用适量，研末敷；或鲜品捣敷。

卷柏科 Selaginellaceae 卷柏属 Selaginella

兖州卷柏 *Selaginella involvens* (Sw.) Spring

| 药 材 名 | 地柏枝（药用部位：全草。别名：曲兰草、岩柏、软鸡草）。

| 形态特征 | 多年生草本，石生，旱生，直立，高 15 ~ 35（~ 65）cm。具 1 横走的地下根茎和游走茎，其上生鳞片状淡黄色的叶。根托只生于匍匐的根茎和游走茎，长 0.5 ~ 1.5cm，纤细，直径 0.1 ~ 0.2mm，根少分叉，被毛。主茎自中部向上羽状分枝，不呈"之"字形，无关节，禾秆色，不分枝的主茎高 5 ~ 25cm，主茎下部直径 1 ~ 1.5mm，茎圆柱形，不具纵沟，光滑无毛，内具维管束 1，茎从中部开始分枝，侧枝 7 ~ 12 对，2 ~ 3 回羽状分枝，小枝较密排列规则，主茎上相邻分枝相距 1.5 ~ 4.5cm，分枝无毛，背腹压扁，主茎在分枝部分中部连叶宽 4 ~ 6mm，末回分枝连叶宽 2 ~ 3mm。叶（除不分枝的主茎上的外）交互排列，二型，纸质或多少较厚，表面光滑，边缘不为全缘，不具白边；不分枝主茎上的叶不大于分枝上的，略一型，绿色，在主茎基部与横走根茎上为黄色，长圆状卵形或卵形，鞘状，

兖州卷柏

背部不呈龙骨状或略呈龙骨状，边缘有细齿。主茎上的腋叶不明显大于侧枝上的，三角形，平截，分枝上的腋叶对称，卵圆形至三角形，长 1.1 ~ 1.6mm，宽 0.4 ~ 1.1mm，边缘有细齿。中叶多少对称，主茎上的大于分枝上的，边缘有细齿，先端具芒或尖头，基部平截或斜或一侧有耳，基部有簇状睫毛，分枝上的中叶卵状三角形或卵状椭圆形，长 0.6 ~ 1.2mm，宽 0.2 ~ 0.5mm，覆瓦状排列，背部略呈龙骨状，先端与轴平行，具长尖头或短芒，基部楔形，边缘具细齿。侧叶不对称，主茎上的明显大于分枝上的（气孔分布于远轴面靠近叶脉处），分枝上的侧叶卵圆形到三角形，略斜升，排列紧密或相互覆盖，长 1.4 ~ 2.4mm，宽 0.4 ~ 1.4mm，先端稍尖或具短尖头，边缘具细齿，基部上侧扩大，加宽，覆盖小枝，上侧基部不为全缘，透明，具细齿，下侧基部圆形，下侧全缘。孢子叶穗紧密，四棱柱形，单生小枝末端，长 5 ~ 15mm，宽 1 ~ 1.4mm；孢子叶一型，卵状三角形，边缘具细齿，不具白边，先端渐尖，锐龙骨状；大、小孢子叶相间排列，或大孢子叶位于中部的下侧。大孢子白色或褐色；小孢子橘黄色。

| **生境分布** | 生于海拔 500 ~ 2200m 的溪边湿地或石上。分布于重庆黔江、垫江、潼南、奉节、丰都、江津、铜梁、酉阳、巫溪、云阳、涪陵、璧山、九龙坡、北碚、忠县、开州、梁平、合川、沙坪坝、石柱、武隆、彭水、南川等地。

| **资源情况** | 野生资源一般。药材主要来源于野生。

| **采收加工** | 7 月（大暑前后）拔取，抖净根部泥沙，洗净，鲜用或晒干。

| **药材性状** | 本品根茎呈灰棕色，屈曲，根自其左右发出，纤细，具根毛。茎禾秆色或基部稍带红色，高 10 ~ 40cm，直径 1.5 ~ 2mm，下部不分枝，疏生钻状三角形叶，贴伏于上，上部分枝羽状，全形呈卵状三角形。叶多扭曲皱缩，上表面淡绿色，背面灰绿色，二型，枝上两侧的叶为卵状披针形，大小近于茎上叶，贴生小枝中央的叶形较小，卵圆形，先端尖。孢子囊穗少见。茎质柔韧，不易折断；叶质脆，易碎。气微，味淡。以体整、色绿、无泥杂者为佳。

| **功能主治** | 辛、微甘，平。归肺、肝、脾经。止血，清热，利湿。用于肺热咯血，吐血，衄血，便血，痔疮出血，外伤出血，发热，小儿惊风，湿热黄疸，淋病，水肿，烫火伤。

| **用法用量** | 内服煎汤，15 ~ 30g，大剂量可用至 60g。外用适量，研末敷；或鲜品捣敷。

卷柏科 Selaginellaceae 卷柏属 Selaginella

细叶卷柏 *Selaginella labordei* Hieron. ex Christ.

| 药 材 名 | 细叶卷柏（药用部位：全草。别名：鸡腿草、金花草、鸡脚草）。

| 形态特征 | 多年生草本，土生或石生，直立或基部横卧，高（5～）15～20
（～30）cm。具1横走的地下根茎和游走茎，主茎基部无块茎。
根托生于茎的基部或匍匐根茎处，长0.5～1.5cm，纤细，直径
0.1～0.2mm，根少分叉，被毛或近无毛。主茎自中下部开始羽状分枝，
不呈"之"字形，无关节，禾秆色或红色，主茎下部直径0.4～1.4mm，
茎圆柱形，具沟槽，无毛，维管束1，直立能育茎中部开始分枝，
侧枝3～5对，2～3回羽状分枝，分枝稀或密，主茎上相邻分枝
相距1～5cm，分枝无毛，背腹压扁，末回分枝连叶宽（2.2～）
3～3.5（～5.5）mm。叶全部交互排列，二型，草质，表面光滑，
无虹彩，不为全缘，具白边，不分枝主茎上的叶排列较疏；主茎上
的叶大于分枝上的，二型，绿色；地下根茎和游走茎上的叶褐色，

细叶卷柏

背部不呈龙骨状，边缘具短睫毛。主茎上的腋叶较分枝上的大，卵圆形，基部钝，不对称，卵状披针形，长（1.4 ～ ）2 ～ 2.4 （～ 2.9 ）mm，宽（0.5 ～ ）0.8 ～ 1 （～ 1.3 ）mm，边缘具细齿或具短睫毛。中叶多少对称，主茎上的明显大于分枝上的，分枝上的中叶卵形或卵状披针形，长 0.9 ～ 2mm，宽 0.3 ～ 0.8mm，排列紧密，背部呈龙骨状或不呈龙骨状，先端常向后反折，先端具芒，芒常弯曲，基部近心形，非盾状，边缘具细齿或睫毛。侧叶不对称，主茎上的明显大于侧枝上的，侧枝上的侧叶卵状披针形或窄卵形到三角形，略斜升，相距较远，长 1.7 ～ 3.2mm，宽 0.6 ～ 1.2mm，先端急尖，边缘具细齿或具短睫毛，上侧基部扩大，加宽，覆盖小枝，上侧基部边缘具短睫毛，先端具细齿，下侧基部圆形，具细齿或睫毛，先端齿状。孢子叶穗紧密，背腹压扁，单生小枝末端，长 5 ～ 18mm，宽 1.3 ～ 3mm；孢子叶略二型或明显二型，倒置，具白边，上侧的孢子叶卵状披针形，边缘具缘毛或细齿，先端渐尖，上侧的孢子叶具孢子叶翼，孢子叶翼不达叶尖，边缘具短睫毛或细齿，下侧的孢子叶卵圆形，边缘具细齿或短缘毛，先端具芒或尖头，龙骨状；大孢子叶和小孢子叶相间排列，或大孢子位于基部的下侧或上部的下侧。大孢子浅黄色或橘黄色；小孢子橘红色或红色。

| **生境分布** | 生于海拔 1000 ～ 2800m 的林下湿地、山沟。分布于重庆黔江、綦江、酉阳、城口、南川、丰都、彭水、巴南、巫山、开州、武隆等地。

| **采收加工** | 全年均可采收，晒干或鲜用。

| **药材性状** | 本品茎呈圆柱形，禾秆色，长 10 ～ 30cm，直径 1.5 ～ 2cm，下部不分枝，疏生叶片，上部 3 ～ 4 回羽状分枝，全形呈卵状三角形。叶多扭曲皱缩，较小，上面淡绿色，下面灰绿色，二型，中叶卵圆形，芒刺头，基部圆形或近心形，边缘有细刺状齿，两侧叶矩圆状披针形，钝尖头。孢子囊穗单生枝顶，孢子叶排列紧密，二型，斜上。茎质柔韧，不易折断，叶质脆。气微，味淡。以叶多、色绿、质柔韧者为佳。

| **功能主治** | 微苦，凉。归肺、肝、脾、大肠经。清热利湿，平喘，止血。用于小儿高热惊风，肝炎，胆囊炎，泄泻，痢疾，疳积，哮喘，肺痨咯血，月经过多，外伤出血。

| **用法用量** | 内服煎汤，9 ～ 15g，大剂量可用至 30g。外用适量，捣敷。

江南卷柏

江南卷柏 *Selaginella moellendorffii* Hieron.

| 药 材 名 |

地柏枝（药用部位：全草。别名：岩柏、岩柏枝、曲兰草）。

| 形态特征 |

多年生常绿草本，土生或石生，直立，高 20 ~ 55cm。具 1 横走的地下根茎和游走茎，其上生鳞片状淡绿色的叶。根托只生于茎的基部，长 0.5 ~ 2cm，直径 0.4 ~ 1mm，根多分叉，密被毛。主茎中上部羽状分枝，不呈"之"字形，无关节，禾秆色或红色，不分枝的主茎高（5 ~ ）10 ~ 25cm，主茎下部直径 1 ~ 3mm，茎圆柱形，不具纵沟，光滑无毛，内具维管束 1；侧枝 5 ~ 8 对，2 ~ 3 回羽状分枝，小枝较密排列规则，主茎上相邻分枝相距 2 ~ 6cm，分枝无毛，背腹压扁，末回分枝连叶宽 2.5 ~ 4mm。叶（除不分枝主茎上的外）交互排列，二型，草纸或纸质，表面光滑，不为全缘，具白边；不分枝主茎上的叶排列较疏，不大于分枝上的，一型，绿色、黄色或红色，三角形，鞘状或紧贴，边缘有细齿。主茎上的腋叶不明显大于分枝上的，卵形或阔卵形，平截，分枝上的腋叶对称，卵形，长 1 ~ 2.2mm，宽 0.4 ~ 1mm，边缘有细齿。中叶不对称，小枝上的叶卵圆形，长 0.6 ~ 1.8mm，宽 0.3 ~ 0.8mm，覆瓦状排列，背部不呈龙骨状或略呈龙骨状，先端与轴平行或先端交叉，并具芒，基部斜，近心形，边缘有细齿。侧叶不对称，主茎上的较侧枝上的大，长 2 ~ 3mm，宽 1.2 ~ 1.8mm，分枝上的侧叶卵状三角形，略向上，排列紧密，长 1 ~ 2.4mm，宽 0.5 ~ 1.8mm，先端急尖，边缘有细齿，上侧边缘基部扩大，变宽，但不覆盖小枝，边缘有细齿，下侧边缘基部略膨大，近全缘（基部有细齿）。孢子叶穗紧密，四棱柱形，单生小枝末端，长 5 ~ 15mm，宽 1.4 ~ 2.8mm；孢子叶一型，卵状三角形，边缘有细齿，具白边，先端渐尖，龙骨状；大孢子叶分布于孢子叶穗中部的下侧。大孢子浅黄色；小孢子橘黄色。

| 生境分布 | 生于海拔 100 ~ 1500m 的岩石缝中。分布于重庆黔江、綦江、垫江、南岸、忠县、城口、大足、潼南、彭水、酉阳、长寿、涪陵、合川、石柱、云阳、万州、铜梁、秀山、丰都、江津、巫溪、开州、璧山、北碚、梁平、巴南、奉节、南川、永川、荣昌等地。

| 资源情况 | 野生资源较丰富。药材主要来源于野生。

| 采收加工 | 7 月（大暑前后）拔取，抖净根部泥沙，洗净，鲜用或晒干。

| 药材性状 | 本品根茎呈灰棕色，屈曲，根自其左右发出，纤细，具根毛。茎禾秆色或基部稍带红色，高 10 ~ 40cm，直径 1.5 ~ 2mm，下部不分枝，卵状三角形鳞叶贴伏于主茎上；茎上部分枝羽状，呈卵状三角形。叶多扭曲皱缩，上表面淡绿色，背面灰绿色，二型，枝上两侧的叶为卵状披针形，大小近于茎上叶，贴生小枝中央的叶形较小，卵圆形，先端尖。孢子囊穗少见。茎质柔韧，干后易折断；叶质脆，易碎。略具草腥味，味淡、微涩。以体整、色绿、无泥杂者为佳。

| 功能主治 | 辛、微甘，平。归肝、心经。
止血，清热，利湿。用于肺热咯血，吐血，衄血，便血，痔疮出血，外伤出血，发热，小儿惊风，湿热黄疸，淋病，水肿，烫火伤。

| 用法用量 | 内服煎汤，15 ~ 30g，大剂量可用至 60g。外用适量，研末敷；或鲜品捣敷。

卷柏科 Selaginellaceae 卷柏属 Selaginella

伏地卷柏 *Selaginella nipponica* Franch. et Sav.

| 药 材 名 | 小地柏（药用部位：全草。别名：六角草、宽叶卷柏、接筋藤）。

| 形态特征 | 多年生草本，土生，匍匐。能育枝直立，高 5 ~ 12cm，无游走茎。根托沿匍匐茎和枝断续生长，自茎分叉处下方生出，长 1 ~ 2.7cm，纤细，直径 0.1mm，根少分叉，无毛。茎自近基部开始分枝，不呈"之"字形，无关节，禾秆色，茎下部直径 0.2 ~ 0.4mm，具沟槽，无毛，维管束 1；侧枝 3 ~ 4 对，不分叉或分叉或 1 回羽状分枝，分枝稀疏，茎上相邻分枝相距 1 ~ 2cm，叶状分枝和茎无毛，背腹压扁，茎在分枝部分中部连叶宽 4.5 ~ 5.4mm，末回分枝连叶宽 2.8 ~ 4.2mm。叶全部交互排列，二型，草质，表面光滑，非全缘，不具白边。分枝上的腋叶对称或不对称，长 1.5 ~ 1.8mm，宽 0.8 ~ 1mm，边缘有细齿。中叶多少对称，分枝上的中叶长圆状卵形或卵形或卵状披

伏地卷柏

针形或椭圆形，长 1.6 ~ 2mm，宽 0.6 ~ 0.9mm，紧接至覆瓦状（在先端部分）排列，背部不呈龙骨状，先端具尖头和急尖，基部钝，边缘不明显具细齿。侧叶不对称，侧枝上的侧叶宽卵形或卵状三角形，常反折，长 1.8 ~ 2.2mm，宽 1 ~ 1.6mm，先端急尖，上侧基部扩大，加宽，覆盖小枝，上侧基部边缘具微齿。孢子叶穗疏松，通常背腹压扁，单生小枝末端，或 1 ~ 2（~ 3）次分叉，长 18 ~ 50mm，宽 2 ~ 4.6mm；孢子叶二型或略二型，正置，和营养叶近似，排列一致，不具白边，边缘具细齿，背部不呈龙骨状，先端渐尖；大孢子叶分布于孢子叶穗下部的下侧。大孢子橘黄色；小孢子橘红色。

| 生境分布 | 生于海拔 300 ~ 2000m 的林下及路旁。分布于重庆长寿、涪陵、丰都、铜梁、云阳、忠县、巫溪、垫江、北碚、开州、南岸、梁平、酉阳、秀山、南川、合川、江津、綦江等地。

| 资源情况 | 野生资源较丰富。药材主要来源于野生。

| 采收加工 | 夏、秋季采收，晒干。

| 功能主治 | 微苦，凉。归肺、大肠经。止咳平喘，止血，清热解毒。用于咳嗽气喘，吐血，痔血，外伤出血，淋证，烫火伤。

| 用法用量 | 内服煎汤，9 ~ 15g。外用适量，研末撒。

| 附　注 | 重庆民间将本种晒干，用于治疗外伤出血或者吐血。

卷柏科 Selaginellaceae 卷柏属 Selaginella

垫状卷柏 *Selaginella pulvinata* (Hook. et Grev.) Maxim

| 药 材 名 | 卷柏（药用部位：全草。别名：还魂草、窝儿还阳、高足还魂草）。

| 形态特征 | 多年生草本，土生或石生，旱生复苏植物，呈垫状。无匍匐根茎或游走茎。根托只生于茎的基部，长 2 ~ 4cm，直径 0.2 ~ 0.4mm，根多分叉，密被毛，和茎及分枝密集形成树状主干，高数厘米。主茎自近基部羽状分枝，不呈"之"字形，禾秆色或棕色，主茎下部直径 1mm，不具沟槽，光滑，维管束 1；侧枝 4 ~ 7 对，2 ~ 3 回羽状分枝，小枝排列紧密，主茎上相邻分枝相距约 1cm，分枝无毛，背腹压扁，主茎在分枝部分中部连叶宽 2.2 ~ 2.4mm，末回分枝连叶宽 1.2 ~ 1.6mm。叶全部交互排列，二型，叶质厚，表面光滑，不具白边，主茎上的叶略大于分枝上的叶，相互重叠，绿色或棕色，斜升，边缘撕裂状。分枝上的腋叶对称，卵圆形至三角形，长 2.5mm，

垫状卷柏

宽 1mm，边缘撕裂状并具睫毛。小枝上的叶斜卵形或三角形，长 2.8 ～ 3.1mm，
宽 0.9 ～ 1.2mm，覆瓦状排列，背部不呈龙骨状，先端具芒，基部平截（具簇毛），
边缘撕裂状，并外卷。侧叶不对称，小枝上的叶矩圆形，略斜升，长 2.9 ～ 3.2mm，
宽 1.4 ～ 1.5mm，先端具芒，全缘，基部上侧扩大，加宽，覆盖小枝，基部上
侧不为全缘，呈撕裂状，基部下侧不呈耳状，不为全缘，呈撕裂状，下侧边缘
内卷。孢子叶穗紧密，四棱柱形，单生小枝末端，长 10 ～ 20mm，宽 1.5 ～ 2mm；
孢子叶一型，不具白边，边缘撕裂状，具睫毛；大孢子叶分布于孢子叶穗下部
的下侧或中部的下侧或上部的下侧。大孢子黄白色或深褐色；小孢子浅黄色。

| 生境分布 | 生于海拔 1100 ～ 2790m 的向阳山坡或干燥石缝处。分布于重庆酉阳、南川、城
口、巫溪、万州等地。

| 资源情况 | 野生资源稀少。药材主要来源于野生，亦有少量栽培。

| 采收加工 | 全年均可采收，除去根及杂质，洗净，切段。

| 药材性状 | 本品卷缩似拳状，长 3 ～ 10cm。枝丛生，扁而有分枝，绿色或棕黄色，向内卷
曲，枝上密生鳞片状小叶，叶先端具长芒。须根多散生。中叶（腹叶）2 行，卵
状披针形，直向上排列；叶片左右两侧不等，内缘较平直，外缘常因内折而加厚，
呈全缘状。质脆，易折断。气微，味淡。

| 功能主治 | 辛，平。归肝、心经。活血通经。用于经闭痛经，癥瘕痞块，跌打损伤。

| 用法用量 | 内服煎汤，5 ～ 10g。孕妇慎服。

卷柏科 Selaginellaceae 卷柏属 Selaginella

卷柏
Selaginella tamariscina (P. Beauv.) Spring

| 药 材 名 | 卷柏（药用部位：全草。别名：回阳草、长生草、打不死）。

| 形态特征 | 多年生草本，土生或石生，复苏植物，呈垫状。根托只生于茎的基部，长 0.5 ~ 3cm，直径 0.3 ~ 1.8mm，根多分叉，密被毛，和茎及分枝密集形成树状主干，有时高达数十厘米。主茎自中部开始羽状分枝或不等二叉分枝，不呈"之"字形，无关节，禾秆色或棕色，不分枝的主茎高 10 ~ 20（~ 35）cm，茎卵圆柱形，不具沟槽，光滑，维管束 1；侧枝 2 ~ 5 对，2 ~ 3 回羽状分枝，小枝稀疏，规则，分枝无毛，背腹压扁，末回分枝连叶宽 1.4 ~ 3.3mm。叶全部交互排列，二型，叶质厚，表面光滑，不为全缘，具白边，主茎上的叶较小，枝上的叶略大，覆瓦状排列，绿色或棕色，边缘有细齿。分枝上的腋叶对称，卵形、卵状三角形或椭圆形，长 0.8 ~ 2.6mm，

卷柏

宽 0.4 ~ 1.3mm，边缘有细齿，黑褐色。中叶不对称，小枝上的中叶椭圆形，长 1.5 ~ 2.5mm，宽 0.3 ~ 0.9mm，覆瓦状排列，背部不呈龙骨状，先端具芒，外展或与轴平行，基部平截，边缘有细齿（基部有短睫毛），不外卷，不内卷。侧叶不对称，小枝上的侧叶卵形至三角形或矩圆状卵形，略斜升，相互重叠，长 1.5 ~ 2.5mm，宽 0.5 ~ 1.2mm，先端具芒，基部上侧扩大，加宽，覆盖小枝，基部上侧不为全缘，呈撕裂状或具细齿，下侧近全缘，基部有细齿或具睫毛，反卷。孢子叶穗紧密，四棱柱形，单生小枝末端，长 12 ~ 15mm，宽 1.2 ~ 2.6mm；孢子叶一型，卵状三角形，边缘有细齿，具白边（膜质透明），先端有尖头或具芒；大孢子叶在孢子叶穗上、下两面不规则排列。大孢子浅黄色；小孢子橘黄色。

| **生境分布** | 生于海拔（60 ~）500 ~ 1500（~ 2100）m 的石灰岩上。分布于重庆大足、巫山、江津、酉阳、南川、武隆、北碚、巫溪、梁平、奉节、秀山等地。

| **资源情况** | 野生资源一般。药材主要来源于野生，亦有少量栽培。

| **采收加工** | 全年均可采收，除去须根和泥沙，晒干。

| **药材性状** | 本品卷缩似拳状，长 3 ~ 10cm。枝丛生，扁而有分枝，绿色或棕黄色，向内卷曲，枝上密生鳞片状小叶，叶先端具长芒；中叶（腹叶）2 行，卵状矩圆形，斜向上排列，叶缘膜质，有不整齐的细锯齿；背叶（侧叶）背面的膜质边缘常呈棕黑色。质脆，易折断。气微，味淡。

| **功能主治** | 辛，平。归肝、心经。活血通经。用于经闭痛经，癥瘕痞块，跌打损伤。

| **用法用量** | 内服煎汤，5 ~ 10g。孕妇慎服。

▓卷柏科▓ Selaginellaceae ▓卷柏属▓ *Selaginella*

翠云草
Selaginella uncinata (Desv.) Spring

| 药 材 名 | 翠云草（药用部位：全草。别名：蓝地柏、拦路枝、金鸡独立草）。

| 形态特征 | 多年生草本，土生。主茎先直立而后攀缘状，长 50 ～ 100cm 或更长；无横走地下茎。根托只生于主茎的下部或沿主茎断续着生，自主茎分叉处下方生出，长 3 ～ 10cm，直径 0.1 ～ 0.5mm，根少分叉，被毛。主茎自近基部羽状分枝，不呈 "之" 字形，无关节，禾秆色，下部直径 1 ～ 1.5mm，茎圆柱形，具沟槽，无毛，维管束 1，先端不呈黑褐色，先端鞭形；侧枝 5 ～ 8 对，2 回羽状分枝，小枝排列紧密，主茎上相邻分枝相距 5 ～ 8cm，分枝无毛，背腹压扁，末回分枝连叶宽 3.8 ～ 6mm。叶全部交互排列，二型，草质，表面光滑，具虹彩，全缘，明显具白边，主茎上的叶排列较疏，较分枝上的大，二型，绿色。主茎上的腋叶明显大于分枝上的，肾形或略呈心形，长 3mm，宽

翠云草

4mm，分枝上的腋叶对称，宽椭圆形或心形，长 2 ~ 2.8mm，宽 0.8 ~ 2.2mm，全缘，基部不呈耳状，近心形。中叶不对称，主茎上的中叶明显大于侧枝上的，侧枝上的叶卵圆形，长 1 ~ 2.4mm，宽 0.6 ~ 1mm，近覆瓦状排列，背部不呈龙骨状，先端与轴平行或交叉或常向后弯，长渐尖，基部钝，全缘。侧叶不对称，主茎上的明显大于侧枝上的，分枝上的侧叶长圆形，外展，紧接，长 2.2 ~ 3.2mm，宽 1 ~ 1.6mm，先端急尖或具短尖头，全缘，上侧基部不扩大，不覆盖小枝，上侧全缘，下侧基部圆形，下侧全缘。孢子叶穗紧密，四棱柱形，单生小枝末端，长 5 ~ 25mm，宽 2.5 ~ 4mm；孢子叶一型，卵状三角形，全缘，具白边，先端渐尖，龙骨状；大孢子叶分布于孢子叶穗下部的下侧或中部的下侧或上部的下侧。大孢子灰白色或暗褐色；小孢子淡黄色。

| **生境分布** | 生于海拔 50 ~ 1200m 的林下。分布于重庆北碚、黔江、万州、綦江、垫江、秀山、石柱、长寿、奉节、城口、巫山、彭水、丰都、永川、忠县、云阳、涪陵、酉阳、南川、璧山、武隆、开州、江津、铜梁、梁平、合川、巴南、九龙坡、荣昌、大足等地。

| **资源情况** | 野生资源丰富。药材主要来源于野生，亦有少量栽培。

| **采收加工** | 全年均可采收，洗净，鲜用或晒干。

| **药材性状** | 本品多卷缩，长 30 ~ 100cm。主茎纤细，直径 1 ~ 2mm，有纵棱，淡黄色或黄绿色，节上常具细长的不定根。小枝互生，长 4 ~ 11cm，其上再作羽状或叉状分枝。主茎上的叶较大，疏生，卵形或斜椭圆形，全缘；分枝上的叶密生，二型，背腹各 2 列，展平后中叶（腹叶）呈长卵形，侧叶（背叶）作羽状排列，卵状椭圆形，黄绿色。有时可见孢子囊穗四棱柱形，长约 1cm，生于枝端。质较柔软。气微，味淡。

| **功能主治** | 淡、微苦，凉。归肺、肝、大肠经。清热利湿，解毒，止血。用于黄疸，痢疾，泄泻，水肿，淋病，筋骨痹痛，吐血，咯血，便血，外伤出血，痔漏，烫火伤，蛇咬伤。

| **用法用量** | 内服煎汤，10 ~ 30g，鲜品可用至 60g。外用适量，晒干或炒炭存性，研末调敷；或鲜品捣敷。

| **附　注** | 本种喜温暖湿润的半阴环境，盆土宜疏松透水且富含腐殖质。

木贼科 Equisetaceae 木贼属 Equisetum

问荆 *Equisetum arvense* L.

| **药 材 名** | 问荆（药用部位：全草。别名：节节草、黄蚂草、接续草）。

| **形态特征** | 多年生中小型草本。根茎斜升，直立和横走，黑棕色，节和根密生黄棕色长毛或光滑无毛。地上枝当年枯萎。枝二型；能育枝春季先萌发，高5～35cm，中部直径3～5mm，节间长2～6cm，黄棕色，无轮茎分枝，脊不明显，具密纵沟；鞘筒栗棕色或淡黄色，长约0.8cm，鞘齿9～12，栗棕色，长4～7mm，狭三角形，鞘背仅上部有1浅纵沟，孢子散后能育枝枯萎。不育枝后萌发，高达40cm，主枝中部直径1.5～3mm，节间长2～3cm，绿色，轮生分枝多，主枝中部以下有分枝；脊的背部弧形，无棱，有横纹，无小瘤；鞘筒狭长，绿色，鞘齿三角形，5～6，中间黑棕色，边缘膜质，淡棕色，宿存。侧枝柔软纤细，扁平状，有3～4狭而高的脊，脊的背部有横

问荆

纹；鞘齿 3 ~ 5，披针形，绿色，边缘膜质，宿存。孢子囊穗圆柱形，长 1.8 ~ 4cm，直径 0.9 ~ 1cm，先端钝，成熟时柄伸长，柄长 3 ~ 6cm。

| **生境分布** | 生于海拔 250 ~ 2790m 的潮湿草地、沟渠旁、沙土、耕地、山坡或草甸等处。分布于重庆巫溪、万州、丰都、石柱、彭水、秀山、南川、大足、江津、涪陵、忠县、长寿、垫江、北碚等地。

| **资源情况** | 野生资源较丰富。药材主要来源于野生，亦有少量栽培。

| **采收加工** | 夏、秋季采收，置通风处阴干或鲜用。

| **药材性状** | 本品长约 30cm，多干缩或枝节脱落。茎略呈扁圆形或圆形，淡绿色，有细纵沟；节间长，每节有退化的鳞片叶，鞘状，先端齿裂，硬膜质。小枝轮生，梢部渐细，基部有时带有部分根，呈黑褐色。气微，味稍苦、涩。

| **功能主治** | 甘、苦，平。归肺、胃、肝经。止血，利尿，明目。用于鼻衄，吐血，咯血，便血，崩漏，外伤出血，淋证，目赤翳膜。

| **用法用量** | 内服煎汤，3 ~ 15g。外用适量，鲜品捣敷；或干品研末撒。

| **附　注** | 本种对气候、土壤有较强的适应性。

木贼科 Equisetaceae 木贼属 Equisetum

披散木贼 *Equisetum diffusum* D. Don

披散木贼

| 药 材 名 |

散生木贼（药用部位：全草。别名：密枝问荆、小笔筒草、眉毛草）。

| 形态特征 |

多年生中小型草本。根茎横走，直立或斜升，黑棕色，节和根密生黄棕色长毛或光滑无毛。地上枝当年枯萎。枝一型，高 10 ~ 30（~ 70）cm，中部直径 1 ~ 2mm，节间长 1.5 ~ 6cm，绿色，但下部 1 ~ 3 节节间黑棕色，无光泽，分枝多。主枝有脊 4 ~ 10，脊的两侧隆起成棱伸达鞘齿下部，每棱各有 1 行小瘤伸达鞘齿，鞘筒狭长，下部灰绿色，上部黑棕色；鞘齿 5 ~ 10，披针形，先端尾状，革质，黑棕色，有 1 深纵沟贯穿整个鞘背，宿存。侧枝纤细，较硬，圆柱形，有脊 4 ~ 8，脊的两侧有棱及小瘤，鞘齿 4 ~ 6，三角形，革质，灰绿色，宿存。孢子囊穗圆柱形，长 1 ~ 9cm，直径 4 ~ 8mm，先端钝，成熟时柄伸长，柄长 1 ~ 3cm。

| 生境分布 |

生于海拔 300 ~ 2300m 的阴湿地。分布于重庆彭水、忠县、黔江、云阳、长寿、九龙坡、綦江、南川、江津、奉节、铜梁、垫江、南岸、巴南、巫山、永川等地。

| **资源情况** | 野生资源较少。药材主要来源于野生。

| **采收加工** | 夏、秋季采收，置通风处阴干。

| **功能主治** | 甘、微苦，平。清热利尿，明目退翳，接骨。用于感冒发热，小便不利，目赤肿痛，翳膜遮睛，跌打骨折。

| **用法用量** | 内服煎汤，9 ~ 15g。外用适量，鲜品捣敷。

██ 木贼科 ██ Equisetaceae ██ 木贼属 ██ *Equisetum*

木贼 *Equisetum hyemale* L.

| 药 材 名 |　木贼（药用部位：全草。别名：擦草、马草、黄蚂草）。

| 形态特征 |　多年生大型草本。根茎横走或直立，黑棕色，节和根被黄棕色长毛。地上枝多年生。枝一型，高达 1m 或更高，中部直径（3 ~ ）5 ~ 9mm，节间长 5 ~ 8cm，绿色，不分枝或直基部有少数直立的侧枝。地上枝有脊 16 ~ 22，脊的背部弧形或近方形，无明显小瘤或有小瘤 2 行；鞘筒 0.7 ~ 1cm，黑棕色或顶部及基部各有 1 圈或仅顶部有 1 圈黑棕色；鞘齿 16 ~ 22，披针形，小，长 0.3 ~ 0.4cm，先端淡棕色，膜质，芒状，早落，下部黑棕色，薄革质，基部的背面有 3 ~ 4 纵棱，宿存或同鞘筒一起早落。孢子囊穗卵形，长 1 ~ 1.5cm，直径 0.5 ~ 0.7cm，先端有小尖突，无柄。

木贼

| **生境分布** | 生于海拔 650 ~ 2790m 的山坡湿地或疏林中。重庆各地均有分布。

| **资源情况** | 野生资源较丰富。药材主要来源于野生,亦有少量栽培。

| **采收加工** | 夏、秋季采割,除去杂质,晒干或阴干。

| **药材性状** | 本品呈长管状,不分枝,长 40 ~ 60cm,直径 0.2 ~ 0.7cm。表面灰绿色或黄绿色,有 18 ~ 30 条纵棱,棱上有多数细小光亮的疣状突起;节明显,节间长 5 ~ 8cm,节上着生筒状鳞叶,叶鞘基部和鞘齿黑棕色,中部淡棕黄色。体轻,质脆,易折断,断面中空,周边有多数圆形空腔。气微,味甘、淡、微涩,嚼之有砂粒感。

| **功能主治** | 甘、苦,平。归肺、肝经。疏散风热,明目退翳。用于风热目赤,迎风流泪,目生云翳。

| **用法用量** | 内服煎汤,3 ~ 9g。外用适量。

| **附　　注** | 本种喜潮湿,生于山坡、河岸湿地,喜阳光直射。

木贼科 Equisetaceae 木贼属 Equisetum

犬问荆 *Equisetum palustre* L.

| 药 材 名 | 骨节草（药用部位：全草。别名：笔杆草、笔筒草、节节菜）。

| 形态特征 | 多年生中小型草本。根茎直立和横走，黑棕色，节和根光滑或被黄棕色长毛。地上枝当年枯萎。枝一型，高 20 ～ 50（～ 60）cm，中部直径 1.5 ～ 2mm，节间长 2 ～ 4cm，绿色，但下部 1 ～ 2 节节间黑棕色，无光泽，常在基部形丛生状。主枝有脊 4 ～ 7，脊的背部弧形，光滑或有小横纹；鞘筒狭长，下部灰绿色，上部淡棕色；鞘齿 4 ～ 7，黑棕色，披针形，先端渐尖，边缘膜质，鞘背上部有 1 浅纵沟；宿存。侧枝较粗，长达 20cm，圆柱形至扁平状，有脊 4 ～ 6，光滑或有浅色小横纹；鞘齿 4 ～ 6，披针形，薄革质，灰绿色，宿存。孢子囊穗椭圆形或圆柱形，长 0.6 ～ 2.5cm，直径 4 ～ 6mm，先端钝，成熟时柄伸长，柄长 0.8 ～ 1.2cm。

犬问荆

| 生境分布 |

生于海拔 100 ~ 2300m 的水田、沟旁或阴湿地。分布于重庆奉节、巫溪、开州、丰都、涪陵、武隆、彭水、大足、璧山、潼南等地。

| 资源情况 |

野生资源较丰富。药材主要来源于野生。

| 采收加工 |

夏季采收，洗净，晒干或鲜用。

| 药材性状 |

本品茎常成束，有时带黑褐色细长根茎。茎细弱，长 15 ~ 35cm，具 5 ~ 12 棱脊，每节常有多数轮生的分枝，折断后可见中心孔细小。叶鞘齿三角状卵形，不连接，先端棕褐色，边缘白色，膜质，向尖端延长成白色长刚毛。气微，味淡。

| 功能主治 |

甘、苦，平。归肝、肺经。疏风明目，活血止痛。用于目生云翳，迎风流泪，风湿痛，跌打损伤。

| 用法用量 |

内服煎汤，6 ~ 9g，鲜品 15 ~ 30g。阴虚火旺者慎服。

木贼科 Equisetaceae 木贼属 *Equisetum*

笔管草

Equisetum ramosissimum Desf. subsp. *debile* (Roxb. ex Vauch.) Hauke

笔管草

药材名

笔管草（药用部位：地上部分。别名：木贼、节节草、笔头草）。

形态特征

多年生大中型草本。根茎直立和横走，黑棕色，节和根密生黄棕色长毛或光滑无毛。地上枝多年生。枝一型，高可达 60cm 或更高，中部直径 3 ~ 7mm，节间长 3 ~ 10cm，绿色，成熟主枝有分枝，但分枝常不多。主枝有脊 10 ~ 20，脊的背部弧形，有 1 行小瘤或有浅色小横纹；鞘筒短，下部绿色，顶部略为黑棕色；鞘齿 10 ~ 22，狭三角形，上部淡棕色，膜质，早落或有时宿存，下部黑棕色革质，扁平，两侧有明显的棱角，齿上气孔带明显或不明显。侧枝较硬，圆柱形，有脊 8 ~ 12，脊上有小瘤或横纹；鞘齿 6 ~ 10，披针形，较短，膜质，淡棕色，早落或宿存。孢子囊穗短棒状或椭圆形，长 1 ~ 2.5cm，中部直径 0.4 ~ 0.7cm，先端有小尖突，无柄。

生境分布

生于海拔 100 ~ 1300m 的沟边湿地或疏林下。分布于重庆北碚、万州、綦江、秀山、奉节、潼南、石柱、云阳、江津、黔江、璧山、

巫溪、南川、酉阳、涪陵、彭水、城口、丰都、
忠县、铜梁、开州、垫江、大足、合川、梁平、
巴南、荣昌等地。

| 资源情况 |

野生资源丰富。药材主要来源于野生。

| 采收加工 |

全年均可采割，除去杂质，晒干。

| 药材性状 |

本品呈长杆状，长 30 ~ 50cm，直径 0.2 ~ 0.5cm。
表面灰绿色或黄绿色，有 6 ~ 20 棱背；节明显，
节间长 2 ~ 9cm；叶鞘基部和鞘齿黑棕色，鞘
齿短三角形，有的可见膜质尖尾，每节轮生枝
2 ~ 5。体轻，质脆，易折断，手捻之有粗糙感，
断面中空，内表面白色，膜质。气微，味淡、
微甘。

| 功能主治 |

甘、微苦，平。清热利湿，明目退翳。用于急
性结膜炎，急性黄疸性肝炎，痢疾，尿道炎，
荨麻疹。

| 用法用量 |

内服煎汤，6 ~ 15g，鲜品 30 ~ 60g。外用煎汤
洗；或捣敷。体寒多尿者忌用。

木贼科 Equisetaceae 木贼属 Equisetum

节节草
Equisetum ramosissimum Desf.

| 药 材 名 | 竹节草（药用部位：全草。别名：土木贼、锁眉草、笔杆草）。

| 形态特征 | 中小型植物。根茎直立，横走或斜升，黑棕色，节和根疏生黄棕色长毛或光滑无毛。地上枝多年生；枝一型，高 20 ~ 60cm，中部直径 1 ~ 3mm，节间长 2 ~ 6cm，绿色，主枝多在下部分枝，常形成簇生状；幼枝的轮生分枝明显或不明显，主枝有脊 5 ~ 14，脊的背部弧形，有 1 行小瘤或浅色小横纹；鞘筒窄，长达 1cm，下部灰绿色，上部灰棕色；鞘齿 5 ~ 12，三角形，灰白色、黑棕色或淡棕色，边缘（有时上部）为膜质，基部扁平或弧形，早落或宿存，齿上气孔带明显或不明显；侧枝较硬，圆柱状，有脊 5 ~ 8，脊上平滑或有 1 行小瘤或浅色小横纹，鞘齿 5 ~ 8，披针形，革质，但边缘膜质，上部棕色，宿存。孢子囊穗短棒状或椭圆形，长 0.5 ~ 2.5cm，中部

节节草

直径 0.4 ~ 0.7cm，先端有小尖突，无柄。

| **生境分布** | 生于海拔 300 ~ 2850m 的潮湿路旁、沙地、荒原或溪边。分布于重庆奉节、丰都、武隆、黔江、彭水、秀山、南川、北碚、大足、潼南、合川、荣昌等地。

| **资源情况** | 野生资源较丰富。药材来源于野生。

| **采收加工** | 夏、秋季割取地上部分，除去杂质，晒干。

| **药材性状** | 本品茎呈灰绿色，基部多分枝，长短不等，直径 1 ~ 8mm，中部以下节处有 2 ~ 5 小枝，表面粗糙，有肋棱 6 ~ 20。叶鞘筒似漏斗状，长约为直径的 2 倍，叶鞘背上无棱脊，先端有尖三角形裂齿，黑色，边缘膜质，常脱落。质脆，易折断，断面中空。气微，味淡、微涩。

| **功能主治** | 甘、苦，微寒。归肝、脾经。清热，明目，止血，利尿。用于疮疖痈肿，咽喉肿痛，热痢，白浊，小便不利，外伤出血。

| **用法用量** | 内服煎汤，9 ~ 30g，鲜品 30 ~ 60g。外用适量，捣敷；或研末撒。

阴地蕨科 Botrychiaceae 阴地蕨属 Botrychium

药用阴地蕨 *Botrychium officinale* Ching.

| 药 材 名 | 药用小阴地蕨（药用部位：全草。别名：蕨萁细辛、独脚苗）。

| 形态特征 | 多年生蕨类植物。根茎短而直立，相当粗，具1簇很粗肥、肉质的根。总叶柄短，高3～4cm，淡白色，干后扁平，宽4～6mm。营养叶长18～22cm，叶柄长10～12cm，宽4～5mm，光滑无毛，或略被少数疏毛，基部呈淡白色（由于深埋土中的缘故）；叶片为五角状三角形，高9～11cm，阔10～14cm，短渐尖头，下部3回羽状分裂，上部2回羽状分裂；侧生羽片5～6对，几对生或互生，张开，有长柄，下部2对相距2cm，彼此密接，基部1对羽片最大，长6～8cm，基部宽5～5.5cm，三角形，具短渐尖头，柄长1.2～1.8cm，基部2回羽状，向上为2回羽裂；1回小羽片4～5对，下先出，基部下方1片最大，长3.5～4cm，宽2.5～3cm，卵状三角形，几为钝头，

药用阴地蕨

有柄，基部近心形，柄长约 5mm，1 回羽状；末回小羽片 2 ~ 4 对，下先出，基部下方 1 片最大，长 1.5cm，阔约 8mm，长卵形，有短柄或无柄，钝头，略为浅裂或几全缘，其余各小羽片向上缩小，第 2 对羽片向上逐渐缩小，长圆形，长 4 ~ 6cm，宽 2.5 ~ 3.5cm，短渐尖头，基部不等，近心形，有柄，长 3 ~ 5mm，2 回羽裂，1 回小羽片 4 ~ 5 对，下先出，无柄，长卵形；所有末回小羽片几为全缘，或略为波状，稍具疏钝齿。叶质地为厚草质，干后淡绿色，表面皱凸不平，叶轴光滑或被少数疏毛。叶脉不见。孢子叶远比营养叶高，长达 30 ~ 34cm，叶柄长 20cm 左右，光滑，宽 4 ~ 6mm；孢子囊穗长 10cm 左右，宽 4cm，圆锥形，2 ~ 3 回羽状，光滑无毛，1 回羽穗疏松，张开。

| 生境分布 | 生于海拔 1500 ~ 2100m 的竹林或杂木林下。分布于重庆开州、涪陵、武隆、南川、黔江等地。

| 资源情况 | 野生资源稀少。药材主要来源于野生。

| 采收加工 | 夏、秋季采收，洗净，晒干或鲜用。

| 药材性状 | 本品长 20 ~ 40cm。根茎粗壮而短，肉质。根茎上簇生多数须根。根茎及须根表面灰褐色或棕褐色；质脆，易折断，断面类白色。叶柄樱红色，有纵纹，营养叶柄长 3 ~ 8cm，较孢子叶柄细而短。叶片三角形，3 回羽状分裂。孢子囊穗集成圆锥状，长 5 ~ 10cm，孢子囊棕褐色。气微，味淡。

| 功能主治 | 微苦，微寒。解毒，散结，清热止咳。用于疮痈肿毒，瘰疬结核，肺热咳嗽。

| 用法用量 | 内服煎汤，9 ~ 15g。外用适量，捣敷。

| 附　注 | （1）在 FOC 中，本种被修订为薄叶阴地蕨 *Botrychium daucifolium* Wall.。
（2）本种形体颇似阴地蕨，过去曾以此名之，区别在于本种形体较粗壮，各回羽片彼此密接，末回小羽片较大，边缘不具密细尖齿，而几为全绿或有波状疏钝粗齿，叶质也较厚，应注意区别。

阴地蕨科 Botrychiaceae 阴地蕨属 Botrychium

阴地蕨
Botrychium ternatum (Thunb.) Sw.

| 药 材 名 | 阴地蕨（药用部位：全草。别名：一朵云、背蛇生、冬草）。

| 形态特征 | 多年生蕨类植物。根茎短而直立，有1簇粗健肉质的根。总叶柄短，长2～4cm，细瘦，淡白色，干后扁平，宽约2mm。营养叶叶柄细长，长3～8cm，有时更长，宽2～3mm，光滑无毛；叶片为阔三角形，通常长8～10cm，宽10～12cm，短尖头，3回羽状分裂；侧生羽片3～4对，几对生或近互生，有柄，下部2对相距不及2cm，略张开，基部1对最大，几与中部等大，柄长达2cm，羽片长、宽均约5cm，阔三角形，短尖头，2回羽状；1回小羽片3～4对，有柄，几对生，基部下方1片较大，稍下先出，柄长约1cm，1回羽状；末回小羽片为长卵形至卵形，基部下方1片较大，长1～1.2cm，略浅裂，有短柄，其余较小，长4～6mm，边缘有不整齐的细而尖的锯齿密

阴地蕨

生；第 2 对起的羽片渐小，长圆状卵形，长约 4cm（包括柄长约 5mm），宽 2.5cm，下先出，短尖头。叶干后为绿色，厚草质，遍体无毛，表面皱凸不平。叶脉不见。孢子叶有长柄，长 12 ～ 25cm，少有更长者，远远超出营养叶之上；孢子囊穗为圆锥形，长 4 ～ 10cm，宽 2 ～ 3cm，2 ～ 3 回羽状，小穗疏松，略张开，无毛。

| **生境分布** | 生于海拔 400 ～ 1000m 的丘陵地灌丛阴处。分布于重庆丰都、酉阳、巫溪、万州、涪陵、武隆、彭水、秀山、南川、江津等地。

| **资源情况** | 野生资源一般。药材主要来源于野生。

| **采收加工** | 冬、春季采挖，除去杂质，干燥。

| **药材性状** | 本品根茎略呈结节状，长 0.5 ～ 1cm，直径 0.3cm，下部簇生数条细根。根长 4 ～ 8cm，直径 1.5 ～ 2.5mm；棕褐色，具横皱纹；质脆，易折断，断面呈白色，粉性。总叶柄长 1.8 ～ 4cm，营养叶叶柄长 3 ～ 8cm，扁平而扭曲，淡红棕色，具纵条纹；叶片卷缩，黄绿色，完整者展平后呈宽三角形，3 回羽状分裂，侧生羽叶 3 ～ 4 对；孢子叶绿黄色，有的脱落或仅留叶柄。气微，味微甘。

| **功能主治** | 甘、辛，凉。润肺止咳。用于体虚咳嗽。

| **用法用量** | 内服煎汤，6 ～ 15g。

██ 阴地蕨科 ██ Botrychiaceae ██ 阴地蕨属 ██ *Botrychium*

蕨萁
Botrychium virginianum (L.) Sw.

蕨萁

| 药 材 名 |

春不见（药用部位：全草或根。别名：一朵云、蕨蓁）。

| 形态特征 |

多年生草本。根茎短而直立，有1簇不分枝的粗健肉质的长根。总叶柄长20～25cm，宽常达5～10mm，多汁草质，干后扁平，几光滑无毛，或略有长毛疏生，基部棕色托叶状的苞长2.5～3cm。不育叶片为阔三角形，先端为短尖头，长13～18cm，基部宽20～30cm或更宽，3回羽状，基部下方为4回羽裂；侧生羽片6～8对，对生或近于对生，下部2对相距3～4cm，基部1对最大，张开或几水平开展，长10～15cm，中部最宽，8～11cm，长卵形，向基部稍狭，1回小羽片上先出，有短柄（柄长约1cm），短尖头，2回羽状，或基部下方为3回羽状分裂；1回小羽片8～10对，近于对生，长圆状披针形，渐尖头，有短柄，不等长，向基部渐短，上方的最短，不到3cm，向中部的渐长，中部下方的最长，5～7cm，1回羽状或2回羽状分裂；2回小羽片长圆状披针形，基部的长约1cm，中部的长约2cm，无柄，并以狭翅沿中肋两侧下沿，深羽裂；末回裂

片狭长圆形，长约 5mm，有长而粗的尖锯齿，每齿有 1 小脉；第 2 对羽片斜出，远比基部 1 对小，长 8 ~ 12cm，中部宽约 4cm，向基部稍狭，有短柄，2 回羽状，以上各对羽片逐渐变短；叶为薄草质，干后绿色。叶脉可见。孢子叶自不育叶片的基部抽出，叶柄长 14 ~ 18cm；孢子囊穗为复圆锥形，长 9 ~ 14cm，宽 4 ~ 6cm，成熟后高出不育叶片之上，直立，几光滑或略被疏长毛。

| **生境分布** | 生于海拔 1200 ~ 2300m 的山谷林下阴湿处。分布于重庆万州、璧山、梁平、丰都、城口、酉阳、开州、铜梁、巫山、黔江、南川、綦江、彭水等地。

| **资源情况** | 野生资源丰富。药材主要来源于野生。

| **采收加工** | 春季采挖，洗净，晒干或鲜用。

| **功能主治** | 甘、苦，微寒。清热解毒，祛风定惊。用于肺痈，疮毒，蛇虫咬伤，小儿急惊风，瘰疬，风湿痹痛，跌打损伤。

| **用法用量** | 内服煎汤，6 ~ 9g。外用适量，捣敷。

瓶尔小草科 Ophioglossaceae 瓶尔小草属 Ophioglossum

心脏叶瓶尔小草 *Ophioglossum reticulatum* L.

| 药材名 | 一支箭（药用部位：全草。别名：蛇咬子、青藤、小青藤）。

| 形态特征 | 多年生小草本。根茎短细，直立，有少数粗长的肉质根。总叶柄长
4 ~ 8cm，淡绿色，向基部为灰白色。营养叶叶片长 3 ~ 4cm，宽
6 ~ 3.5cm，为卵形或卵圆形，先端圆或近于钝头，基部深心形，有
短柄，边缘多少呈波状，草质，网状脉明显。孢子叶自营养叶叶柄
的基部生出，长 10 ~ 15cm，细长；孢子囊穗长 3 ~ 3.5cm，纤细。

| 生境分布 | 生于密林下。分布于重庆巫溪、开州、云阳、丰都、武隆、黔江、彭水、
南川、石柱等地。

| 资源情况 | 野生资源稀少。药材主要来源于栽培。

心脏叶瓶尔小草

| **采收加工** | 夏、秋季采收，洗净，晒干。

| **药材性状** | 本品根茎短，圆柱形，棕黄色，着生多数黄色或棕黄色细长的肉质须根。叶自基部生出，柄长，柄下部绿黄色，上部绿色；至总柄 1/3 处生出的叶无柄；叶片皱缩，绿色，展平后呈阔卵圆形，先端钝，无小凸尖，边缘皱波状，基部心形，叶脉网状。孢子囊穗自总柄先端生出，淡黄色，排列成 2 行。气微，味淡。

| **功能主治** | 微苦、微甘，寒。归肺、胃经。清热，凉血，镇痛。用于肺热咳嗽，劳伤吐血，肺痈，胃痛，痧症腹痛，淋浊，痈肿疮毒，蛇虫咬伤，跌打损伤。

| **用法用量** | 内服煎汤，9 ~ 15g。

瓶尔小草科 Ophioglossaceae 瓶尔小草属 *Ophioglossum*

瓶尔小草 *Ophioglossum vulgatum* L.

| 药 材 名 | 一支箭（药用部位：全草。别名：蛇咬一箭、蛇咬子、小青藤）。

| 形态特征 | 多年生小草本。根茎短而直立，具1簇肉质粗根，如匍匐茎一样向四面横走，生出新植物。叶通常单生，总叶柄长 6 ~ 9cm，深埋土中，下半部为灰白色，较粗大。营养叶为卵状长圆形或狭卵形，长 4 ~ 6cm，宽 1.5 ~ 2.4cm，先端钝圆或急尖，基部急剧变狭并稍下延，无柄，微肉质至草质，全缘，网状脉明显。孢子叶长 9 ~ 18cm 或更长，较粗健，自营养叶基部生出；孢子穗长 2.5 ~ 3.5cm，宽约 2mm，先端尖，远超出于营养叶之上。

| 生境分布 | 生于海拔 300 ~ 2300m 的林下阴湿处、河岸、沟边。分布于重庆巫溪、彭水、南川、涪陵、巴南、江津、大足、璧山、潼南、荣昌、黔江、

瓶尔小草

城口、丰都、石柱等地。

| 资源情况 | 野生资源稀少。药材主要来源于野生。

| 采收加工 | 夏、秋季采收，洗净，晒干或鲜用。

| 药材性状 | 本品呈卷缩状。根茎短。根多数，肉质，具纵沟，深棕色。叶通常1，总柄长6～9cm。营养叶从总柄基部以上6～9cm处生出，皱缩，展开后呈卵状长圆形或狭卵形，长3～6cm，宽1.5～2.4cm，先端钝或稍急尖，基部楔形下延，微肉质，两面均呈淡褐黄色，叶脉网状。孢子叶线形，自总柄先端生出。孢子囊穗长2.5～3.5cm，先端尖，孢子囊排成2列，无柄。质柔韧，不易折断。气微，味淡。

| 功能主治 | 微苦、微甘，寒。归肺、胃经。清热，凉血，镇痛。用于肺热咳嗽，劳伤吐血，肺痈，胃痛，痧症腹痛，淋浊，痈肿疮毒，蛇虫咬伤，跌打损伤。

| 用法用量 | 内服煎汤，9～15g。

| 附　　注 | 本种是民间一味常用的中药，具有清热消炎、解毒、退热的功效，可用于肝炎、肺炎以及部分恶性肿瘤。

观音座莲科 Angiopteridaceae 观音座莲属 *Angiopteris*

福建观音座莲 *Angiopteris fokiensis* Hieron.

药 材 名	马蹄蕨（药用部位：根茎。别名：观音座莲、观音莲、地莲花）。
形态特征	多年生大型陆生蕨类，植株高大，高1.5m以上。根茎块状，直立，下面簇生圆柱形粗根。叶柄粗壮，干后褐色，长约50cm，直径1～2.5cm。叶片宽广，宽卵形，长与宽均超过60cm；羽片5～7对，互生，长50～60cm，宽14～18cm，狭长圆形，基部不变狭，羽柄长2～4cm，奇数羽状；小羽片35～40对，对生或互生，平展，上部的稍斜向上，具短柄，相距1.5～2.8cm，长7～9cm，宽1～1.7cm，披针形，渐尖头，基部近截形或几圆形，顶部向上微弯，下部小羽片较短，近基部的小羽片长仅3cm或过之，顶生小羽片分离，有柄，和下面的同形，叶缘全部具有规则的浅三角形锯齿。叶脉开展，下面明显，相距不到1mm，一般分叉，无倒行假脉。叶草质，上面绿色，

福建观音座莲

下面淡绿色，两面光滑。叶轴干后淡褐色，光滑，腹部具纵沟，羽轴基部直径约 3.5mm，顶部直径约 1mm，向先端具狭翅，宽不到 1mm。孢子囊群棕色，长圆形，长约 1mm，距叶缘 0.5 ~ 1mm，彼此接近，由 8 ~ 10 孢子囊组成。

| **生境分布** | 生于海拔 250 ~ 1700m 的阔叶林下或沟谷中阴湿的酸性土壤或岩石上。分布于重庆涪陵、开州、南川、北碚、大足等地。

| **资源情况** | 野生资源一般。药材主要来源于野生，亦有少量栽培。

| **采收加工** | 全年均可采收，洗净，除去须根，切片，晒干或鲜用。

| **药材性状** | 本品呈块状，马蹄形，一面稍平整，有纵皱纹，另一面隆起，有皱缩的叶柄残痕，长 5 ~ 10cm，宽 4 ~ 8cm。表面黑褐色或灰褐色，粗糙。质坚韧，不易折断，切面灰白色，可见棕褐色散列的维管束，中部分布较多。气微，味微苦、涩。

| **功能主治** | 微苦，凉。清热凉血，祛瘀止血，镇痛安神。用于跌打肿痛，外伤出血，崩漏，乳痈，疟腮，痈肿疔疮，风湿痹痛，产后腹痛，心烦失眠，毒蛇咬伤。

| **用法用量** | 内服煎汤，10 ~ 30g，鲜品 30 ~ 60g；研末，每次 3g，每日 9g；或磨酒。外用适量，鲜品捣烂敷；或干品磨汁涂；或研末撒敷。

| **附　　注** | 本种喜生长于阴湿的环境中，较耐寒。喜温暖，耐半阴。栽培宜选疏松、肥沃和排水良好的腐殖土。

分株紫萁 *Osmunda cinnamomea* L.

分株紫萁

| 药 材 名 |

桂皮紫萁（药用部位：根茎。别名：紫萁、
牛毛广东、贯众）。

| 形态特征 |

陆生蕨类。根茎短粗直立，或呈粗肥圆柱形
的主轴，先端有叶丛簇生。叶二型；不育叶
的叶柄长 30 ~ 40cm，坚强，干后为淡棕色；
叶片长 40 ~ 60cm，宽 18 ~ 24cm，长圆形
或狭长圆形，渐尖头，2 回羽状深裂；羽片
20 对或更多，下部的对生，平展，上部的互生，
向上斜，相距约 2.5cm，披针形，渐尖头，
长 8 ~ 10cm，宽 1.8 ~ 2.4cm，基部截形，
无柄，羽状深裂几达羽轴；裂片约 15 对，
长圆形，圆头，长约 1cm，宽约 5mm，开展，
密接，全缘；中脉明显，侧脉羽状，斜向上，
每脉二叉分歧，纤细，两面可见，但并不很
明显；叶为薄纸质，干后为黄绿色，幼时密
被灰棕色绒毛，成长后变光滑。孢子叶比营
养叶短而瘦弱，遍体密被灰棕色绒毛，叶片
强度紧缩，羽片长 2 ~ 3cm，裂片缩成线形，
背面满布暗棕色的孢子囊。

| 生境分布 |

生于海拔 1700 ~ 2000m 的中山地带的林缘、

草地或沼泽。分布于重庆开州、涪陵、南川等地。

| **资源情况** | 野生资源稀少。药材主要来源于野生。

| **采收加工** | 春、秋季采收，洗净，除去须根及叶柄，晒干。

| **功能主治** | 苦，微寒。归肝经。清热解毒，止血，杀虫，利尿。用于疟腮，流行性感冒，痢疾，鼻衄，崩漏，外伤出血，钩虫病，蛲虫病，小便不利。

| **用法用量** | 内服煎汤，10 ~ 30g；或炒炭研末，每次 3g，每日 2 ~ 3 次。外用适量，研末调涂。

| **附　　注** | （1）在 FOC 中，本种被修订为桂皮紫萁 *Osmundastrum cinnamomeum* (L.) C. Presl。
（2）本种的根茎也可作贯众的代用品。

紫萁科 Osmundaceae 紫萁属 Osmunda

紫萁

Osmunda japonica Thunb.

紫萁

药材名

紫萁贯众（药用部位：根茎、叶柄残基。别名：贯众、薇萁、毛狗子）、紫萁苗（药用部位：嫩苗或幼叶柄上的绵毛）。

形态特征

多年生草本，植株高 50 ～ 80cm 或更高。根茎短粗，或呈短树干状而稍弯。叶簇生，直立；叶柄长 20 ～ 30cm，禾秆色，幼时被密绒毛，不久脱落；叶片为三角状广卵形，长30 ～ 50cm，宽 25 ～ 40cm，顶部 1 回羽状，其下为 2 回羽状；羽片 3 ～ 5 对，对生，长圆形，长 15 ～ 25cm，基部宽 8 ～ 11cm，基部 1 对稍大，有柄（柄长 1 ～ 1.5cm），斜向上，奇数羽状；小羽片 5 ～ 9 对，对生或近对生，无柄，分离，长 4 ～ 7cm，宽1.5 ～ 1.8cm，长圆形或长圆状披针形，先端稍钝或急尖，向基部稍宽，圆形或近截形，相距 1.5 ～ 2cm，向上部稍小，顶生的同形，有柄，基部往往有 1 ～ 2 合生圆裂片，或阔披针形的短裂片，边缘有均匀的细锯齿；叶脉两面明显，自中肋斜向上，2 回分歧，小脉平行，达于锯齿；叶为纸质，成长后光滑无毛，干后为棕绿色。孢子叶（能育叶）同营养叶等高，或稍高，羽片和小羽片均短缩，小羽片变成线形，长 1.5 ～ 2cm，沿中肋两侧背面密生孢子囊。

| **生境分布** | 生于海拔2100m以下的林下、山脚或溪边酸性土上。分布于重庆永川、梁平、城口、巫溪、奉节、忠县、丰都、涪陵、石柱、武隆、黔江、彭水、酉阳、秀山、南川、南岸、綦江、璧山、合川、大足、江津、铜梁、荣昌、北碚、垫江、巫山、长寿、万州、云阳、九龙坡、开州、巴南、沙坪坝等地。

| **资源情况** | 野生资源丰富。药材主要来源于野生。

| **采收加工** | 紫萁贯众：春、秋季采挖，洗净，除去须根，晒干。
紫萁苗：春季采收，洗净，鲜用或晒干。

| **药材性状** | 紫萁贯众：本品根茎略呈圆锥形或圆柱形，稍弯曲，长10～20cm，直径3～6cm，下侧着生黑色的硬细根；上侧密生叶柄残基。叶柄基部呈扁圆形，斜向上，长4～6cm，直径0.2～0.5cm，表面棕色或棕黑色，切断面有"U"形筋脉纹（维管束），常与皮部分开。质硬，不易折断。气微，味甘、微涩。

| **功能主治** | 紫萁贯众：苦，微寒；有小毒。归肺、胃、肝经。清热解毒，止血，杀虫。用于疫毒感冒，热毒泻痢，痈疮肿毒，吐血，衄血，便血，崩漏，虫积腹痛。
紫萁苗：苦，微寒。止血。用于外伤出血。

| **用法用量** | 紫萁贯众：内服煎汤，5～9g。
紫萁苗：外用适量，鲜品捣敷；或干品研末敷。

紫萁科 Osmundaceae 紫萁属 Osmunda

华南紫萁
Osmunda vachellii Hook.

| 药 材 名 | 华南紫萁（药用部位：根茎、叶柄的髓部。别名：贯众、大凤尾蕨）、华南紫萁叶（药用部位：嫩叶、嫩苗）。

| 形态特征 | 多年生草本，植株高达 1m，坚强挺拔。根茎直立，粗肥，具呈圆柱状的主轴。叶簇生顶部；叶柄长 20 ～ 40cm，直径超过 5mm，棕禾秆色，略有光泽，坚硬；叶片长圆形，长 40 ～ 90cm，宽 20 ～ 30cm，一型，但羽片为二型，1 回羽状；羽片 15 ～ 20 对，近对生，斜向上，相距 2cm，有短柄，以关节着生于叶轴上，长 15 ～ 20cm，宽 1 ～ 1.5cm，披针形或线状披针形，向两端渐变狭，长渐尖头，基部为狭楔形，下部的较长，向顶部稍短，顶生小羽片有柄，全缘，或向先端略为浅波状；叶脉粗健，两面明显，2 回分歧，小脉平行，达于叶缘，叶缘稍向下卷；叶为厚纸质，两面光滑，略有光泽，干后绿色或黄

华南紫萁

绿色。下部数对（多达 8 对，通常 3 ~ 4 对）羽片能育，生孢子囊，羽片紧缩为线形，宽仅 4mm，中肋两侧密生圆形的分开的孢子囊穗，深棕色。

| **生境分布** | 生于草坡上或溪边阴处酸性土中。分布于重庆南岸、南川、合川、巴南、北碚等地。

| **资源情况** | 野生资源一般。药材主要来源于野生。

| **采收加工** | 华南紫萁：全年均可采收，除去须根、绒毛，晒干或鲜用。
华南紫萁叶：春、夏季采收，洗净，鲜用或晒干。

| **药材性状** | 华南紫萁：本品根茎呈圆柱形，一端钝圆，另一端较尖，稍弯曲。外表面黄棕色，其上密被叶柄残基及须根，无鳞片。气微，味微苦、涩。

| **功能主治** | 华南紫萁：微苦、涩，平。清热解毒，祛湿舒筋，驱虫。用于流行性感冒，痄腮，痈肿疮疖，妇女带下，筋脉拘挛，胃痛，肠道寄生虫病。
华南紫萁叶：清热，止血。用于外伤出血，尿血，烫伤。

| **用法用量** | 华南紫萁：内服煎汤，30 ~ 60g。外用适量，捣敷；或研末敷。
华南紫萁叶：内服煎汤，30 ~ 60g。外用鲜品捣敷；或干品研末敷。

瘤足蕨科 Plagiogyriaceae 瘤足蕨属 *Plagiogyria*

镰叶瘤足蕨 *Plagiogyria distinctissima* Ching

| 药 材 名 | 镰叶瘤足蕨（药用部位：全草。别名：高山瘤足蕨、小贯众、斗鸡草）。

| 形态特征 | 多年生草本。根茎短小，直立。不育叶的叶柄长 15 ～ 22cm，细瘦，直径 1 ～ 1.5mm 或稍粗，横切面近四方形，禾秆色或褐棕色；叶片长 17 ～ 25cm，基部宽 7 ～ 11cm，长圆状披针形或卵状披针形，向顶部变狭，先端短尾头，羽状；羽片 12 ～ 19 对，互生，几平展，相距 1.2 ～ 1.5cm，长 4 ～ 6cm，宽 9 ～ 13mm，镰形，渐尖头，向上弯弓，各羽片基部之间有 1 向上弯的圆缺刻，基部不对称，下侧圆形，分离或向叶片上部多少与叶轴合生，上侧自基部 1 对羽片起，沿叶轴以狭翅上延，基部 1 对羽片同上方 1 对等长或略长，平展或经常略斜向下，对生或近对生，披针形或近镰形，基部心形；叶片顶部为短尾头，其下各对羽片基部汇合；叶下部全缘，向顶部有锯齿，

镰叶瘤足蕨

叶脉斜展，从基部二叉分枝，达于叶缘，先端微向前弯，两面相当明显；叶草质，干后绿色或黄绿色，光滑。能育叶比不育叶高，叶柄长 20～30cm，深褐色，细瘦，直立；叶片长 14～17cm，宽 4～6cm，尾头；羽片 15～18 对，彼此远离，长 5～7cm，宽 2～3mm，线形，无柄，尖头。

| **生境分布** | 生于海拔 500～2000m 的常绿阔叶林或亚热带针叶林下及溪边。分布于重庆武隆、铜梁、南川、巴南等地。

| **资源情况** | 野生资源稀少。药材来源于野生。

| **采收加工** | 夏、秋季采收，洗净，晒干或鲜用。

| **功能主治** | 辛，凉。归膀胱、肺、肝经。解表清热，祛风止痒，透疹。用于流行性感冒，麻疹，皮肤瘙痒，血崩，扭伤。

| **用法用量** | 内服煎汤，9～15g；或研末。外用适量，鲜品捣敷；或烧灰研末，调敷。

| **附　　注** | （1）在 FOC 中，本种被修订为瘤足蕨 *Plagiogyria adnata* (Bl.) Bedd.。
（2）本种过去一直被认为与南洋群岛产的瘤足蕨 *Plogrogyria adnata* (Bl.) Bedd. 相同，其实两者大有区别。足蕨科是 1 个自然的群，但由于各类群之间的形态差异及种内变异比较大，其分类和系统位置一直有争议。研究显示，不同种间叶表皮扫描电镜特征表现出一定差异，对种的划分有一定的分类学鉴定意义。

瘤足蕨科 Plagiogyriaceae 瘤足蕨属 Plagiogyria

华中瘤足蕨 *Plagiogyria euphlebia* Mett.

| 药 材 名 | 华中瘤足蕨（药用部位：全草或根茎）。

| 形态特征 | 多年生草本。根茎粗大，圆柱形，弯生。不育叶的叶柄长
23 ~ 30cm，直径 2 ~ 2.5mm，基部以上通体不具气囊体或在顶部
间有 1 对气囊体；叶片长 32 ~ 45cm，宽 13 ~ 18cm，长圆形；基
部不变狭，奇数羽状；羽片 14 ~ 16 对，近对生或互生，相距 2 ~
2.5cm，斜向上，披针形，略呈镰状，通常长 9 ~ 11cm，宽 1 ~ 1.3cm，
渐尖头，基部为短楔形，有短柄，顶生 1 枚同形，几同大，基部常
有 1 ~ 2 圆形裂片，其下方 2 ~ 3 经常多少与叶轴合生，基部 1 ~ 2
对同大或略短，平展，有较长的柄（长约 3mm），下部几为全缘，
向上有浅波状的疏而低的齿牙，先端有钝锯齿；叶脉稀疏，略斜上，
单一或二叉，直达叶缘，两面明显隆起；叶为纸质，光滑，干后为

华中瘤足蕨

褐绿色或棕绿色。能育叶较高，叶柄长达50cm；叶片30～40cm；羽片长8～10cm，线形，有长柄，急尖头。

| **生境分布** | 生于海拔500～1200m的山地林下。分布于重庆江津、南川、石柱、巫山、奉节等地。

| **资源情况** | 野生资源一般。药材主要来源于野生。

| **采收加工** | 夏、秋季采收，洗净，晒干或鲜用。

| **功能主治** | 微苦，凉。清热解毒。用于流行性感冒。

| **用法用量** | 内服煎汤，9～15g。外用适量，鲜品捣敷。

瘤足蕨科 Plagiogyriaceae 瘤足蕨属 Plagiogyria

华东瘤足蕨 *Plagiogyria japonica* Nakai

| 药 材 名 | 华东瘤足蕨（药用部位：根茎。别名：日本瘤足蕨）。

| 形态特征 | 多年生草本。根茎短粗直立或为高达 7cm 的圆柱形的主轴。叶簇生；不育叶的叶柄长 12 ~ 20cm 或稍长，横切面为近四方形，暗褐色；叶片长圆形，尾头，长 20 ~ 35cm 或更长，宽 12 ~ 16cm，羽状；羽片 13 ~ 16 对，互生，近开展，相距 2.5cm，披针形，或通常为近镰形，长 7 ~ 9cm，宽 1.5cm，基部的叶不缩短或略短，无柄，短渐尖头，基部近圆楔形，下侧楔形，分离，上侧略与叶轴合生，略上延，基部几对羽片的基部为短楔形，几分离，向顶部的略缩短，合生，但顶生羽片特长，7 ~ 10cm，与其下的较短羽片合生；叶缘有疏钝的锯齿，向先端锯齿较粗；中脉隆起，两侧小脉明显，二叉分枝，极少为单脉，直达锯齿；叶纸质，两面光滑，干后黄绿色，

华东瘤足蕨

叶轴下面扁圆，上面两侧各有 1 狭边。能育叶高与不育叶相等或过之，叶柄远较叶片长，叶片长 16 ~ 30cm；羽片紧缩成线形，长 5 ~ 6.5cm，宽约 3cm，有短柄，先端急尖。

| 生境分布 |

生于海拔 1450m 以下的常绿阔叶林林缘或沟谷中。分布于重庆涪陵、武隆、江津、南川、綦江、巴南、石柱、北碚等地。

| 资源情况 |

野生资源一般。药材主要来源于野生。

| 采收加工 |

全年均可采挖，洗净，除去须根、叶柄，晒干或鲜用。

| 功能主治 |

微苦，凉。清热解毒，消肿。用于流行性感冒，风热头痛，跌仆伤痛。

| 用法用量 |

内服煎汤，9 ~ 15g。外用适量，鲜品捣敷。

瘤足蕨科 Plagiogyriaceae 瘤足蕨属 Plagiogyria

耳形瘤足蕨 *Plagiogyria stenoptera* (Hance) Diels

| 药 材 名 | 小牛肋巴（药用部位：全草或根茎。别名：斗鸡草）。

| 形态特征 | 多年生草本。叶柄长 6 ~ 12cm，草质，上面平坦或有阔沟槽，下面为锐龙骨形，即横切面为尖三角形。叶片为披针形，长 22 ~ 32cm，中部宽 6 ~ 8cm，向两端渐变狭，先端为尾头，基部突然变狭，羽状深裂几达叶轴；羽片（或裂片）25 ~ 35 对，几平展，彼此接近，缺刻尖而狭，中部长 3 ~ 4cm 或更长，基部宽约为 1cm，披针形，自基部向外逐渐变狭，顶部渐尖，下部全缘，上半部有较细锯齿；羽片向基部逐渐缩短到长约1cm，自此向下有 2 ~ 10 对羽片突然收缩成为长半圆形互生的小耳片，宽不及 4mm；叶脉几开展，纤细，二叉或单一，近叶缘略向上弯曲，达于锯齿，两面可见；叶草质，干后绿色或黄绿色，叶轴下面为锐龙骨形，上面有 1 深阔

耳形瘤足蕨

沟。能育叶和营养叶同形，但叶柄较长，14 ~ 17cm；羽片12 ~ 16 对，强度收缩成线形，宽约2mm，长约2.5cm，彼此远分开，有短柄，先端为尖头，下面满布孢子囊群，中脉隐约可见。

生境分布

生于海拔1500 ~ 2000m 的林下。分布于重庆巫山、南川、綦江、江津等地。

资源情况

野生资源一般。药材来源于野生。

采收加工

夏、秋季采收，洗净，晒干或鲜用。

功能主治

清热解毒，解表止咳。用于感冒头痛，咳嗽。

用法用量

内服煎汤，9 ~ 15g。

附 注

民间用本种的茎熬水，用于感冒头痛。

里白科 Gleicheniaceae 芒萁属 Dicranopteris

芒萁
Dicranopteris dichotoma (Thunb.) Bernh.

| 药 材 名 | 芒萁骨（药用部位：幼叶、叶柄。别名：草芒、山芒、山蕨）、芒萁骨根（药用部位：根茎）。

| 形态特征 | 多年生草本。植株通常高 45 ~ 90（~ 120）cm。根茎横走，直径约 2mm，密被暗锈色长毛。叶远生，叶柄长 24 ~ 56cm，直径 1.5 ~ 2mm，棕禾秆色，光滑，基部以上无毛；叶轴 1 ~ 2（~ 3）回二叉分枝，1 回羽轴长约 9cm，被暗锈色毛，渐变光滑，有时顶芽萌发，生出的 1 回羽轴，长 6.5 ~ 17.5cm，2 回羽轴长 3 ~ 5cm；腋芽小，卵形，密被锈黄色毛；芽苞长 5 ~ 7mm，卵形，边缘具不规则裂片或粗牙齿，偶为全缘；各回分叉处两侧均各有 1 对托叶状的羽片，平展，宽披针形，等大或不等，生于 1 回分叉处的长 9.5 ~ 16.5cm，宽 3.5 ~ 5.2cm，生于 2 回分叉处的较小，长 4.4 ~ 11.5cm，宽 1.6 ~ 3.6cm；末回羽片长 16 ~ 23.5cm，宽 4 ~ 5.5cm，披针形或宽披针形，

芒萁

向先端变狭，尾状，基部上侧变狭，篦齿状深裂几达羽轴；裂片平展，35～50对，线状披针形，长1.5～2.9cm，宽3～4mm，先端钝，常微凹，羽片基部上侧的数对极短，三角形或三角状长圆形，长4～10mm，各裂片基部汇合，有尖狭的缺刻，全缘，具软骨质的狭边；侧脉两面隆起，明显，斜展，每组有3～4（～5）并行小脉，直达叶缘；叶纸质，上面黄绿色或绿色，沿羽轴被锈色毛，后变无毛，下面灰白色，沿中脉及侧脉疏被锈色毛。孢子囊群圆形，1列，着生于基部上侧或上、下两侧小脉的弯弓处，由5～8孢子囊组成。

| **生境分布** | 生于强酸性的红壤丘陵、荒坡林缘或马尾松林下。分布于重庆黔江、北碚、綦江、万州、丰都、南岸、忠县、垫江、璧山、大足、秀山、彭水、涪陵、江津、沙坪坝、酉阳、永川、合川、长寿、奉节、石柱、潼南、梁平、云阳、城口、铜梁、南川、九龙坡、巫溪、武隆、开州、巴南、荣昌等地。

| **资源情况** | 野生资源丰富。药材来源于野生。

| **采收加工** | 芒萁骨：全年均可采收，洗净，晒干或鲜用。
芒萁骨根：全年均可采挖，洗净，晒干或鲜用。

| **药材性状** | 芒萁骨：本品叶卷曲皱缩。叶柄褐棕色，光滑，长24～56cm。叶轴1～2回或多回分叉，各回分叉的腋间有1休眠芽，密被绒毛，并有1对叶状苞片；末回羽片展开后呈披针形，长16～23.5cm，宽4～5.5cm，篦齿状羽裂，裂片条状披针形，先端常微凹，侧脉每组有小脉3～5；上表面黄绿色，下表面灰白色。气微，味淡。
芒萁骨根：本品细长，有分枝，直径2.2～5mm，褐棕色，坚硬，木质，被棕黄色毛，具短须根；易折断，断面明显分为2层，外层为棕色皮层，中央为淡黄色中柱。

| **功能主治** | 芒萁骨：微苦、涩，凉。化瘀止血，清热利尿，解毒消肿。用于妇女血崩，跌打伤肿，外伤出血，热淋涩痛，带下，小儿腹泻，痔瘘，目赤肿痛，烫火伤，毒虫咬伤。
芒萁骨根：苦，凉。化瘀止血，清热利尿，止咳。用于湿热臌胀，小便涩痛，阴部湿痒，带下，跌打伤肿，外伤出血，血崩，鼻衄，肺热咳嗽。

| **用法用量** | 芒萁骨：内服煎汤，9～15g；或研末。外用适量，研末敷；或鲜品捣敷。
芒萁骨根：内服煎汤，15～30g；或研末。外用适量，鲜品捣敷。

| **附　注** | 在FOC中，本种的拉丁学名被修订为 *Dicranopteris pedata* (Houttuyn) Nakaike。

中华里白

Hicriopteris chinensis (Ros.) Ching

| 药 材 名 | 中华里白（药用部位：根茎）。

| 形态特征 | 多年生草本。植株高约 3m。根茎横走，直径约 5mm，深棕色，密被棕色鳞片。叶片巨大，2 回羽状；叶柄深棕色，直径 5 ~ 6mm 或过之，密被红棕色鳞片，后几变光滑；羽片长圆形，长约 1m，宽约 20cm；小羽片互生，多数，相距 2.2 ~ 3.2cm，具极短柄，长 14 ~ 18cm，宽 2.4cm，披针形，先端渐尖，基部不变狭，羽状深裂；裂片稍向上斜，互生，50 ~ 60 对，长 1 ~ 1.4mm，宽 2mm，披针形或狭披针形，先端圆，常微凹，基部汇合，缺刻尖狭，全缘，干后常内卷；中脉上面平，下面凸起，侧脉两面凸起，明显，叉状，近水平状斜展；叶坚质，上面绿色，沿小羽轴被分叉的毛，下面灰绿色，沿中脉、侧脉及边缘密被星状柔毛，后脱落；叶轴褐棕色，

中华里白

直径约 4.5mm，初密被红棕色鳞片，边缘被长睫毛。孢子囊群圆形，1 列，位于中脉和叶缘之间，稍近中脉，着生于基部上侧小脉上，被夹毛，由 3 ~ 4 孢子囊组成。

| **生境分布** | 生于海拔 400 ~ 1000m 的杉木林中常绿阔叶林边或溪边。分布于重庆黔江、南川、巴南、南岸、合川、忠县、彭水、长寿等地。

| **资源情况** | 野生资源丰富。药材主要来源于野生。

| **采收加工** | 全年均可采挖，洗净，晒干。

| **药材性状** | 本品略弯，直径5 ~ 7mm。表面深褐色，外皮较皱，叶柄基部及须根上被棕色鳞毛。质坚硬且脆，易折断，断面不整齐，深褐色，散有棕色纤维束和淡黄色分体中柱。气微，味淡后微辛。

| **功能主治** | 微苦、微涩，凉。止血，接骨。用于鼻衄，骨折。

| **用法用量** | 内服煎汤，9 ~ 15g。外用适量，研末塞鼻；或调敷。

| **附　注** | 在 FOC 中，本种的拉丁学名被修订为 *Diplopterygium chinense* (Rosenstock) De Vol，里白属的拉丁学名被修订为 *Diplopterygium*。

■里白科■ Gleicheniaceae ■里白属■ Hicriopteris

里白

Hicriopteris glauca (Thunb.) Ching

| **药 材 名** | 里白（药用部位：根茎）。

| **形态特征** | 多年生草本。植株高约 1.5m。根茎横走，直径约 3mm，被鳞片。叶柄长约 60cm，直径约 4mm，光滑，暗棕色；1 回羽片对生，具短柄，长 55 ~ 70cm，长圆形，中部最宽，18 ~ 24cm，向先端渐尖，基部稍变狭；小羽片 22 ~ 35 对，近对生或互生，平展，几无柄，长 11 ~ 14cm，宽 1.2 ~ 1.5cm，线状披针形，先端渐尖，基部不变狭，截形，羽状深裂；裂片 20 ~ 35 对，互生，几平展，长 7 ~ 10mm，宽 2.2 ~ 3mm，宽披针形，钝头，基部汇合，缺刻尖狭，全缘，干后稍内卷；中脉上面平，下面凸起，侧脉两面可见，10 ~ 11 对，叉状分枝，直达叶缘；叶草质，上面绿色，无毛，下面灰白色，沿小羽轴及中脉疏被锈色短星状毛，后变无毛；羽轴棕绿色，上面平，

里白

两侧有边，下面圆，光滑。孢子囊群圆形，中生，生于上侧小脉上，由 3 ~ 4 孢子囊组成。

| **生境分布** | 生于海拔 1500m 以下的常绿阔叶林林下、杉木林林间或沟边。分布于重庆北碚、綦江、万州、丰都、黔江、璧山、大足、江津、城口、永川、奉节、石柱、秀山、忠县、铜梁、垫江、南川、涪陵、九龙坡、彭水、武隆、巫溪、开州、南岸、沙坪坝、荣昌等地。

| **资源情况** | 野生资源一般。药材主要来源于野生。

| **采收加工** | 秋、冬季采收，洗净，晒干。

| **药材性状** | 本品弯曲，直径 4 ~ 6mm。表面褐色，被鳞片，并有弯曲的须根。质坚硬，易折断，断面外层为棕色皮层，中央为淡黄色中柱。气微，味淡后微辛。

| **功能主治** | 苦、涩，凉。归肝经。行气止血，化瘀接骨。用于胃脘痛，鼻衄，跌打损伤，骨折。

| **用法用量** | 内服煎汤，9 ~ 15g。外用适量，研末，塞鼻；或调敷。

| **附　注** | 在 FOC 中，本种的拉丁学名被修订为 *Diplopterygium glaucum* (Thunberg ex Houttuyn) Nakai，里白属的拉丁学名被修订为 *Diplopterygium*。

里白科 Gleicheniaceae 里白属 Hicriopteris

光里白

Hicriopteris laevissima (Christ) Ching

| **药 材 名** | 光里白（药用部位：根茎）。

| **形态特征** | 多年生草本，植株高1～1.5m。根茎横走，圆柱形，被鳞片，暗棕色。叶柄绿色或暗棕色，下面圆，上面平，有沟，基部以上直径4～5mm，基部被鳞片或疣状突起，其他部分光滑；1回羽片对生，具短柄（长2～5mm），卵状长圆形，长38～60cm，中部宽达26cm，先端渐尖，基部稍变狭或不变狭；小羽片20～30对，互生，几无柄，相距2～2.8cm，明显斜向上，中部的最长，达20.5cm，狭披针形，向先端长渐尖，基部下侧明显变狭，羽状全裂；裂片25～40对，互生，向上斜展，长7～13mm，宽约2mm，基部下侧裂片长约5mm，披针形，先端锐尖，基部分离，缺刻尖，全缘，干后内卷；中脉上面平，下面凸起，侧脉两面明显，两叉，斜展，直达叶缘；叶坚纸质，无毛，

光里白

上面绿色，下面灰绿色或淡绿色；叶轴干后边缘禾秆色，背面圆，腹面平，有边，光滑。孢子囊群圆形，位于中脉及叶缘之间，着生于上方小脉上，由 4 ～ 5 孢子囊组成。

| **生境分布** | 生于海拔 500 ～ 2500m 的山谷阴湿处。分布于重庆城口、忠县、南川、丰都、綦江等地。

| **资源情况** | 野生资源一般。药材主要来源于野生。

| **采收加工** | 秋、冬季采收，洗净，除去须根及叶柄，晒干。

| **药材性状** | 本品较平直，直径 4 ～ 5mm。表面较光滑，暗褐色，有亮棕色大鳞片及多数黑色须根。质坚硬，易折断，断面不平坦，皮层棕色，中央为淡黄色中柱。气微，味淡后微辛。

| **功能主治** | 微苦、涩，凉。行气，止血，接骨。用于胃脘胀痛，跌打骨折，鼻衄。

| **用法用量** | 内服煎汤，9 ～ 15g。外用适量，研末，塞鼻；或调敷。

| **附　注** | （1）在 FOC 中，本种的拉丁学名被修订为 *Diplopterygium laevissimum* (Christ) Nakai，里白属的拉丁学名被修订为 *Diplopterygium*。
（2）本种药材在民间用于砂淋、热淋、血淋、水肿、小便不利、前列腺炎等，具有一定的开发前景。

海金沙科 Lygodiaceae　海金沙属 Lygodium

海金沙

Lygodium japonicum (Thunb.) Sw.

| 药 材 名 | 海金沙（药用部位：孢子。别名：左转藤灰、海金砂）、海金沙草（药用部位：地上部分。别名：金沙藤、左转藤、罗网藤）、海金沙根（药用部位：根、根茎。别名：铁蜈蚣、铁丝草、铁脚蜈蚣根）。

| 形态特征 | 多年生攀缘草本，植株高 1 ~ 4m。叶轴上面有 2 狭边，羽片多数，相距 9 ~ 11cm，对生于叶轴上的短距两侧，平展；距长达 3mm，先端有 1 丛黄色柔毛覆盖腋芽。不育羽片尖三角形，长、宽几相等，10 ~ 12cm 或较狭，叶柄长 1.5 ~ 1.8cm，同羽轴一样多少被短灰毛，两侧并有狭边，2 回羽状；1 回羽片 2 ~ 4 对，互生，柄长 4 ~ 8mm，和小羽轴都有狭翅及短毛，基部 1 对卵圆形，长 4 ~ 8cm，宽 3 ~ 6cm，1 回羽状；2 回小羽片 2 ~ 3 对，卵状三角形，具短柄或无柄，互生，掌状 3 裂；末回裂片短阔，中央 1 条长 2 ~ 3cm，宽 6 ~ 8mm，基

海金沙

部楔形或心形，先端钝，先端的 2 回羽片长 2.5 ～ 3.5cm，宽 8 ～ 10mm，波状浅裂；向上的 1 回小羽片近掌状分裂或不分裂，较短，叶缘有不规则的浅圆锯齿；主脉明显，侧脉纤细，从主脉斜上，1 ～ 2 回二叉分歧，直达锯齿；叶纸质，干后绿褐色；两面沿中肋及脉上略被短毛。能育羽片卵状三角形，长、宽几相等，12 ～ 20cm，或长稍过于宽，2 回羽状；1 回小羽片 4 ～ 5 对，互生，相距 2 ～ 3cm，长圆状披针形，长 5 ～ 10cm，基部宽 4 ～ 6cm，1 回羽状，2 回小羽片 3 ～ 4 对，卵状三角形，羽状深裂；孢子囊穗长 2 ～ 4mm，往往长远超过小羽片的中央不育部分，排列稀疏，暗褐色，无毛。

| 生境分布 | 生于海拔 1600m 以下的阴湿山坡灌丛中或路边林缘。重庆各地均有分布。

| 资源情况 | 野生资源丰富。药材主要来源于野生，亦有少量栽培。

| 采收加工 | 海金沙：秋季孢子未脱落时采割藤叶，晒干，搓揉或打下孢子，除去藤叶。

海金沙草：秋季孢子未脱落时采收，除去杂质，晒干。

海金沙根：8 ~ 9 月采收，洗净，晒干。

| 药材性状 | 海金沙：本品呈粉末状，棕黄色或浅棕黄色。体轻，手捻有光滑感，置手中易由指缝滑落。气微，味淡。

海金沙草：本品茎藤呈长圆柱形，直径 2 ~ 4mm；表面光滑，棕黄色；质较柔韧，断面皮部棕色，髓部黄白色。叶对生，二型，不育叶尖三角形，二回羽状复叶，小叶片展平后呈阔线形，或基部分裂成不规则的小羽片，边缘具小钝齿。能育叶一至二回羽状复叶，羽片卵状三角形，边缘有锯齿或不规则分裂，叶背边缘有成穗状排列的孢子囊群 2 列，孢子囊盖鳞片状，卵形。气微，味淡。

海金沙根：本品根茎呈圆柱形，具不规则分枝，茶褐色，常残留黄绿色细茎干；节不明显，被细柔毛，直径 0.1 ~ 0.4cm，表面棕黑色，断面棕黄色。根圆柱形，须状弯曲，被柔毛，有须根残留，长 3 ~ 30cm，直径 0.1 ~ 0.3cm，黑褐色。质坚韧，断面棕黄色。气微，味淡。

| 功能主治 | 海金沙：甘、咸，寒。归膀胱、小肠经。清利湿热，通淋止痛。用于热淋，石淋，血淋，膏淋，尿道涩痛。

海金沙草：甘，寒。归膀胱、小肠、肝经。清热解毒，利尿通淋，活血化瘀。用于热淋，石淋，血淋，小便不利，水肿，湿热黄疸，泄泻。

海金沙根：甘、淡，寒。归肺、肝、膀胱经。清热解毒，利水消肿。用于肺炎，急性胃肠炎，泻痢，黄疸性肝炎，尿路感染，膀胱结石，月经不调，风湿腰腿痛，乳痈，疟腮。

| 用法用量 | 海金沙：内服煎汤，6～15g，包煎。

海金沙草：内服煎汤，15～30g。

海金沙根：内服煎汤，15～30g，鲜品30～60g。外用适量，研末调敷。

| 附　　注 | （1）本种喜生长在排水良好的砂土及砂壤土中。攀缘性强，抗逆性也强。

（2）海金沙科植物小叶海金沙 *Lygodium microphyllum* (Cav.) R. Br. 和狭叶海金沙 *Lygodium microstachyum* Desv. 的孢子也混作海金沙用。主要区别在于，狭叶海金沙末回小羽片常为三角形，叶为薄草质，藤本状的叶轴细弱，不育的末回羽片通常为掌状深裂（或3裂），裂片狭长；海金沙末回小羽片为阔披针形，叶为纸质，藤本状的叶轴较粗，不育的末回羽片为3裂，裂片短而阔。

（3）本种药用部位为孢子，资源有限，而民间则用全草及根代替孢子入药，多用于尿路结石、尿路感染、扁桃体炎、乳腺炎、丹毒等。可将本种的全草作为新的药用部位进行研究开发。

膜蕨科 Hymenophyllaceae 假脉蕨属 Crepidomanes

翅柄假脉蕨 *Crepidomanes latealatum* (v. d. B.) Cop.

| 药 材 名 | 翅柄假脉蕨（药用部位：全草）。

| 形态特征 | 多年生草本，植株高 2 ~ 4.5cm。根茎纤细，丝状，横走，分枝，暗褐色，全部密被褐色的短毛。叶远生，相距约 1cm；叶柄短或几无柄，长不及 5mm，纤细如丝，暗绿褐色，基部黑褐色并被短毛，几全部有翅；叶片长卵形至阔披针形，长 2 ~ 5cm，宽 10 ~ 20mm，尖头，2 回羽裂；羽片 3 ~ 6 对，互生，无柄，斜向上，长斜卵形至长圆形，长 5 ~ 8mm，宽 3 ~ 4mm，先端钝圆，基部斜楔形，上部的密接，下部几对稍疏，深羽裂几达有翅的羽轴；末回裂片长圆状线形，长 3 ~ 4mm，宽约 0.8mm，4 ~ 6 对，极斜向上，密接，锐尖头，全缘，边缘有浅波状褶皱；叶脉叉状分枝，暗褐色，两面稍隆起，无毛，沿叶缘无连续不断的假脉，在叶缘与叶脉间有数条断续而和叶脉斜

翅柄假脉蕨

行的假脉；叶薄膜质，半透明，干后为暗绿褐色，光滑无毛；叶轴有暗褐色羽轴，稍曲折，全部有翅，翅的边缘有褶皱，无毛。孢子囊群生于叶片上部，顶生向轴的裂片上，每个羽片上有 2 ～ 5；囊苞椭圆形，长约 1.2mm，基部稍狭，两侧有狭翅，口部浅裂为 2 唇瓣；唇瓣三角形，其基部扩大而宽于囊苞的管；囊群托凸出。

| **生境分布** | 生于海拔 800 ～ 1600m 的山地林下岩石上。分布于重庆开州、南川、綦江、武隆、石柱、江津、北碚等地。

| **资源情况** | 野生资源稀少。药材来源于野生。

| **采收加工** | 夏、秋季采收，晒干或鲜用。

| **功能主治** | 消毒，止血。用于外伤出血。

| **用法用量** | 外用适量，鲜品捣敷；或研末敷。

膜蕨科 Hymenophyllaceae 团扇蕨属 Gonocormus

团扇蕨 *Gonocormus minutus* (Bl.) v. d. B. Hymen.

| 药 材 名 | 团扇蕨（药用部位：全草）。

| 形态特征 | 多年生草本，植株高 1.5 ~ 2cm。根茎纤细，丝状，交织成毡状，横走，黑褐色，密被暗褐色片状短毛。叶远生，相距 3 ~ 6mm；叶柄纤细，长 6 ~ 10mm，暗黑褐色至暗绿色，光滑无毛；叶片团扇形至圆肾形，长与宽不及 1cm，宽略过于长，扇状分裂达 1/2 处，基部心形或短楔形；裂片线形，钝头，常有浅裂，全缘，各裂片大致整齐，生于囊苞的裂片通常较不育裂片为短或等长；叶脉多回叉状分枝，两面明显，暗绿褐色，末回裂片有小脉 1 ~ 2；叶薄膜质，半透明，干后呈暗绿色，两面光滑无毛。孢子囊群着生于短裂片的顶部；囊苞瓶状，两侧有翅，口部膨大而有阔边。

团扇蕨

| **生境分布** | 生于海拔1000m以下的常绿阔叶林中树干下部或岩石上。分布于重庆石柱、南川、江津、永川、北碚、开州、綦江等地。 |

| **资源情况** | 野生资源稀少。药材来源于野生。 |

| **采收加工** | 夏、秋季采收，晒干或鲜用。 |

| **功能主治** | 止血。用于外伤出血。 |

| **用法用量** | 外用适量，鲜品捣敷；或研末敷。 |

| **附　　注** | 在 FOC 中，本种的拉丁学名被修订为 *Crepidomanes minutum* (Blume) K. Iwatsuki。 |

膜蕨科 Hymenophyllaceae 膜蕨属 Hymenophyllum

顶果膜蕨 Hymenophyllum khasyanum Hook. et Bak.

| **药 材 名** | 顶果膜蕨（药用部位：全草）。

| **形态特征** | 多年生草本，植株高 8 ~ 10cm。根茎纤细，丝状，横走，直径约 0.3mm，暗褐色，与叶柄不易区别，疏被柔毛或几光滑。叶远生，相距 1 ~ 2cm；叶柄长 2 ~ 2.5cm，无翅，疏被柔毛；叶片狭长披针形，长 7 ~ 10cm，宽 12 ~ 15mm，2 回羽状深裂；羽片斜长圆形，10 ~ 12 对，长 8 ~ 10mm，宽 5 ~ 6mm，基部几对近生，其余的密接，互生，无柄，斜向上，基部斜楔形，羽状深裂几达羽轴；裂片 3 ~ 4 对，线形，长 2.5 ~ 3mm，宽约 1mm，钝头，边缘有尖锯齿，基部上侧的裂片较长而常分叉；叶脉叉状分枝，两面明显隆起，暗褐色，与叶轴及羽轴上面同被褐色贴生的柔毛，末回裂片有小脉 1，不达裂片先端；叶薄膜质，半透明，干后暗褐色；叶轴暗褐色，除基部

顶果膜蕨

外均有狭翅，叶轴及羽轴均稍曲折。孢子囊群只生于叶片的先端，位于羽片的上部裂片的顶部，生孢子囊群的裂片在囊苞之下显著缩狭；囊苞狭长卵形，长1.5 ~ 2mm，宽约 1mm，2 唇瓣分裂到基部以上，先端尖锐并有尖齿。

| **生境分布** | 生于海拔 800 ~ 900m 的林下及溪边石上。分布于重庆南川、北碚、江津、开州、巴南等地。

| **资源情况** | 野生资源稀少。药材来源于野生。

| **采收加工** | 夏、秋季采收，晒干或鲜用。

| **功能主治** | 微涩，平。止血生肌。用于外伤出血。

| **用法用量** | 外用适量，鲜品捣敷；或研末敷。

膜蕨科 Hymenophyllaceae 蕗蕨属 Mecodium

小果蕗蕨 *Mecodium microsorum* (v. d. B.) Ching

| 药 材 名 | 小果蕗蕨（药用部位：全草）。

| 形态特征 | 多年生草本，植株高 15 ~ 20cm。根茎纤细，丝状，长而横走，下面疏生纤维状的根。叶远生，相距 2 ~ 3cm；叶柄长 5 ~ 10cm，褐色，无毛；叶片薄膜质，卵形至椭圆形，长 6 ~ 12cm，宽 4 ~ 6cm，4 回羽状分裂；羽片 10 ~ 12 对，互生，几无柄，开展，三角状披针形，先端稍向上弯，长 2 ~ 6cm，宽 1 ~ 2cm，基部不对称，其下侧极偏斜，密接；1 回小羽片 5 ~ 8 对，无柄，开展，三角状卵形至斜卵形，长 0.8 ~ 2cm，宽 4 ~ 10mm；2 回小羽片 3 ~ 5 对，互生，无柄，阔楔形至近扇形，长 3 ~ 5mm，宽 2 ~ 3mm；末回裂片 2 ~ 4，互生，极斜向上，长圆状线形，长 1 ~ 3mm，宽不到 0.5mm，先端具钝头，常有浅缺刻，全缘，单一或分叉，密接；叶脉叉状分枝，两面隆起，

小果蕗蕨

深褐色，末回裂片有小脉 1；除叶柄外，叶轴及各回羽轴均有平直的翅。孢子囊群小，多数，位于叶片上半部，着生于各个裂片的先端；囊苞为等边三角状卵形，长约 1mm，圆头，全缘，深裂几达基部，其下的裂片不狭缩。

| 生境分布 | 生于海拔 600 ~ 2750m 的山地密林下或潮湿的岩石上。分布于重庆巫山、巫溪、南川、石柱等地。

| 资源情况 | 野生资源稀少。药材主要来源于野生。

| 采收加工 | 夏、秋季采收，晒干或鲜用。

| 功能主治 | 微苦，凉。清热解毒，敛疮生肌。用于痈疖肿毒，烫火伤。

| 用法用量 | 内服煎汤，9 ~ 15g。外用适量，鲜品捣敷；或干品研末，调敷。

| 附　　注 | 在 FOC 中，本种被修订为长柄蕗蕨 *Hymenophyllum polyanthos* (Swartz) Swartz。

膜蕨科 Hymenophyllaceae 瓶蕨属 Vandenboschia

瓶蕨
Vandenboschia auriculata (Bl.) Cop.

| 药 材 名 | 瓶蕨（药用部位：全草。别名：热水莲）。

| 形态特征 | 中型附生蕨类，植株高 15 ~ 30cm。根茎长而横走，直径 2 ~ 3mm，灰褐色，坚硬，被黑褐色有光泽的多细胞的节状毛，后渐脱落，叶柄腋间有 1 密被节状毛的芽。叶远生，相距 3 ~ 5cm，沿根茎在同一平面上排成 2 行，互生，平展或稍斜出；叶柄短，长 4 ~ 8mm，直径约 1mm，灰褐色，基部被节状毛，无翅或有狭翅；叶片披针形，长 15 ~ 30cm，宽 3 ~ 5cm，略为二型。能育叶与不育叶相似，仅较狭及分裂较细，1 回羽状；羽片 18 ~ 25 对，互生，无柄，上部的斜出，中部的平展，基部的反折并覆盖根茎，卵状长圆形，长 2 ~ 3cm，宽 1 ~ 1.5cm，密接，圆钝头，基部上侧有阔耳片并常覆盖叶轴，边缘为不整齐的羽裂达 1/2。不育裂片狭长圆形，长 4 ~ 5mm，

瓶蕨

宽 3 ~ 4mm，先端有钝圆齿，每齿有小脉 1；能育裂片通常缩狭或仅有 1 单脉。叶脉多回二歧分枝，暗褐色，隆起，无毛。叶为厚膜质，干后深褐色，常沿叶脉多少形成褶皱，无毛；叶轴灰褐色，有狭翅或几无翅，几无毛，上面有浅沟。孢子囊群顶生于向轴的短裂片上，每个羽片有 10 ~ 14；囊苞狭管状，长 2 ~ 2.5mm，口部截形，不膨大并有浅钝齿，其基部以下裂片不变狭或略变狭；囊群托凸出，长约 4mm。

| **生境分布** | 生于海拔 500 ~ 2100m 的溪边树干上或阴湿岩石上。分布于重庆南川、永川、石柱、开州等地。

| **资源情况** | 野生资源稀少。药材来源于野生。

| **采收加工** | 夏、秋季采收，晒干或鲜用。

| **功能主治** | 微苦，平。归肝经。生肌止血。用于外伤出血。

| **用法用量** | 外用适量，干品研末敷；或鲜品捣敷。

膜蕨科 Hymenophyllaceae 瓶蕨属 Vandenboschia

漏斗瓶蕨 *Vandenboschia naseana* (Christ) Ching

| 药 材 名 | 漏斗瓶蕨（药用部位：全草。别名：热水莲）。

| 形态特征 | 中型附生蕨类，植株高 25 ~ 40cm。根茎长，横走，直径约 2mm，黑褐色，坚硬，密被黑褐色多细胞的蓬松节状毛，下面疏生纤维状的根。叶远生，相距 1 ~ 5cm；叶柄长 8 ~ 15cm，直径约 1mm，淡绿褐色，上面有浅沟，基部被节状毛，向上几光滑，两侧有阔翅几达基部，翅连叶柄宽 2.5 ~ 3mm；叶片阔披针形至卵状披针形，长 20 ~ 30cm，宽 6 ~ 8cm，先端长渐尖，3 回羽裂；羽片 19 ~ 20 对，互生，有短柄，斜向上，三角状斜卵形至长卵状披针形，长 3 ~ 7cm，宽 1.5 ~ 2.5cm，先端渐尖，基部斜楔形，下部几对的间隙宽 0.6 ~ 1.2cm，其余的密接；1 回小羽片 6 ~ 10 对，互生，无柄，斜向上，长圆卵形，长 8 ~ 16mm，宽 5 ~ 12mm，先端钝至短尖，

漏斗瓶蕨

基部斜楔形，基部上侧 1 枚小羽片最大，并常覆盖叶轴；2 回小羽片 3 ～ 6 对，互生，极斜向上，长圆形，长 3 ～ 5mm，宽 2 ～ 3.5mm，先端钝，基部下侧下延，两边几并行，上部有几个单一或分叉的浅裂片；末回裂片很短，长圆状线形，具钝头或截形，全缘。叶脉多回叉状分枝或亚扇形，绿褐色，两面均隆起，密集，几并行，无毛，末回裂片有小脉 1 ～ 2。叶膜质至薄草质，干后为暗绿褐色，无毛。叶轴暗绿褐色，下部有阔翅，向上翅渐狭，疏被黑褐色的节状毛；1 回羽轴两侧有狭翅，连轴宽不及 1mm，基部稍被节状毛；2 回羽轴两侧有阔翅，连轴宽 2 ～ 3mm，曲折。孢子囊群生于叶片的上半部，位于 2 回小羽片的腋间，在 1 回小羽片上有 2 ～ 8；囊苞管状，长约 1.5mm，直立或稍弯弓，两侧有极狭的翅，其下的裂片缩狭如柄，口部截形并稍膨大；囊群托凸出，长约 3mm，褐色，弯弓。

| **生境分布** | 生于海拔 600 ～ 1500m 的常绿阔叶林的树干上或溪边阴湿岩石上。分布于重庆黔江、合川、北碚、江津、南川、忠县、丰都、武隆等地。

| **资源情况** | 野生资源稀少。药材来源于野生。

| **采收加工** | 全年均可采收，洗净，晒干。

| **功能主治** | 淡、涩，平。归脾、胃经。健脾开胃，止血。用于消化不良，外伤出血。

| **用法用量** | 内服煎汤，9 ～ 15g。外用研末敷。

| **附　注** | 在 FOC 中，本种被修订为南海瓶蕨 *Vandenboschia striata* (D. Don) Ebihara。

金毛狗 *Cibotium barometz* (L.) J. Sm.

| 药 材 名 | 狗脊（药用部位：根茎。别名：金毛狗、金狗脊、金毛狮子）、狗脊毛（药用部位：根茎上的细柔毛）。

| 形态特征 | 多年生树蕨。根茎卧生，粗大，先端生出 1 丛大叶。叶柄长达 120cm，直径 2 ～ 3cm，棕褐色，基部被有一大丛垫状的金黄色柔毛，长达 10cm，有光泽，上部光滑；叶片大，长达 180cm，宽约相等，广卵状三角形，3 回羽状分裂；下部羽片为长圆形，长达 80cm，宽 20 ～ 30cm，有柄（长 3 ～ 4cm），互生，远离；1 回小羽片长约 15cm，宽 2.5cm，互生，开展，接近，有小柄（长 2 ～ 3mm），线状披针形，长渐尖，基部圆截形，羽状深裂几达小羽轴；末回裂片线形略呈镰形，长 1 ～ 1.4cm，宽 3mm，尖头，开展，上部的向上斜出，边缘有浅锯齿，向先端较尖；中脉两面凸出，侧脉两面隆起，斜出，单一，但在不育羽片上分为二叉。叶几为革质或厚纸质，干

金毛狗

后上面褐色，有光泽，下面灰白色或灰蓝色，两面光滑，或小羽轴上、下两面略有短褐毛疏生；孢子囊群在每一末回能育裂片 1 ~ 5 对，生于下部的小脉先端，囊群盖坚硬，棕褐色，横长圆形，两瓣状，内瓣较外瓣小，成熟时张开如蚌壳，露出孢子囊群；孢子为三角状的四面形，透明。

| **生境分布** | 生于海拔 1000m 以下的山脚沟边或林下阴湿处的酸性土壤中。重庆各地均有分布。

| **资源情况** | 野生资源丰富。药材主要来源于野生。

| **采收加工** | 狗脊：秋、冬季采挖，除去泥沙，干燥；或除去硬根、叶柄及金黄色柔毛，切厚片，干燥，为"生狗脊片"；蒸后晒至六七成干，切厚片，干燥，为"熟狗脊片"。
狗脊毛：全年均可采收，秋、冬季采较佳，除去杂质，干燥。

| **药材性状** | 狗脊：本品呈不规则长块状，长 10 ~ 30cm，直径 2 ~ 10cm。表面深棕色，残留金黄色柔毛；上面有数个红棕色的木质叶柄，下面残存黑色细根。质坚硬，不易折断。无臭，味淡、微涩。生狗脊片呈不规则长条形或圆形，长 5 ~ 20cm，直径 2 ~ 10cm，厚 1.5 ~ 5mm；切面浅棕色，较平滑，近边缘 1 ~ 4mm 处有 1 棕黄色隆起的木部环纹或条纹，边缘不整齐，偶有金黄色绒毛残留；质脆，易折断，有粉性。熟狗脊片呈黑棕色，质坚硬。

狗脊毛：本品为金黄色柔毛，有光泽，长 0.3 ~ 2cm，质柔软，手捻易碎。气微，味淡。

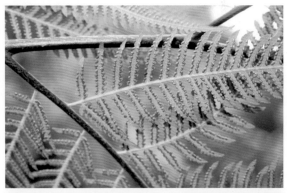

| **功能主治** | 狗脊：苦、甘，温。归肝、肾经。祛风湿，补肝肾，强腰膝。用于风湿痹痛，腰膝酸软，下肢无力。
狗脊毛：苦，凉。归心、大肠经。收敛止血。用于疮疡出血，痔疮下血，外伤出血。

| **用法用量** | 狗脊：内服煎汤，6 ~ 12g。
狗脊毛：外用适量。

桫椤科 Cyatheaceae 桫椤属 Alsophila

桫椤
Alsophila spinulosa (Wall. ex Hook.) R. M. Tryon

桫椤

| 药 材 名 |

龙骨风（药用部位：茎。别名：飞天蟝螃、大贯众）。

| 形态特征 |

木本蕨类。茎干高达 6m 或更高，直径 10 ~ 20cm，上部有残存的叶柄，向下密被交织的不定根。叶螺旋状排列于茎先端；茎段端和拳卷叶以及叶柄的基部密被鳞片和糠秕状鳞毛，鳞片暗棕色，有光泽，狭披针形，先端褐棕色，呈刚毛状，两侧有窄而色淡的啮齿状薄边；叶柄长 30 ~ 50cm，通常棕色或上面色较淡，连同叶轴和羽轴有刺状突起，背面两侧各有 1 不连续的皮孔线，向上延至叶轴；叶片大，长矩圆形，长 1 ~ 2m，宽 0.4 ~ 0.5m，3 回羽状深裂；羽片 17 ~ 20 对，互生，基部 1 对缩短，长约 30cm，中部羽片长 40 ~ 50cm，宽 14 ~ 18cm，长矩圆形，2 回羽状深裂；小羽片 18 ~ 20 对，基部小羽片稍缩短，中部的长 9 ~ 12cm，宽 1.2 ~ 1.6cm，披针形，先端渐尖而有长尾，基部宽楔形，无柄或有短柄，羽状深裂；裂片 18 ~ 20 对，斜展，基部裂片稍缩短，中部的长约 7mm，宽约 4mm，镰状披针形，短尖头，边缘有锯齿；叶脉在裂片上羽状分裂，基部下侧小脉出自中脉的基部；叶纸质，干后绿色；羽轴、小羽轴和中脉上面被糙硬毛，下面被灰白色小鳞片。孢子囊群着生于侧脉分叉处，靠近中脉，有隔丝，囊托凸起；囊群盖球形，薄膜质，外侧开裂，易破，成熟时反折覆盖于主脉上面。

| **生境分布** | 生于海拔260～1600m的山地溪旁或疏林中。分布于重庆涪陵、长寿、江津、永川、大足、铜梁、璧山、巴南、北碚等地。

| **资源情况** | 野生资源稀少。药材来源于野生。

| **采收加工** | 全年均可采收，削去坚硬的外皮，晒干。

| **药材性状** | 本品呈圆柱形或扁圆柱形，直径6～12cm。表面棕褐色或黑褐色，常附有密集的不定根断痕和大型叶柄痕，每1叶柄痕近圆形或椭圆形，直径约4cm，下方有凹陷，边缘有多数排列紧密的叶迹维管束，中间亦有叶迹维管束散在。质坚硬，断面常中空，周围的维管束排成折叠状，形成隆起的脊和纵沟。气微，味苦、涩。

| **功能主治** | 微苦，平。归肾、胃、肺经。祛风除湿，活血通络，止咳平喘，清热解毒，杀虫。用于风湿痹痛，肾虚腰痛，跌打损伤，小肠气痛，风火牙痛，咳嗽，哮喘，疥癣，蛔虫病，蛲虫病，流行性感冒。

| **用法用量** | 内服煎汤，15～30g；或炖肉。外用适量，煎汤洗；或取鲜汁涂搽。

| **附　注** | 本种孢子寿命短，孢子萌发的周期很长。本种对其生境要求很严，仅适宜在高湿、静风、温暖且荫蔽的环境中生长，而且其生长极为缓慢。

稀子蕨科 Monachosoraceae　稀子蕨属 Monachosorum

尾叶稀子蕨 *Monachosorum flagellare* (Maxim.) Hay.

尾叶稀子蕨

药材名

尾叶稀子蕨（药用部位：全草）。

形态特征

陆生蕨类。根茎短，平卧，斜升，密生须根。叶簇生，直立，柄细瘦，直径 1 ~ 1.5mm，禾秆色或棕禾秆色，下面圆，上面有 1 深狭的沟，内有腺状毛密生，长 7 ~ 13cm；叶片长 20 ~ 30cm，下部最宽，为 8 ~ 10cm，长圆卵形，向顶部为长渐尖或为长尾形，有时着地生根，基部阔圆形，2 回羽状；羽片多数（40 ~ 50 对），互生或下部近于对生，开展，有短柄，相距约 1cm，基部 1 对通常略短，平展，第 2 对起长 5 ~ 8cm，宽 1.5 ~ 2cm，披针形，或多少近镰形，渐尖头，基部对称，近截形，1 回羽状；小羽片 10 ~ 14 对，平展，无柄，顶部以下的有狭翅汇合，略呈三角形，长 6 ~ 10mm，宽 4 ~ 5mm，急尖头或近钝头，基部不等，下侧楔形，上侧斜截形，浅羽裂为三角状小裂片，或有少数锯齿；叶脉不明显，在小羽片为羽状，小脉单一或二叉，每齿有 1 小脉；叶为膜质，干后变褐色，下面有微细腺状毛疏生。孢子囊群圆而小，每小羽片有 2 ~ 3，生于向顶的一边，下边无或少数。

| **生境分布** | 生于海拔 1350m 左右的密林下。分布于重庆南川等地。

| **资源情况** | 野生资源较少。药材来源于野生。

| **采收加工** | 全年均可采收，晒干。

| **药材性状** | 本品根茎呈短圆柱形，上方簇生多数叶，下方有众多须根。叶柄长 7 ~ 13cm，直径 1 ~ 1.5mm，禾秆色，下面圆，上面有 1 纵狭的沟，内密生腺状毛；叶片长圆卵形，顶部呈长尾形，长 20 ~ 30cm，宽 8 ~ 10cm，膜质，褐色；小羽片无柄，略呈三角形，基部不对称；小裂片三角状，少有锯齿，叶脉不明显，叶下表面疏生细腺状毛；有时可见孢子囊群，生于向顶的一边，每小羽片 2 ~ 3。气微，味微苦。

| **功能主治** | 微苦，平。祛风除湿，止痛。用于风湿麻痹，痛风。

| **用法用量** | 内服煎汤，9 ~ 15g。

姬蕨科 Dennstaedtiaceae 碗蕨属 Dennstaedtia

细毛碗蕨 *Dennstaedtia pilosella* (Hook.) Ching

细毛碗蕨

| 药 材 名 |

细毛碗蕨（药用部位：全草）。

| 形 态 特 征 |

陆生蕨类。根茎横走或斜升，密被灰棕色长毛。叶近生或几为簇生，叶柄长 9 ~ 14cm，直径 1mm 左右，幼时密被灰色节状长毛，老时留下粗糙的痕，禾秆色。叶片长 10 ~ 20cm，宽 4.5 ~ 7.5cm，长圆状披针形，先端渐尖，2 回羽状，羽片 10 ~ 14 对，下部的长 3 ~ 5cm，宽 1.5 ~ 2.5cm，对生或几互生，相距 1.5 ~ 2.5cm，具有狭翅的短柄或几无柄，斜向上或略弯曲，羽状分裂或深裂；1 回小羽片 6 ~ 8 对，长 1 ~ 1.7cm，宽 5mm 左右，长圆形或阔披针形，上先出，基部上侧 1 片较长，与叶轴并行，两侧浅裂，先端有 2 ~ 3 尖锯齿，基部楔形，下延和羽轴相连，小裂片先端具 1 ~ 3 小尖齿；叶脉羽状分叉，不到达齿端，每个小尖齿有小脉 1，水囊不显；叶草质，干后绿色或黄绿色，两面密被灰色节状长毛；叶轴与叶柄同色，和羽轴均密被灰色节状毛。孢子囊群圆形，生于小裂片腋中；囊群盖浅碗形，绿色，被毛。

| **生境分布** | 生于海拔200～1500m的山地阴处石缝中。分布于重庆城口、酉阳、黔江、石柱、南川、丰都、北碚等地。

| **资源情况** | 野生资源稀少。药材主要来源于野生。

| **采收加工** | 夏、秋季采收，除去杂质，洗净，鲜用或晒干。

| **用法用量** | 内服煎汤，适量。

| **附　　注** | 在FOC中，本种的拉丁学名被修订为 *Dennstaedtia hirsuta* (Swartz) Mettenius ex Miquel。

碗蕨 *Dennstaedtia scabra* (Wall.) Moore

| 药 材 名 | 碗蕨（药用部位：全草）。

| 形态特征 | 陆生蕨类。根茎长而横走，红棕色，密被棕色透明的节状毛。叶疏生；叶柄长 20～35cm，直径 2～3mm，红棕色或淡栗色，稍有光泽，下面圆形，上面有沟，和叶轴密被与根茎同样的长毛，老时几变光滑而有粗糙的痕。叶片长 20～29（～50）cm，宽 15～20cm，三角状披针形或长圆形，下部 3～4 回羽状深裂，中部以上 3 回羽状深裂，羽片 10～20 对，长圆形或长圆状披针形，先端渐尖，几互生，斜向上，基部 1 对最大，一般长 10～14cm，基部宽 4.5～6cm，有长约 1cm 的柄，与第 2 对相距 6mm 左右，2～3 回羽状深裂；1 回小羽片 14～16 对，一般长 2.5～5cm，宽 1～2cm，向上渐短，长圆形，具有狭翅的短柄，开展，上先出，基部上方 1 片几与叶轴

碗蕨

并行或覆盖叶轴，2 回羽状深裂；2 回小羽片阔披针形，基部有狭翅相连，先端钝或短尖，羽状深裂达中肋 1/2 ～ 2/3 处；末回小羽片全裂或 1 ～ 2 裂，小裂片具钝头，边缘无锯齿。叶脉羽状分叉，小脉不达叶缘，每个小裂片有小脉 1，先端有纺锤形水囊。叶坚草质，干后棕绿色，两面沿各羽轴及叶脉均被灰色透明的节状长毛。孢子囊群圆形，位于裂片的小脉先端；囊群盖碗形，灰绿色，略被毛。

| 生境分布 | 生于海拔 1000 ～ 2400m 的林下或溪边。分布于重庆云阳、江津、南川、黔江、巴南、沙坪坝、开州、万州、北碚等地。

| 资源情况 | 野生资源较丰富。药材主要来源于野生。

| 采收加工 | 夏、秋季采收，除去杂质，洗净，鲜用或晒干。

| 药材性状 | 本品根茎呈圆柱形，粗长，表面红棕色，密被棕色的节状毛，其下着生众多灰黑色的须根。叶柄长 20 ～ 35cm，红棕色，稍有光泽；叶片长 20 ～ 35cm，宽 15 ～ 20cm，3 ～ 4 回羽状深裂；三角状披针形或矩圆形，纸质，棕绿色，叶两面、羽轴及叶脉均具褐色的节状长毛；末回裂片短，钝尖，全缘，每裂片有小脉 1 条，先端膨大成水囊，不达叶缘；孢子囊群生于小脉先端，囊群盖碗形，灰绿色，略有毛。质脆，气微，味淡。

| 功能主治 | 辛，凉。归膀胱经。祛风，清热解表。用于感冒头痛，风湿痹痛。

| 用法用量 | 内服煎汤，9 ～ 15g。

姬蕨科 Dennstaedtiaceae 鳞盖蕨属 Microlepia

华南鳞盖蕨 *Microlepia hancei* Prantl

| 药 材 名 | 华南鳞盖蕨（药用部位：全草。别名：凤尾千金草、青蕨）。

| 形态特征 | 陆生中型蕨类。根茎横走，灰棕色，密被灰棕色透明节状长茸毛。叶远生，叶柄长 30 ~ 40cm，基部直径 2.5 ~ 4mm，棕禾秆色或棕黄色，除基部外无毛，略粗糙，稍有光泽。叶片长 50 ~ 60cm，中部宽 25 ~ 30cm，先端渐尖，卵状长圆形，3 回羽状深裂，羽片 10 ~ 16 对，互生，柄短（长 3mm），两侧有狭翅，相距 8 ~ 10cm，几平展，基部 1 对略短，长约 10cm，基部宽 5cm 左右，长三角形，中部的长 13 ~ 20cm，宽 5 ~ 8cm，阔披针形，2 回羽状深裂，1 回小羽片 14 ~ 18 对，基部等宽，上先出，上侧 1 片和叶轴并行，下侧的稍偏斜，长约 2.5cm，宽 1 ~ 1.4cm，阔披针形，渐尖头，先端钝，基部较阔，不对称，上侧平截与羽轴并行或覆盖羽轴，下侧楔形，无柄；向上渐

华南鳞盖蕨

短，相距 1.5cm，羽状深裂几达小羽轴；小裂片 5 ~ 7 对，基部上侧的长 7mm，宽 4 ~ 5mm，长圆形，下侧的长 5mm，宽 3mm，近卵形；向上渐短，先端钝圆，基部下延，多少合生，有狭细缺刻分开，更向上则汇合成为羽状深裂的短尖头，有钝圆锯齿。叶脉上面不太明显，下面稍隆起，侧脉纤细，羽状分枝，不达叶缘。叶草质，干后绿色或黄绿色，两面沿叶脉有刚毛疏生；叶轴、羽轴和叶柄同色，粗糙，略被灰色细毛（羽轴上较多）。孢子囊群圆形，生于小裂片基部上侧近缺刻处；囊群盖近肾形，膜质，灰棕色，偶被毛。

| 生境分布 | 生于林下或溪边湿地。分布于重庆开州、涪陵、黔江、南川等地。

| 资源情况 | 野生资源稀少。药材主要来源于野生。

| 采收加工 | 夏、秋季采收，除去杂质，洗净，鲜用或晒干。

| 药材性状 | 本品根茎呈圆柱形，表面密生有节的长绒毛。叶柄长 30 ~ 40cm，棕黄色，其上密生有节的长茸毛；叶片卵状矩圆形，长 50 ~ 60cm，宽 25 ~ 30cm，3 ~ 4 回羽裂，草质，绿色或黄绿色，两面沿叶脉有刚毛；叶轴及各羽轴略有灰色细毛，小羽片三角状披针形，末回小裂片近斜方形，圆钝头，边缘浅裂或呈粗齿状；孢子囊群位于裂片基部上侧的近缺刻处，囊群盖近肾形，稍有毛。气微，味微苦。

| 功能主治 | 微苦，寒。归肝经。清热，利湿。用于黄疸性肝炎，流行性感冒，风湿骨痛。

| 用法用量 | 内服煎汤，9 ~ 15g。

姬蕨科 Dennstaedtiaceae 鳞盖蕨属 Microlepia

边缘鳞盖蕨 *Microlepia marginata* (Houtt.) C. Chr.

| 药 材 名 | 边缘鳞盖蕨（药用部位：嫩叶）。

| 形态特征 | 陆生蕨类，植株高约60cm。根茎长而横走，密被锈色长柔毛。叶远生；叶柄长20～30cm，直径1.5～2mm，深禾秆色，上面有纵沟，几光滑；叶片长圆状三角形，先端渐尖，羽状深裂，基部不变狭，长与叶柄略等，宽13～25cm，1回羽状；羽片20～25对，基部对生，远离，上部互生，接近，平展，有短柄，披针形，近镰形，长10～15cm，宽1～1.8cm，先端渐尖，基部不等，上侧钝耳状，下侧楔形，边缘缺裂至浅裂，小裂片三角形，圆头或急尖，偏斜，全缘，或有少数齿牙，上部各羽片渐短，无柄。侧脉明显，在裂片上为羽状，2～3对，上先出，斜出，达叶缘以内。叶纸质，干后绿色，叶下面灰绿色，叶轴密被锈色开展的硬毛，在叶下面各脉及囊群盖上较

边缘鳞盖蕨

稀疏，叶上面也多少被毛，少有光滑。孢子囊群圆形，每小裂片上 1 ~ 6，向边缘着生；囊群盖杯形，长、宽几相等，上边截形，棕色，坚实，多少被短硬毛，距叶缘较远。

| 生境分布 | 生于海拔 1800m 以下的常绿阔叶林、竹林或山沟阴湿处。重庆各地均有分布。

| 资源情况 | 野生资源稀少。药材主要来源于野生。

| 采收加工 | 夏、秋季采收，洗净，鲜用或晒干。

| 药材性状 | 本品叶柄长 20 ~ 30cm，深禾秆色，有纵沟，几光滑；叶片矩圆三角形，长达 55cm，宽 13 ~ 25cm，1 ~ 2 回羽状分裂，纸质，绿色，叶两面有短硬毛；羽片披针形，先端渐尖，基部上侧稍呈耳状凸起，下侧楔形，边缘近羽裂，裂片三角形，急尖或钝尖，侧脉在裂片上羽状；每小裂片有孢子囊群 1 ~ 6，囊群盖浅杯形，棕色，有短硬毛。气微，味淡。

| 功能主治 | 微苦，寒。归肝经。清热解毒，祛风活络。用于痈疮疖肿，风湿痹痛，跌打损伤。

| 用法用量 | 内服煎汤，9 ~ 15g。外用适量，捣敷。

姬蕨科 Dennstaedtiaceae 鳞盖蕨属 Microlepia

粗毛鳞盖蕨 *Microlepia strigosa* (Thunb.) Presl

| 药 材 名 | 粗毛鳞盖蕨（药用部位：全草）。

| 形态特征 | 植株高达 110cm。根茎长而横走，直径约 4mm，密被灰棕色长针状毛。叶远生；叶柄长达 50cm，基部直径 4mm，褐棕色，下部被灰棕色长针状毛，易脱落，有粗糙的斑痕；叶片长圆形，长达 60cm，宽 22 ～ 28cm，先端渐尖，基部不缩短，或稍缩短，2 回羽状；羽片 25 ～ 35 对，近互生，相距 4 ～ 5.5cm，斜展，有柄（长 2 ～ 3mm），线状披针形，长 15 ～ 17cm，宽 3cm，先端长渐尖，基部不对称，下侧略短；小羽片 25 ～ 28 对，接近，无柄，开展，近菱形，长 1.4 ～ 2cm，宽 6 ～ 8mm，先端急尖，基部不对称，上侧截形，而与羽轴平行，下侧狭楔形，多少下延，上边为不同程度的羽裂，基部上侧的裂片最大，边缘有粗而不整齐的锯齿。叶脉下面隆起，上面明显，在上

粗毛鳞盖蕨

侧基部 1 ~ 2 组为羽状，其余各脉二叉分枝。叶纸质，干后绿色或褐棕色；叶轴及羽轴下面密被褐色短毛，上面光滑，叶片上面光滑，下面沿各细脉疏被灰棕色短硬毛。孢子囊群小形，每小羽片上 8 ~ 9，位于裂片基部；囊群盖杯形，棕色，被棕色短毛。

| 生境分布 |

生于海拔 1700m 的林下石灰岩上。分布于重庆綦江、垫江、彭水、长寿、合川、涪陵、忠县、梁平、九龙坡、沙坪坝、万州、石柱、武隆、南川等地。

| 资源情况 |

野生资源一般。药材主要来源于野生。

| 采收加工 |

夏、秋季采收，除去杂质，洗净，鲜用或晒干。

| 药材性状 |

本品根茎呈圆柱形，直径约 4mm，表面密生灰棕色长针状毛。叶柄长达 50cm，褐棕色，有粗糙的斑痕；叶片长圆形，长可达 60cm，宽15 ~ 28cm，厚纸质，绿色或褐棕色；叶轴、羽轴及叶脉均被短硬毛，羽片条状披针形，有柄，小羽片长 1.4 ~ 2cm，边缘浅裂或粗钝齿状；孢子囊群生于小脉先端，每小羽片上 8 ~ 9，囊群盖半杯形，有棕色短毛。气微，味微苦。

| 功能主治 |

微苦，寒。归肺、肝经。清热利湿。用于肝炎，流行性感冒。

陵齿蕨 *Lindsaea cultrata* (Willd.) Sw.

| 药 材 名 | 鳞始蕨（药用部位：全草。别名：土黄连、还魂草、猪毛七）。

| 形态特征 | 植株高 20 ～ 30cm。根茎栗色，横走，密被栗红色钻形鳞片。叶近生，直立；叶柄长 4 ～ 7cm，禾秆色或基部栗黑色；叶片草质，线状披针形，长 10 ～ 14cm，宽约 2cm，1 回羽状，羽片 17 ～ 30 对，互生，有短柄；羽片半圆状斜三角形，长 5 ～ 10mm，宽 1 ～ 2.5mm，下缘平直，全缘，上缘稍呈弧形，具缺刻；叶脉二叉分枝。孢子囊群沿羽片上缘着生，生于两缺刻之间并横跨于 2 ～ 4 小脉的先端；囊群盖横线形，边缘啮断状。

| 生境分布 | 生于海拔 1700m 的林下阴处、林缘、山坡草地或田地边。分布于重庆南川、巴南、南岸、江津、铜梁、荣昌、开州、武隆、北碚、合川、

陵齿蕨

涪陵等地。

| 资源情况 | 野生资源一般。药材主要来源于野生。

| 采收加工 | 夏、秋季采收，洗净，鲜用或晒干。

| 药材性状 | 本品根茎呈圆柱形，表面密生条状钻形鳞片，上方近生多数叶，下方有众多的须根。叶柄禾秆色，长 4 ~ 7cm；叶片条状披针形，长 10 ~ 14cm，宽约 2cm，羽片有短柄，半圆状斜三角形，宽 1 ~ 2.5mm，下缘平直，全缘，上缘稍呈弧形凸起，有缺刻；孢子囊群生于两缺刻之间，横跨于 2 ~ 4 小脉先端，囊群盖边缘略呈啮断状。气微，味淡。

| 功能主治 | 淡，凉。归肺、胃、膀胱经。利尿，止血。用于小便不畅，尿血，吐血。

| 用法用量 | 内服煎汤，9 ~ 15g。

| 附　注 | 经文献整理发现，多部地方植物志（如四川、江西、浙江、福建等地的地方植物志）收载本种的科、属的中文学名均为鳞始蕨科、鳞始蕨属，种名均为鳞始蕨 *Lindsaea odorata* Roxb.，而将 *Lindsaea cultrata* (Willd.) Sw. 作为异名。

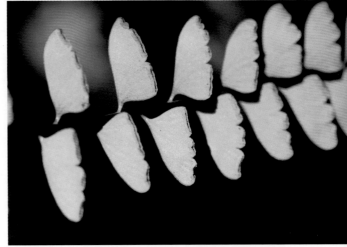

陵齿蕨科 Lindsaeaceae 乌蕨属 Stenoloma

乌蕨
Stenoloma chusanum Ching

| 药 材 名 | 大叶金花草（药用部位：全草或根茎。别名：乌韭、石发、地柏枝）。

| 形态特征 | 植株高达 65cm。根茎短而横走，粗壮，密被赤褐色的钻状鳞片。叶近生，叶柄长达 25cm，禾秆色至褐禾秆色，有光泽，直径 2mm，圆，上面有沟，除基部外，通体光滑；叶片披针形，长 20 ~ 40cm，宽 5 ~ 12cm，先端渐尖，基部不变狭，4 回羽状；羽片 15 ~ 20 对，互生，密接，下部的相距 4 ~ 5cm，有短柄，斜展，卵状披针形，长 5 ~ 10cm，宽 2 ~ 5cm，先端渐尖，基部楔形，下部 3 回羽状；1 回小羽片在 1 回羽状的顶部下有 10 ~ 15 对，连接，有短柄，近菱形，长 1.5 ~ 3cm，先端钝，基部不对称，楔形，上先出，1 回羽状或基部 2 回羽状；2 回（或末回）小羽片小，倒披针形，先端截形，有齿牙，基部楔形，下延，其下部小羽片常再分裂成具有 1 ~ 2 细脉的短而同形的裂片。

乌蕨

叶脉上面不显，下面明显，在小裂片上为二叉分枝。叶坚草质，干后棕褐色，通体光滑。孢子囊群边缘着生，每裂片上 1 或 2，顶生于 1 ~ 2 细脉上；囊群盖灰棕色，革质，半杯形，宽，与叶缘等长，近全缘或多少啮蚀，宿存。

| **生境分布** | 生于海拔 200 ~ 1900m 的林下、灌丛中或阴湿地。重庆各地均有分布。

| **资源情况** | 野生资源丰富。药材来源于野生。

| **采收加工** | 夏、秋季采挖带根茎的全草，除去杂质，洗净，鲜用或晒干。

| **药材性状** | 本品根茎粗壮，长 2 ~ 7cm，表面密被赤褐色钻状鳞片，上方近生多数叶，下方有众多紫褐色须根。叶柄长 10 ~ 25cm，直径约 2mm，呈不规则的细圆柱形，表面光滑，禾秆色或基部红棕色，有数条角棱及 1 凹沟；叶片披针形，3 ~ 4 回羽状分裂，略皱折，棕褐色至深褐色，小裂片楔形，先端平截或 1 ~ 2 浅裂；孢子囊群 1 ~ 2 着生于每个小裂片先端边缘。气微，味苦。

| **功能主治** | 微苦，寒。归肝、肺、大肠经。清热解毒，利湿，止血。用于感冒发热，咳嗽，咽喉肿痛，肠炎，痢疾，肝炎，湿热带下，痈疮肿毒，疟腮，口疮，烫火伤，毒蛇、狂犬咬伤，皮肤湿疹，吐血，尿血，便血，外伤出血。

| **用法用量** | 内服煎汤，15 ~ 30g，鲜品 30 ~ 60g；或绞汁。外用适量，捣敷；或研末外敷；或煎汤洗。

| **附　注** | 在 FOC 中，本种的拉丁学名被修订为 *Odontosoria chinensis* J. Sm.，乌蕨属的拉丁学名被修订为 *Odontosoria*。

姬蕨

Hypolepis punctata (Thunb.) Mett.

| 药 材 名 | 姬蕨（药用部位：全草。别名：岩姬蕨、冷水蕨）。

| 形态特征 | 根茎长而横走，直径约 3mm，密被棕色节状长毛。叶疏生，叶柄长 22 ~ 25cm，基部直径 3mm，暗褐色，向上为棕禾秆色，粗糙被毛。叶片长 35 ~ 70cm，宽 20 ~ 28cm，长卵状三角形，3 ~ 4 回羽状深裂，顶部为 1 回羽状；羽片 8 ~ 16 对，下部 1 ~ 2 对，一般长 20 ~ 30cm，宽 8 ~ 20cm，卵状披针形，先端渐尖，柄长 7 ~ 25mm，密生灰色腺毛，尤以腋间为多，近互生，斜向上，第 1 对距第 2 对 10 ~ 16cm，第 2 对距第 3 对 7 ~ 8cm，2 ~ 3 回羽状分裂；1 回小羽片 14 ~ 20 对，长 6 ~ 10cm，宽 2.5 ~ 4cm，披针形或阔披针形，先端渐尖，柄长 2 ~ 4mm，有狭翅，上先出，彼此接近或远离，1 ~ 2 回羽状深裂；2 回羽片 10 ~ 14 对，基部的长 1 ~ 2.5cm，宽 5 ~

姬蕨

11mm，长圆形或长圆状披针形，先端圆而有齿，基部近圆形，下延，和小羽轴的狭翅相连，羽状深裂达中脉 1/2 ~ 2/3 处；末回裂片长 5mm 左右，长圆形，钝头，边缘有钝锯齿，下面中脉隆起，侧脉羽状分枝，直达锯齿；第 3 对羽片向上渐短，长 10 ~ 13cm，宽 4 ~ 5cm，长圆状披针形或披针形。叶坚草质或纸质，干后黄绿色或草绿色，两面沿叶脉被短刚毛；叶轴、羽轴及小羽轴和叶柄同色，上面有狭沟，粗糙，被透明的灰色节状毛。孢子囊群圆形，生于小裂片基部两侧或上侧近缺刻处，中脉两侧 1 ~ 4 对；囊群盖由锯齿多少反卷而成，棕绿色或灰绿色，不变质，无毛。

| **生境分布** | 生于海拔 500 ~ 2300m 的潮湿草地、林缘，有时生于石隙或墙缝内。分布于重庆黔江、綦江、忠县、彭水、江津、酉阳、南川、长寿、垫江、巫山、巫溪、奉节等地。

| **资源情况** | 野生资源稀少。药材主要来源于野生。

| **采收加工** | 夏、秋季采收，洗净，鲜用或晒干。

| **药材性状** | 本品根茎被棕色毛。叶柄略扭曲，长 22 ~ 25cm，表面棕褐色。叶片常皱缩，展平后呈长卵状三角形，长 35 ~ 70cm，宽 20 ~ 25cm，顶部叶片 1 回羽状深裂，中部以下 3 ~ 4 回羽状深裂；羽片卵状披针形，2 回羽状分裂；小裂片矩圆形，长约 5mm，边缘有钝锯齿。有时在末回裂片基部两侧或上侧的近缺刻处可见孢子囊群。气微，味苦、辛。

| **功能主治** | 苦、辛，凉。清热解毒，收敛止血。用于烫火伤，外伤出血。

| **用法用量** | 外用适量，鲜品捣敷；或干品研末撒。

蕨科 Pteridiaceae 蕨属 Pteridium

蕨

Pteridium aquilinum (L.) Kuhn var. *latiusculum* (Desv.) Underw. ex Heller

| **药 材 名** | 蕨（药用部位：嫩叶。别名：蕨菜、蕨萁、龙头菜）、蕨根（药用部位：根茎。别名：蕨鸡根、乌角、小角）。

| **形态特征** | 植株高可达 1m。根茎长而横走，密被锈黄色柔毛，以后逐渐脱落。叶远生；叶柄长 20 ~ 80cm，基部直径 3 ~ 6mm，褐棕色或棕禾秆色，略有光泽，光滑，上面有浅纵沟 1；叶片阔三角形或长圆状三角形，长 30 ~ 60cm，宽 20 ~ 45cm，先端渐尖，基部圆楔形，3 回羽状；羽片 4 ~ 6 对，对生或近对生，斜展，基部 1 对最大（向上几对略变小），三角形，长 15 ~ 25cm，宽 14 ~ 18cm，柄长 3 ~ 5cm，2 回羽状；小羽片约 10 对，互生，斜展，披针形，长 6 ~ 10cm，宽 1.5 ~ 2.5cm，先端尾状渐尖（尾尖头的基部略呈楔形收缩），基部近平截，具短柄，1 回羽状；裂片 10 ~ 15 对，平展，彼此接近，长圆形，长约

蕨

14mm，宽约 5mm，钝头或近圆头，基部不与小羽轴合生，分离，全缘；中部以上的羽片逐渐变为 1 回羽状，长圆状披针形，基部较宽，对称，先端尾状，小羽片与下部羽片的裂片同形，部分小羽片的下部具 1 ~ 3 对浅裂片或边缘具波状圆齿。叶脉稠密，仅下面明显。叶干后近革质或革质，暗绿色，上面无毛，下面在裂片主脉上多少被棕色或灰白色的疏毛或近无毛。叶轴及羽轴均光滑，小羽轴上面光滑，下面被疏毛，少有密毛，各回羽轴上面均有 1 深纵沟，沟内无毛。

| 生境分布 | 生于海拔 200 ~ 1200m 的山地林缘、林下草地或向阳山坡。重庆各地均有分布。

| 资源情况 | 野生资源丰富。药材主要来源于野生。

| 采收加工 | 蕨：秋、冬季采收，晒干或鲜用。
蕨根：秋、冬季采挖，洗净，晒干。

| 功能主治 | 蕨：甘，寒。归肝、胃、大肠经。清热利湿，降气化痰，止血。用于感冒发热，黄疸，痢疾，带下，噎膈，肺结核咯血，肠风便血，风湿痹痛。
蕨根：甘，寒；有毒。归肺、肝、脾、大肠经。清热利湿，平肝安神，解毒消肿。用于发热，咽喉肿痛，腹泻，痢疾，黄疸，带下，高血压，头昏失眠，风湿痹痛，痔疮，脱肛，湿疹，烫伤，蛇虫咬伤。

| 用法用量 | 蕨：内服煎汤，9 ~ 15g。外用适量，捣敷；或研末撒。不宜生食、久食，脾胃虚寒及生疥疮者慎服。
蕨根：内服煎汤，9 ~ 15g。外用适量，研粉或炙灰调敷。不宜多服、久服。

蕨科 Pteridiaceae 蕨属 Pteridium

毛轴蕨 *Pteridium revolutum* (Bl.) Nakai

| 药 材 名 | 龙爪菜（药用部位：根茎。别名：蕨菜、锯菜、饭蕨）。

| 形态特征 | 植株高达 1m 以上。根茎横走。叶远生；叶柄长 35 ~ 50cm，基部直径 5 ~ 8mm，禾秆色或棕禾秆色，上面有 1 纵沟，幼时密被灰白色柔毛，老则脱落而渐变光滑；叶片阔三角形或卵状三角形，渐尖头，长 30 ~ 80cm，宽 30 ~ 50cm，3 回羽状；羽片 4 ~ 6 对，对生，斜展，具柄，长圆形，先端渐尖，基部几平截，下部羽片略呈三角形，长 20 ~ 30cm，宽 10 ~ 15cm，柄长 2 ~ 3cm，2 回羽状；小羽片 12 ~ 18 对，对生或互生，平展，无柄，与羽轴合生，披针形，长 6 ~ 8cm，宽 1 ~ 1.5cm，先端短尾状渐尖，基部平截，深羽裂几达小羽轴；裂片约 20 对，对生或互生，略斜向上，披针状镰形，长约 8mm，基部宽约 3mm，先端钝或急尖，向基部逐渐变宽，彼此连接，

毛轴蕨

通常全缘；叶片的顶部为 2 回羽状，羽片披针形；裂片下面被灰白色或浅棕色密毛，干后近革质，边缘常反卷。叶脉上面凹陷，下面隆起；叶轴、羽轴及小羽轴的下面和上面的纵沟内均密被灰白色或浅棕色柔毛，老时渐稀疏。

| **生境分布** | 生于高、中山的林缘或草坡。分布于重庆丰都、垫江、南川、涪陵、九龙坡、武隆、巫溪、巫山、奉节、万州等地。

| **资源情况** | 野生资源丰富。药材主要来源于野生。

| **采收加工** | 夏、秋季采挖，洗净，鲜用或晒干。

| **功能主治** | 微涩、甘，凉。清热解毒，祛风除湿，利水通淋，驱虫。用于热毒疮疡，烫伤，脱肛，风湿痹痛，小便淋痛，诸虫证。

| **用法用量** | 内服煎汤，6 ~ 15g；或泡酒。外用适量，捣敷；或研末调敷。

凤尾蕨科 Pteridaceae 凤尾蕨属 Pteris

猪鬃凤尾蕨 *Pteris actiniopteroides* Christ

| 药 材 名 | 猪鬃凤尾蕨（药用部位：全草。别名：还阳草、猪毛草、细叶凤尾）。

| 形态特征 | 植株高 5 ~ 30（~ 60）cm。根茎短而直立，直径 1 ~ 1.5cm，先端被全缘的黑褐色鳞片。叶多数，密而簇生，一型或略呈二型，不育叶远短于能育叶；叶柄长 3 ~ 6（~ 20）cm（不育叶的叶柄较短），纤细，直径 0.5 ~ 1mm，直立或开展，连同叶轴（有时连同羽片柄及主脉基部）均为栗褐色，粗糙，或间有光滑；叶片长圆状卵形或阔三角形，1 回羽状（小型植株为指状）；不育叶片有侧生羽片 1 ~ 2 对，对生，略斜向上，二叉或基部 1 对为三叉，顶生三叉羽片的基部不下延或略下延，裂片狭线形，通常长约 10cm，宽 4 ~ 5mm，先端长渐尖，基部楔形，边缘有尖锯齿；能育叶片通常有侧生羽片 2 ~ 4 对，对生，相距 2 ~ 4cm，略斜向上，基部 1 对二叉至四叉并

猪鬃凤尾蕨

有短柄，向上渐变为单一而无柄，顶生三叉羽片的基部略下延或不下延，裂片狭线形，通常长 10 ～ 18cm，宽 2 ～ 3mm，先端长渐尖，基部楔形，叶缘除不育的先端有尖锯齿外，余均全缘。主脉两面均隆起，浅禾秆色，基部有时为栗褐色；侧脉两面均明显，稀疏，相距约 1mm，略斜展，单一或分叉，先端棕色的水囊直达叶缘。叶干后厚纸质，暗绿色，无毛。孢子囊群狭线形，沿能育羽片的叶缘延伸，仅近基部及有锯齿的先端不育；囊群盖同形，略较阔（幼时几在主脉附近镊合），灰白色，薄膜质，全缘。

| **生境分布** | 生于海拔 600 ～ 2000m 的裸露的石灰岩缝隙中。分布于重庆黔江、垫江、江津、酉阳、奉节、彭水、长寿、綦江、云阳、南川、涪陵、忠县、九龙坡、城口、丰都、武隆、铜梁、北碚、石柱、合川、巴南、大足、沙坪坝等地。

| **资源情况** | 野生资源丰富。药材主要来源于野生。

| **采收加工** | 全年均可采收，洗净，晒干。

| **功能主治** | 苦、淡，凉。归肺、胃、膀胱经。祛痰止咳，和胃止痛，利水消肿。用于咳嗽痰多，胃脘疼痛，痢疾，水肿，小便不利。

| **用法用量** | 内服煎汤，5 ～ 15g。

凤尾蕨科 Pteridaceae 凤尾蕨属 Pteris

凤尾蕨
Pteris cretica L. var. *nervosa* (Thunb.) Ching et S. H. Wu

| 药 材 名 | 井口边草（药用部位：全草。别名：大叶井口边草、线鸡尾、楚箭草）。

| 形态特征 | 植株高 50 ~ 70cm。根茎短而直立或斜升，直径约 1cm，先端被黑褐色鳞片。叶簇生，二型或近二型；叶柄长 30 ~ 45cm（不育叶的叶柄较短），基部直径约 2mm，禾秆色，有时带棕色，偶为栗色，表面平滑；叶片卵圆形，长 25 ~ 30cm，宽 15 ~ 20cm，1 回羽状；不育叶的羽片（2 ~）3 ~ 5 对（有时为掌状），通常对生，斜向上，基部 1 对有短柄并为二叉（罕有三叉），向上的无柄，狭披针形或披针形（第 2 对也往往二叉），长 10 ~ 18（~ 24）cm，宽 1 ~ 1.5（~ 2）cm，先端渐尖，基部阔楔形，叶缘有软骨质的边并有锯齿，锯齿往往粗而尖，也有时具细锯齿；能育叶的羽片 3 ~ 5（~ 8）对，对生或向上渐为互生，斜向上，基部 1 对有短柄并为二叉，偶有三

凤尾蕨

叉或单一，向上的无柄，线形（或第 2 对也往往二叉），长 12 ~ 25cm，宽 5 ~ 12mm，先端渐尖并有锐锯齿，基部阔楔形，顶生三叉羽片的基部不下延或下延。主脉下面强度隆起，禾秆色，光滑；侧脉两面均明显，稀疏，斜展，单一或从基部分叉。叶干后纸质，绿色或灰绿色，无毛；叶轴禾秆色，表面平滑。

| 生境分布 | 生于海拔 400 ~ 2750m 的山坡林下或井口边潮湿的地方、常绿阔叶林下阴湿处或石灰岩缝中。分布于重庆城口、巫溪、奉节、万州、开州、丰都、涪陵、石柱、武隆、黔江、彭水、酉阳、南川、巴南、南岸、江北、江津等地。

| 资源情况 | 野生资源较丰富。药材主要来源于野生。

| 采收加工 | 全年均可采收，鲜用，洗净，切段，晒干。

| 功能主治 | 甘、淡、凉。归肝、大肠经。清热利湿，止血生肌，解毒消肿。用于泄泻，痢疾，黄疸，淋证，水肿，咯血，尿血，便血，刀伤出血，跌打肿痛，疮痈，烫火伤。

| 用法用量 | 内服煎汤，10 ~ 30g。外用适量，研末撒；或煎汤洗；或鲜品捣敷。

| 附　注 | （1）在 FOC 中，本种被修订为欧洲凤尾蕨 *Pteris cretica* L.。
（2）本种喜阴湿冷凉气候，耐寒。

凤尾蕨科 Pteridaceae 凤尾蕨属 Pteris

指叶凤尾蕨 *Pteris dactylina* Hook.

| 药 材 名 | 金鸡尾（药用部位：全草或根茎。别名：凤尾草、五叶灵芝、掌叶凤尾）。

| 形态特征 | 植株高 20 ~ 40cm。根茎短而横卧，直径约 3mm，先端被鳞片；鳞片狭线形，长约 2mm，黑褐色，有光泽，全缘，上部稍旋卷。叶多数，簇生，不育叶与能育叶等长；叶柄纤细，长 15 ~ 30cm，直径约 1mm，禾秆色，基部褐色，稍有光泽，光滑或偶有粗糙；叶片指状，羽片通常 5 ~ 7，有时 3，偶有基部 1 对近三叉或顶生羽片二叉至三叉，均集生叶柄先端，中央 1 片较长，狭线形，长 8 ~ 10（~ 15）cm，宽（2 ~）3 ~ 4（~ 8）mm，先端渐尖，基部楔形，不下延，两侧的羽片同形但略呈镰状，均无柄或仅顶生羽片有短柄，能育羽片几全缘，仅顶部有细锯齿，不育羽片叶缘有细的尖锯齿。

指叶凤尾蕨

主脉禾秆色，光滑，上面有深纵沟，下面隆起；侧脉明显，疏离，通直，并行，略斜展，单一或间有从下部分叉。叶干后坚草质，灰绿色，两面光滑。孢子囊群线形，沿叶缘延伸，仅羽片顶部不育；囊群盖线形，灰白色，膜质，近全缘。

| 生境分布 | 生于海拔 350 ~ 2500m 的沟边或岩下阴处石缝中。分布于重庆石柱、丰都、涪陵、垫江、酉阳、彭水、南川、江津等地。

| 资源情况 | 野生资源一般。药材主要来源于野生。

| 采收加工 | 全年均可采收，鲜用或晒干。

| 功能主治 | 苦、微涩，凉。归肝、大肠、膀胱经。清热解毒，利水化湿，定惊。用于痢疾，腹泻，疟腮，淋巴结炎，带下，水肿，小儿惊风，狂犬咬伤。

| 用法用量 | 内服煎汤，9 ~ 15g。

凤尾蕨科 Pteridaceae 凤尾蕨属 Pteris

岩凤尾蕨 *Pteris deltodon* Bak.

| 药 材 名 | 岩凤尾蕨（药用部位：全草。别名：凤尾草、粗金鸡尾、楚箭草）。

| 形态特征 | 植株高 15 ~ 25cm。根茎短而直立，直径约 1cm，先端被黑褐色鳞片。叶簇生，一型；叶柄长 10 ~ 20cm，直径 1 ~ 2mm，基部褐色，向上为浅禾秆色，稍有光泽；叶片卵形或三角状卵形，长 10 ~ 20cm，宽 4 ~ 7cm，三叉或为奇数 1 回羽状分裂；羽片 3 ~ 5，顶生羽片稍大，阔披针形，长 5 ~ 8cm，中部宽 1.2 ~ 2cm，先端渐尖，基部阔楔形，上部不育叶叶缘有三角形粗大锯齿，下部全缘，无柄或有短柄，侧生羽片较短小，斜上，对生，镰状，先端短尖，基部钝圆而斜，无柄；不育羽片与能育羽片同形，但较宽且短，顶生羽片为长圆状披针形，侧生羽片为卵形，叶缘除基部外均有三角形粗大锯齿。羽轴禾秆色，下面隆起，侧脉很明显，单一或分叉。叶干后纸质，褐绿色，无毛。

岩凤尾蕨

| **生境分布** | 生于海拔 600 ~ 1200m 的阴暗而稍干燥的石灰岩壁上。分布于重庆城口、丰都、涪陵、巫溪、酉阳、彭水、武隆、南川、长寿等地。

| **资源情况** | 野生资源一般。药材主要来源于野生。

| **采收加工** | 全年均可采收，鲜用或晒干。

| **功能主治** | 甘、苦，凉。归大肠、肺、肝经。清热利湿，敛肺止咳，定惊，解毒。用于泄泻，痢疾，淋证，久咳不止，小儿惊风，疮疖，蛇虫咬伤。

| **用法用量** | 内服煎汤，9 ~ 15g。

凤尾蕨科 Pteridaceae 凤尾蕨属 Pteris

剑叶凤尾蕨 *Pteris ensiformis* Burm.

| 药 材 名 | 凤冠草（药用部位：全草或根茎。别名：凤凰草、凤尾草、小凤尾）。

| 形态特征 | 植株高 30 ~ 50cm。根茎细长，斜升或横卧，直径 4 ~ 5mm，被黑褐色鳞片。叶密生，二型；叶柄长 10 ~ 30cm（不育叶的叶柄较短），直径 1.5 ~ 2mm，与叶轴同为禾秆色，稍光泽，光滑；叶片长圆状卵形，长 10 ~ 25cm（不育叶远比能育叶短），宽 5 ~ 15cm，羽状，羽片 3 ~ 6 对，对生，稍斜向上，上部的无柄，下部的有短柄；不育叶的下部羽片相距 1.5 ~ 2（~ 3）cm，三角形，尖头，长 2.5 ~ 3.5（~ 8）cm，宽 1.5 ~ 2.5（~ 4）cm，常为羽状，小羽片 2 ~ 3 对，对生，密接，无柄，斜展，长圆状倒卵形至阔披针形，先端钝圆，基部下侧下延，下部全缘，上部及先端有尖齿；能育叶的羽片疏离（下部的相距 5 ~ 7cm），通常为二叉至三叉，中央的分叉最长，顶生羽片基部不下延，下部 2 对羽片有时为羽状，小羽片 2 ~ 3 对，

剑叶凤尾蕨

向上，狭线形，先端渐尖，基部下侧下延，先端不育的叶缘有密尖齿，余均全缘。主脉禾秆色，下面隆起；侧脉密接，通常分叉。叶干后草质，灰绿色至褐绿色，无毛。

| **生境分布** | 生于海拔 200～1000m 的林下或溪边潮湿的酸性土壤中。分布于重庆酉阳、石柱、黔江、南川、江津、北碚、万州、巴南、南岸、开州、忠县、涪陵等地。

| **资源情况** | 野生资源一般。药材主要来源于野生。

| **采收加工** | 全年均可采收，洗净，鲜用或晒干。

| **药材性状** | 本品多扎成小束，全株长 15～40cm。根茎粗壮，表面密被棕褐色细小鳞片，下方及侧方丛生灰褐色须根。叶柄细长，黄白色，光滑，具 4 棱，直径约 1mm，易折断；叶片稍皱缩，灰绿色，2 回羽状分裂，二型；着生孢子的叶片其小羽片狭细，顶生小羽片特长，和其下的 1 对小羽片合生，顶部以下全缘，稍反卷；不生孢子的叶片较小，小羽片矩圆形或披针形，宽达 1cm，边缘有尖齿，质脆，易碎。孢子囊群密生于叶下面边缘，褐色，呈长带状隆起。气微，味淡。以色绿、叶多者为佳。

| **功能主治** | 苦、微涩，微寒。归肝、大肠、膀胱经。清热利湿，凉血止血，解毒消肿。用于痢疾，泄泻，黄疸，淋病，带下，咽喉肿痛，痄腮，痈疽，瘰疬，疟疾，崩漏，痔疮出血，外伤出血，跌打肿痛，疥疮，湿疹。

| **用法用量** | 内服煎汤，15～30g，大剂量可用 60～120g。外用适量，煎汤洗；或捣敷。

凤尾蕨科 Pteridaceae 凤尾蕨属 Pteris

溪边凤尾蕨 *Pteris excelsa* Gaud.

| 药 材 名 | 溪边凤尾蕨（药用部位：根茎）。

| 形态特征 | 植株高达 180cm。根茎短而直立，木质，粗健，直径达 2cm，先端被黑褐色鳞片。叶簇生；叶柄长 70 ~ 90cm，坚硬，粗健，基部直径 6 ~ 10mm，暗褐色，向上为禾秆色，稍有光泽，无毛；叶片阔三角形，长 60 ~ 120cm 或更长，下部宽 40 ~ 90cm，2 回深羽裂；顶生羽片长圆状阔披针形，长 20 ~ 30cm 或更长，下部宽 7 ~ 12cm，向上渐狭，先端渐尖并为尾状，篦齿状深羽裂几达羽轴，裂片 20 ~ 25 对，互生，几平展，镰状长披针形，长 3.5 ~ 8（ ~ 10）cm，宽 6 ~ 10mm，先端渐尖，基部稍扩大，下侧下延，顶部不育叶缘有浅锯齿；侧生羽片 5 ~ 10 对，互生或近对生，下部的相距 10 ~ 15cm，有短柄，开展，形状、大小及分裂度与顶生羽片相同，基部 1 对最大，长

溪边凤尾蕨

40cm 以上，有时基部下侧分叉，上部的羽片较小，无柄。羽轴下面隆起，禾秆色，无毛，上面有浅纵沟，沟两旁具粗刺。侧脉仅下面可见，稀疏，斜展，通常二叉。叶干后草质，通常暗绿色，无毛，偶有在羽片下面的下部被稀疏的短柔毛；叶轴禾秆色，上面有纵沟。

| 生境分布 |

生于海拔 1700m 以下的溪边疏林下或灌丛中。分布于重庆城口、巫山、奉节、石柱、北碚、秀山、南川、丰都、江津、武隆、彭水、巴南等地。

| 资源情况 |

野生资源较丰富。药材主要来源于野生。

| 采收加工 |

全年均可采收，洗净。

| 药材性状 |

本品根茎短，黑褐色，下面丛生须根。气微，味淡或微涩。

| 功能主治 |

微苦，凉。清热解毒，祛风解痉。用于淋证，烫火伤，狂犬咬伤，小儿惊风，腹泻，急性黄疸性肝炎。

| 附　注 |

在 FOC 中，本种的拉丁学名被修订为 *Pteris terminalis* Wallich ex J. Agardh。

傅氏凤尾蕨 *Pteris fauriei* Hieron.

| 药 材 名 | 金钗凤尾蕨(药用部位:叶。别名:羽叶凤尾蕨、南方凤尾蕨、青丫蕨)。

| 形态特征 | 植株高 50 ~ 90cm。根茎短,斜升,直径约 1cm,先端密被鳞片;鳞片线状披针形,长约 3mm,深褐色,边缘棕色。叶簇生;叶柄长 30 ~ 50cm,下部直径 2 ~ 4mm,暗褐色并被鳞片,向上与叶轴均为禾秆色,光滑,上面有狭纵沟;叶片卵形至卵状三角形,长 25 ~ 45cm,宽 17 ~ 24(~ 30)cm,2 回深羽裂(或基部 3 回深羽裂);侧生羽片 3 ~ 6(~ 9)对,下部的对生,相距 4 ~ 8cm,斜展,偶或略斜向上,基部 1 对无柄或有短柄,向上的无柄,镰状披针形,长 13 ~ 23cm,宽 3 ~ 4cm,先端尾状渐尖,具长 2 ~ 3(~ 4.5)cm 的线状尖尾,基部渐狭,阔楔形,篦齿状深羽裂达羽轴两侧的狭翅,顶生羽片的形状、大小及分裂度与中部的侧生羽片

傅氏凤尾蕨

相似，但较宽，且有长 2 ~ 4cm 的柄，最下 1 对羽片的基部下侧有 1 片篦齿状深羽裂的小羽片，形状和上侧的羽片相同而略短；裂片 20 ~ 30 对，互生或对生，毗连或间隔宽约 1mm（通常能育裂片的间隔略较宽，达 2mm），斜展，镰状阔披针形，中部的长 1.5 ~ 2.2cm，宽 4 ~ 6mm，通常下侧的裂片比上侧的略长，基部 1 对或下部数对缩短，顶部略狭，先端钝，基部略扩大，全缘。羽轴下面隆起，禾秆色，光滑，上面有狭纵沟，两旁有针状扁刺，裂片的主脉上面有少数小刺。侧脉两面均明显，斜展，自基部以上二叉，裂片基部下侧 1 脉出自羽轴，上侧 1 脉出自主脉基部，基部相对的 2 脉斜向上到达缺刻上面的边缘。叶干后纸质，浅绿色至暗绿色，无毛（幼时偶为近无毛）。孢子囊群线形，沿裂片边缘延伸，仅裂片先端不育；囊群盖线形，灰棕色，膜质，全缘，宿存。

| 生境分布 | 生于海拔 50 ~ 800m 的林下沟旁的酸性土壤中。分布于重庆丰都、武隆、南川、綦江、城口等地。

| 资源情况 | 野生资源稀少。药材来源于野生。

| 采收加工 | 全年均可采收，洗净，鲜用或晒干。

| 功能主治 | 苦，凉。清热利湿，祛风定惊，敛疮止血。用于痢疾，泄泻，黄疸，小儿惊风，外伤出血，烫火伤。

| 用法用量 | 内服煎汤，6 ~ 15g。外用适量，研末撒；或捣敷。

凤尾蕨科 Pteridaceae 凤尾蕨属 Pteris

狭叶凤尾蕨
Pteris henryi Christ

| 药 材 名 | 片鸡尾草（药用部位：全草或根茎、嫩叶。别名：猪毛草、小凤尾草、割鸡尾草）。

| 形态特征 | 植株高 30 ～ 50cm。根茎短，斜出，直径约 1cm，先端被黑褐色鳞片。叶簇生，一型或略呈二型，不育叶短于能育叶；叶柄长 15 ～ 20cm（不育叶的柄稍短），基部直径 1 ～ 2mm，浅禾秆色，光滑或略粗糙，无毛，有 4 棱；叶片长圆状卵形，长 20 ～ 30cm，宽 10 ～ 15cm，1回羽状；羽片（2 ～）4 ～ 6 对，对生，下部的相距 5 ～ 7cm，极斜向上，基部 1 对有短柄，通常三叉至四叉，向上的无柄，通二至四叉，罕有单一，顶生羽片二叉至三叉，偶为单一而具短柄；裂片狭线形，长 10 ～ 20cm，宽（2 ～）3 ～ 4mm（不育裂片略宽），先端长渐尖，基部阔楔形而稍偏斜，能育叶全缘，不育叶边缘有浅锐锯齿。主脉

狭叶凤尾蕨

两面均隆起，浅禾秆色，侧脉两面均明显，稍弯弓，几平展，单一或分叉。叶干后纸质，灰绿色，两面光滑。孢子囊群狭线形，沿能育羽片的叶缘延伸，近基部及有锯齿的先端不育；囊群盖线形，棕色，膜质，全缘。

| 生境分布 |

生于海拔 1500m 以下的石灰岩缝隙中。分布于重庆南川、北碚、垫江、潼南、涪陵、巫溪、梁平、彭水、开州、丰都、万州、云阳等地。

| 资源情况 |

野生资源较丰富。药材主要来源于野生。

| 采收加工 |

全年均可采收，洗净，鲜用或晒干。

| 功能主治 |

苦、涩，凉。清热解毒，敛疮止血，利湿。用于烫火伤，狂犬咬伤，外伤出血，带下，小便淋痛。

| 用法用量 |

内服煎汤，3 ~ 6g。外用适量，捣敷；或研末调敷。

| 附　注 |

本种与同属植物指叶凤尾蕨 *Pteris dactylina* Hook. 形态相近，有学者认为本种可能为指叶凤尾蕨的变型。二者的主要区别在于，指叶凤尾蕨叶轴伸长，使顶生三叉羽片和其下的侧生羽片远离。

凤尾蕨科 Pteridaceae 凤尾蕨属 Pteris

井栏边草 *Pteris multifida* Poir.

| 药 材 名 | 凤尾草（药用部位：全草或根茎。别名：井口边草、铁脚鸡、山鸡尾）。

| 形态特征 | 植株高 30 ~ 45cm。根茎短而直立，直径 1 ~ 1.5cm，先端被黑褐色鳞片。叶多数，密而簇生，明显二型；不育叶叶柄长 15 ~ 25cm，直径 1.5 ~ 2mm，禾秆色或暗褐色而有禾秆色的边，稍有光泽，光滑；叶片卵状长圆形，长 20 ~ 40cm，宽 15 ~ 20cm，一回羽状，羽片通常 3 对，对生，斜向上，无柄，线状披针形，长 8 ~ 15cm，宽 6 ~ 10mm，先端渐尖，叶缘有不整齐的尖锯齿，并有软骨质的边，下部 1 ~ 2 对通常分叉，有时近羽状，顶生三叉羽片及上部羽片的基部显著下延，在叶轴两侧形成宽 3 ~ 5mm 的狭翅（翅的下部渐狭）；能育叶有较长的柄，羽片 4 ~ 6 对，狭线形，长 10 ~ 15cm，宽 4 ~ 7mm，仅不育部分具锯齿，其余均全缘，基部 1 对有时近羽状，有长约 1cm 的柄，其余均无柄，下部 2 ~ 3 对通常二叉至三叉，

井栏边草

上部几对的基部长下延，在叶轴两侧形成宽 3 ～ 4mm 的翅。主脉两面均隆起，禾秆色，侧脉明显，稀疏，单一或分叉，有时在侧脉间具有或多或少的与侧脉平行的细条纹（脉状异形细胞）。叶干后草质，暗绿色，遍体无毛；叶轴禾秆色，稍有光泽。

| 生境分布 | 生于海拔 1500m 以下的石灰岩缝内或墙缝、井边。重庆各地均有分布。

| 资源情况 | 野生资源较丰富。药材主要来源于野生。

| 采收加工 | 全年或夏、秋季采收，洗净，晒干。

| 药材性状 | 本品多扎成小捆。全草长 25 ～ 70cm。根茎短，棕褐色，下面丛生须根，上面有簇生叶。叶柄细，有棱，棕黄色或黄绿色，长 4 ～ 30cm，易折断；叶片草质，一回羽状，灰绿色或黄绿色；不育叶羽片宽 4 ～ 8cm，边缘有不整齐锯齿，能育叶长条形，宽 3 ～ 6cm，边缘反卷。孢子囊群生于羽片下面边缘。气微，味淡或微涩。以色绿、叶多者为佳。

| 功能主治 | 淡、微苦，寒。归大肠、肝、心经。清热利湿，消肿解毒，凉血止血。用于痢疾，泄泻，淋浊，带下，黄疸，疔疮肿毒，喉痹乳蛾，淋巴结核，腮腺炎，乳腺炎，高热抽搐，蛇虫咬伤，吐血，衄血，尿血，便血，外伤出血。

| 用法用量 | 内服煎汤，9 ～ 15g，鲜品 30 ～ 60g；或捣汁。外用适量，捣敷。虚寒泻痢者及孕妇禁服。

凤尾蕨科 Pteridaceae 凤尾蕨属 Pteris

斜羽凤尾蕨 *Pteris oshimensis* Hieron.

| 药 材 名 | 斜羽凤尾蕨（药用部位：全草）。

| 形态特征 | 植株高 50 ~ 80cm。根茎短而直立，先端及叶柄基部被褐色鳞片。叶簇生；叶柄长 25 ~ 50cm，直径约 2mm，基部褐色，向上连同叶轴及羽轴为禾秆色，光滑；叶片长圆形，长 30 ~ 40cm，中部宽 10 ~ 18cm，2 回深羽裂（或基部 3 回深羽裂）；侧生羽片 7 ~ 9 对，对生，极斜向上或斜向上，无柄，披针形，下部的长（8 ~）11 ~ 14（~ 17）cm，中部宽（1.7 ~）2 ~ 2.8cm，向顶部渐狭而形成长 1 ~ 2cm 的线状短尖尾，基部不变狭或稍变狭，阔楔形，对称（最下 1 对羽片的基部下侧强度切去），篦齿状深羽裂几达羽轴，顶生羽片的形状、大小及分裂度与中部的侧生羽片相同，但有长约 1.5cm 的柄，最下 1 对羽片基部下侧通常有 1 篦齿状深羽裂的小羽片，

斜羽凤尾蕨

罕有 2；裂片 22 ~ 30 对，互生或近对生，间隔宽约 1mm，斜展或略斜向上，披针形，略呈镰状，长 1 ~ 1.5cm，基部宽 3 ~ 4mm，稍扩大，向先端略变狭，圆头，全缘。羽轴光滑，上面有纵沟，沟旁的狭边上有针状长刺，主脉上面有少数针状刺或无刺。叶脉明显，自基部以上二叉，斜展，裂片基部 1 对小脉伸达缺刻以上的边缘。叶草质，干后暗绿色或棕绿色，无毛。

| 生境分布 |

生于海拔 600~1300m 的溪边或杂木林下。分布于重庆武隆、黔江、南川、北碚、合川、铜梁、巫山、丰都等地。

| 资源情况 |

野生资源稀少。药材主要来源于野生。

| 采收加工 |

全年均可采收，洗净，鲜用或晒干。

| 功能主治 |

微苦、涩，凉。清热解毒，止血生肌。用于肝炎，扁桃体炎，便血，外伤出血等。

| 用法用量 |

内服煎汤，3 ~ 6g。外用适量，捣敷或研末调敷。

| 附　注 |

本种喜阴湿气候，栽培宜选择土层深厚、富含腐殖质、排水良好的土壤。

凤尾蕨科 Pteridaceae 凤尾蕨属 Pteris

半边旗 *Pteris semipinnata* L.

半边旗

药材名

半边旗（药用部位：全草。别名：半边蕨、半边莲、半凤尾草）。

形态特征

植株高 35 ~ 80（~ 120）cm。根茎长而横走，直径 1 ~ 1.5cm，先端及叶柄基部被褐色鳞片。叶簇生，近一型；叶柄长 15 ~ 55cm，直径 1.5 ~ 3mm，连同叶轴均为栗红色，有光泽，光滑；叶片长圆状披针形，长 15 ~ 40（~ 60）cm，宽 6 ~ 15（~ 18）cm，2 回半边深裂；顶生羽片阔披针形至长三角形，长 10 ~ 18cm，基部宽 3 ~ 10cm，先端尾状，篦齿状，深羽裂几达叶轴，裂片 6 ~ 12 对，对生，开展，间隔宽 3 ~ 5mm，镰状阔披针形，长 2.5 ~ 5cm，向上渐短，宽 6 ~ 10mm，先端短渐尖，基部下侧呈倒三角形的阔翅沿叶轴下延达下 1 对裂片；侧生羽片 4 ~ 7 对，对生或近对生，开展，下部的有短柄，向上无柄，半三角形而略呈镰状，长 5 ~ 10（~ 18）cm，基部宽 4 ~ 7cm，先端长尾头，基部偏斜，两侧极不对称，上侧仅有 1 阔翅，宽 3 ~ 6mm，不分裂或很少在基部有 1 或少数短裂片，下侧篦齿状深羽裂几达羽轴，裂片 3 ~ 6 或较多，镰状披针形，基部1片最长，长1.5～4（～8.5）cm，宽3～6（～11）mm，向上的逐渐变短，先端短尖或钝，基部下侧下延；不育裂片的叶有尖锯齿，能育裂片仅先端有1尖刺或具2～3尖锯齿。羽轴下面隆起，下部栗色，向上禾秆色，上面有纵沟，纵沟两旁有啮蚀状的浅灰色狭翅状的边。侧脉明显，斜上，二叉或2回二叉，小脉通常伸达锯齿的基部。叶干后草质，灰绿色，无毛。

| **生境分布** | 生于海拔800m以下的疏林下阴处、溪边或岩石旁的酸性土壤中。分布于重庆荣昌、永川、北碚、丰都、酉阳、涪陵、南川、黔江、巫溪、开州等地。

| **资源情况** | 野生资源一般。药材来源于野生。

| **采收加工** | 全年均可采收，除去杂质，晒干。

| **药材性状** | 本品常缠绕成团状或束状，长10～100cm。根茎粗短，长2～7cm，直径0.3～1cm，须根多。叶近一型，革质；具孢子囊的叶片卵状披针形，先端渐尖，1回羽状分裂，顶部为羽状深裂，下部羽片有短柄，近对生，半边羽状分裂，放大镜下观察可见孢子囊环带；不具孢子囊的羽片其裂片有细锯齿；叶两面无毛，叶脉二叉分枝。质脆，易折断。气微，味淡。

| **功能主治** | 苦、辛，微寒。归肝、大肠经。清热利湿，凉血止血，解毒消肿。用于湿热泄泻，热毒泻痢，湿热黄疸，血热吐血，痔疮出血，外伤出血，目赤肿痛，牙痛，跌打肿痛，疔疮肿毒，皮肤瘙痒，虫蛇咬伤。

| **用法用量** | 内服煎汤，9～15g。外用适量，煎汤洗；或研末调敷。

凤尾蕨科 Pteridaceae 凤尾蕨属 *Pteris*

蜈蚣草 *Pteris vittata* L.

| 药 材 名 | 蜈蚣草（药用部位：全草或根茎。别名：百叶尖、蜈蚣蕨、小贯众）。

| 形态特征 | 植株高（20 ~ ）30 ~ 100（~ 150）cm。根茎直立，短而粗健，直径 2 ~ 2.5cm，木质，密被蓬松的黄褐色鳞片。叶簇生；叶柄坚硬，长 10 ~ 30cm 或更长，基部直径 3 ~ 4mm，深禾秆色至浅褐色，幼时密被与根茎上同样的鳞片，以后渐变稀疏；叶片倒披针状长圆形，长 20 ~ 90cm 或更长，宽 5 ~ 25cm 或更宽，1 回羽状；顶生羽片与侧生羽片同形，侧生羽片多数（可达 40 对），互生或有时近对生，下部羽片较疏离，相距 3 ~ 4cm，斜展，无柄，不与叶轴合生，向下羽片逐渐缩短，基部羽片仅呈耳形，中部羽片最长，狭线形，长 6 ~ 15cm，宽 5 ~ 10mm，先端渐尖，基部扩大成浅心形，两侧稍呈耳形，上侧耳片较大，常覆盖叶轴，各羽片间隔 1 ~ 1.5cm，不

蜈蚣草

育叶叶缘有微细而均匀的密锯齿,不为软骨质。主脉下面隆起,浅禾秆色,侧脉纤细,密接,斜展,单一或分叉。叶干后薄革质,暗绿色,无光泽,无毛;叶轴禾秆色,疏被鳞片。在成熟的植株上,除下部缩短的羽片不育外,几乎全部羽片均能育。

|生境分布|

生于海拔 300 ~ 2000m 的钙质土或石灰岩上,也常生于石隙或墙壁上。重庆各地均有分布。

|资源情况|

野生资源丰富。药材来源于野生。

|采收加工|

全年均可采收,洗净,鲜用或晒干。

|功能主治|

淡、苦,凉。归肝、大肠、膀胱经。祛风除湿,舒筋活络,解毒杀虫。用于风湿筋骨疼痛,腰痛肢麻,屈伸不利,半身不遂,跌打损伤,感冒,痢疾,乳痈,疮毒,疥疮,蛔虫病,蛇虫咬伤。

|用法用量|

内服煎汤,6 ~ 12g。外用适量,捣敷;或煎汤熏洗。

凤尾蕨科 Pteridaceae 凤尾蕨属 *Pteris*

西南凤尾蕨 *Pteris wallichiana* Agardh

| 药 材 名 | 三叉凤尾蕨（药用部位：全草。别名：老泻风、凤尾草）。

| 形态特征 | 植株高约 1.5m。根茎粗短，直立，木质，直径 1.5 ~ 2cm，先端被褐色鳞片。叶簇生；叶柄长 60 ~ 80cm，基部稍膨大，直径 1 ~ 2cm，坚硬，栗红色，表面粗糙，上面有阔纵沟；叶片五角状阔卵形，长 70 ~ 85cm，基部宽约 60cm，3 回深羽裂，自叶柄先端分为 3 大枝，侧生两枝通常再 1 次（或 2 次）分枝；中央 1 枝长圆形，长 50 ~ 70cm，宽 20 ~ 25cm，柄长 7 ~ 10cm，侧生两枝小于中央 1 枝；小羽片 20 对以上，互生，斜展或斜向上，上部的无柄，下部的有短柄，相距 3 ~ 4cm，披针形，长 11 ~ 15（~ 20）cm，宽 2 ~ 2.5（~ 3.5）cm，先端具长 1 ~ 2cm、边缘有浅齿的线状尖尾，基部近截形至阔楔形，篦齿状深羽裂达到小羽轴两侧的狭翅，基部的小羽

西南凤尾蕨

片略缩短，顶生小羽片的形状、大小及分裂度与上部的侧生小羽片相同，但其基部为楔形并有短柄；裂片 23 ～ 30 对，互生，接近或有尖缺刻，间隔宽 1 ～ 2mm，斜展，长圆状阔披针形，长 10 ～ 13（～ 18）mm，向基部渐宽，宽 3.5 ～ 4.5mm，先端钝或尖，其边缘有浅钝锯齿。小羽轴下面隆起，禾秆色或下部稍带棕色，无毛，上面有浅纵沟，沟两旁有短刺。侧脉两面均明显，斜展，裂片基部上侧 1 脉与其上 1 片裂片的基部下侧 1 脉联结成 1 条弧形脉，沿小羽轴两侧各形成 1 列狭长的并与小羽轴平行的网眼，在弧形脉外缘有几条外行达缺刻上面叶缘的单一小脉，网眼以外的小脉皆分离，顶部 2 ～ 3 对单一，其余皆自基部以上二叉，斜上。叶干后坚草质，暗绿色或灰绿色，近无毛；羽轴禾秆色至棕禾秆色，有时为红棕色，无毛，上面有浅纵沟。

| **生境分布** | 生于海拔 1000 ～ 2000m 的山地阴湿杂木林下。分布于重庆开州、武隆、南川、彭水等地。

| **资源情况** | 野生资源稀少。药材主要来源于野生。

| **采收加工** | 全年均可采收，鲜用或晒干。

| **功能主治** | 微苦、涩，凉。清热止痢，定惊，止血。用于痢疾，小儿惊风，外伤出血等。

| **用法用量** | 内服煎汤，6 ～ 15g。外用适量，捣敷；或研末撒。

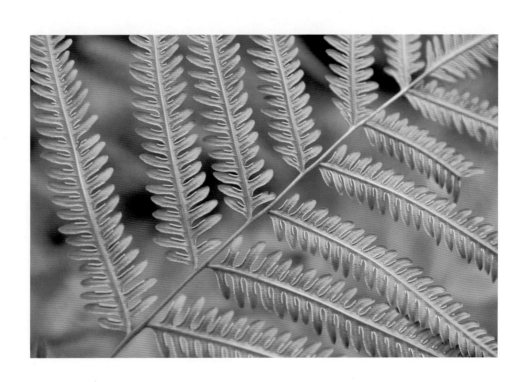

中国蕨科 Sinopteridaceae 粉背蕨属 Aleuritopteris

银粉背蕨 *Aleuritopteris argentea* (Gmél.) Fée

| 药 材 名 | 通经草（药用部位：全草。别名：金牛草、铁骨草、金钱铜皮）。

| 形态特征 | 植株高 15 ~ 30cm。根茎直立或斜升（偶有沿石缝横走），先端被披针形、棕色、有光泽的鳞片。叶簇生；叶柄长 10 ~ 20cm，直径约 7mm，红棕色，有光泽，上部光滑，基部疏被棕色披针形鳞片；叶片五角形，长、宽几相等，为 5 ~ 7cm，先端渐尖，羽片 3 ~ 5 对，基部 3 回羽裂，中部 2 回羽裂，上部 1 回羽裂；基部 1 对羽片直角三角形，长 3 ~ 5cm，宽 2 ~ 4cm，水平开展或斜向上，基部上侧与叶轴合生，下侧不下延，小羽片 3 ~ 4 对，以圆缺刻分开，基部以狭翅相连，基部下侧 1 片最大，长 2 ~ 2.5cm，宽 0.5 ~ 1cm，长圆状披针形，先端长渐尖，有裂片 3 ~ 4 对；裂片三角形或镰形，基部 1 对较短，羽轴上侧小羽片较短，不分裂，长仅 1cm 左右；第

银粉背蕨

2 对羽片为不整齐的 1 回羽裂，披针形，基部下延成楔形，往往与基部 1 对羽片汇合，先端长渐尖，有不整齐的裂片 3 ～ 4 对；裂片三角形或镰形，以圆缺刻分开；自第 2 对羽片向上渐次缩短。叶干后草质或薄革质，上面褐色，光滑，叶脉不显，下面被乳白色或淡黄色粉末，裂片边缘有明显而均匀的细齿牙。孢子囊群较多；囊群盖连续，狭，膜质，黄绿色，全缘，孢子极面观为钝三角形，周壁表面具颗粒状纹饰。

| **生境分布** | 生于海拔 300 ～ 1500m 的干旱地区、石灰岸石缝中或土壁上。分布于重庆石柱、武隆、南川、江津、合川、北碚、南岸、黔江、彭水、丰都、酉阳等地。

| **资源情况** | 野生资源一般。药材主要来源于野生。

| **采收加工** | 夏、秋季采收，除去泥土，捆成小把，晒干。

| **药材性状** | 本品根茎短小，密被红棕色鳞片。叶数枚簇生；叶柄细长，长 3 ～ 20cm，紫褐色或褐棕色，有光泽；叶片卷缩，展开后呈五角形，长、宽均为 5 ～ 7cm，掌状羽裂，细裂片宽窄不一，叶上表面绿色，下表面被银白色或淡黄色粉粒。孢子囊群集生于叶缘，呈条形。质脆，易折断。气微，味微苦。

| **功能主治** | 辛、甘，平。归肝、肺经。活血调经，止咳，利湿，解毒消肿。用于月经不调，经闭腹痛，赤白带下，肺痨咯血，泄泻，小便涩痛，肺痈，乳痈，风湿关节疼痛，跌打损伤，肋间神经痛，暴发火眼，疮肿。

| **用法用量** | 内服煎汤，9 ～ 15g。外用适量，煎汤熏洗；或捣敷。孕妇禁服。

| 中国蕨科 | Sinopteridaceae | 碎米蕨属 | Cheilosoria

毛轴碎米蕨
Cheilosoria chusana (Hook.) Ching et Shing

| **药 材 名** | 川层草（药用部位：全草。别名：细凤尾草、凤尾路鸡、铁线路鸡）。

| **形态特征** | 植株高 10 ～ 30cm。根茎短而直立，被栗黑色披针形鳞片。叶簇生，叶柄长 2 ～ 5cm，亮栗色，密被红棕色披针形和钻状披针形鳞片以及少数短毛，向上直到叶轴上面有纵沟，沟两侧有隆起的锐边，其上被棕色粗短毛；叶片长 8 ～ 25cm，中部宽（2 ～）4 ～ 6cm，披针形，短渐尖头，向基部略变狭，2 回羽状全裂；羽片 10 ～ 20 对，斜展，几无柄，中部羽片最大，长 1.5 ～ 3.5cm，基部宽 1 ～ 1.5cm，三角状披针形，先端短尖或钝，基部上侧与羽轴并行，下侧斜出，深羽裂；裂片长圆形或长舌形，无柄，或基部下延而有狭翅相连，钝头，边缘有圆齿；下部羽片略渐缩短，彼此疏离，有阔的间隔，基部 1 对三角形。叶脉在裂片上羽状，单一或分叉，极斜向上，两面不显。

毛轴碎米蕨

叶干后草质，绿色或棕绿色，两面无毛，羽轴下面下半部栗色，上半部绿色。孢子囊群圆形，生于小脉先端，位于裂片的圆齿上，每齿 1 ~ 2；囊群盖椭圆肾形或圆肾形，黄绿色，宿存，彼此分离。

| 生境分布 | 生于海拔 1000m 以下的路边、林下或溪边石缝中。重庆各地均有分布。

| 资源情况 | 野生资源较丰富。药材主要来源于野生。

| 采收加工 | 全年均可采收，鲜用或晒干。

| 功能主治 | 微苦，寒。归胃、肺、肝经。清热利湿，解毒。用于湿热黄疸，泄泻，痢疾，小便涩痛，咽喉肿痛，痈肿疮疖，毒蛇咬伤。

| 用法用量 | 内服煎汤，15 ~ 30g。

| 附　　注 | 在 FOC 中，本种的拉丁学名被修订为 *Cheilanthes chusana* Hook.，碎米蕨属的拉丁学名被修订为 *Cheilanthes*。

中国蕨科 Sinopteridaceae 隐囊蕨属 Notholaena

中华隐囊蕨 *Notholaena chinensis* Bak.

| 药 材 名 | 中华隐囊蕨（药用部位：全草）。

| 形态特征 | 植株高（6 ~ ）10 ~ 25cm。根茎横走，直径约3mm，密被鳞片，鳞片小，钻状披针形，下部深栗色，上部棕色。叶远生或近生，叶柄长（2 ~ ）3 ~ 6cm，长圆状披针形或披针形，2回羽状或2回羽裂；羽片10 ~ 20对，彼此密接，基部1对最大，长2 ~ 4cm，基部宽1.5 ~ 2.5cm，三角形，短尾头或钝尖头，基部不等，上侧与叶轴平行，下侧斜出，几无柄，距上1对1 ~ 2.5cm，略向上弯曲，羽裂几达羽轴；裂片5 ~ 8对，下侧下部2 ~ 4远较上侧的为长，长1 ~ 2cm（上侧的长5 ~ 10mm），宽3 ~ 4mm，线形，钝头，全缘或下部1 ~ 2片有三角形浅裂片；第2对羽片向上略渐缩短，三角形至阔披针形，尾头或钝头，羽裂至圆齿状；顶部羽片全缘。叶脉羽状分叉，不易

中华隐囊蕨

见。叶纸质，柔软，干后上面褐绿色，疏被淡棕色柔毛，下面密被棕黄色厚绒毛。孢子囊群生于小脉先端，由少数孢子囊组成，隐没于绒毛中；成熟时略可见。

| **生境分布** | 生于 300 ~ 1000m 的阴湿岩石上。分布于重庆彭水、涪陵、奉节、酉阳、丰都、南川、巴南等地。

| **资源情况** | 野生资源较丰富。药材主要来源于野生。

| **采收加工** | 全年均可采收，鲜用或晒干。

| **功能主治** | 微苦、涩，寒。清热利尿，止血。用于小便赤黄，外伤出血，痢疾。

| **用法用量** | 内服煎汤，9 ~ 15g。外用适量。

| **附　　注** | 在 FOC 中，本种的拉丁学名被修订为 *Cheilanthes chinensis* (Baker) Domin，属名被修订为碎米蕨属 *Cheilanthes*。

中国蕨科 Sinopteridaceae 金粉蕨属 Onychium

野雉尾金粉蕨
Onychium japonicum (Thunb.) Kze.

| 药 材 名 | 小野鸡尾（药用部位：叶。别名：野鸡尾、孔雀尾、海风丝）。

| 形态特征 | 植株高 60cm 左右。根茎长而横走，直径 3mm 左右，疏被鳞片，鳞片棕色或红棕色，披针形，筛孔明显。叶散生；叶柄长 20 ~ 30cm，基部褐棕色，略有鳞片，向上禾秆色（有时下部略饰有棕色），光滑；叶片几和叶柄等长，宽约 10cm 或过之，卵状三角形或卵状披针形，渐尖头，4 回羽状细裂；羽片 12 ~ 15 对，互生，柄长 1 ~ 2cm，基部 1 对最大，长 9 ~ 17cm，宽 5 ~ 6cm，长圆状披针形或三角状披针形，先端渐尖，并具羽裂尾头，3 回羽裂；各回小羽片彼此接近，均为上先出，照例基部 1 对最大；末回能育小羽片或裂片长 5 ~ 7mm，宽 1.5 ~ 2mm，线状披针形，有不育的急尖头；末回不育裂片短而狭，线形或短披针形，短尖头；叶轴和各

野雉尾金粉蕨

回羽轴上面有浅沟，下面凸起，不育裂片仅有 1 中脉，能育裂片有斜上侧脉和叶缘的边脉汇合。叶干后坚草质或纸质，灰绿色或绿色，遍体无毛。孢子囊群长（3 ~）5 ~ 6mm；囊群盖线形或短长圆形，膜质，灰白色，全缘。

| 生境分布 | 生于海拔 200 ~ 1800m 的林下、沟边或路旁灌丛中。重庆各地均有分布。

| 资源情况 | 野生资源较丰富。药材主要来源于野生。

| 采收加工 | 夏、秋季采收，除去根茎及根，晒干。

| 药材性状 | 本品叶柄细长，略呈方柱形，表面浅棕黄色，具纵沟。叶片卷缩，展开后呈卵状披针形或三角状披针形，长 10 ~ 30cm，宽 6 ~ 15cm，浅黄绿色，或棕褐色，3 ~ 4 回羽状分裂，营养叶的小裂片有齿；孢子叶末回裂片短线形，下面边缘生有孢子囊群。囊群盖膜质，与中脉平行，向内开口。质脆，较易折断。气微，味苦。

| 功能主治 | 苦，寒。归心、肝、肺、胃、小肠、大肠经。清热解毒。用于砷中毒，沙门菌所致食物中毒，野菰、木薯中毒，肠炎，痢疾，肝炎。

| 用法用量 | 内服煎汤，30 ~ 60g，鲜品 120 ~ 240g；或捣烂冲服。

| 附　　注 | 本种喜阴，栽培宜选择土层深厚、富含腐殖质、排水良好的土壤。

栗柄金粉蕨 Onychium japonicum (Thunb.) Kze. var. lucidum (D. Don) Christ

| 药材名 | 日本乌蕨（药用部位：全草）。

| 形态特征 | 本种与原变种野雉尾金粉蕨的区别在于形体较高大而粗壮，叶柄栗色或棕色，叶质较厚，裂片较狭长。

| 生境分布 | 生于海拔 1500m 以下的山地疏林下或路旁草丛中。重庆各地均有分布。

| 资源情况 | 野生资源较少。药材主要来源于野生。

| 采收加工 | 夏、秋季采收，鲜用或晒干。

| 药材性状 | 本品根茎细长，略弯曲，直径 2 ~ 4mm，黄棕色或棕黑色，两侧着

栗柄金粉蕨

生向上弯的叶柄残基和细根。叶柄细长，略呈方柱形，表面浅棕黄色，具纵沟；叶片卷缩，展开后呈卵状披针形或三角状披针形，长 10 ~ 30cm，宽 6 ~ 15cm，浅黄绿色或棕褐色，3 ~ 4 回羽状分裂，营养叶的小裂片有齿；孢子叶末回裂片短线形，下面边缘生有孢子囊群。囊群盖膜质，与中脉平行，向内开口。质脆，较易折断。气微，味苦。

| **功能主治** | 苦，凉。归肺、肝经。清热解毒，祛风除湿，消炎止血。用于流行性感冒，咳嗽，腮腺炎，扁桃体炎，乳腺炎，胃痛，肠炎，痢疾，黄疸性肝炎，风湿痛，跌打损伤，外伤出血，骨折，狂犬咬伤，木薯、砷等中毒。

| **用法用量** | 内服煎汤，6 ~ 9g。外用适量。

铁线蕨 *Adiantum capillus-veneris* L.

| 药 材 名 | 猪鬃草（药用部位：全草。别名：猪毛七、石中味、猪毛漆）。

| 形态特征 | 植株高 15 ～ 40cm。根茎细长横走，密被棕色披针形鳞片。叶远生或近生；叶柄长 5 ～ 20cm，直径约 1mm，纤细，栗黑色，有光泽，基部被与根茎上同样的鳞片，向上光滑；叶片卵状三角形，长10 ～ 25cm，宽 8 ～ 16cm，尖头，基部楔形，中部以下多为 2 回羽状，中部以上为 1 回奇数羽状；羽片 3 ～ 5 对，互生，斜向上，有柄（长可达 1.5cm），基部 1 对较大，长 4.5 ～ 9cm，宽 2.5 ～ 4cm，长圆状卵形，圆钝头，1 回（少 2 回）奇数羽状，侧生末回小羽片 2 ～ 4对，互生，斜向上，相距 6 ～ 15mm，大小几相等或基部 1 对略大，对称或不对称的斜扇形或近斜方形，长 1.2 ～ 2cm，宽 1 ～ 1.5cm，上缘圆形，具 2 ～ 4 浅裂或深裂成条状的裂片，不育裂片先端钝圆形，具阔三角形的小锯齿或具啮蚀状的小齿，能育裂片先端截形、直或

铁线蕨

略下陷，全缘或两侧具有啮蚀状的小齿，两侧全缘，基部渐狭成偏斜的阔楔形，具纤细栗黑色的短柄（长 1 ~ 2mm），顶生小羽片扇形，基部为狭楔形，往往大于其下的侧生小羽片，柄可达 1cm；第 2 对羽片距基部 1 对 2.5 ~ 5cm，向上各对均与基部 1 对羽片同形而渐变小。叶脉多回二歧分叉，直达边缘，两面均明显。叶干后薄草质，草绿色或褐绿色，两面均无毛；叶轴、各回羽轴和小羽柄均与叶柄同色，往往略向左右曲折。孢子囊群每羽片 3 ~ 10，横生于能育的末回小羽片的上缘；囊群盖长形、长肾形成圆肾形，上缘平直，淡黄绿色，老时棕色，膜质，全缘，宿存。孢子周壁具粗颗粒状纹饰，处理后常保存。

| **生境分布** | 生于海拔 200 ~ 2000m 的流水溪旁石灰岩上或石灰岩洞底和滴水岩壁上。重庆各地均有分布。

| **资源情况** | 野生资源较丰富。药材主要来源于野生。

| **采收加工** | 夏、秋季采收，洗净，鲜用或晒干。

| **功能主治** | 苦，凉。归肝、肾经。清热解毒，利水通淋。用于感冒发热，肺热咳嗽，湿热泄泻，痢疾，淋浊，带下，乳痈，瘰疬，疔毒，烫火伤，毒蛇咬伤。

| **用法用量** | 内服煎汤，15 ~ 30g；或浸酒。外用适量，煎汤洗；或研末调敷。

铁线蕨科 Adiantaceae 铁线蕨属 Adiantum

鞭叶铁线蕨 *Adiantum caudatum* L.

| 药 材 名 | 鞭叶铁线蕨（药用部位：全草。别名：岩虱子、旱猎鬃草、黑鸡脚）。

| 形态特征 | 植株高 15 ~ 40cm。根茎短而直立，被深栗色、披针形、全缘的鳞片。叶簇生；叶柄长约 6cm，栗色，密被褐色或棕色多细胞的硬毛；叶片披针形，长 15 ~ 30cm，宽 2 ~ 4cm，向基部略变狭，1 回羽状；羽片 28 ~ 32 对，互生，或下部的近对生，平展或略斜展，基部常反折下斜，相距 5 ~ 8mm；下部的羽片逐渐缩小，中部羽片半开式，长 1 ~ 2cm，宽 6 ~ 10mm，近长圆形，上缘及外缘深裂或条裂成许多狭裂片，下缘几通直而全缘，基部不对称，上侧截形；裂片线形，先端平截，全缘，上部再撕裂为线形的细裂片，细裂片先端平截并具少数齿牙，上部羽片与下部羽片同形，但向顶部逐渐变小，几无柄。叶脉多回二歧分叉，两面可见。叶干后纸质，褐绿色或棕绿色，两

鞭叶铁线蕨

面均疏被棕色多细胞长硬毛和密而短的柔毛；叶轴与叶柄同色，并疏被同样的毛，老时部分脱落，先端常延长成鞭状，能着地生根，行无性繁殖。孢子囊群每羽片 5 ~ 12，囊群盖圆形或长圆形，褐色，被毛，上缘平直，全缘，宿存。孢子周壁具粗粒状纹饰，处理后周壁破裂，但不脱落。

| **生境分布** | 生于海拔 100 ~ 1200m 的林下或山谷石上及石缝中。分布于重庆城口、巫山、开州、彭水、北碚、大足、潼南、南川、奉节、忠县等地。

| **资源情况** | 野生资源稀少。药材来源于野生。

| **采收加工** | 夏、秋季采收，洗净，晒干。

| **功能主治** | 苦、微甘，寒。归大肠、肾经。清热解毒，利水消肿。用于痢疾，水肿，小便淋涩，乳痈，烫火伤，毒蛇咬伤，口腔溃疡。

| **用法用量** | 内服煎汤，30 ~ 60g。外用适量，研末撒。

铁线蕨科 Adiantaceae 铁线蕨属 Adiantum

扇叶铁线蕨 *Adiantum flabellulatum* L.

| 药 材 名 | 过坛龙（药用部位：全草或根。别名：旱猪毛七、黑骨头、铁丝分筋）。

| 形态特征 | 植株高 20 ~ 45cm。根茎短而直立，密被棕色、有光泽的钻状披针形鳞片。叶簇生；叶柄长 10 ~ 30cm，直径 2.5mm，紫黑色，有光泽，基部被有和根茎上同样的鳞片，向上光滑，上面有 1 纵沟，沟内被棕色短硬毛；叶片扇形，长 10 ~ 25cm，2 ~ 3 回不对称的二叉分枝，通常中央的羽片较长，两侧的与中央羽片同形而略短，长可达 5cm，中央羽片线状披针形，长 6 ~ 15cm，宽 1.5 ~ 2cm，奇数 1 回羽状；小羽片 8 ~ 15 对，互生，平展，具短柄（长 1 ~ 2mm），相距 5 ~ 12mm，彼此接近或稍疏离，中部以下的小羽片大小几相等，长 6 ~ 15mm，宽 5 ~ 10mm，对开式的半圆形（能育的），或为斜方形（不育的），内缘及下缘直而全缘，基部为阔楔形或扇状楔形，

扇叶铁线蕨

外缘和上缘近圆形或圆截形，能育部分具浅缺刻，裂片全缘，不育部分具细锯齿，顶部小羽片与下部的同形而略小，顶生，小羽片倒卵形或扇形，与其下的小羽片同大或稍大。叶脉多回二歧分叉，直达边缘，两面均明显。叶干后近革质，绿色或常为褐色，两面均无毛；各回羽轴及小羽柄均为紫黑色，有光泽，上面均密被红棕色短刚毛，下面光滑。孢子囊群每羽片2～5，横生于裂片上缘和外缘，以缺刻分开；囊群盖半圆形或长圆形，上缘平直，革质，褐黑色，全缘，宿存。孢子具不明显的颗粒状纹饰。

| 生境分布 |

生于海拔 180～1100m、阳光充足的酸性红、黄壤土中。分布于重庆荣昌、涪陵、渝北、北碚、忠县、永川、璧山、江津、九龙坡、巴南、合川、沙坪坝等地。

| 资源情况 |

野生资源较少。药材主要来源于野生。

| 采收加工 |

全年均可采收，洗净，鲜用或晒干。

| 功能主治 |

苦、辛，凉。归肝、大肠、膀胱经。清热利湿，解毒散结。用于流行性感冒发热，泄泻，痢疾，黄疸，石淋，痈肿，瘰疬，蛇虫咬伤，跌打肿痛。

| 用法用量 |

内服煎汤，15～30g，鲜品加倍；或捣汁。外用适量，捣敷；或研末撒；或调敷。疮破者不可外用。

铁线蕨科 Adiantaceae 铁线蕨属 Adiantum

白垩铁线蕨 *Adiantum gravesii* Hance

| 药 材 名 | 白垩铁线蕨（药用部位：全草。别名：猪鬃草）。

| 形态特征 | 植株高 4 ~ 14cm。根茎短小，直立，被黑色钻状披针形鳞片。叶簇生；叶柄长 2 ~ 6cm，纤细，栗黑色，有光泽，光滑；叶片长圆形或卵状披针形，长 3 ~ 6cm，宽 2 ~ 2.5cm，奇数 1 回羽状，羽片 2 ~ 4 对，互生，斜向上，相距 1 ~ 2cm；羽片阔倒卵形或阔卵状三角形，长、宽均约 1cm，圆头，中央具 1（罕 2）浅阔缺刻，全缘，基部圆楔形或近圆形，两侧呈微波状，有短柄，长可达 3mm（约等于羽片长度的 1/5 或更短），柄端具关节，干后羽片易从关节脱落而柄宿存，顶生羽片与侧生同形而稍大。叶脉二歧分叉，直达软骨质的边缘，两面均可见。叶干后厚纸质，上面淡灰绿色，下面灰白色，两面均无毛；羽轴、小羽柄和叶柄同色，有光泽。孢子囊群每羽片 1（罕 2）；

白垩铁线蕨

囊群盖肾形或新月形（罕近圆形），上缘呈弯凹，棕色，革质，宿存。

| **生境分布** | 生于海拔 250 ～ 800m 湿润的岩壁、石缝或山洞中的白垩土中。分布于重庆南川、彭水等地。

| **资源情况** | 野生资源稀少。药材主要来源于野生。

| **采收加工** | 夏、秋季采收，洗净，晒干。

| **功能主治** | 甘，凉。利水通淋，清热解毒。用于热淋，血淋，水肿，乳糜尿，乳痈，睾丸炎。

| **用法用量** | 内服煎汤，10 ～ 15g。

| **附　　注** | 本种与粤铁线蕨 *Adiantum lianxianense* Ching et Y. X. Lin 相似，区别主要在于本种形体较高大、粗壮、坚挺，羽片也较大，为阔倒卵形或阔倒卵状三角形，下面灰白色，羽柄较短，长度仅相当于羽片长的 1/5，应注意区别。

铁线蕨科 Adiantaceae 铁线蕨属 Adiantum

假鞭叶铁线蕨 *Adiantum malesianum* Ghatak

| **药 材 名** | 岩风子（药用部位：全草。别名：马来铁线蕨）。

| **形态特征** | 植株高 15 ~ 20cm。根茎短而直立，密被披针形、棕色、边缘具锯齿的鳞片。叶簇生，叶柄长 5 ~ 20cm，幼时棕色，老时栗黑色，略有光泽，基部被同样的棕色鳞片，通体被多细胞的节状长毛；叶片线状披针形，长 12 ~ 20cm 或更长，中部宽约 3cm，向先端渐变小，基部不变狭，1 回羽状；羽片约 25 对，无柄，平展，互生或近对生，相距约 1cm，基部 1 对羽片不缩小，近团扇形，多少反折向下，其中部的侧生羽片半开式，长 1 ~ 2cm，宽 6 ~ 10mm，上缘和外缘深裂；裂片 5 ~ 6 对，长方形，先端凹陷，下缘和内缘平直；顶部羽片近倒三角形，上缘圆形并深裂。叶脉多回二歧分叉，下面不明显，上面显著隆起。叶干后厚纸质，褐绿色，上面疏被短刚毛，下面密

假鞭叶铁线蕨

被棕色多细胞的硬毛和朝外缘紧贴的短刚毛；羽轴与叶柄同色，密被同样的长硬毛，叶轴先端往往延长成鞭状，落地生根，行无性繁殖。孢子囊群每羽片 5 ～ 12；囊群盖圆肾形，上缘平直，上面被密毛，棕色，纸质，全缘，宿存。

| **生境分布** | 生于海拔 200 ～ 1400m 的山坡灌丛下岩石上或石缝中。分布于重庆城口、巫山、南川、北碚、忠县、涪陵、云阳、合川等地。

| **资源情况** | 野生资源一般。药材主要来源于野生。

| **采收加工** | 夏、秋季采收，洗净，晒干。

| **功能主治** | 苦，凉。归胃、膀胱经。利水通淋，清热解毒。用于淋证，水肿，乳痈，疮毒。

| **用法用量** | 内服煎汤，10 ～ 15g。

| **附　　注** | 本种与鞭叶铁线蕨 *Adiantum caudatum* L. 的主要区别在于，基部 1 对羽片不缩小而呈团扇形，羽片下面被较密的长硬毛和紧贴并朝向羽片外缘的短毛，根茎上的鳞片边缘有明显的锯齿。

铁线蕨科 Adiantaceae 铁线蕨属 Adiantum

小铁线蕨 *Adiantum mariesii* Bak.

| 药 材 名 | 小铁线蕨（药用部位：全草。别名：细铁线蕨）。

| 形态特征 | 矮小的铺地植物，高仅2～3cm。根茎短而直立，被黑褐色披针形鳞片。叶簇生；叶柄细如丝，长约1cm，深栗色；叶片卵形，长约2cm，宽约1cm，1回奇数羽状，羽片1～3对，近对生，斜展，相距4～8mm，羽片圆形或近卵圆形，上缘圆，中央由于反卷成囊群盖而呈不明显的缺刻，基部圆形或圆楔形，全缘或边缘稍呈波状，长、宽均2.5～4mm，具短柄(长1～2mm)，柄端具关节，干后羽片易从柄端脱落而柄宿存，顶生羽片和侧生羽片同形同大。叶脉简单，自基部发出4分叉小脉，两面均可见。叶干后革质，褐绿色，上面有光泽，下面稍带浅蓝灰色，无毛；羽轴和小羽柄均与叶柄同色，有光泽。孢子囊群每羽片1，囊群盖圆形，棕色，上缘平直稍凹陷，宿存。

小铁线蕨

生境分布	生于海拔 200m 左右的溪边阴湿岩壁上。分布于重庆石柱、武隆、南川等地。
资源情况	野生资源稀少。药材主要来源于野生。
采收加工	夏、秋季采收，洗净，晒干。
功能主治	微苦，凉。清热解毒，利尿。用于淋证，水肿，乳痈，疮毒。
用法用量	内服煎汤，10 ~ 15g。
附　注	本种喜温暖湿润气候，耐阴。

铁线蕨科 Adiantaceae 铁线蕨属 Adiantum

灰背铁线蕨 *Adiantum myriosorum* Bak.

| **药 材 名** | 铁扇子（药用部位：全草。别名：铁杆猪毛七、过坛龙、细蕨萁）。

| **形态特征** | 多年生草本。根茎粗壮，木质，先端生深棕色坚厚鳞片。叶簇生，直立；叶柄长 12 ~ 25cm，粗壮，黑色，极光亮，叶柄先端以锐角二叉平分为左、右两半边，从两边侧枝上生出 3 ~ 6 对羽片；小羽片多数，排列紧密，篦齿状，长三角形，上缘浅裂，裂片的不育边缘和羽片先端具三角形的尖锯齿；叶脉细而明显，到达每一齿牙的先端。囊群盖圆肾形，孢子具明显的网状纹饰，处理后周壁常保存。

| **生境分布** | 生于海拔 700 ~ 2000m 的密林中。分布于重庆城口、巫溪、奉节、万州、石柱、武隆、南川、北碚等地。

灰背铁线蕨

| **资源情况** | 野生资源稀少。药材来源于野生。

| **采收加工** | 夏季采收，洗净，晒干。

| **功能主治** | 微苦，平。清热，利水，活血。用于小便癃闭，跌打损伤，烫火伤，冻疮。

| **用法用量** | 内服煎汤，30 ~ 60g。外用适量，研末醋调敷。

铁线蕨科 Adiantaceae 铁线蕨属 Adiantum

掌叶铁线蕨 *Adiantum pedatum* L.

| 药 材 名 | 铁丝七（药用部位：全草或根茎。别名：铁扇子、铜丝草、钢丝草）。

| 形态特征 | 植株高 40 ~ 60cm。根茎直立或横卧，被褐棕色阔披针形鳞片。叶簇生或近生；叶柄长 20 ~ 40cm，栗色或棕色，基部直径可达 3.5mm，被和根茎相同的鳞片，向上光滑，有光泽；叶片阔扇形，长可达 30cm，宽可达 40cm，从叶柄的顶部二叉成左、右 2 弯弓形的分枝，再从每个分枝的上侧生出 4 ~ 6 片 1 回羽状的线状披针形羽片，各回羽片相距 1 ~ 2cm，中央羽片最长，可达 28cm，侧生羽片向外略缩短，宽 2.5 ~ 3.5cm，奇数 1 回羽状；小羽片 20 ~ 30 对，互生，斜展，具短柄（长 1 ~ 2.5cm），相距 5 ~ 10mm，彼此接近，中部对开式的小羽片较大，长可达 2cm，宽约 6mm，长三角形，先端圆钝，基部为不对称的楔形，内缘及下缘直而全缘，先端波状或

掌叶铁线蕨

具钝齿，上缘深裂达 1/2；裂片方形，彼此密接，全缘而中央凹陷或具波状圆齿；基部小羽片略小，扇形或半圆，有较长的柄；顶部小羽片与中部小羽片同形而渐变小；顶生小羽片扇形，中部深裂，两侧浅裂，与其下的侧生羽片同大或稍大；各侧生羽片上的小羽片与中央羽片上的同形。叶脉多回二歧分叉，直达边缘，两面均明显。叶干后草质，草绿色，下面带灰白色，两面均无毛；叶轴、各回羽轴和小羽片均为栗红色，有光泽，光滑。孢子囊群每小羽片 4 ~ 6，横生于裂片先端的浅缺刻内；囊群盖长圆形或肾形，淡灰绿色或褐色，膜质，全缘，宿存。孢子具明显的细颗粒状纹饰，处理后常保存。

| **生境分布** | 生于海拔 700 ~ 2000m 的阴湿土或石缝中。分布于重庆巫溪、城口、南川、九龙坡、丰都、武隆、石柱等地。

| **资源情况** | 野生资源一般。药材主要来源于野生。

| **采收加工** | 全年均可采收，洗净，鲜用或晒干。

| **功能主治** | 苦，微寒。归肺、肝、膀胱经。清热解毒，利水通淋。用于肺热咳嗽，痢疾，黄疸，小便淋涩，痈肿，瘰疬，烫伤。

| **用法用量** | 内服煎汤，15 ~ 30g，鲜品可用至 60g。外用适量，研末调敷。

铁线蕨科 Adiantaceae 铁线蕨属 Adiantum

荷叶铁线蕨 *Adiantum reniforme* L. var. *sinense* Y. X. Lin

| 药 材 名 | 荷叶金钱（药用部位：全草。别名：水猪毛七）。

| 形态特征 | 植株高 5 ～ 20cm。根茎短而直立，先端密被棕色披针形鳞片和多细胞的细长柔毛。叶簇生，单叶；叶柄长 3 ～ 14cm，直径 0.5 ～ 1.5mm，深栗色，基部密被与根茎上相同的鳞片和柔毛，向上直达叶柄先端均密被棕色多细胞的长柔毛，但干后易被擦落；叶片圆形或圆肾形，直径 2 ～ 6cm，叶柄着生处有 1 或深或浅的缺刻，两侧垂耳有时扩展而彼此重叠，叶片上面围绕着叶柄着生处，形成 1 ～ 3 同心圆圈，叶片的边缘有圆钝齿牙，能育叶由于边缘反卷成假囊群盖而齿牙不明显，叶片下面被稀疏的棕色多细胞长柔毛；叶脉由基部向四周辐射，多回二歧分枝，两面可见；叶干后草绿色，天然枯死呈褐色，纸质或坚纸质。囊群盖圆形或近长方形，上缘平直，沿叶缘分布，

荷叶铁线蕨

彼此接近或有间隔，褐色，膜质，宿存。

| **生境分布** | 生于海拔 350m 覆有薄土的岩石上或石缝中。分布于重庆万州、石柱、南川、涪陵等地。

| **资源情况** | 野生资源较少。药材主要来源于野生。

| **采收加工** | 夏、秋季采收，洗净，晒干。

| **功能主治** | 微苦，凉。清利湿热。用于湿热黄疸，热淋，石淋，中耳炎。

| **用法用量** | 内服煎汤，15 ～ 30g。外用适量，研末吹耳。

| **附　注** | 本种喜温暖湿润气候，耐阴。栽培宜选择富含腐殖质、排水良好的砂壤土。

裸子蕨科 Hemionitidaceae 凤丫蕨属 Coniogramme

尾尖凤丫蕨 *Coniogramme caudiformis* Ching et Shing

| **药 材 名** | 尾尖凤丫蕨（药用部位：全草或根茎。别名：尖尾马肋巴）。

| **形态特征** | 植株高 70 ～ 100cm。叶柄长 30 ～ 55cm，直径 3 ～ 4mm，下部紫褐色或禾秆色而饰有紫色，基部疏被鳞片；叶片长 40 ～ 50cm，宽 20 ～ 25cm，卵状长圆形，2 回羽状（有时仅基部 1 对二叉）；羽片 4 ～ 7 对，基部 1 对最大，长 15 ～ 20cm，宽 8 ～ 14cm，柄长 1 ～ 1.5cm，羽状；侧生小羽片 1 ～ 2 对，长 6 ～ 12cm，宽 2 ～ 3cm，长圆状披针形或卵状披针形，尾头，基部近圆形，具短柄，顶生小羽片较大，和中部的单羽片同形同大，长 15 ～ 20cm，宽 3 ～ 4cm，长圆形或长圆状披针形；第 2 对羽片三出或二叉，向上的羽片单一，但逐渐变小，顶生羽片较其下的为大，基部不对称，柄长约 1cm，羽片边缘有密的尖锯齿。侧脉先端的水囊棍棒形，略伸入锯齿。叶干后草质，

尾尖凤丫蕨

暗绿色，上面无毛，下面疏被短柔毛。孢子囊群沿侧脉的 2/3 分布。

| **生境分布** | 生于海拔 600~1800m 的林下阴湿处。分布于重庆开州、石柱、武隆、南川、城口等地。

| **资源情况** | 野生资源丰富。药材主要来源于野生。

| **采收加工** | 全年或秋季采收，洗净，鲜用或晒干。

| **功能主治** | 微苦，凉。清热解毒，祛风除湿。用于疮痈肿毒，风湿麻木等。

| **用法用量** | 内服煎汤，15 ~ 30g；或泡酒。孕妇慎服。

| **附　　注** | 本种喜阴，耐寒。

裸子蕨科 Hemionitidaceae 凤丫蕨属 *Coniogramme*

峨眉凤丫蕨 *Coniogramme emeiensis* Ching et Shing

| 药 材 名 | 峨眉凤丫蕨（药用部位：全草。别名：花叶凤丫蕨）。

| 形态特征 | 植株高可达 1m。根茎粗短，横卧，被深棕色披针形鳞片。叶柄长
40 ~ 60cm，基部直径 4 ~ 5mm，禾秆色或下面饰有红紫色，上
面有沟，基部略被鳞片；叶片长 30 ~ 50cm，宽 20 ~ 28cm，阔卵
状长圆形，2 回羽状；侧生羽片 7 ~ 10 对，下部 1 ~ 2 对最大，
长 15 ~ 25cm，宽 10cm 左右，近卵形，柄长 1 ~ 2cm，羽状；侧
生小羽片 1 ~ 3 对，长 7 ~ 12cm，中部宽 1.5 ~ 2cm，披针形，先
端尾状长渐尖，向基部变狭，楔形，有短柄，顶生小羽片同形，长
12 ~ 20cm，宽 2.5 ~ 3cm，基部叉裂；中部羽片三出至二叉，向上
的羽片单一，和其下的顶生小羽片同形，但逐渐变小；顶生羽片较
大，基部叉裂，有长柄；羽片边缘有向前伏贴的三角形粗齿，往往

峨眉凤丫蕨

呈浅缺刻状或波状。叶脉分离，侧脉 1 ~ 2 回分叉，先端有棒形水囊，伸达锯齿基部。叶干后草质，上面暗绿色，下面淡绿色，常沿侧脉间有不规则的黄色条纹，两面无毛。孢子囊群伸达侧脉的 3/4 ~ 4/5。

| 生境分布 |

生于海拔 600 ~ 1750m 的阔叶林下或路边灌丛中。分布于重庆南川、武隆、黔江等地。

| 资源情况 |

野生资源稀少。药材主要来源于野生。

| 采收加工 |

全年或秋季采收，洗净，鲜用或晒干。

| 功能主治 |

微苦，凉。清热解毒，祛风除湿。用于疮痈肿毒，风湿麻木等。

| 用法用量 |

内服煎汤，15 ~ 30g；或泡酒。孕妇慎服。

| 附　　注 |

本种喜阴湿凉爽的环境，较耐寒。

裸子蕨科 Hemionitidaceae 凤丫蕨属 Coniogramme

普通凤丫蕨 *Coniogramme intermedia* Hieron.

| 药 材 名 | 黑虎七（药用部位：根茎。别名：马力跨、过山龙、老虎草）。

| 形态特征 | 植株高 60 ~ 120cm。叶柄长 24 ~ 60cm，直径 2 ~ 3mm，禾秆色或饰有淡棕色点；叶片和叶柄等长或稍短，宽 15 ~ 25cm，卵状三角形或卵状长圆形，2 回羽状；侧生羽片 3 ~ 5（~ 8）对，基部 1 对最大，长 18 ~ 24cm，宽 8 ~ 12cm，三角状长圆形，柄长 1 ~ 2cm，1 回羽状；侧生小羽片 1 ~ 3 对，长 6 ~ 12cm，宽 1.4 ~ 2cm，披针形，长渐尖头，基部圆形至圆楔形，有短柄，顶生小羽片远较大，基部极不对称或叉裂；第 2 对羽片三出，或单一（少有仍为羽状）；第 3 对起羽片单一，长 12 ~ 18cm，宽 2 ~ 3cm，披针形，长渐尖头，基部略不对称的圆楔形，有短柄至无柄，顶生羽片较其下的为大，基部常叉裂；羽片和小羽片边缘有斜上的锯齿。叶脉分离；侧脉 2

普通凤丫蕨

回分叉，先端的水囊线形，略加厚，伸入锯齿，但不到齿缘。叶干后草质至纸质，上面暗绿色，下面较淡并被疏短柔毛。孢子囊群沿侧脉分布达离叶缘不远处。

生境分布

生于海拔 350～2500m 的林下溪边湿润处。分布于重庆城口、巫溪、丰都、彭水、秀山、南川、綦江、黔江、石柱等地。

资源情况

野生资源稀少。药材主要来源于野生。

采收加工

秋季采挖，除去须根及泥土，晒干。

药材性状

本品呈长条状，多弯曲，有分枝。表面暗褐色或黄褐色，两侧及上表面均具凸起的圆形叶痕，有叶柄残基和须根残留。质脆，易折断，断面较平坦，灰褐色，有 2～3 大型的白色弧形维管束排列成近环状。

功能主治

甘、淡，平。归膀胱、大肠经。清利湿热，祛风活血。用于小便淋涩，痢疾，泄泻，带下，风湿痹痛，疮毒，跌打损伤。

用法用量

内服煎汤，10～15g。孕妇慎服。

裸子蕨科 Hemionitidaceae 凤丫蕨属 Coniogramme

凤丫蕨
Coniogramme japonica (Thunb.) Diels

| 药 材 名 | 散血莲（药用部位：全草或根茎。别名：凤丫草、活血莲、大叶凤凰尾巴草）。

| 形态特征 | 植株高 60 ~ 120cm。叶柄长 30 ~ 50cm，直径 3 ~ 5mm，禾秆色或栗褐色，基部以上光滑；叶片和叶柄等长或稍长，宽 20 ~ 30cm，长圆三角形，2 回羽状；羽片通常 5 对（少则 3 对），基部 1 对最大，长 20 ~ 35cm，宽 10 ~ 15cm，卵圆状三角形，柄长 1 ~ 2cm，羽状（偶有二叉）；侧生小羽片 1 ~ 3 对，长 10 ~ 15cm，宽 1.5 ~ 2.5cm，披针形，有柄或向上的无柄，顶生小羽片远较侧生的为大，长 20 ~ 28cm，宽 2.5 ~ 4cm，阔披针形，长渐尖头，通常向基部略变狭，基部为不对称的楔形或叉裂；第 2 对羽片三出、二叉或从这对起向上均为单一，但略渐变小，和其下羽片的顶生小羽片同形；顶

凤丫蕨

羽片较其下的为大，有长柄；羽片和小羽片边缘有向前伸的疏矮齿。叶脉网状，在羽轴两侧形成 2 ～ 3 行狭长网眼，网眼外的小脉分离，小脉先端有纺锤形水囊，不到锯齿基部。叶干后纸质，上面暗绿色，下面淡绿色，两面无毛。孢子囊群沿叶脉分布，几达叶缘。

| 生境分布 | 生于海拔 600 ～ 1300m 的湿润林下或山谷阴湿处。分布于重庆彭水、城口、丰都、秀山、石柱、酉阳、涪陵、黔江、南川、开州等地。

| 资源情况 | 野生资源较丰富。药材主要来源于野生。

| 采收加工 | 全年或秋季采收，洗净，鲜用或晒干。

| 药材性状 | 本品根茎疏生鳞片。叶草质，无毛；叶柄黄棕色，基部有少数披针形鳞片；叶片矩圆状三角形，长 50 ～ 70cm，宽 22 ～ 30cm，下部 2 回羽状，向上 1 回羽状；小羽片或中部以上的羽片狭长披针形，先端渐尖，基部楔形，边缘有细锯齿；叶脉网状，在主脉两侧各形成 2 ～ 3 行网眼，网眼外的小脉分离，先端有纺锤形水囊，不到锯齿基部。孢子囊群沿叶脉分布，无盖。气微，味苦。

| 功能主治 | 辛、微苦，凉。归肝经。祛风除湿，散血止痛，清热解毒。用于风湿关节痛，瘀血腹痛，闭经，跌打损伤，目赤肿痛，乳痈，各种肿毒初起。

| 用法用量 | 内服煎汤，15 ～ 30g；或泡酒。孕妇慎服。

裸子蕨科 Hemionitidaceae 凤丫蕨属 *Coniogramme*

黑轴凤丫蕨 *Coniogramme robusta* Christ

黑轴凤丫蕨

药 材 名

黑轴凤丫蕨（药用部位：全草。别名：黑脚马肋巴）。

形 态 特 征

植株高 50 ~ 70cm。根茎横走，直径 3 ~ 5mm，连同叶柄基部疏被褐棕色披针形鳞片。叶远生；叶柄长 25 ~ 35cm，直径约 2mm，亮栗黑色，上面有沟，下面圆形；叶片长圆形或阔卵形，几与叶柄等长，宽 15 ~ 22cm，奇数 1 回羽状；侧生羽片 2 ~ 4 对，几同形同大，长 13 ~ 17cm，宽 3 ~ 6cm，披针形或长圆状披针形，短尾头，基部略不对称，圆楔形或圆形，上侧略下延，无柄，顶生羽片较其下的为大，有长 1 ~ 2cm 的柄；羽片边缘软骨质，有矮钝的疏齿。叶脉明显，1 ~ 2 回分叉，先端有棒形或长卵形水囊，伸达锯齿基部以下。叶干后草质，绿色或黄绿色，两面分布到水囊基部，离叶缘 2mm。

生 境 分 布

生于海拔 350 ~ 1200m 的溪边常绿阔叶林下。分布于重庆开州、石柱、南川、綦江、城口等地。

| 资源情况 | 野生资源稀少。药材主要来源于野生。 |

| 采收加工 | 全年或秋季采收，洗净，鲜用或晒干。 |

| 功能主治 | 微苦，寒。清热解毒，祛风除湿。用于疮痈肿毒，风湿麻木，风疹等。 |

| 用法用量 | 内服煎汤，15～30g；或泡酒。孕妇慎服。 |

| 附　注 | 本种有黄轴凤丫蕨和棕轴凤丫蕨2个变种。黄轴凤丫蕨和本种的区别在于叶轴和羽轴下面为禾秆色；棕轴凤丫蕨和本种的区别在于叶轴和羽轴（至少下部）下面为棕色，应注意区别。 |

乳头凤丫蕨 *Coniogramme rosthornii* Hieron.

| 药 材 名 | 乳头凤丫蕨（药用部位：根茎。别名：活血莲）。

| 形态特征 | 植株高 60 ~ 100cm。根茎长而横走，直径 5mm，密被棕色披针形鳞片。叶远生；叶柄长 40 ~ 55cm，直径 3 ~ 5mm，禾秆色或下部饰有棕色斑点，基部略有鳞片；叶片几与柄等长或较短，宽 18 ~ 26cm，长卵形，2 回羽状；侧生羽片 4 ~ 6 对，下部的有柄（长 2 ~ 3cm），羽状；侧生小羽片 1 ~ 3 对，长 6 ~ 12cm，宽 1.5 ~ 2.5cm，披针形，先端尾状渐尖，基部圆楔形或近圆形；中部羽片单一，和其下羽片的顶生小羽片同形，长 10 ~ 20cm，中部或中部以上宽 2 ~ 3cm，披针形或阔披针形，长渐尖头，向基部略较狭，圆楔形，有短柄；上部的羽片渐变小；无柄；羽片边缘有向前伸的尖锯齿；水囊细长，略加厚，伸达锯齿基部。叶干后草质，上面褐绿色，仅沿羽轴有短毛，

乳头凤丫蕨

下面淡绿色，密生乳头状突起，突起上生灰白色短毛。孢子囊群伸达离叶缘不远处。

| **生境分布** | 生于海拔 700 ~ 2300m 的溪边林下。分布于重庆开州、北碚、忠县、武隆、南川、綦江、城口等地。

| **资源情况** | 野生资源稀少。药材主要来源于野生。

| **采收加工** | 秋季采挖根茎，除去须根及泥土，晒干。

| **功能主治** | 苦，凉。祛风除湿，舒筋活血，利尿止痛。用于风湿关节痛，跌打损伤，小便不利，肺热咳嗽，外伤出血等。

| **用法用量** | 内服煎汤，10 ~ 15g。孕妇慎服。

書带蕨科 Vittariaceae 書带蕨属 Vittaria

书带蕨

Vittaria flexuosa Fee

| 药 材 名 | 书带蕨（药用部位：全草。别名：牛尾筋、树韭菜、还阳草）。

| 形态特征 | 根茎横走，密被鳞片；鳞片黄褐色，具光泽，钻状披针形，长 4 ~ 6mm，基部宽 0.2 ~ 0.5mm，先端纤毛状，边缘具睫毛状齿，网眼壁较厚，深褐色。叶近生，常密集成丛；叶柄短，纤细，下部浅褐色，基部被纤细的小鳞片；叶片线形，长 15 ~ 40cm 或更长，宽 4 ~ 6mm，亦有小型个体，其叶片长仅 6 ~ 12cm，宽 1 ~ 2.5mm；中肋在叶片下面隆起，纤细，其上面凹陷成 1 狭缝，侧脉不明显；叶薄草质，叶缘反卷，遮盖孢子囊群。孢子囊群线形，生于叶缘内侧，位于浅沟槽中；沟槽内侧略隆起或扁平，孢子囊群线与中肋之间有阔的不育带，或在狭窄的叶片上为成熟的孢子囊群线充满；叶片下部和先端不育；隔丝多数，先端倒圆锥形，长、宽近相等，亮褐色。孢子

书带蕨

长椭圆形，无色透明，单裂缝，表面具模糊的颗粒状纹饰。

| **生境分布** | 附生于海拔 300 ~ 2000m 的常绿阔叶林中树干或岩石上。分布于重庆南川、北碚、江津、奉节、万州、梁平、武隆、开州等地。

| **资源情况** | 野生资源稀少。药材主要来源于野生。

| **采收加工** | 全年或夏、秋季采收，洗净，鲜用或晒干。

| **药材性状** | 本品根茎细长，圆柱形，长短不一，表面灰棕色，被黑褐色鳞片；鳞片钻状披针形，先端纤维状，上面有圆柱状凸起的叶痕，下面有棕色须根；质坚脆，易折断。叶柄极短或几无柄；叶片革质，条形，长 30 ~ 40cm，宽 4 ~ 6mm，黄绿色，叶缘反卷，中脉在上面下凹，两面均具明显纵棱，有的下面纵棱边脉上有棕色孢子囊群。气微，味淡。

| **功能主治** | 苦、涩，凉。归心、肝经。疏风清热，舒筋止痛，健脾消疳，止血。用于小儿急惊风，目翳，跌打损伤，风湿痹痛，小儿疳积，妇女干血痨，咯血，吐血等。

| **用法用量** | 内服煎汤，9 ~ 30g，鲜品可用 60 ~ 90g；研末服；或泡酒。

| **附　注** | 在 FOC 中，本种的拉丁学名被修订为 *Haplopteris flexuosa* Fee，书带蕨属的拉丁学名被修订为 *Haplopteris*。

书带蕨科 Vittariaceae 书带蕨属 Vittaria

平肋书带蕨 *Vittaria fudzinoi* Makino

| 药 材 名 | 树韭菜（药用部位：全草。别名：龙须草、丝带蕨、木莲金）。

| 形态特征 | 根茎短，横走或斜升，密被鳞片；鳞片黄褐色，具红色光泽，蓬松，略卷曲，宽短者长约5mm，基部宽约1mm，钻状长三角形，边缘具睫毛状齿；狭长者长约8mm，基部宽0.1～0.2mm，线状披针形，先端尾状长渐尖，扭曲，近全缘；叶近生，密集呈簇生状。叶柄色较深，长1～6cm，或近无柄；叶片线形或狭带形，长15～55cm，宽约5mm，有的宽可达8～10mm，先端渐尖，基部长下延，叶片反卷；中肋在叶片上面凸起，其两侧叶片凹陷成纵沟槽，几达叶全长，在叶片下面中肋粗壮，通常宽扁，与孢子囊群线接近，或较狭窄，两侧有阔的不育带；叶肥厚革质。孢子囊群线形，着生于近叶缘的沟槽中，外侧被反卷的叶缘遮盖；隔丝先端细胞头状或杯状，颜色

平肋书带蕨

略深，长略大于宽。孢子长椭圆形，单裂缝，表面具不很明显的颗粒状纹饰。

| **生境分布** | 生于海拔 1200 ～ 2200m 的常绿阔叶林中树干上或岩石上。分布于重庆万州、南川、綦江、城口等地。

| **资源情况** | 野生资源稀少。药材主要来源于野生。

| **采收加工** | 全年均可采收，洗净，鲜用或晒干。

| **药材性状** | 本品根茎短，基部生有棕褐色鳞片。叶簇生，几无柄，叶片革质，狭线形，长27 ～ 29cm，宽 3 ～ 4mm，上面中脉两侧有 2 行纵沟，下面中脉平坦。孢子囊群沿叶边缘着生。气微，味苦、涩。

| **功能主治** | 微苦，微温；无毒。归肝、胃经。理气，活血，止痛。用于跌打损伤，筋骨疼痛，劳伤痛，胃气痛，小儿惊风，疳积，目翳，干血痨等。

| **用法用量** | 内服煎汤，15 ～ 30g，大剂量可用至 90g；或泡酒。外用鲜品适量，捣敷。孕妇忌服。

| **附　　注** | （1）在 FOC 中，本种的拉丁学名被修订为 *Haplopteris fudzinoi* Makino，书带蕨属的拉丁学名被修订为 *Haplopteris*。

（2）本种叶片宽度有一定变异幅度。叶片宽阔类型的中肋狭窄，两侧有宽的不育带，多分布于浙江、江西、湖南、广东、广西等地，可视为一变种。

中华短肠蕨 *Allantodia chinensis* (Bak.) Ching

| 药 材 名 | 中华短肠蕨（药用部位：根茎）。

| 形态特征 | 夏绿中型植物。根茎横走，直径 5 ~ 8mm，黑褐色，先端密被鳞片；鳞片褐色至黑褐色，披针形，先端长渐尖，长 5 ~ 8mm，全缘，膜质；叶近生。能育叶长达 1m 左右；叶柄长 20 ~ 50cm，直径 2 ~ 3mm，基部黑褐色，疏被鳞片，向上变为深禾秆色，光滑，上面有浅沟；叶片三角形，长 30 ~ 60cm，基部宽 25 ~ 40cm，羽裂渐尖，顶部以下 2 回羽状 1 小羽片羽状深裂至全裂；侧生羽片达 13 对，斜展，多数互生，不对称（下侧小羽片较大），先端羽裂渐尖，基部 1 对最大，近对生或对生，矩圆阔披针形，长 20 ~ 30cm，宽 10 ~ 12cm，柄长 1 ~ 3.5cm，近叶片顶部的几对缩小，呈披针形，羽状深裂，略有短柄或无柄；侧生小羽片约达 13 对，平展，多数互

中华短肠蕨

生，对称或近对称，略有短柄或无柄，披针形至矩圆形，长 5 ~ 8cm，宽 1.5 ~ 2cm，羽状深裂达中肋，裂片以狭翅相连，先端渐尖，基部阔楔形至浅心形；小羽片的裂片达 15 对，略斜向上，下部小羽片的裂片稍疏离，上部小羽片的裂片接近或密接，矩圆形至线状披针形，先端钝圆或急尖，边缘有粗齿，或下部几对羽状半裂；叶脉羽状，上面不明显，下面可见，在小羽片的裂片上小脉 6 ~ 8 对，斜向上，多数二叉或单一，少数三叉或羽状。叶草质，干后呈草绿色或褐绿色，两面光滑；叶轴及羽轴禾秆色，光滑，上面有浅沟。孢子囊群细短线形，偶有长椭圆形至椭圆形，在小羽片的裂片上达 5 ~ 6 对，生于小脉中部或接近主脉，多数单生小脉上侧，部分双生，其长多数超过小脉长度的 1/2 ~ 2/3；囊群盖成熟时浅褐色，膜质，从一侧张开，宿存或部分残留。孢子近肾形，周壁不明显，表面具不规则的刺状纹饰。

| **生境分布** | 生于海拔 800m 以下的山谷林下溪沟边、石隙及公园荫处沟边、石隙。分布于重庆石柱、酉阳、南川、九龙坡、秀山、忠县、武隆等地。

| **资源情况** | 野生资源一般。药材主要来源于野生。

| **采收加工** | 全年或秋季采收，洗净，晒干。

| **功能主治** | 微苦、涩，凉。清热，祛湿。用于黄疸性肝炎，流行性感冒等。

| **用法用量** | 内服煎汤，15 ~ 30g。

| **附　注** | 在 FOC 中，本种被修订为中华双盖蕨 *Diplazium chinense* (Baker) C. Chr.，属名被修订为双盖蕨属 *Diplazium*。

蹄盖蕨科 Athyriaceae 短肠蕨属 Allantodia

大型短肠蕨
Allantodia gigantea (Bak.) Ching

| **药 材 名** | 大型短肠蕨（药用部位：根茎。别名：溪边短肠蕨）。

| **形态特征** | 夏绿大型林下植物。根茎横卧，先端密被蓬松的长鳞片；鳞片褐色，披针形或线状披针形，先端线形长尾状，膜质，边缘有稀疏的小齿，并常为黑色。叶簇生，能育叶长达 2m 以上；叶柄长达 90cm，直径达 1cm，基部黑褐色，密被与根茎上相同的鳞片，向上禾秆色或绿禾秆色，渐变光滑，上面有深纵沟；叶片三角形，长达 1.5m，基部宽达 1m，羽裂渐尖，顶部上 2 回羽状 1 小羽片羽状深裂，羽片达 15 对，互生，略斜向上，顶部羽裂渐尖，基部 2 对最大，长达 60cm，宽达 20cm，柄长 2 ~ 6cm，羽状，上部的缩狭为披针形，羽裂，无柄或几无柄；小羽片达 20 对，互生或近对生，平展或近平展，披针形或矩圆状披针形，羽状半裂至深裂，先端渐尖或短渐尖，基

大型短肠蕨

部不对称，有短柄或无柄，中部的长达 15cm，宽达 5cm；小羽片的裂片达 15 对左右，略斜向上，矩圆形，先端钝圆或近截形，全缘或边缘有浅钝锯齿；叶脉上面不明显，下面可见，羽状，在小羽片的裂片上小脉可达 9 对，斜向上，通常二叉或单一，有时三叉至四叉。孢子囊群多呈粗短线形，囊群盖成熟时褐色，膜质，外侧张开，常近部分残存，有时早落。孢子近肾形，周壁明显，不具褶皱，表面有颗粒状纹饰。

| 生境分布 | 生于海拔 450 ～ 2200m 的山地或溪边阴湿杂木林下。分布于重庆武隆、南川、酉阳等地。

| 资源情况 | 野生资源稀少。药材主要来源于野生。

| 功能主治 | 微苦、涩，凉。活血散瘀。用于跌打损伤，劳伤吐血等。

| 用法用量 | 外用适量。

| 附　注 | 在 FOC 中，本种被修订为大型双盖蕨 *Diplazium giganteum* (Baker) Ching，属名被修订为双盖蕨属 *Diplazium*。

| 蹄盖蕨科 | Athyriaceae | 短肠蕨属 | *Allantodia*

鳞轴短肠蕨 *Allantodia hirtipes* (Christ) Ching

| 药 材 名 | 鳞轴短肠蕨（药用部位：根茎）。

| 形态特征 | 根茎斜升至直立，粗壮，直径约 4cm，先端及叶柄基部密被鳞片；鳞片狭披针形，长达 1.5cm，褐色或黑褐色，有光泽，膜质，边缘有小齿。叶簇生，能育叶长达 90cm；叶柄长 20 ～ 35cm，基部直径 4 ～ 5mm，深褐色，向上暗禾秆色，全部密被披针形的黑褐色鳞片，上面有 2 浅纵沟；叶片矩圆形，长 30 ～ 55cm，中部宽 20 ～ 30cm，羽裂渐尖的顶部以下 1 回羽状；侧生羽片可达 22 对，互生或下部的对生，几平展，披针形，先端渐尖，基部截形或阔楔形，两侧常膨大成耳片状，无柄，两侧缺刻状或羽状浅裂至半裂，近顶部的羽片基部贴生于叶轴，中部的羽片长达 15cm，宽约 1.8cm，下部的几对羽片略缩短并斜向下。叶为草质，干后褐绿色，叶轴禾秆色，

鳞轴短肠蕨

密被线形褐色小鳞片，上面有浅纵沟。孢子囊群线形，稍弯弓，每组小脉通常有 1 ~ 3，单生或双生，由小脉基部向上达小脉长度的 2/3；囊群盖线形，膜质，全缘，宿存。

| 生境分布 |

生于海拔 900 ~ 1800m 的山谷密林下或阴湿沟边。分布于重庆江津、南川、綦江、巴南等地。

| 资源情况 |

野生资源稀少。药材主要来源于野生。

| 采收加工 |

全年或秋季采收，洗净，晒干。

| 功能主治 |

苦，凉。清热解毒，活血散瘀。用于流行性感冒，肺炎，跌打损伤等。

| 用法用量 |

外用适量。

| 附　注 |

在 FOC 中，本种被修订为鳞轴双盖蕨 *Diplazium hirtipes* Christ，属名被修订为双盖蕨属 *Diplazium*。

蹄盖蕨科 Athyriaceae 短肠蕨属 Allantodia

大羽短肠蕨 *Allantodia megaphylla* (Bak.) Ching

| 药 材 名 | 大羽短肠蕨（药用部位：根茎。别名：大短肠蕨）。

| 形态特征 | 多年生草本。根茎通常粗壮，直立，直径约2cm，木质，偶为横卧或横走，褐色，先端及叶柄基部密被鳞片；鳞片线状披针形至线状钻形，膜质，边缘黑色，疏细牙齿状。叶通常簇生，罕见近生或疏生；能育叶长达1.5m；叶柄长30～80cm，直径达1cm，基部褐色，密被鳞片，向上绿禾秆色，渐变光滑，上面有阔纵沟；叶片矩圆形，长50～90cm，宽25～50cm，1回羽状，顶部三角形，急缩渐尖，基部多呈羽状深裂，具先端渐尖或长渐尖的裂片，向上羽状半裂至浅裂，裂片先端急尖或钝圆；侧生羽片7～9对，互生，斜展，柄长约5mm，先端渐尖，基部略不对称，浅心形，少数几对称，圆截形，边缘有疏缺刻或有小齿；叶脉明显，两面稍隆起，羽状，斜展，每

大羽短肠蕨

组侧脉有小脉 4 ~ 6，极斜向上，单一，下部的 2 ~ 3 不达羽片边缘。叶为纸质，干后多呈暗绿色，两面均光滑；叶轴禾秆色，光滑，上面有浅纵沟；主脉下面疏被线形的褐色小鳞片。孢子囊群线形，长 3 ~ 6mm，每组侧脉上有 3 ~ 4 对，多单生小脉下部或中部上侧，少见双生 1 脉两侧；囊群盖线形，膜质，灰色，全缘。孢子豆形，周壁明显，具少数褶皱。

| 生境分布 |

生于海拔 200 ~ 1700m 的溪边杂木林下。分布于重庆南川等地。

| 资源情况 |

野生资源稀少。药材主要来源于野生。

| 采收加工 |

全年或秋季采收，洗净，晒干。

| 功能主治 |

苦，凉。清热解毒，祛风除湿。用于风热感冒，疮痈肿毒等。

| 用法用量 |

外用适量。

| 附　注 |

在 FOC 中，本种被修订为大羽双盖蕨 *Diplazium megaphyllum* (Baker) Christ，属名被修订为双盖蕨属 *Diplazium*。

蹄盖蕨科 Athyriaceae 短肠蕨属 Allantodia

江南短肠蕨 *Allantodia metteniana* (Miq.) Ching

| **药 材 名** | 江南短肠蕨（药用部位：根茎。别名：小短肠蕨）。

| **形态特征** | 多年生草本。根茎长而横走，直径 3mm，黑褐色，先端密被鳞片；鳞片狭披针形，长约 3mm，黑色或黑褐色，有光泽，厚膜质，边缘有小齿。叶远生，能育叶长达 70cm；叶柄长 30 ~ 40cm，直径2 ~ 3mm，基部褐色，疏被狭披针形的褐色鳞片，向上有浅纵沟；叶片三角形或三角状阔披针形，长 25 ~ 40cm，基部宽 20 ~ 25cm，羽裂长渐尖的顶部以下 1 回羽状，羽片羽状浅裂至深裂；侧生羽片约 10 对，互生或近对生，近平展，镰状披针形或矩圆状披针形，长达 18cm，宽达 4cm，顶部长渐尖，两侧羽状浅裂至深裂，基部截形或阔楔形，基部的柄长达 1.5cm，向上的柄渐短至无柄或贴生；侧生羽片的裂片可达 15 对，稍斜展，密接，半圆形或镰状披针形，圆头

江南短肠蕨

或短渐尖头，边缘有浅钝锯齿；叶脉羽状，上面不明显，下面可见，小脉单一或基部偶有二叉，斜向上，在侧生羽片的裂片上5～7对。叶纸质，干后绿色或灰绿色，两面光滑；叶轴禾秆色，光滑，上面有浅纵沟。孢子囊群线形，略弯曲，在侧生羽片的裂片上有2～5（～7）对，偶为1条，大多单生于小脉上侧中部，在基部上侧1脉常为双生；囊群盖浅褐色，薄膜质，全缘，宿存。孢子近肾形，周壁透明，具少数褶皱，表面具不明显的颗粒状纹饰。

| **生境分布** | 生于海拔600～1400m的山谷林下。分布于重庆石柱、南川、江津、北碚、綦江、巫山、巫溪、奉节、万州、巴南等地。

| **资源情况** | 野生资源稀少。药材主要来源于野生。

| **采收加工** | 全年或秋季采收，洗净，晒干。

| **功能主治** | 苦，凉。清热解毒，活血散瘀。用于毒蛇咬伤，疮痈肿毒，跌打损伤等。

| **用法用量** | 外用适量。

| **附　　注** | （1）在FOC中，本种被修订为江南双盖蕨 *Diplazium mettenianum* (Miquel) C. Christensen，属名被修订为双盖蕨属 *Diplazium*。
（2）本种的变种小叶短肠蕨 *Allantodia metteniana* var. *fauriei* (Christ) Ching 体形较小，侧生羽片较狭而短，不为显著镰形，边缘波状，近革质，应注意区别。

蹄盖蕨科 Athyriaceae 短肠蕨属 Allantodia

假耳羽短肠蕨 Allantodia okudairai (Makino) Ching

| 药 材 名 | 假耳羽短肠蕨（药用部位：根茎。别名：耳羽短肠蕨）。

| 形态特征 | 多年生草本。根茎长而横走，直径约 3mm，褐色，先端密被鳞片；鳞片阔披针形，长约 4mm，褐色，厚膜质，全缘。叶远生，能育叶长达 90cm；叶柄长 18 ~ 35cm，直径 2.5mm，基部深褐色，向上绿禾秆色，下部或全部疏被披针形的褐色鳞片，上面有浅纵沟；叶片矩圆状阔披针形至长卵形，长 25 ~ 30cm，宽 10 ~ 20cm，羽裂尾状渐尖的顶部以下 1 回羽状；侧生羽片可达 12 对，近平展，镰状披针形，长 5 ~ 15cm，宽 1.5 ~ 3cm，先端尾状渐尖，基部不对称，下侧楔形，上侧有三角形的耳状突起，两侧浅羽裂，下部几对有短羽柄，长 2 ~ 3mm，上部的无柄，羽柄（除基部 1 对）均有狭翅；裂片三角形，有或尖或钝的锯齿；叶脉略可见，羽状，每裂片有小

假耳羽短肠蕨

脉 4 ~ 6 对，极斜向上。叶为草质，干后草绿色，两面光滑；叶轴绿禾秆色，下部疏被狭披针形褐色鳞片，上面有浅纵沟。孢子囊群线形，稍弯曲，近中肋着生，长达 1cm；囊群盖同形，膜质，全缘。

| **生境分布** | 生于海拔 400 ~ 1700m 的阔叶林下或阴湿处石上。分布于重庆城口、南川、綦江、江津等地。

| **资源情况** | 野生资源稀少。药材主要来源于野生。

| **采收加工** | 全年或秋季采收，洗净，晒干。

| **功能主治** | 微苦，凉。活血散瘀，解毒消肿。用于跌打损伤，疮痈肿毒，毒蛇咬伤等。

| **用法用量** | 外用适量。

| **附　　注** | （1）在 FOC 中，本种被修订为假耳羽双盖蕨 *Diplazium okudairai* Makino，属名被修订为双盖蕨属 *Diplazium*。
（2）本种喜阴。

蹄盖蕨科 Athyriaceae 安蕨属 Anisocampium

华东安蕨 *Anisocampium sheareri* (Bak.) Ching

华东安蕨

药材名

华东安蕨（药用部位：块根）。

形态特征

多年生草本。根茎长而横走，疏被浅褐色披针形鳞片。叶近生或远生，叶长 25 ~ 60cm；叶柄长 15 ~ 30cm，基部直径约 2mm，疏被与根茎上同样的鳞片，向上禾秆色（偶带淡紫红色），近光滑；叶片卵状长圆形或卵状三角形，长 15 ~ 30cm，中部宽 12 ~ 18cm，先端渐尖，基部近截形或圆楔形，1 回羽状，顶部羽裂，侧生羽片 2 ~ 7 对，镰状披针形，长 6 ~ 10cm，宽 1.5 ~ 2cm，长渐尖头，基部圆形，唯基部 1 ~ 2 对羽片的基部下侧呈斜楔形，下部边缘浅裂至全裂，裂片卵圆形或长圆形，有长锯齿，向上的裂片逐渐缩小，终成倒伏状的尖锯齿；叶脉分离，在裂片上为羽状，侧脉 3 ~ 4 对，单一或偶有二叉，伸入软骨质的长锯齿内，唯基部两侧相对的小脉伸达缺刻处；叶干后纸质，上面光滑，下面羽轴和主脉被浅褐色小鳞片和灰白色短毛。孢子囊群圆形，每裂片 3 ~ 4 对，在主脉两侧各排成 1 行，唯在羽片顶部的排列不规则；囊群盖圆肾形，褐色，膜质，边缘有睫毛，早落。孢子有周壁，表面具脊状纹饰。

| **生境分布** | 生于海拔200～1800m的山谷林下溪边或阴山坡上。分布于重庆彭水、涪陵、城口、酉阳、南川、石柱等地。 |

| **资源情况** | 野生资源一般。药材来源于野生。 |

| **采收加工** | 全年或秋季采收，洗净，晒干。 |

| **功能主治** | 清热利湿。用于泄泻，痢疾等。 |

| **用法用量** | 内服煎汤，适量。 |

蹄盖蕨科 Athyriaceae 假蹄盖蕨属 Athyriopsis

假蹄盖蕨
Athyriopsis japonica (Thunb.) Ching

| 药 材 名 | 小叶凤凰尾巴草（药用部位：全草或根茎。别名：日本双盖蕨）。

| 形态特征 | 多年生草本，夏绿植物。根茎细长横走，直径 2 ~ 3mm，先端被黄褐色阔披针形或披针形鳞片。叶远生至近生，能育叶长可达 1m；叶柄长 10 ~ 50cm，直径 1 ~ 2mm，禾秆色，基部被与根茎上同样的鳞片，并略被黄褐色节状柔毛，向上鳞片较稀疏而小，披针形，色较深，有时呈浅黑褐色，也被稀疏的节状柔毛；叶片矩圆形至矩圆状阔披针形，有时呈三角形，长 15 ~ 50cm，宽 6 ~ 22（~ 30）cm，基部略缩狭或不缩狭，顶部羽裂长渐尖或略急缩长渐尖；侧生分离羽片 4 ~ 8 对，通常以约 60° 的夹角向上斜展，少见平展，通直或略向上呈镰状弯曲，长 3 ~ 13cm，宽 1 ~ 3（~ 4.5）cm，先端渐尖至尾状长渐尖，基部阔楔形，两侧羽状半裂至深裂，基部 1（~ 2）对

假蹄盖蕨

常较阔，长椭圆状披针形，下侧常稍阔，其余的呈披针形，两侧对称；侧生分离羽片的裂片 5 ~ 18 对，以 40° ~ 45° 的夹角向上斜展，呈略向上偏斜的长方形或矩圆形，或为镰状披针形，先端近平截或钝圆至急尖，边缘有疏锯齿或波状，罕见浅羽裂；裂片上羽状脉的小脉 8 对以下，极斜向上，二叉或单一，上面常不明显，下面略可见。叶草质，叶轴疏生浅褐色披针形小鳞片及节状柔毛，羽片上面仅沿中肋被短节毛，下面沿中肋及裂片主脉疏生节状柔毛。孢子囊群短线形，通直，大多单生小脉中部上侧，在基部上出 1 脉有时双生于上、下两侧；囊群盖浅褐色，膜质，背面无毛，边缘撕裂状，在囊群成熟前内弯。孢子赤道面观半圆形，周壁表面具刺状纹饰。

| 生境分布 | 生于海拔 200 ~ 2000m 的林下湿地或山谷溪沟边。分布于重庆城口、石柱、酉阳、北碚、江津、永川、垫江、璧山、彭水、忠县、涪陵、南川、长寿、铜梁、巫山、南岸等地。

| 资源情况 | 野生资源较丰富。药材主要来源于野生。

| 采收加工 | 全年或秋季采收，洗净，鲜用或晒干。

| 功能主治 | 微苦、涩，凉。清热解毒。用于疮疡肿毒，乳痈，目赤肿痛。

| 用法用量 | 内服煎汤，15 ~ 30g。外用适量，鲜品捣敷。

| 附　注 | 在 FOC 中，本种被修订为东洋对囊蕨 *Deparia japonica* (Thunberg) M. Kato，属名被修订为对囊蕨属 *Deparia*。

金佛山假蹄盖蕨

Athyriopsis jinfoshanensis Ching et Z. Y. Liu

| 药 材 名 | 金佛山假蹄盖蕨（药用部位：全草。别名：直立假蹄盖蕨）。

| 形态特征 | 多年生草本。根茎细长横走，直径约 2.5mm，暗黑色，先端被褐色披针形鳞片。叶远生至近生，能育叶长达 1m 以上；叶柄基部褐色至黑褐色，直径 2 ~ 3mm，向上呈禾秆色，长 20 ~ 60cm，通体密被浅褐色、披针形至线形、半透明的膜质鳞片；叶片长椭圆形或卵形，长 25 ~ 60cm，宽 20 ~ 25cm，顶部渐尖，基部不缩狭或略缩狭；侧生分离羽片约 10 对，向上斜展，有时基部 1 对向后反折，狭长椭圆形或线状披针形，长 3 ~ 16cm，宽 1 ~ 4cm，顶部渐尖至长渐尖，基部截形、浅心形或阔楔形，无柄或略有短柄，近顶部的贴生，两侧羽状深裂几达羽片中肋；侧生羽片的裂片达 20 对，近平展，舌状矩圆形或呈略向上弯曲的矩圆形，先端钝圆，边缘有粗钝锯齿；裂

金佛山假蹄盖蕨

片上羽状脉的小脉 8 对以下，二叉至三叉或单一。叶草质，干后上面绿色，下面浅绿色；叶轴密生，大多为 2 ~ 3 行细胞，长 2 ~ 3mm，浅褐色，中肋下面疏生细而尖的节状柔毛，小脉两面被细微灰白色节毛，脉间无毛。孢子囊群短线形，通直或略向后弯曲，每裂片 1 ~ 7 对；囊群盖膜质，背面无毛，成熟时黄褐色，边缘浅撕裂状或啮蚀状，在囊群成熟前大多平展，少数内弯。孢子极面观椭圆形，赤道面观半圆形，周壁表面具密的棒状纹饰。

| 生境分布 | 生于海拔 1600 ~ 1900m 的山地阔叶林下。分布于重庆石柱、武隆、南川等地。

| 资源情况 | 野生资源稀少。药材主要来源于野生。

| 采收加工 | 全年或秋季采挖，洗净，鲜用或晒干。

| 功能主治 | 微苦、涩，凉。清热解毒，祛瘀止痛。用于疮痈肿毒，虫蛇咬伤，劳伤等。

| 用法用量 | 内服煎汤，适量。外用适量，鲜品捣敷。

| 附　　注 | 在 FOC 中，本种被修订为金佛山对囊蕨 Deparia jinfoshanensis (Z. Y. Liu) Z. R. He，属名被修订为对囊蕨属 Deparia。

蹄盖蕨科 Athyriaceae 假蹄盖蕨属 *Athyriopsis*

毛轴假蹄盖蕨 *Athyriopsis petersenii* (Kunze) Ching

| 药 材 名 | 毛轴假蹄盖蕨（药用部位：全草。别名：毛假蹄盖蕨、毛冷蕨）。

| 形态特征 | 多年生草本。根茎细长横走，深褐色，直径 2 ~ 5mm，先端密被红褐色阔披针形鳞片。叶远生至近生，能育叶形态多种多样，长0.06 ~ 1m，宽 1 ~ 25cm；叶柄禾秆色，长 2 ~ 40（~ 50）cm，基部常呈浅深褐色至深褐色，直径 1 ~ 3mm，疏被浅褐色至红褐色（少见亮栗色）、阔披针形至狭披针形的鳞片及卷曲的节状短毛；叶片多形，通常卵状阔披针形或矩圆状阔披针形，长可达 50cm，宽可达25cm，羽裂渐尖的顶部以下侧生分离羽片可达 10（~ 12）对，小形的叶常呈披针形或矩圆状披针形，有时呈三角形，仅基部有时有 1 ~ 2对侧生离羽片；羽片平展或略向上斜展，披针形或矩圆状披针形，长 15cm，宽达 3.5（~ 4）cm，羽状半裂至深裂，先端渐尖至长渐尖，

毛轴假蹄盖蕨

基部阔楔形或近平截，上侧常稍阔，有时略呈耳状，基部 1 对不缩短或略缩短，通常较阔；侧生分离羽片的裂片可达 15 对，近平展，长方形、舌状椭圆形或镰形，较少圆钝形，全缘、浅波状或有浅钝锯齿；裂片上羽状脉的小脉 7 对以下，斜向上，单一或二叉，两面可见。叶草质，干后绿色或灰绿色至浅黄绿色，上面色较深。孢子囊群长线形，单生，或裂片基部上侧双生或弯钩形，每裂片 2 ~ 4 对；囊群盖棕色，边缘撕裂状，宿存，背面无毛或被短节毛。

| 生境分布 | 生于海拔 800 ~ 2500m 的常绿阔叶林中或溪沟边。分布于重庆南川、綦江、江津、巴南、北碚等地。

| 资源情况 | 野生资源稀少。药材主要来源于野生。

| 采收加工 | 全年或秋季采挖，洗净，鲜用或晒干。

| 功能主治 | 微苦，凉。清热消肿。用于疮痈肿毒。

| 用法用量 | 外用适量，鲜品捣敷。

| 附　　注 | 在 FOC 中，本种被修订为毛叶对囊蕨 *Deparia petersenii* (Kunze.) M. Kato，属名被修订为对囊蕨属 *Deparia*。

蹄盖蕨科 Athyriaceae 蹄盖蕨属 Athyrium

翅轴蹄盖蕨 *Athyrium delavayi* Christ

| 药 材 名 | 小旋鸡尾（药用部位：全草。别名：细股黄连）。

| 形态特征 | 多年生草本。根茎短粗，直立，先端密被深褐色、线状披针形、先端纤维状的鳞片。叶簇生，能育叶长 35 ~ 65cm；叶柄长 15 ~ 30cm，直径 2 ~ 3mm，基部黑褐色，密被与根茎上同样的鳞片，向上禾秆色，几光滑；叶片卵状长圆形或披针形，长 25 ~ 35cm，中部宽 14 ~ 25cm，先端急狭缩成尾状，2 回羽状；羽片 16 ~ 18 对，下部的近对生，无柄，逐渐缩短，并向下反折，基部略变狭，中部羽片平展，向上的斜展，线状披针形，长 8 ~ 13cm，宽 1.2 ~ 1.5cm，先端尾状长渐尖，并有尖锯齿，基部截形，不变狭，1 回羽状；小羽片 18 ~ 20 对，互生，往往密接，平展，基部与羽轴分离，基部 1 对略大，通常多少覆盖在叶轴上，近方形，长 5 ~ 7mm，宽 4 ~ 6mm，

翅轴蹄盖蕨

钝头（偶有尖头），基部偏斜，上侧截形并稍呈耳状凸起，下侧楔形，边缘密生张开的大而尖的齿牙。叶脉上面仅可见，下面明显，在小羽片上为羽状，侧脉 5 对左右，极斜向上，二叉或单一（基部上侧的为三叉或羽状）。叶干后薄纸质，褐绿色，下面或多或少被短腺毛；叶轴和叶柄下面被褐色披针形的鳞片。孢子囊群长圆形或短线形，每小羽片约有 3 对，稍近叶缘；囊群盖同形，浅褐色，薄膜质，全缘，宿存。孢子周壁表面无褶皱，有拟网状纹饰。

| **生境分布** | 生于海拔 600 ～ 2050m 的杂木林下阴湿处或山谷灌丛中。分布于重庆石柱、南川、江津、北碚、万州、梁平等地。

| **资源情况** | 野生资源较丰富。药材主要来源于野生。

| **采收加工** | 全年均可采收，洗净，鲜用或晒干。

| **功能主治** | 微苦，凉。清热解毒。用于烫火伤，肺热咳嗽。

| **用法用量** | 内服煎汤，10 ～ 15g。外用适量，捣敷。

| **附　　注** | 本种的药材称小旋鸡尾。大旋鸡尾为中国蕨科金粉蕨属野雉尾金粉蕨 *Onychium japonicum* (Thunb.) Kze. 的全草，又名野鸡尾，应注意区别。

蹄盖蕨科 Athyriaceae 蹄盖蕨属 Athyrium

轴果蹄盖蕨 *Athyrium epirachis* (Christ) Ching

轴果蹄盖蕨

| 药 材 名 |

轴果蹄盖蕨（药用部位：根茎）。

| 形态特征 |

多年生草本。根茎短，直立，先端和叶柄基部密被鳞片；鳞片中央深褐色，边缘浅褐色，线状披针形，先端纤维状。叶簇生，叶柄长 12 ~ 34cm，连同叶轴、羽轴多少紫色，基部深褐色，密被棕色或中央黑褐色、坚挺的披针形鳞片，向上稀疏至光滑；叶片长圆形或长圆状披针形，长 15 ~ 36cm，宽 5 ~ 13cm，基部圆楔形或近截形，先端渐尖至尾尖，1 ~ 2 回羽状，羽片 10 ~ 20 对，三角状披针形或长圆状披针形，中下部的长 2.5 ~ 8cm，基部宽 0.8 ~ 2.5cm，有短柄，基部上侧耳状，下侧圆楔形，先端钝或短渐尖，边缘具短齿、浅裂、深裂至 1 回羽状，裂片或小羽片卵形、椭圆形或长圆形，先端圆钝，有齿；叶纸质或近革质，干后褐绿色，叶轴、羽轴上面具短硬刺突，下面光滑或被腺毛；叶脉分离，上面凹入，下面凸出。孢子囊群新月形或蛾眉形，近羽轴或小羽轴或裂片主脉着生；囊群盖同形，棕色，膜质，全缘，宿存。

| 生境分布 | 生于海拔 800～1800m 的常绿阔叶林下或竹林下。分布于重庆酉阳、南川、江津、綦江、北碚等地。

| 资源情况 | 野生资源稀少。药材主要来源于野生。

| 采收加工 | 夏、秋季采收，除去须根，洗净，晒干。

| 功能主治 | 苦，凉。清热解毒，杀虫。用于疮痈肿毒，蛔虫病。

| 用法用量 | 内服煎汤，适量。外用适量，晒干研末调敷。

| 附　注 | 本种形体变化较大，叶 1～2 回羽状，叶柄、叶轴、羽轴带紫红色，被较多腺毛，应注意和同类种进行区别。

蹄盖蕨科 Athyriaceae 蹄盖蕨属 Athyrium

长江蹄盖蕨
Athyrium iseanum Rosenst.

| 药 材 名 | 山柏（药用部位：全草。别名：大地柏枝、散柏枝、贵州蹄盖蕨）。

| 形态特征 | 多年生草本。根茎短，直立，先端和叶柄基部密被深褐色、披针形鳞片。叶簇生，能育叶长 25 ~ 70cm；叶柄长 10 ~ 25cm，基部直径 1 ~ 2.5mm，黑褐色，向上淡绿禾秆色，光滑；叶片长圆形，长（10 ~）18 ~ 45cm，中部宽（6 ~）11 ~ 14cm，先端渐尖，基部圆形，几不变狭，2 回羽状，小羽片深羽裂；羽片 10 ~ 20 对，互生，斜展，有柄（长 3 ~ 4mm），基部 1 对略缩短，长 2 ~ 5cm，第 2 对羽片披针形，长 6 ~ 10cm，基部宽 2 ~ 2.5cm，先端长渐尖，基部对称，近截形，1 回羽状，小羽片羽裂至 2 回羽状；小羽片 10 ~ 14 对，基部的对生，向上的互生，斜展，彼此略疏离，基部 1 对略大，卵状长圆形，长 1 ~ 1.3cm，基部宽 4 ~ 5mm，急尖头，基部不对称，

长江蹄盖蕨

上侧截形，与羽轴并行，下侧楔形，边缘深羽裂几达主脉；裂片 4 ~ 6 对，长圆形，上侧的较下侧的大，基部上侧的最大，有少数短锯齿。叶脉下面较明显，在下部裂片上为羽状，侧脉 2 ~ 3（~ 5）对，向上的二叉。叶干后草质，浅褐绿色，两面无毛；叶轴和羽轴下面禾秆色，交汇处密被短腺毛，上面连同主脉有贴伏的针状软刺。孢子囊群长圆形、弯钩形、马蹄形或圆肾形，每裂片 1，但基部上侧的 2 ~ 3；囊群盖同形，黄褐色，膜质，全缘，宿存。孢子周壁表面无褶皱，有颗粒状纹饰。

| **生境分布** | 生于海拔 500 ~ 2000m 的林下湿地、溪沟边或岩石上。分布于重庆石柱、南川、綦江、彭水、巫山等地。

| **资源情况** | 野生资源一般。药材主要来源于野生。

| **采收加工** | 全年或夏、秋季采收，洗净，鲜用或晒干。

| **功能主治** | 苦，凉。清热解毒，凉血止血。用于痈肿疮毒，痢疾，鼻衄，外伤出血。

| **用法用量** | 内服煎汤，10 ~ 30g。外用适量，鲜品捣敷；或干品研末敷。

蹄盖蕨科 Athyriaceae 蹄盖蕨属 Athyrium

日本蹄盖蕨 *Athyrium niponicum* (Mett.) Hance.

| 药 材 名 | 日本蹄盖蕨（药用部位：全草。别名：小叶山鸡尾巴草、牛心贯众）。

| 形态特征 | 多年生草本。根茎横卧，斜升，先端和叶柄基部密被浅褐色、狭披针形的鳞片。叶簇生，能育叶长（25～）30～75（～120）cm；叶柄长10～35（～50）cm，基部直径（1.5～）2～3（～5）mm，黑褐色，向上禾秆色，疏被较小的鳞片；叶片卵状长圆形，长（15～）23～30（～70）cm，中部宽（11～）15～25（～50）cm，先端急狭缩，基部阔圆形，中部以上2～3回羽状；急狭缩部以下有羽片5～7（～14）对，互生，斜展，有柄（长3～15mm），略向上弯弓，基部1对略长，较大，长圆状披针形，长（5～）7～15（～25）cm，中部宽（2～）2.5～6（～12）cm，先端突然收缩，长渐尖，略呈尾状，基部阔斜形或圆形，中部羽片披针形，1～2

日本蹄盖蕨

回羽状；小羽片（8～）12～15 对，互生，斜展或平展，有短柄或几无柄，常为阔披针形或长圆状披针形，也有披针形，中部的长 1～4（～6）cm，基部宽 1～2cm，渐尖头，基部不对称，上侧近截形，呈耳状凸起，与羽轴并行，下侧楔形，两侧有粗锯齿或羽裂几达小羽轴两侧的阔翅；裂片 8～10 对，披针形、长圆形或线状披针形，尖头，边缘有向内紧靠的尖锯齿。叶脉下面明显，在裂片上为羽状，侧脉 4～5 对，斜向上，单一。叶干后草质或薄纸质，灰绿色或黄绿色，两面无毛；叶轴和羽轴下面带淡紫红色，略被浅褐色线形小鳞片。孢子囊群长圆形、弯钩形或马蹄形，每末回裂片 4～12 对；囊群盖同形，褐色，膜质，边缘略呈啮蚀状，宿存或部分脱落。孢子周壁表面有明显的条状褶皱。

| 生境分布 | 生于海拔 200～2200m 的杂木林下、溪边、阴湿山坡、灌丛或草坡上。分布于重庆城口、秀山、酉阳、石柱、南川、綦江、江津、彭水、沙坪坝等地。

| 资源情况 | 野生资源一般。药材主要来源于野生。

| 采收加工 | 全年或夏、秋季采收，洗净，鲜用或晒干。

| 功能主治 | 苦，凉。清热解毒，止血，驱虫。用于疮毒疔肿，痢疾，衄血，蛔虫病。

| 用法用量 | 内服煎汤，15～30g。外用适量，鲜叶捣敷。

| 附　注 | 在 FOC 中，本种被修订为日本安蕨 Anisocampium niponicum (Mettenius) Yea C. Liu, W. L. Chiou et M. Kato，属名被修订为安蕨属 Anisocampium。

蹄盖蕨科 Athyriaceae 蹄盖蕨属 Athyrium

光蹄盖蕨
Athyrium otophorum (Miq.) Koidz.

光蹄盖蕨

| 药 材 名 |

光蹄盖蕨（药用部位：根茎）。

| 形态特征 |

多年生草本。根茎短，先端斜升，密被深褐色或黑褐色、线状披针形、先端纤维状的鳞片。叶簇生，能育叶长 45 ~ 70（~ 85）cm；叶柄长（15 ~）25 ~ 35cm，直径 2.5 ~ 3mm，基部黑褐色，密被与根茎上同样的鳞片，向上略带淡紫红色，光滑；叶片长卵形或三角状卵形，长 25 ~ 35（~ 50）cm，中部宽 20 ~ 25cm，先端急狭缩，基部不变狭，2 回羽状；羽片约 15 对，急狭缩部以下约有 7 对，基部的对生，向上的互生，几平展，无柄或有极短柄，披针形，中部的长 10 ~ 12（~ 25）cm，宽 2.5 ~ 3.5cm，先端长渐尖，基部截形，1 回羽状；小羽片 14 ~ 17 对，互生，几平展，无柄，下部的近三角形至长圆状披针形，长 1 ~ 1.7cm，中部宽 4 ~ 6mm，尖头，基部不对称，上侧截形，并有三角形的耳状突起，与羽轴并行，下侧楔形，近全缘或上侧边缘有小锯齿。叶脉下面明显，上面不见，在小羽片上为羽状，侧脉 7 ~ 8 对，斜向上，下部的分叉，基部上侧的 2 脉为羽状或三叉。孢子囊群长圆形或短线形，每小羽片 3 ~ 5 对，生于叶缘与主脉中间；囊群盖同形，浅褐色，膜质，全缘，宿存。

| **生境分布** | 生于海拔 400 ~ 1400m 的林下或路旁。分布于重庆石柱、南川、江津、北碚、丰都等地。

| **资源情况** | 野生资源稀少。药材主要来源于野生。

| **采收加工** | 夏、秋季采收，除去须根，洗净，晒干。

| **功能主治** | 苦，凉。清热解毒，杀虫。用于疮痈肿毒，蛔虫病。

| **用法用量** | 内服煎汤，适量。外用适量，晒干研末调敷。

蹄盖蕨科 Athyriaceae 角蕨属 Cornopteris

角蕨 *Cornopteris decurrenti-alata* (Hook.) Nakai

| 药 材 名 | 角蕨（药用部位：根茎。别名：冷箐蕨）。

| 形态特征 | 多年生草本。根茎细长横走或横卧，黑褐色，直径约5mm，顶部被褐色披针形鳞片。叶近生，能育叶长可达80cm；叶柄长达40cm，暗禾秆色，基部被鳞片，向上近光滑，上面有2纵沟；叶片卵状椭圆形，长达40cm，阔达28cm，羽裂渐尖，顶部以下1~2回羽状；侧生羽片达10对，斜展，彼此远离，披针形，渐尖头，基部近平截，近对称，下部的较大，椭圆状披针形，长达15cm，宽达4cm，两侧羽状深裂，或为1回羽状；裂片或小羽片卵形或长椭圆形，长达3cm，宽达1cm，钝头，边缘浅裂，或有疏齿，或呈波状。叶脉可见，小脉单一或分叉，伸达叶缘。叶草质，干后褐色，无毛或几无毛。孢子囊群短线形或长椭圆形，背生于小脉中部或较接近中脉，或生

角蕨

于小脉分叉处。孢子赤道面观半圆形，周壁透明，具褶皱，表面具颗粒状纹饰。

| 生境分布 | 生于海拔 250 ～ 2000m 的山地阴湿阔叶林下。分布于重庆酉阳、南川、涪陵、开州等地。

| 资源情况 | 野生资源稀少。药材主要来源于野生。

| 采收加工 | 夏、秋季采收，除去须根，洗净，晒干。

| 功能主治 | 淡，凉。舒筋活血。用于跌打损伤，劳伤等。

| 用法用量 | 外用适量，晒干研末调敷。

川黔肠蕨 *Diplaziopsis cavaleriana* (Christ) C. Chr.

| 药材名 | 川黔肠蕨（药用部位：根茎。别名：肠蕨）。

| 形态特征 | 多年生草本。根茎短而直立，先端连同叶柄基部有少数褐色披针形鳞片。叶簇生，能育叶长可达 1.2cm；叶柄长 25 ~ 45cm，直径 2 ~ 3mm，干后禾秆色或绿禾秆色，基部以上无鳞片；叶片长圆状阔披针形，长 35 ~ 70cm，中部宽 15 ~ 20cm，基部常略变狭；侧生羽片 4 ~ 15 对，披针形，先端渐尖，互生，无柄或基部的略有短柄，略斜展，基部 1 ~ 3 对常缩短，呈卵形或长卵形，中部的较接近，长 8 ~ 15cm，宽 1.5 ~ 3cm，基部阔楔形或近平截，两侧全缘，顶生羽片比其下 1 对侧生羽片稍大，同形，但其基部不对称，柄长 3 ~ 10mm；羽片的侧脉在粗壮的主脉两侧各联结成 2 ~ 3 行斜方形网孔。叶干后绿色或黄绿色，下面色显著较浅。孢子囊群粗线形，

川黔肠蕨

长达 5（~ 8）mm，紧接主脉，彼此接近，略斜向上，侧脉离基分叉点常位于孢子囊群中部附近；囊群盖腊肠形，褐色，成熟时从上侧边向轴张开，宿存。

| 生境分布 |

生于海拔 1000 ~ 1800m 的山谷阴湿林下。分布于重庆南川、綦江等地。

| 资源情况 |

野生资源稀少。药材主要来源于野生。

| 采收加工 |

夏、秋季采收，除去须根，洗净，晒干。

| 功能主治 |

涩，凉。凉血止血，祛风除湿。用于吐血，外伤出血，风湿性关节炎等。

| 用法用量 |

内服煎汤，适量。外用适量，晒干研末调敷。

| 附 注 |

中间肠蕨 *Diplaziopsis interrnedia* Ching 和本种相似，但植株较大，主脉两侧有 3 行网眼，孢子囊群生于侧脉分叉处的上侧小脉上，离开主脉，应注意区别。

蹄盖蕨科 Athyriaceae 双盖蕨属 Diplazium

薄叶双盖蕨 *Diplazium pinfaense* Ching

| 药 材 名 | 薄叶双盖蕨（药用部位：全草。别名：双盖蕨）。

| 形态特征 | 多年生草本。根茎斜升或直立，深褐色，密生肉质粗根，先端被褐色、披针形、全缘的鳞片。叶簇生，能育叶长达 65cm，叶柄长达 30cm，直径达 2mm，绿禾秆色，基部褐色，密被与根茎上相同的鳞片，向上光滑，上面具浅纵沟；叶片卵形，长达 34cm，宽达 22cm，基部圆楔形，奇数 1 回羽状；侧生羽片 2～3 对，斜展，镰状披针形，长渐尖，两侧自基部向上通体有较尖的锯齿或重锯齿，有时略呈浅羽裂状，基部大多近对称，圆楔形，或基部 1 对的不对称，其上侧圆形，下侧楔形，有短柄，或上部的无柄且略与叶轴合生；顶生羽片披针形，与侧生羽片同大或略大，基部通常为不对称的阔楔形；中脉下面圆而隆起，上面具浅纵沟；侧生小脉两面均明显，

薄叶双盖蕨

斜向上，2～4回不等二分叉，每组小脉可达6，纤细，直达锯齿先端。叶薄草质，干后草绿色，两面均无毛；叶轴禾秆色或绿禾秆色，略有光泽，上面具浅纵沟。囊群盖灰褐色，膜质，全缘，向上开口。

| 生境分布 |

生于海拔 400～1800m 的溪边常绿阔叶林下。分布于重庆南川、北碚等地。

| 资源情况 |

野生资源稀少。药材主要来源于野生。

| 采收加工 |

夏、秋季采收，除去须根，洗净，晒干。

| 功能主治 |

苦、微涩，凉。清热止咳，止血利尿。用于肺热咳嗽，吐血咯血，小便不畅等。

| 用法用量 |

内服煎汤，适量。外用适量，晒干研末调敷。

| 附　注 |

本种喜阴。

蹄盖蕨科 Athyriaceae 双盖蕨属 Diplazium

单叶双盖蕨
Diplazium subsinuatum (Wall. ex Hook. et Grev.) Tagawa

| **药 材 名** | 单叶双盖蕨（药用部位：全草）。 |

| **形态特征** | 多年生草本。根茎细长，横走，被黑色或褐色披针形鳞片。叶远生，能育叶长达 40cm；叶柄长 8 ～ 15cm，淡灰色，基部被褐色鳞片；叶片披针形或线状披针形，长 10 ～ 25cm，宽 2 ～ 3cm，两端渐狭，全缘或边缘稍呈波状；中脉两面均明显，小脉斜展，每组 3 ～ 4，通直，平行，直达叶缘；叶干后纸质或近革质。孢子囊群线形，通常多分布于叶片上半部，沿小脉斜展，在每组小脉上通常有 1 条，生于基部上出小脉，距主脉较远，单生或偶有双生；囊群盖成熟时膜质，浅褐色。孢子赤道面观圆肾形，周壁薄而透明，表面具不规则的粗刺状或棒状突起，突起顶部具稀少而小的尖刺。 |

单叶双盖蕨

| 生境分布 |

生于海拔 200 ~ 1600m 的溪旁林下酸性土或岩石上。分布于重庆彭水、丰都、江津、涪陵、南川、北碚等地。

| 资源情况 |

野生资源稀少。药材主要来源于野生。

| 采收加工 |

全年或秋季采挖，洗净，鲜用或晒干。

| 功能主治 |

微苦、涩，凉。清热解毒。用于疮疡肿毒，乳痈，目赤肿痛。

| 用法用量 |

内服煎汤，15 ~ 30g。外用适量，鲜品捣敷。

| 附　　注 |

在 FOC 中，本种被修订为单叶对囊蕨 *Deparia lancea* (Thunberg) Fraser-Jenkins，属名被修订为对囊蕨属 *Deparia*。

蹄盖蕨科 Athyriaceae 介蕨属 Dryoathyrium

鄂西介蕨 *Dryoathyrium henryi* (Bak.) Ching

| **药 材 名** | 介蕨（药用部位：叶、根茎）。

| **形态特征** | 多年生草本。根茎长横卧，先端斜升。叶近簇生，能育叶长
50 ～ 95cm；叶柄长 20 ～ 35cm，基部直径 3 ～ 4mm，疏被深褐色
披针形鳞片，向上禾秆色，近光滑；叶片长圆形，长 30 ～ 60cm，
中部宽 20 ～ 25cm，先端渐尖，基部略变狭，1 回羽状，羽片深羽裂；
羽片 12 ～ 18 对，互生，近无柄，略斜展，阔披针形，中部以下的
长 12 ～ 20cm，宽 3 ～ 4cm，尾状渐尖头，基部近对称，截形或圆
楔形，边缘深羽裂；裂片镰状长圆形，长 2 ～ 2.5cm，宽 6 ～ 8mm，
钝圆头或短尖头，边缘有锐裂的粗锯齿；中部以上的羽片与下部同
形，向上逐渐缩短，羽状半裂至深裂，裂片长圆形或斜长方形，全
缘或边缘有浅锯齿。叶脉在裂片上为羽状，侧脉 8 ～ 10 对，小脉二

鄂西介蕨

叉至三叉。叶干后草质，暗绿色，叶轴和羽轴上疏被褐色阔披针形小鳞片和 2～3 列细胞组成的蠕虫状毛。孢子囊群短长圆形，有时弯曲或为弯钩形，偶有马蹄形，生于小脉上侧，少横跨小脉上，每裂片 5～7 对，在主脉两侧各排成 1 行；囊群盖长形，少有弯钩形或马蹄形，褐色，膜质，边缘撕裂成流苏状，宿存。孢子周壁表面有较多的宽条状褶皱。

| 生境分布 |

生于海拔 1000～2000m 的落叶阔叶林下或灌木林下阴湿处。分布于重庆彭水、云阳、南川等地。

| 资源情况 |

野生资源稀少。药材主要来源于野生。

| 采收加工 |

全年均可采收，除去须根，洗净，晒干。

| 功能主治 |

淡，凉。清热解毒，消肿止痛，杀虫。用于疮疖，痈疮肿毒，瘀血肿痛。

| 用法用量 |

内服煎汤，9～12g。外用适量。

| 附　注 |

在 FOC 中，本种被修订为鄂西对囊蕨 *Deparia henryi* (Baker) M. Kato，属名被修订为对囊蕨属 *Deparia*。

蹄盖蕨科 Athyriaceae 介蕨属 Dryoathyrium

峨眉介蕨 *Dryoathyrium unifurcatum* (Bak.) Ching

| **药 材 名** | 介蕨（药用部位：根茎、叶）。

| **形态特征** | 多年生草本。根茎长而横走。叶远生，能育叶长 45 ~ 95cm；叶柄长 20 ~ 40cm，基部直径 2 ~ 3mm，疏被黑褐色阔披针形或线形鳞片，向上为禾秆色，近光滑；叶片卵状长圆形，长 25 ~ 55cm，中部宽 20 ~ 28cm，先端渐尖并为羽裂，基部略变狭，1 回羽状，羽片羽裂；羽片 12 ~ 14 对，基部的近对生，向上的互生，近无柄，斜展，披针形，中部的长 13 ~ 16cm，宽 3 ~ 4cm，渐尖头，基部变狭，圆截形，边缘深羽裂；裂片 12 ~ 15 对，长圆形，基部 1 对缩短，其余的长 1.5 ~ 2.5cm，宽 6 ~ 8mm，钝圆头或截头，全缘，中部向上的羽片逐渐缩短，深羽裂至半裂，裂片长圆形或近方形，钝圆头或截头。叶脉在裂片上为羽状，侧脉二叉，少有三叉。叶干后草质，淡绿色，

峨眉介蕨

叶轴、羽轴和主脉上疏被褐色披针形小鳞片及深褐色、多列细胞组成的蠕虫状毛。孢子囊群小，圆形，背生于小脉中部，在主脉两侧各排列成 1 行；囊群盖小，圆肾形，以深缺刻着生，红褐色，膜质，全缘，宿存。孢子具周壁，表面有棒状或刺状纹饰。

| 生境分布 |

生于海拔 250 ~ 2200m 的山地林下、沟边阴湿处。分布于重庆南川、綦江、丰都、开州等地。

| 资源情况 |

野生资源稀少。药材主要来源于野生。

| 采收加工 |

全年均可采收，除去杂质，洗净，晒干或鲜用。

| 功能主治 |

微苦，寒。清热利湿。

| 用法用量 |

内服煎汤，9 ~ 12g。

| 附　注 |

在 FOC 中，本种被修订为单叉对囊蕨 *Deparia unifurcata* (Baker) Kato，属名被修订为对囊蕨属 *Deparia*。

| 蹄盖蕨科 | Athyriaceae | 介蕨属 | *Dryoathyrium* |

绿叶介蕨 *Dryoathyrium viridifrons* (Makino) Ching

| **药 材 名** | 绿叶介蕨（药用部位：根茎。别名：大介蕨）。 |
| **形态特征** | 多年生草本。根茎横走，粗壮。叶近生，能育叶长达 1.2m；叶柄长 35 ～ 55cm，基部直径 3 ～ 4mm，疏被浅褐色阔披针形鳞片，向上为禾秆色，光滑；叶片长圆形，长 40 ～ 65cm，先端渐尖，基部几不变狭，圆楔形，2 回羽状，小羽片深羽裂；羽片 8 ～ 10 对，互生或基部近对生，有柄，斜展，基部 1 对羽片长圆形，长 22 ～ 30cm，中部宽 10 ～ 15cm，渐尖头，基部平截，1 回羽状；小羽片 12 ～ 14 对，互生，近无柄，几无柄，几平展，披针形，中部的长 6 ～ 9cm，宽 1.5 ～ 3.2cm，渐尖头，基部略呈楔形，边缘深羽裂；裂片 10 ～ 12 对，互生，斜展，长方形，长 6 ～ 12mm，宽 2.5 ～ 3.5mm，钝圆头，边缘锐裂成粗锯齿。叶脉在裂片上为羽状，侧脉单一或二 |

绿叶介蕨

叉。叶干后草质，绿色，叶轴、羽轴和小羽轴上疏被浅褐色披针形小鳞片和 2 ~ 3 列细胞组成的蠕虫状毛。孢子囊群小，圆形或近圆形，背生于小脉上，每裂片 1 ~ 3 对，囊群盖圆肾形，深褐色，膜质，近全缘，宿存。孢子周壁表面有较多褶皱，呈不规则的裂片状。

| **生境分布** | 生于海拔 350 ~ 1400m 的溪边杂木林下。分布于重庆南川等地。

| **资源情况** | 野生资源稀少。药材主要来源于野生。

| **采收加工** | 全年均可采收，除去须根，洗净，晒干。

| **功能主治** | 淡，凉。清热解毒，祛风除湿。用于流行性感冒，疮毒，风湿性关节炎等。

| **用法用量** | 内服煎汤，适量。外用适量，晒干研末调敷。

| **附　　注** | 本种形体极似华中介蕨，但叶干后绿色，羽片较阔，小羽片为渐尖头，羽裂较深，几达羽轴，裂片边缘锐裂成粗锯齿，应注意区别。

金星蕨科 Thelypteridaceae 钩毛蕨属 Cyclogramma

狭基钩毛蕨 *Cyclogramma leveillei* (Christ) Ching

| 药 材 名 | 狭基钩毛蕨（药用部位：全草）。

| 形态特征 | 多年生草本，植株高 0.4 ~ 1m。根茎长而横走，连同叶柄基部被有毛厚鳞片及针状毛。叶疏生；叶柄长 15 ~ 45cm，基部褐色，向上禾秆色，被疏毛或光滑；叶片长 30 ~ 55cm，中部宽 12 ~ 20cm，长圆状披针形，2 回羽状深裂；羽片 12 ~ 20 对，下部的对生，中部的互生，基部 1 对长 2 ~ 4cm，中部宽 1 ~ 1.5cm，长圆状披针形，中部的长 7 ~ 13cm，宽 1.5 ~ 2cm，线状披针形，羽状深裂达 3/4，裂片 12 ~ 18 对，长 6 ~ 8mm，宽 4 ~ 5mm，长圆形或近矩形，全缘；叶脉下面明显，侧脉单一，每裂片 6 ~ 10 对，基部 1 对出自主脉基部以上，均伸达缺刻以上的叶缘；叶草质，干后褐绿色，下面沿羽轴和主脉被较密开展灰白色针状毛，脉间被柔

狭基钩毛蕨

毛或近光滑，上面纵沟密被针状毛。孢子囊群圆形，背生于侧脉中部，每裂片 5 ～ 7 对；孢子囊有 2 ～ 3 刚毛，孢子周壁具基部分叉刺状突起，外壁光滑。

| 生境分布 | 生于海拔 500 ～ 2000m 的山地阴湿林下或溪边路旁岩壁上。分布于重庆南川、綦江等地。

| 资源情况 | 野生资源稀少。药材主要来源于野生。

| 采收加工 | 夏、秋季采收，晒干。

| 功能主治 | 淡，凉。清热利尿。用于膀胱炎，小便不利等。

| 用法用量 | 内服煎汤，适量。

金星蕨科 Thelypteridaceae 毛蕨属 Cyclosorus

渐尖毛蕨
Cyclosorus acuminatus (Houtt.) Nakai

渐尖毛蕨

药材名

渐尖毛蕨（药用部位：全草或根茎。别名：金星草、小叶凤凰尾巴草、小水花蕨）。

形态特征

多年生草本，植株高 70 ~ 80cm。根茎长而横走，直径 2 ~ 4mm，深棕色，老则变褐棕色，先端密被棕色披针形鳞片。叶 2 列，远生，相距 4 ~ 8cm；叶柄长 30 ~ 42cm，基部直径 1.5 ~ 2mm，褐色，无鳞片，向上渐变为深禾秆色，略有 1 ~ 2 柔毛；叶片长 40 ~ 45cm，中部宽 14 ~ 17cm，长圆状披针形，先端尾状渐尖并羽裂，基部不变狭，2 回羽裂；羽片 13 ~ 18 对，有极短柄，斜展或斜上，有等宽的间隔分开（间隔宽约 1cm），互生，或基部的对生，中部以下的羽片长 7 ~ 11cm，中部宽 8 ~ 12mm，基部较宽，披针形，渐尖头，基部不等，上侧凸出，平截，下侧圆楔形或近圆形，羽裂达 1/2 ~ 2/3；裂片 18 ~ 24 对，斜上，略弯曲，彼此密接，基部上侧 1 片最长，8 ~ 10mm，披针形，下侧 1 片长不及 5mm，第 2 对以上的裂片长 4 ~ 5mm，近镰状披针形，尖头或骤尖头，全缘。叶脉下面隆起，清晰，侧脉斜上，每裂片 7 ~ 9 对，单一（基部上侧 1 片裂片有 13 对，多半二叉），基部 1 对出自主脉基部，其先端交接成钝三角形网眼，并自交接点向缺刻下的透明膜质连线伸出 1 短的外行小脉，第 2 对和第 3 对的上侧 1 脉伸达透明膜质连线，即缺刻下有侧脉 2.5 对。叶坚纸质，干后灰绿色，除羽轴下面疏被针状毛外，羽片上面被极短的糙毛。孢子囊群圆形，生于侧脉中部以上，每裂片 5 ~ 8 对；囊群盖大，深棕色或棕色，密生短柔毛，宿存。

| 生境分布 |

生于海拔 150 ~ 2000m 的田边、路旁或林下溪谷边。重庆各地均有分布。

| 资源情况 |

野生资源丰富。药材主要来源于野生。

| 采收加工 |

夏、秋季采收，晒干。

| 功能主治 |

微苦，平。归心、肝经。清热解毒，祛风除湿，健脾。用于泄泻，痢疾，热淋，咽喉肿痛，风湿痹痛，小儿疳积，狂犬咬伤，烫火伤。

| 用法用量 |

内服煎汤，15 ~ 30g，大剂量可用 150 ~ 180g。

金星蕨科 Thelypteridaceae 毛蕨属 Cyclosorus

干旱毛蕨 *Cyclosorus aridus* (Don) Tagawa

| 药 材 名 | 干旱毛蕨（药用部位：全草。别名：凤尾草）。

| 形态特征 | 多年生草本，植株高达 1.4m。根茎横走，直径 4mm，黑褐色，连同叶柄基部疏被棕色的披针形鳞片。叶远生，叶柄长 35cm，基部直径 3mm，和根茎同色，向上渐变为淡褐禾秆色，近光滑；叶片长 60 ~ 80cm 或更长，中部宽通常 20 ~ 25cm（有时仅 12cm），阔披针形，渐尖头，基部渐变狭，2 回羽裂；羽片约 36 对，斜展，下部 6 ~ 10 对逐渐缩小成小耳片，近对生，彼此远离，相距 8 ~ 5cm，中部羽片互生，相距 2cm，长 10cm 左右，基部宽 1.5cm，披针形，渐尖头，基部上侧平截，稍凸出，下侧斜出，羽裂达 1/3；裂片 25 ~ 30 对，斜展，有浅的倒三角形缺刻分开，基部以上的长 2mm，基部宽 2.5 ~ 3mm，三角形，骤尖头或尖头，全缘。叶脉两面清晰，下面

干旱毛蕨

隆起，侧脉斜上，每裂片 9 ~ 10 对，基部 1 对出自主脉基部稍上处，先端彼此交结成钝三角形网眼，并自交结点向缺刻延伸出 1 外行小脉和第 2 对侧脉（有时仅和上侧 1 脉）连接，在外行小脉两侧形成斜长方形网眼，第 3 对到第 6 对侧脉伸到缺刻下的透明膜质连线，第 7 对以上的侧脉伸到缺刻以上的叶缘。叶近革质，干后淡褐色或褐绿色，上面近光滑，下面沿叶脉疏生短针毛，并饰有柠檬色的长圆形或棒形腺体，脉间无毛。孢子囊群生于侧脉中部稍上处，每裂片 6 ~ 8 对；囊群盖小，膜质，鳞片状，淡棕色，无毛，宿存。

| 生境分布 |

生于海拔 150 ~ 1800m 的沟边疏林、杂木林下或河边湿地，往往成群丛。分布于重庆垫江、北碚等地。

| 资源情况 |

野生资源稀少。药材主要来源于野生。

| 采收加工 |

全年均可采收，晒干。

| 功能主治 |

微苦，凉。归肺、肝、大肠经。清热解毒。用于痢疾，乳蛾，狂犬咬伤。

| 用法用量 |

内服煎汤，9 ~ 15g。

金星蕨科 Thelypteridaceae 毛蕨属 Cyclosorus

华南毛蕨 *Cyclosorus parasiticus* (L.) Farwell.

| 药 材 名 | 华南毛蕨（药用部位：全草。别名：大风寒、冷蕨棵）。

| 形态特征 | 多年生草本，植株高达 70cm。根茎横走，直径约 4mm，连同叶柄基部有深棕色披针形鳞片。叶近生；叶柄长达 40cm，直径约 2mm，深禾秆色，基部以上偶有 1 ~ 2 柔毛；叶片长 35cm，长圆状披针形，先端羽裂，尾状渐尖头，基部不变狭，2 回羽裂；羽片 12 ~ 16 对，无柄，顶部略向上弯曲或斜展，中部以下的对生，相距 2 ~ 3cm，向上的互生，彼此接近，相距约 1.5cm，中部羽片长 10 ~ 11cm，中部宽 1.2 ~ 1.4cm，披针形，先端长渐尖，基部平截，略不对称，羽裂达 1/2 或稍深；裂片 20 ~ 25 对，斜展，彼此接近，基部上侧 1 片特长，6 ~ 7mm，其余的长 4 ~ 5mm，长圆形，钝头或急尖头，全缘。叶脉两面可见，侧脉斜上，单一，每裂片 6 ~ 8

华南毛蕨

对（基部上侧裂片有9对，偶有二叉），基部1对出自主脉基部以上，其先端交接成1钝三角形网眼，并自交接点伸出1外行小脉直达缺刻，第2对侧脉均伸达缺刻以上的叶缘。叶草质，干后褐绿色，上面除沿叶脉有1～2伏生的针状毛外，脉间疏生短糙毛，下面沿叶轴、羽轴及叶脉密生具1～2分隔的针状毛，脉上并饰有橙红色腺体。孢子囊群圆形，生于侧脉中部以上，每裂片（1～2）4～6对；囊群盖小，膜质，棕色，上面密生柔毛，宿存。

| **生境分布** | 生于海拔1500m以下的山谷密林下或溪边湿地中。分布于重庆南川、北碚、沙坪坝、江津、潼南、铜梁、酉阳、长寿、合川、九龙坡等地。

| **资源情况** | 野生资源一般。药材来源于野生。

| **采收加工** | 夏、秋季采收，晒干。

| **功能主治** | 辛、微苦，平。祛风，除湿。用于感冒，风湿痹痛，痢疾。

| **用法用量** | 内服煎汤，9～15g。

金星蕨科 Thelypteridaceae 茯蕨属 *Leptogramma*

金佛山茯蕨 *Leptogramma jinfoshanensis* Ching et Z. Y. Liu

| 药 材 名 | 金佛山茯蕨（药用部位：全草或根茎）。

| 形态特征 | 多年生草本，植株高 30 ~ 35cm。根茎斜升。叶簇生；叶柄长22cm，淡禾秆色，密被灰白色针状毛；叶片长 30cm，宽 8 ~ 18cm，披针形，羽裂渐尖头，1 回羽状；分离羽片 3 ~ 7 对，无柄，近平展，疏离，相距 3.5 ~ 2.5cm，基部 1 对与其上的同形同大，尾头，基部略变狭，中部羽片披针形，长尾头，基部平截，长 7 ~ 8cm，基部宽 1.5cm，深羽裂达 1/2 ~ 2/3 处；裂片长方形，圆头，全缘，两面脉间均被针状毛，叶轴和叶脉密被针状刚毛；叶脉明显，侧脉伸向缺刻以上的叶缘，每裂片有侧脉 4 ~ 5 对；叶草质，干后黄绿色，两面均被针状毛。孢子囊群卵形，靠近小脉基部着生；孢子囊体上近顶处有 2 ~ 4 针状毛。

金佛山茯蕨

| 生境分布 |

生于海拔 1300 ~ 1800m 的山地阴湿阔叶林下。
分布于重庆南川等地。

| 资源情况 |

野生资源稀少。药材主要来源于野生。

| 采收加工 |

夏、秋季采收，晒干。

| 功能主治 |

微苦，凉。清热解毒，利尿。用于流行性感冒，
肺炎，小便不畅等。

| 用法用量 |

内服煎汤，适量。

| 附　注 |

本种喜阴，耐寒。

金星蕨科 Thelypteridaceae 茯蕨属 Leptogramma

小叶茯蕨 Leptogramma tottoides H. Ito

| 药 材 名 | 小叶茯蕨（药用部位：全草）。

| 形态特征 | 多年生草本，植株高 17 ~ 32cm。根茎短而直立，连同叶柄基部疏被红棕色鳞片和灰白色针状毛。叶簇生；叶柄长 10 ~ 17cm，纤细，深禾秆色，被单细胞针状毛，叶片戟状披针形，长 14 ~ 20cm，基部戟形，宽 4 ~ 6cm，中部宽 2.5 ~ 4cm，渐尖头，1 回羽状；羽片 16 ~ 20 对，近对生，平展，近无柄，下部 2 ~ 3 对分离，向上的多少与叶轴合生，基部 1 对最大，长 2 ~ 3cm，宽 1cm，平展，长圆状披针形，钝头或短尖头，基部平截，羽裂达 1/2；裂片 4 ~ 6 对，卵圆形，全缘；自第 2 对起，羽片长 1.5 ~ 2cm，与基部 1 对同形，中部各对羽片同形，同大，基部与叶轴合生，分离，上部各对比中部的略短，基部有宽翅相连，全缘或下部的略呈浅圆齿状；叶脉明

小叶茯蕨

显，小脉在裂片上 3 ~ 4 对，单一，基部 1 对出自主脉基部以上，其上侧 1 条伸达缺刻内或稍上叶缘，下侧 1 条伸达缺刻以上叶缘；叶薄草质，干后褐棕色，羽片上面密被针状毛，下面沿羽轴连同叶轴被开展的针状细毛，沿叶脉疏被柔毛。孢子囊群线形，沿基部 1 对小脉下半部着生；孢子囊近顶部有 3 ~ 4 刚毛。

| 生境分布 |

生于海拔 800 ~ 2000m 的山地阴湿林下或路旁草丛中。分布于重庆南川、巫溪、巫山、开州、綦江、石柱等地。

| 资源情况 |

野生资源稀少。药材来源于野生。

| 采收加工 |

夏、秋季采收，晒干。

| 功能主治 |

清热解毒，利湿。

| 用法用量 |

内服煎汤，适量。

| 附　　注 |

本种喜阴湿环境。

金星蕨科 Thelypteridaceae 针毛蕨属 Macrothelypteris

针毛蕨 *Macrothelypteris oligophlebia* (Bak.) Ching.

| **药 材 名** | 金鸡尾巴草根（药用部位：根茎）。 |

| **形态特征** | 多年生草本，植株高 60 ~ 150cm。根茎短而斜升，连同叶柄基部被深棕色的披针形、边缘具疏毛的鳞片。叶簇生；叶柄长 30 ~ 70cm，直径 4 ~ 6mm，禾秆色，基部以上光滑；叶片几与叶柄等长，下部宽 30 ~ 45cm，三角状卵形，先端渐尖并羽裂，基部不变狭，3 回羽裂；羽片约 14 对，斜向上，互生，或下部的对生，相距 5 ~ 10cm，柄长达 2cm 或过之，基部 1 对较大，长达 20cm，宽达 5cm，长圆状披针形，先端渐尖并羽裂，渐尖头，向基部略变狭，第 2 对以上各对羽片渐次缩小，向基部不变狭，柄长 0.1 ~ 0.4cm，2 回羽裂；小羽片 15 ~ 20 对，互生，开展，中部的较大，长 3.5 ~ 8cm，宽 1 ~ 2.5cm，披针形，渐尖头，基部圆截形，对称，无柄（下 |

针毛蕨

部的有短柄），多少下延（上部的彼此以狭翅相连），深羽裂几达小羽轴；羽片两面无毛；裂片 10 ~ 15 对，开展，长 5 ~ 12mm，宽 2 ~ 3.5mm，先端钝或钝尖，基部沿小羽轴彼此以狭翅相连，全缘或锐裂。叶脉下面明显，侧脉单一或在具锐裂的裂片上二叉，斜上，每裂片 4 ~ 8 对。叶草质，干后黄绿色，两面光滑无毛，仅下面被橙黄色、透明的头状腺毛，或沿小羽轴及主脉的近先端偶被少数单细胞的针状毛，上面沿羽轴及小羽轴被灰白色的短针毛，羽轴常具浅紫红色斑。孢子囊群小，圆形，每裂片 3 ~ 6 对，生于侧脉的近顶部；囊群盖小，圆肾形，灰绿色，光滑，成熟时脱落或隐没于囊群中。孢子圆肾形，周壁表面形成不规则的小疣块状，有时连接成拟网状或网状。

| **生境分布** | 生于海拔 400 ~ 800m 的山谷水沟边或林缘湿地。分布于重庆合川、云阳等地。

| **资源情况** | 野生资源稀少。药材主要来源于野生。

| **采收加工** | 夏、秋季采收，洗净，鲜用或晒干。

| **功能主治** | 微苦，平。归心、膀胱经。利水消肿，清热解毒，止血，杀虫。用于水肿，疮疖，烫火伤，外伤出血，蛔虫病。

| **用法用量** | 内服煎汤，15 ~ 30g。外用适量，研末或捣敷。

金星蕨科 Thelypteridaceae 针毛蕨属 Macrothelypteris

普通针毛蕨 Macrothelypteris torresiana (Gaud.) Ching

| 药 材 名 | 普通针毛蕨（药用部位：根茎。别名：大金星蕨、华南金星蕨）。

| 形态特征 | 多年生草本。根茎短，直立或斜升，先端密被红棕色、被毛的线状披针形鳞片。叶簇生；叶柄灰绿色，基部被短毛；叶片三角状卵形，先端渐尖并羽裂，3回羽状；羽片近对生，斜上，长圆状披针形，渐尖头，2回羽状；1回小羽片互生，斜上；裂片斜上，彼此接近，披针形，钝头或钝尖头，基部彼此以狭翅相连，全缘或边缘往往锐裂；第2对以上各对羽片和基部的同形，但基部不变狭，渐次缩短。叶脉不甚明显。叶草质，下面被较多的灰白色、多细胞、开展的细长针状毛和头状短腺毛，上面沿羽轴和小羽被短针毛；叶轴和羽轴浅禾秆色，下面光滑，上面被多细胞的细长针状毛。孢子囊群小，圆形，生于侧脉的近顶部；囊群盖小，圆肾形，淡绿色，成熟时隐没于囊群中，不易见。孢子圆肾形。

普通针毛蕨

| **生境分布** | 生于海拔 1650m 以下的路旁或山谷湿处。分布于重庆垫江、云阳、铜梁、九龙坡、荣昌等地。 |

| **资源情况** | 野生资源一般。药材主要来源于野生。 |

| **采收加工** | 全年均可采挖，削去叶柄，除去泥沙，晒干。 |

| **药材性状** | 本品为不规则长圆柱形团块，长 5 ~ 12cm，直径 0.5 ~ 1cm，棕褐色至黑色，表面有众多长短、粗细不一的须根。须根呈线状，长 1 ~ 3cm，直径 0.1 ~ 0.3cm。质坚硬，断面略平坦，黄白色至棕色，可见断续环状排列的黄白色维管束。气微，味涩。 |

| **功能主治** | 苦、辛，寒。归肺、脾经。清热解毒，化痰散结。用于水肿，外伤出血。 |

| **用法用量** | 内服煎汤，15 ~ 30g。外用适量，研末调敷。 |

| **附 注** | 本种药材提取物具有明显的抗肿瘤作用。 |

金星蕨科 Thelypteridaceae 凸轴蕨属 Metathelypteris

疏羽凸轴蕨 Metathelypteris laxa (Franch. et Sav.) Ching

| 药 材 名 | 疏羽凸轴蕨（药用部位：全草）。

| 形态特征 | 多年生草本。高 30 ～ 60cm。根茎横走或斜升，同叶柄基部疏被灰白色的短毛和红棕色的披针形鳞片。叶近生，叶柄长 10 ～ 35cm，浅禾秆色，基部以上近光滑；叶片长 15 ～ 35cm，中部宽 10 ～ 18cm，长圆形，先端渐尖并羽裂，基部几不变狭，2 回羽状深裂；羽片 8 ～ 18 对，近对生，略斜上，彼此远离，相距 2 ～ 4cm，线状披针形，基部截形，近对称，羽状深裂；裂片长圆状披针形，先端钝尖或急尖。叶脉可见，侧脉在下部羽片的裂片上二叉，其他的单一，斜上，每裂片 5 ～ 7 对，基部 1 对出自主脉基部以上，不达叶缘。叶草质，下面遍布灰白色的短柔毛，上面沿叶轴、羽轴和叶脉被针状毛。孢子囊群小，圆形，每裂片 4 ～ 6 对，生于侧脉或

疏羽凸轴蕨

分叉侧脉的上侧 1 脉先端，较近叶缘；囊群盖小，圆肾形，膜质，绿色，干后灰黄色，背面疏生柔毛。

| **生境分布** | 生于海拔 200 ~ 750m 的林下阴湿处。分布于重庆南川、北碚、江津、綦江、南岸、巫山、云阳、石柱等地。

| **资源情况** | 野生资源稀少。药材来源于野生。

| **采收加工** | 夏、秋季采收，晒干。

| **功能主治** | 清热，消炎，止血。用于外伤出血。

| **用法用量** | 外用适量，捣敷。

金星蕨科 Thelypteridaceae 金星蕨属 Parathelypteris

长根金星蕨 *Parathelypteris beddomei* (Bak.) Ching

| 药 材 名 | 长根金星蕨（药用部位：全草）。

| 形态特征 | 多年生草本，植株高 20 ~ 30（~ 40）cm。根茎极长，横走，直径
1.5 ~ 2mm，疏被棕色的卵形小鳞片，无毛或幼时密被淡棕色长毛。
叶远生或近生；叶柄纤细，长 4 ~ 10cm，直径约 1mm，禾秆色，光滑；
叶片长 15 ~ 25（~ 30）cm，中部宽 3 ~ 4（~ 6）cm，倒披针形，
先端渐尖并羽裂，向基部逐渐变狭，2 回羽状深裂；羽片 20 ~ 24
（~ 30）对，互生，无柄，斜展或近平展，彼此接近，相距 4 ~ 7mm，
下部 7 ~ 9 对渐次缩短成小耳形，基部 1 对长仅 1 ~ 2mm，中部羽
片长 1.5 ~ 3.5cm，宽 4 ~ 7mm，披针形，先端短渐尖，基部稍变宽，
对称，圆截形，羽裂达羽轴两侧的狭翅；裂片 10 ~ 14 对，接近，斜展，
长圆形，圆头，全缘。叶脉两面可见，侧脉羽状分离，小脉单一，

长根金星蕨

斜上，伸达叶缘，每裂片 3～4 对，基部 1 对出自主脉基部。叶草质，干后黄褐色，下面除有少数橙黄色的圆球形腺体外，沿羽轴和叶柄被较多的、灰白色、由 3～7 细胞组成的细长毛，上面沿羽轴和叶脉被单细胞的短针毛。孢子囊群小，每裂片 2～3 对，生于侧脉的近顶部，靠近叶缘；囊群盖圆肾形，小，棕色，厚膜质，无毛，宿存。

| 生境分布 |

生于海拔 650～2500m 的山地草甸、溪边或湿地。分布于重庆北碚等地。

| 资源情况 |

野生资源稀少。药材主要来源于野生。

| 采收加工 |

夏季采收，晒干或鲜用。

| 功能主治 |

清热，止血，消炎。用于外伤出血，烫火伤。

| 用法用量 |

外用适量，捣敷。

金星蕨科 Thelypteridaceae 金星蕨属 Parathelypteris

金星蕨 *Parathelypteris glanduligera* (Kze.) Ching

| 药 材 名 | 金星蕨（药用部位：全草。别名：水蕨菜、白毛蛇、毛毛蛇）。

| 形态特征 | 多年生草本。根茎长而横走，光滑，先端略被披针形鳞片。叶近生；叶柄禾秆色，多少被短毛或有时光滑；叶片披针形或阔披针形，先端渐尖并羽裂，向基部不变狭，2回羽状深裂；羽片平展或斜上，互生或下部的近对生，无柄，披针形或线状披针形，先端渐尖，基部对称，稍变宽，或基部1对向基部略变狭，截形，羽裂几达羽轴；裂片开展，彼此接近，长圆状披针形，圆钝头或为钝尖头，全缘，基部1对、尤其上侧1片通常较长。叶脉明显，侧脉单一，斜上。叶草质，羽片下面除沿羽轴主脉疏生灰白色针状毛外，其余近光滑，上面沿羽轴被短针毛，沿叶脉偶被少数平伏的短针状毛。孢子囊群小，圆形，背生于侧脉的近顶部，靠近叶缘；囊群盖中等大，圆肾形，

金星蕨

棕色，厚膜质，背面疏被灰白色刚毛，宿存。

| 生境分布 |

生于海拔 1500m 以下的路旁或疏林。重庆各地均有分布。

| 资源情况 |

野生资源丰富。药材主要来源于野生。

| 采收加工 |

夏季采收，晒干或鲜用。

| 功能主治 |

苦，寒。归肝经。清热解毒，利尿，止血。用于痢疾，小便不利，吐血，外伤出血，烫伤。

| 用法用量 |

内服煎汤，15 ～ 30g。外用适量，捣敷。

金星蕨科 Thelypteridaceae 金星蕨属 Parathelypteris

禾秆金星蕨 Parathelypteris japonica (Bak.) Ching var. *musashiensis* (Hiyama) Jiang

| 药 材 名 | 禾秆金星蕨（药用部位：全草）。

| 形态特征 | 多年生草本，植株高 55 ~ 70cm。根茎短，横卧或斜生。叶近生或近簇生；叶柄长 25 ~ 35cm；叶片长 30 ~ 35cm，下部宽 17 ~ 20cm，卵状长圆形，羽裂渐尖头，2 回羽状深裂；羽片15 ~ 20 对，下部 3 ~ 4 对羽片较长，无柄，中部羽片长 8 ~ 10cm，中部宽 1.3 ~ 1.6cm，披针形，羽裂达羽轴两侧窄翅，翅宽约 2.5mm；裂片 25 ~ 30 对，长 5 ~ 7mm，宽约 2.6mm，披针形，略镰状，全缘；叶脉明显，侧脉单一，每裂片 8 ~ 9（~ 10）对，基部 1 对出自主脉近基部；叶草质，干后褐棕色，下面沿羽轴、主脉多少被疏柔毛，并被较多红棕色、圆球形大腺体，上面沿羽轴纵沟密被针状毛，沿叶轴被平伏短针毛，叶轴与叶柄同色，向顶部禾秆色，下面光滑。

禾秆金星蕨

孢子囊群圆形，背生侧脉中部稍上，每裂片 3 ~ 4
对；囊群盖圆肾形，浅棕色，膜质，背面多少
被疏柔毛。

| 生境分布 |

生于海拔 800 ~ 2000m 的山地杂林中。分布于
重庆巴南、南川、武隆等地。

| 资源情况 |

野生资源稀少。药材主要来源于野生。

| 采收加工 |

夏季采收，晒干或鲜用。

| 功能主治 |

清热，消炎，止血。用于外伤出血，烫火伤。

| 用法用量 |

外用适量，捣敷。

| 附　注 |

（1）本变种与光叶金星蕨 *Parathelypteris
japonica* var. *glabrata* (Ching) Shing 的区别在于
其羽片下面沿羽轴、主脉和囊群盖背面多少有
疏柔毛，应注意区别。

（2）本种喜阴，耐寒。

金星蕨科 Thelypteridaceae 金星蕨属 Parathelypteris

中日金星蕨 *Parathelypteris nipponica* (Franch. et Sav.) Ching

| **药 材 名** | 扶桑金星蕨（药用部位：全草）。

| **形态特征** | 多年生草本。根茎长而横走，直径约 1.5mm，近光滑。叶近生；叶柄基部褐棕色，多少被红棕色的阔卵形的鳞片，向上为亮禾秆色，光滑；叶片倒披针形，先端渐尖并羽裂，向基部逐渐变狭，2 回羽状深裂；羽片向下逐渐缩小成小耳形，中部羽片互生，无柄，近平展，披针形，渐尖头，基部稍变宽，对称，截形，羽裂几达羽轴；裂片略斜展，接近，长圆形，圆钝头，全缘或边缘具浅粗锯齿。叶脉明显，叶为草质，下面沿羽轴、主脉和叶缘被灰白色、开展的单细胞针状毛；上面除叶轴和叶脉被短针毛外，其余近光滑。孢子囊群圆形，中等大，每裂片 3 ~ 4 对，背生于侧脉的中部以上，远离主脉；囊群盖中等大，圆肾形，棕色，膜质，背面被少数灰白色的长针毛。

中日金星蕨

孢子圆肾形，外壁表面具规则的细网状纹饰。

| **生境分布** | 生于海拔200～1800m的低山疏林下或高山林缘。分布于重庆长寿、丰都、垫江、江津、忠县、酉阳、九龙坡、云阳、巴南、城口、石柱、武隆、南川等地。

| **资源情况** | 野生资源丰富。药材主要来源于野生。

| **采收加工** | 夏、秋季采收，洗净，鲜用或晒干。

| **功能主治** | 苦，寒。止血消炎。用于外伤出血。

| **用法用量** | 内服煎汤，15～30g。外用适量，捣敷。

金星蕨科 Thelypteridaceae 卵果蕨属 Phegopteris

延羽卵果蕨 *Phegopteris decursive-pinnata* (van Hall) Fée

| 药 材 名 | 小叶金鸡尾巴草（药用部位：根茎。别名：延羽针毛蕨、细凤尾草、金鸡蛋）。

| 形态特征 | 多年生草本，植株高 30 ~ 60cm。根茎短而直立，连同叶柄基部被红棕色、具长缘毛的狭披针形鳞片。叶簇生；叶柄长 10 ~ 25cm，直径 2 ~ 3mm，淡禾秆色；叶片长 20 ~ 50cm，中部宽 5 ~ 12cm，披针形，先端渐尖并羽裂，向基部渐变狭，2 回羽裂，或 1 回羽状而边缘具粗齿；羽片 20 ~ 30 对，互生，斜展，中部的最大，长 2.5 ~ 6cm，宽约 1cm，狭披针形，先端渐尖，基部阔而下延，在羽片间彼此以圆耳状或三角形的翅相连，羽裂达 1/3 ~ 1/2；裂片斜展，卵状三角形，钝头，全缘，向两端的羽片逐渐缩短，基部 1 对羽片常缩小成耳片；叶脉羽状，侧脉单一，伸达叶缘。叶草质，沿叶轴、

延羽卵果蕨

羽轴和叶脉两面被灰白色的单细胞针状短毛，下面并混生先端分叉或呈星状的毛，在叶轴和羽轴下面还疏生淡棕色、毛状的或披针形而具缘毛的鳞片。孢子囊群近圆形，背生于侧脉的近先端，每裂片 2～3 对，幼时中央被成束的、具柄的分叉毛，无盖；孢子囊体顶部近环带处有时有 1～2 短刚毛或具柄的头状毛；孢子外壁光滑，周壁表面具颗粒状纹饰。

| 生境分布 |

生于海拔 150～1800m 的低中山、林缘河谷两旁或路边。分布于重庆黔江、丰都、彭水、酉阳、奉节、城口、云阳、南川、涪陵、綦江、江津、铜梁等地。

| 资源情况 |

野生资源丰富。药材主要来源于野生。

| 采收加工 |

夏、秋季采收，洗净，鲜用或晒干。

| 功能主治 |

微苦，平。利水消肿，解毒敛疮。用于水肿，腹水，疮毒溃烂久不收口，外伤出血。

| 用法用量 |

内服煎汤，6～12g。

金星蕨科 Thelypteridaceae 新月蕨属 Pronephrium

大羽新月蕨
Pronephrium nudatum (Roxb.) Holtt.

| 药 材 名 | 铁蕨鸡（药用部位：根茎。别名：散血连）。

| 形态特征 | 多年生草本，植株高可达 2.5m。根茎粗壮，横走，直径约 1cm，木质，褐棕色，疏被阔披针形鳞片。叶远生；叶柄长 50 ~ 80（~ 140）cm，直径 5 ~ 8（~ 14）mm，基部被棕色鳞片，向上光滑，褐棕色，向上为淡棕色；叶片长 60 ~ 90cm，中部以下宽 26 ~ 40（~ 60）cm，长圆状阔卵形，奇数 1 回羽状；侧生羽片 8 ~ 14（~ 16）对，斜展，互生，近无柄，中部以下的长 26 ~ 30（~ 35）cm，宽 3 ~ 4（~ 5）cm，阔线状披针形，长渐尖头，基部近圆形或楔形，边缘具有规则的短尖粗锯齿，上部羽片略微缩短，顶生羽片和中部的同形，略短，基部两侧不对称，具长约 1cm 的柄。叶脉两面清晰，侧脉两面隆起，近平展或斜展，并行，小脉斜展或斜上，下面隆起，在侧

大羽新月蕨

脉基部形成1三角形网眼，向上形成并列的斜方形网眼。叶干后草质，绿色或灰绿色，下面沿叶脉疏被短刚毛，叶轴和羽轴两面被同样的毛，下面叶脉间有泡状突起。孢子囊群圆形，着生于小脉中部，在侧脉间排成2行；囊群盖小，上面被短毛。孢子囊体上无毛。

| 生境分布 |

生于海拔 400 ~ 1500m 的山坡疏林下阴处。分布于重庆江津、涪陵等地。

| 资源情况 |

野生资源稀少。药材主要来源于野生。

| 采收加工 |

夏、秋季采收，晒干。

| 功能主治 |

苦，寒。通经活络，理气化湿。用于月经不调，劳伤疼痛，气滞胃痛，痢疾。

| 用法用量 |

内服煎汤，6 ~ 12g；或研末。

金星蕨科 Thelypteridaceae 新月蕨属 *Pronephrium*

披针新月蕨 *Pronephrium penangianum* (Hook.) Holtt.

| 药 材 名 | 鸡血莲（药用部位：根茎、叶。别名：地苏木、过山龙、蕨其钻石黄）。

| 形态特征 | 多年生草本，植株高 1 ~ 2m。根茎长而横走，褐棕色，直径可达 1.2cm，偶有 1 ~ 2 棕色的披针形鳞片。叶远生；叶柄长可达 1m，基部直径约 7mm，褐棕色，向上渐变为淡红棕色，光滑；叶片长圆状披针形，长 40 ~ 80cm，宽 25 ~ 40cm，奇数 1 回羽状；侧生羽片 10 ~ 15 对，斜展，互生，有短柄，阔线形，中部以下的长 20 ~ 30cm，宽 2 ~ 2.7cm，渐尖头，基部阔楔形，边缘有软骨质的尖锯齿，或深裂成齿牙状，上部的羽片略缩短，顶生羽片和中部的同形同大，柄长约 1cm；叶脉下面明显，侧脉近平展，并行，小脉 9 ~ 10 对，斜上，先端联结，在侧脉间基部形成 1 三角形网眼，并由交结点向上伸出外行小脉，和其上的小脉交结点相连（有时中断），形成 2 列狭长的斜方形网

披针新月蕨

眼，顶部 2 ~ 3 对小脉分离，伸达叶缘。叶干后纸质，褐色或红褐色，遍体光滑。孢子囊群圆形，生于小脉中部或中部稍下处，在侧脉间排成 2 列，每行 6 ~ 7，无盖。

| **生境分布** | 生于海拔 200 ~ 1500m 的疏林下或路边。分布于重庆綦江、垫江、城口、长寿、彭水、巫溪、涪陵、南川、云阳、忠县、开州、铜梁、丰都、石柱等地。

| **资源情况** | 野生资源丰富。药材主要来源于野生。

| **采收加工** | 夏、秋季采收，晒干或鲜用。

| **功能主治** | 苦、涩，凉。活血调经，散瘀止痛，除湿。用于月经不调，崩漏，跌仆伤痛，风湿痹痛，痢疾，水肿。

| **用法用量** | 内服煎汤，9 ~ 18g；或浸酒。外用适量，捣敷；或浸酒搽。

金星蕨科 Thelypteridaceae　假毛蕨属 Pseudocyclosorus

西南假毛蕨
Pseudocyclosorus esquirolii (Christ) Ching

| 药 材 名 | 西南假毛蕨（药用部位：叶）。

| 形态特征 | 多年生草本，植株高达 1.5m。根茎横走。叶深禾秆色，上部光滑，长 1.3m，中部宽约 30cm，长圆状阔披针形，先端羽裂渐尖，基部渐变狭，2 回深羽裂；羽片多对，互生，下部 9 ~ 11 对向下渐变成三角形耳状，无柄，平展，相距 3 ~ 4cm，披针形，长15 ~ 20cm，长尾渐尖头，基部圆截形，对称，羽裂达离羽轴不远处；裂片 30 ~ 35 对，披针形，钝头或急尖头，全缘，基部 1 对明显伸长。主脉两面隆起，侧脉斜上，每裂片 8 ~ 12 对，基部 1 对出自主脉基部。叶干后厚纸质、褐绿色，两面脉间均光滑无毛，下面沿叶轴和羽轴被针状毛，上面沿羽轴纵沟密被伏贴的刚毛，叶脉及叶缘有 1 ~ 2刚毛。孢子囊群圆形，着生于侧脉中部，每裂片 10 ~ 12 对；囊群

西南假毛蕨

盖圆肾形，厚膜质，棕色，无毛，宿存。

| 生境分布 |

生于海拔 450 ~ 1200m 的山谷溪边石上或箐沟边。分布于重庆石柱、南川、北碚、江津、彭水、巫山、开州、奉节、合川、铜梁等地。

| 资源情况 |

野生资源较少。药材来源于野生，自产自销。

| 采收加工 |

夏、秋季采收，晒干或鲜用。

| 功能主治 |

抗菌消炎，生肌收敛。用于疮痈溃烂，久不收口。

| 用法用量 |

外用适量，捣敷。

| 附　注 |

民间用于狂犬咬伤或烫火伤。

金星蕨科 Thelypteridaceae 假毛蕨属 Pseudocyclosorus

普通假毛蕨
Pseudocyclosorus subochthodes (Ching) Ching

| 药 材 名 | 普通假毛蕨（药用部位：叶）。

| 形态特征 | 多年生草本，植株高 90 ~ 110cm。根茎短而横卧，黑褐色，直径约 5mm，疏被鳞片。叶近生或近簇生；叶柄长 20 ~ 25cm，基部深棕色，疏被棕色鳞片，向上禾秆色，光滑无毛；叶片长圆状披针形，长 70 ~ 85cm，中部宽约 20cm，羽裂渐尖头，基部突然变狭，2 回深羽裂；下部有 3 ~ 4 对羽片突然缩小成三角形耳片，中部正常羽片 26 ~ 28 对，近对生或互生，斜展，无柄，披针形，长 10 ~ 15cm，宽 1.2 ~ 2cm，羽裂长渐尖头，向基部不变狭或略变狭，圆楔形，深羽裂几达羽轴；裂片 28 ~ 30 对，斜向上或近斜展，以狭的间隔分开，披针形，基部 1 对裂片的上侧 1 片略伸长，其余的长 7 ~ 9mm，宽 2 ~ 3.5mm，急尖头或渐尖头，全缘。叶脉两面明显，主脉隆起，

普通假毛蕨

每裂片有侧脉 9 ~ 10 对，基部 1 对均出自主脉基部以上处，上侧 1 脉伸达缺刻底部，下侧 1 脉伸至缺刻以上的叶缘。叶干后纸质，灰绿色，两面脉间光滑无毛；叶轴、羽轴及叶脉下面近光滑或仅疏被短毛，沿羽轴上面纵沟密被伏贴的刚毛，叶脉上仅有 1 ~ 2 刚毛。孢子囊群圆形，着生于侧脉中上部，稍近叶缘；囊群盖圆肾形，厚膜质，淡棕色，无毛，宿存。

| 生境分布 |

生于海拔 200 ~ 1970m 的杂木林下湿地或山谷石上。分布于重庆石柱、南川、江津、彭水等地。

| 资源情况 |

野生资源较少。药材来源于野生，自产自销。

| 采收加工 |

全年均可采收，采收后捣烂外用。

| 功能主治 |

抗菌收敛。用于疮痈溃烂，久不收口。

| 用法用量 |

外用适量，捣敷。

金星蕨科 Thelypteridaceae 紫柄蕨属 Pseudophegopteris

紫柄蕨
Pseudophegopteris pyrrhorachis (Kunze) Ching

| 药 材 名 | 紫柄蕨（药用部位：根茎）。

| 形态特征 | 多年生草本，植株高 80 ~ 100cm。根茎长而横走，先端密被短毛。叶近生或疏生；叶柄长 20 ~ 40cm，栗红色，基部被短刚毛及少数鳞片；叶片长 60 ~ 70cm，宽 20 ~ 35cm，长圆状披针形，2 回羽状深裂；羽片 15 ~ 20 对，窄披针形，中部羽片长 13 ~ 20cm，宽 2.5 ~ 5cm，下部 1 ~ 3 对有时略短，1 回羽状深裂；小羽片 15 ~ 25 对，披针形，略镰状，长 1.5 ~ 2.5cm，宽 5 ~ 8mm，基部与羽轴合生，具窄翅相连，羽裂达 1/2；裂片三角状长圆形，先端渐尖，全缘；叶脉不明显，在裂片上羽状，小脉单一，每裂片 2 ~ 4 对，基部 1 对出自主脉基部以上；叶草质，干后褐绿色，上面沿小羽轴及主脉被短刚毛，下面疏被短针状毛，沿羽轴、小羽轴及叶脉毛较密；叶

紫柄蕨

轴和羽轴红棕色，光滑或疏生细刚毛。孢子囊群近圆形或卵圆形，每裂片 1 ~ 2，着生于小脉中部以上，较近叶缘，在小羽轴两侧各成不整齐 1 行，无盖；孢子囊近顶部无毛或有 1 ~ 2 短刚毛。孢子圆肾形，周壁具网状纹饰。

| 生境分布 |

生于海拔 500 ~ 1500m 的溪边林下。分布于重庆南川、石柱、北碚、綦江等地。

| 资源情况 |

野生资源稀少。药材来源于野生，自产自销。

| 采收加工 |

夏、秋季采收，晒干或鲜用。

| 功能主治 |

清热利湿，止血。用于风湿，疮痈肿毒，吐血，便血等。

| 用法用量 |

内服煎汤，适量。外用适量，捣敷。

| 附　注 |

在 FOC 中，本种的拉丁学名被修订为 *Pseudophegopteris pyrrhorhachis* (Kunze) Ching。

金星蕨科 Thelypteridaceae 溪边蕨属 Stegnogramma

贯众叶溪边蕨 *Stegnogramma cyrtomioides* (C. Chr.) Ching

| 药 材 名 | 贯众叶溪边蕨（药用部位：根茎。别名：乳鸡藤、小狗鸡子）。

| 形态特征 | 多年生草本，植株高 28 ～ 50cm。根茎短而直立，密被带毛的披针形鳞片和长毛。叶簇生；叶柄长 8 ～ 25cm，禾秆色，基部疏被同样的鳞片；叶草质，下面脉间被短毛，上面沿叶缘和先端被刚毛，披针形，长 15 ～ 25cm，宽 4 ～ 8cm，羽裂渐尖头，基部不缩小，1 回羽状；羽片 8 ～ 10 对，互生，基部 1 对略缩短，下部 3 ～ 4 对分离，无柄，基部圆截形，对称，近全缘或略呈浅波状。叶脉 3 ～ 5 对，斜上，侧脉分叉，相邻两组叶脉间的基部 1 对侧脉在中脉两侧连成三角形网眼，基部 1 对出自中脉基部以上，上部叶脉伸达叶缘。叶轴下面密被长针状毛，羽轴和叶脉下面被短毛，上面被刚毛。孢子囊群线形，沿小脉着生，无盖，孢子囊群着生处在孢子囊散落后残

贯众叶溪边蕨

留下丛生和直立的短毛；孢子囊体上有 2 ～ 3 短毛。

| **生境分布** | 生于海拔 600 ～ 1500m 的灌丛中。分布于重庆巫山、南川、开州、石柱、武隆等地。

| **资源情况** | 野生资源较少。药材来源于野生，自产自销。

| **采收加工** | 全年均可采挖，切片，晒干。

| **功能主治** | 甘、苦，寒。平肝潜阳。用于眩晕，心烦失眠，盗汗。

| **用法用量** | 内服煎汤，6 ～ 15g。

金星蕨科 Thelypteridaceae 溪边蕨属 Stegnogramma

金佛山溪边蕨 *Stegnogramma jinfoshanensis* Ching et Z. Y. Liu

金佛山溪边蕨

药材名

金佛山溪边蕨（药用部位：根茎）。

形态特征

多年生草本，植株高 35 ~ 40cm。根茎短而斜升，连同叶柄基部被多细胞的针状毛和有毛的红棕色披针形鳞片。叶簇生；叶柄长 10 ~ 20cm，直径约 2mm，灰褐色，下部疏被鳞片和开展的多细胞针状毛，并混生有单细胞的刚毛；叶片长 18 ~ 27cm，宽 5.2 ~ 7cm，披针形，羽裂渐尖头，基部不变狭或略变狭，1 回羽状；羽片 8 ~ 12 对，互生，斜展，无柄，下部 3 ~ 4 对分离，向上各对多少与叶轴合生；中部羽片长 4 ~ 5cm，宽 1.6cm，阔披针形，基部变宽，近截形，对称，急尖头或钝头，边缘呈圆齿状或羽状浅裂。叶脉明显，小脉 3 ~ 4 对，斜上，下部 1.5 对先端交结，基部 1 对出自主脉基部以上甚远处。叶干后灰绿色或淡绿色，薄纸质，下面脉间被短针状毛，上面脉间通常被短毛；叶轴两面被单细胞的长刚毛，羽轴和叶脉下面被短毛，羽轴上面密被伏贴的刚毛，叶脉上疏被刚毛。孢子囊群线形，沿小脉着生，先端往往汇合，无盖，孢子囊脱落后，在着生处留下腺体状的残余物；孢子囊体近顶处被刚毛。

| 生境分布 |　生于海拔 2300m 以下的阔叶林林下或石灰岩脚阴处灌丛中。分布于重庆南川等地。

| 资源情况 |　野生资源稀少。药材来源于野生，自产自销。

| 采收加工 |　全年均可采挖，切片，晒干。

| 功能主治 |　清热解毒。

| 用法用量 |　内服煎汤，适量。

铁角蕨科 Aspleniaceae 铁角蕨属 Asplenium

华南铁角蕨 *Asplenium austrochinense* Ching

| 药 材 名 | 华南铁角蕨（药用部位：全草）。

| 形态特征 | 多年生草本，植株高 30 ～ 40cm。根茎短粗，横走，先端密被鳞片；
鳞片披针形，长 7 ～ 9mm，基部宽约 1mm，膜质，褐棕色，有红
色光泽，近全缘。叶近生；叶柄长 10 ～ 20cm，基部直径 1 ～ 2mm，
下部为青灰色，向上为灰禾秆色，上面有纵沟，与叶轴及羽轴下面
光滑或略被 1 ～ 2 红棕色鳞片；叶片阔披针形，长 18 ～ 26cm，基
部宽 6 ～ 10cm，渐尖头，2 回羽状；羽片 10 ～ 14 对，下部的对生，
向上互生，斜展，有长柄（长 3 ～ 4mm），相距 2.5 ～ 3cm，基部
羽片不缩短，长 4.5 ～ 8cm，基部宽 1.7 ～ 3cm，披针形，长尾头（尾
长 1 ～ 2cm），1 回羽状；小羽片 3 ～ 5 对，互生，上先出，斜向上，
基部上侧 1 片较大，匙形，长 1 ～ 2cm，中部宽 6 ～ 12mm，钝头

华南铁角蕨

或圆头，基部长楔形，与羽轴合生，下侧沿羽轴下延，两侧全缘，顶部浅片裂为2～3裂片，裂片先端近撕裂；羽轴两侧有狭翅。叶脉两面均明显，上面隆起，下面多少凹陷成沟脊状，小脉扇状二叉分枝，极斜向上，彼此密接，几达叶缘。叶坚革质，干后棕色；叶轴及羽轴上面均有纵沟。孢子囊群短线形，长3～5mm，褐色，极斜向上，生于小脉中部或中部以上，每小羽片有2～6（～9），排列不整齐；囊群盖线形，棕色，厚膜质，全缘，有的开向主脉，有的开向叶缘，宿存。

| **生境分布** | 生于海拔400～1100m的密林下潮湿岩石上。分布于重庆南川、开州、酉阳、彭水等地。

| **资源情况** | 野生资源稀少。药材来源于野生。

| **采收加工** | 夏、秋季采收，洗净，晒干。

| **功能主治** | 甘、微苦，平。利湿化浊，止血。用于白浊，前列腺炎，肾炎，刀伤出血。

| **用法用量** | 内服煎汤，9～15g。外用适量，研末撒。

铁角蕨科 Aspleniaceae 铁角蕨属 *Asplenium*

虎尾铁角蕨 *Asplenium incisum* Thunb.

| 药 材 名 | 岩春草（药用部位：全草。别名：万年柏、地柏枝、野柏树）。

| 形态特征 | 多年生草本，植株高 10 ~ 30cm。根茎短而直立或横卧，先端密被鳞片；鳞片狭披针形，长 3 ~ 5mm，宽不超过 0.5mm，膜质，黑色，略有红色光泽，全缘。叶密集簇生；叶柄长 4 ~ 10cm，直径约 1mm，淡绿色，或通常为栗色或红棕色，而在上面两侧各有 1 淡绿色的狭边，有光泽，上面有浅阔纵沟，略被少数褐色纤维状小鳞片，以后脱落；叶片阔披针形，长 10 ~ 27cm，中部宽 2 ~ 4（~ 5.5）cm，两端渐狭，先端渐尖，2 回羽状（有时为 1 回羽状）；羽片 12 ~ 22 对，下部的对生或近对生，向上互生，斜展或近平展，有极短柄（长达 1mm），下部羽片逐渐缩短成卵形或半圆形，长、宽不及 5mm，逐渐远离，中部各对羽片相距 1 ~ 1.5cm，彼此疏离，

虎尾铁角蕨

间隔约等于羽片的宽度,三角状披针形或披针形,长1～2cm,基部宽6～12mm,先端渐尖并有粗齿牙,1回羽状或为深羽裂达羽轴;小羽片4～6对,互生,斜展,彼此密接,基部1对较大,长4～7mm,宽3～5mm,椭圆形或卵形,具圆头并有粗齿牙,基部阔楔形,无柄或多少与羽轴合生并沿羽轴下延。叶脉两面均可见,小羽片上的主脉不显著,侧脉二叉或单一,基部的常为二叉至三叉,纤细,斜向上,先端有明显的水囊,伸入齿牙,但不达叶缘。叶薄草质,干后草绿色,光滑;叶轴淡禾秆色或下面为栗色或红棕色,有光泽,光滑,上面有浅阔纵沟,顶部两侧有线状狭翅。孢子囊群椭圆形,长约1mm,棕色,斜向上,生于小脉中部或下部,紧靠主脉,不达叶缘,基部1对小羽片常有2～4对,彼此密接,整齐;囊群盖椭圆形,灰黄色,后变淡灰色,薄膜质,全缘,开向主脉,偶有开向叶缘。

| **生境分布** | 生于海拔300～1600m的田埂边或林下潮湿岩石上。分布于重庆城口、南川、巫山、云阳、万州、酉阳、忠县、九龙坡、石柱、秀山等地。 |

| **资源情况** | 野生资源较丰富。药材来源于野生,自产自销。 |

| **采收加工** | 夏、秋季采收,洗净,晒干或鲜用。 |

| **功能主治** | 苦、甘,凉。清热解毒,平肝镇惊,止血利尿。用于急性黄疸性肝炎,肺热咳嗽,小儿疳积,小儿惊风,牙痛,小便不利,指头炎,毒蛇咬伤等。 |

| **用法用量** | 内服煎汤,15～30g。外用适量,捣敷。 |

铁角蕨科 Aspleniaceae 铁角蕨属 Asplenium

倒挂铁角蕨 *Asplenium normale* Don

| 药 材 名 | 倒挂草（药用部位：全草）。

| 形态特征 | 多年生草本，植株高 15 ～ 40cm。根茎直立或斜生，黑色，密被鳞片或先端及较嫩部分密被披针形鳞片。叶簇生；叶柄长 5 ～ 15（～ 21）cm，栗褐或紫黑色，略四棱形，基部疏被与根茎同样鳞片，向上渐光滑；叶片披针形，长 12 ～ 24（～ 28）cm，中部宽 2 ～ 3.2（～ 3.6）cm，1 回羽状，羽片 20 ～ 30（～ 44）对，互生，无柄，中部羽片长 0.8 ～ 1.8cm，基部宽 4 ～ 8mm，三角状椭圆形，基部不对称，内缘全缘，余部均有粗锯齿，下部 3 ～ 5 对羽片稍反折，与中部的同形同大，或略小成扇形或斜三角形；叶脉羽状，纤细，小脉单一或二叉，极斜上，不达叶缘；叶干后棕绿或灰绿色，草质或薄纸质，两面均无毛；叶轴栗褐色，光滑，上面有宽纵沟，下面圆，

倒挂铁角蕨

近先端常有 1 被鳞片的芽胞，在母株上萌发。
孢子囊群椭圆形，长 2 ~ 2.5（~ 3）mm，伸
达叶缘；囊群盖椭圆形，膜质，全缘，开向主脉。

|生境分布|

生于海拔 400 ~ 900m 的密林下或溪边石上。
分布于重庆开州、忠县、北碚、南川等地。

|资源情况|

野生资源稀少。药材来源于野生，自产自销。

|采收加工|

全年均可采收，洗净，晒干或鲜用。

|药材性状|

本品根茎密生黑褐色披针形鳞片，并有众多须
根。叶柄长 5 ~ 20cm，基部有少数鳞片；叶轴
紫黑色；叶片草质，披针形，长 12 ~ 25cm，
宽 2 ~ 3.5cm，1 回羽状，羽片易脱落，三角状
长圆形，钝头，边缘有粗钝齿，每齿有 1 小脉，
基部全缘。孢子囊群生于小脉中部，囊群盖矩
圆形，膜质。气微，味淡。

|功能主治|

微苦，平。清热解毒，止血。用于肝炎，痢疾，
外伤出血，蜈蚣咬伤等。

|用法用量|

内服煎汤，9 ~ 15g。外用适量，研末；或捣敷。

铁角蕨科 Aspleniaceae 铁角蕨属 Asplenium

北京铁角蕨 *Asplenium pekinense* Hance

| 药 材 名 | 铁杆地柏枝（药用部位：全草。别名：臁疮药、风水草、金钱草）。

| 形态特征 | 多年生草本，植株高8～20cm。根茎短而直立，顶部密生披针形鳞片。叶簇生，叶柄淡绿色，向上到叶轴下部疏生纤维状小鳞片；叶片长圆状披针形，草质，长6～12cm，中部宽2～3cm，无毛，2回或3回羽裂，羽轴和叶轴两侧都有狭翅；基部羽片略短，中部羽片长0.9～2cm，三角状矩圆形；末回裂片先端有2～3尖齿。孢子囊群近椭圆形，长1～2mm，斜向上，每小羽片有1～2（基部1对小羽片有2～4），位于小羽片中部，排列不甚整齐，成熟后为深棕色，往往满铺于小羽片下面；囊群盖同形，灰白色，膜质，全缘，开向羽轴或主脉，宿存。

北京铁角蕨

生境分布

生于海拔 200 ～ 1800m 的溪边石上或干旱的山谷。分布于重庆綦江、酉阳、丰都、合川、黔江、沙坪坝、巫山、奉节、武隆、彭水、南川、南岸、北碚等地。

资源情况

野生资源较丰富。药材来源于野生，自产自销。

采收加工

4 月采挖，洗净，晒干或鲜用。

功能主治

甘、微辛，平。化痰止咳，利肺，清热解毒，止血。用于感冒咳嗽，肺结核，痢疾，热痹，腹泻，肿毒，疮痈，跌打损伤，外伤出血等。

用法用量

内服煎汤，15 ～ 30g。外用适量，捣敷；或研末敷。

附　注

本种形体与华中铁角蕨 *Asplenium sarelii* Hook. 相近，但其叶片较狭，披针形，坚草质，基部 1 对羽片略缩短，裂片舌形或线形，先端有 2 ～ 3 锐尖的小齿牙，可资鉴别。但在不同的生境下，本种叶形变异很大，易与华中铁角蕨混淆，应注意区别。

铁角蕨科 Aspleniaceae 铁角蕨属 Asplenium

长叶铁角蕨 *Asplenium prolongatum* Hook.

| **药 材 名** | 倒生莲（药用部位：全草或叶。别名：金鸡尾、定草根、刷把草）。

| **形态特征** | 多年生草本，植株高 20 ~ 40cm。根茎短而直立，先端密被鳞片；鳞片披针形，长 5 ~ 8mm，黑褐色，有棕色狭边，有光泽，厚膜质，全缘或有微齿牙。叶簇生；叶柄长 8 ~ 18cm，直径 1.5 ~ 2mm，淡绿色，上面有纵沟，干后压扁，幼时与叶片通体疏被褐色的纤维状小鳞片，以后陆续脱落而渐变光滑；叶片线状披针形，长 10 ~ 25cm，宽 3 ~ 4.5cm，尾头，2 回羽状；羽片 20 ~ 24 对，相距 1 ~ 1.4cm，下部（或基部）的对生，向上互生，斜向上，近无柄，彼此密接，下部羽片通常不缩短，中部的长 1.3 ~ 2.2cm，宽 0.8 ~ 1.2cm，狭椭圆形，圆头，基部不对称，上侧截形，紧靠叶轴，下侧斜切，羽状；小羽片互生，上先出，上侧有 2 ~ 5，下侧 0 ~ 3

长叶铁角蕨

（～ 4），斜向上，疏离，狭线形，略向上弯，长 4 ～ 10mm，宽 1 ～ 1.5mm，钝头，基部与羽轴合生并以阔翅相连，全缘，上侧基部 1 ～ 2 裂，常再 2 ～ 3 裂，基部下侧 1 片偶为 2 裂；裂片与小羽片同形而较短。叶脉明显，略隆起，每小羽片或裂片有 1 小脉，先端有明显的水囊，不达叶缘。叶近肉质，干后草绿色，略显细纵纹；叶轴与叶柄同色，先端往往延长成鞭状而生根，羽轴与叶片同色，上面隆起，两侧有狭翅。孢子囊群狭线形，长 2.5 ～ 5mm，深棕色，每小羽片或裂片 1，位于小羽片的中部上侧边；囊群盖狭线形，灰绿色，膜质，全缘，开向叶缘，宿存。

| **生境分布** | 附生于海拔 200 ～ 2000m 的林中树干上或潮湿岩石上。重庆各地均有分布。

| **资源情况** | 野生资源稀少。药材来源于野生。

| **采收加工** | 秋季采收，洗净，鲜用或晒干。

| **药材性状** | 本品根茎短，先端有披针形鳞片，并有多数须根。叶柄压扁，叶片条状披针形，长 10 ～ 25cm，宽 3 ～ 4.5cm，2 回羽状深裂，羽片矩圆形，长 1.3 ～ 2cm，宽 8 ～ 10mm，裂片狭条形，钝头，全缘，有 1 小脉，先端有小囊，表面皱缩；叶轴先端延伸成鞭状。孢子囊群沿叶脉上侧着生，囊群盖长圆形，膜质，质稍韧。气微，味微苦。

| **功能主治** | 辛、微苦，凉。归肝、肺、膀胱经。清热除湿，化瘀止血。用于咳嗽痰多，风湿痹痛，肠炎，痢疾，尿路感染，乳腺炎，吐血，外伤出血，跌打损伤，烫火伤等。

| **用法用量** | 内服煎汤，9 ～ 30g；或泡酒。外用适量，鲜品捣敷；或研末撒。

华中铁角蕨

铁角蕨科 Aspleniaceae 铁角蕨属 Asplenium

华中铁角蕨

Asplenium sarelii Hook.

药材名

孔雀尾（药用部位：全草或根茎）。

形态特征

多年生草本，植株高 10 ~ 23cm。根茎短而直立，先端密被鳞片；鳞片狭披针形，长 3 ~ 3.5mm，厚膜质，黑褐色，有光泽，边缘有微齿牙。叶簇生；叶柄长 5 ~ 10cm，直径 0.5 ~ 1mm，淡绿色，近光滑或略被 1、2 褐色纤维状的小鳞片，上面有浅阔纵沟；叶片椭圆形，长 5 ~ 13cm，宽 2.5 ~ 5cm，3 回羽裂；羽片 8 ~ 10 对，相距 1 ~ 1.2cm，基部的较远离，对生，向上互生，斜展，有短柄（长 0.5 ~ 1.5mm），基部 1 对最大或与第 2 对同大（偶有略缩短），长 1.5 ~ 3cm，宽 1 ~ 2cm，卵状三角形，渐尖头或为尖头，基部不对称，上侧截形并与叶轴平行或覆盖叶轴，下侧楔形，2 回羽裂；小羽片 4 ~ 5 对，互生，上先出，斜展，基部上侧 1 片较大，长 5 ~ 11mm，宽 4 ~ 7mm，卵形，尖头，基部为对称的阔楔形，下延，羽状深裂达于小羽轴；裂片 5 ~ 6，斜向上，疏离，狭线形，长 1.5 ~ 5mm，宽 0.5 ~ 2mm，基部 1 对常为 2 ~ 3 裂，小裂片先端有 2 ~ 3 钝头或尖头的小齿牙，向上各裂片先端有尖齿牙；

其余的小羽片较小,彼此疏离。叶脉两面均明显,上面隆起,小脉在裂片上为二叉至三叉,在小羽片基部的裂片为2回二叉,斜向上,不达叶缘。叶坚草质,干后灰绿色;叶轴及各回羽轴均与叶柄同色,两侧均有线形狭翅,叶轴两面显著隆起。孢子囊群近椭圆形,长 1 ~ 1.5mm,棕色,每裂片有 1 ~ 2,斜向上,生于小脉上部,不达叶缘;囊群盖同形,灰绿色,膜质,全缘,开向主脉,宿存。

| 生境分布 |

生于海拔 300 ~ 2000m 的潮湿岩壁上或石缝中。分布于重庆垫江、彭水、涪陵、丰都、九龙坡、云阳、长寿、酉阳、忠县、武隆等地。

| 资源情况 |

野生资源丰富。药材来源于野生,自产自销。

| 采收加工 |

全年均可采收,除去须根,洗净,鲜用或晒干。

| 功能主治 |

苦、微甘,凉。清热解毒,利湿,止血,生肌。用于流行性感冒,目赤肿痛,扁桃体炎,咳嗽,黄疸,肠炎,痢疾,肠胃出血,跌打损伤,疮肿疔毒,烫火伤。

| 用法用量 |

内服煎汤,15 ~ 30g。外用适量,煎汤洗;或捣敷。

铁角蕨科 Aspleniaceae 铁角蕨属 *Asplenium*

铁角蕨 *Asplenium trichomanes* L.

| 药 材 名 | 铁角凤尾草（药用部位：全草。别名：篦子草、蜈蚣草、石间生）。

| 形态特征 | 多年生草本，植株高 10 ~ 30cm。根茎短而直立，直径约 2mm，密被鳞片；鳞片线状披针形，长 3 ~ 4mm，基部宽约 0.5mm，厚膜质，黑色，有光泽，略带红色，全缘。叶多数，密集簇生；叶柄长 2 ~ 8cm，直径约 1mm，栗褐色，有光泽，基部密被与根茎上同样的鳞片，向上光滑，上面有 1 阔纵沟，两边有棕色的膜质全缘狭翅，下面圆形，质脆，通常叶片脱落而柄宿存；叶片长线形，长 10 ~ 25cm，中部宽 9 ~ 16mm，长渐尖头，基部略变狭，一回羽状；羽片 20 ~ 30 对，基部的对生，向上对生或互生，平展，近无柄，中部羽片同大，长 3.5 ~ 6（~ 9）mm，中部宽 2 ~ 4（~ 5）mm，椭圆形或卵形，圆头，有钝齿牙，基部为近对称或不对称的圆楔形，上侧较大，偶或有小

铁角蕨

耳状突起，全缘，两侧边缘有小圆齿；中部各对羽片相距 4 ~ 8mm，彼此疏离，下部羽片向下逐渐远离并缩小，形状多种，卵形、圆形、扇形、三角形或耳形。叶脉羽状，纤细，两面均不明显，小脉极斜向上，二叉，偶有单一，羽片基部上侧 1 脉常为 2 回二叉，不达叶缘。叶纸质，干后草绿色、棕绿色或棕色；叶轴栗褐色，有光泽，光滑，上面有平阔纵沟，两侧有棕色的膜质全缘狭翅，下面圆形。孢子囊群阔线形，长 1 ~ 3.5mm，黄棕色，极斜向上，通常生于上侧小脉，每羽片有 4 ~ 8，位于主脉与叶缘之间，不达叶缘；囊群盖阔线形，灰白色，后变棕色，膜质，全缘，开向主脉，宿存。

| **生境分布** | 生于海拔 500 ~ 1000m 的林下山谷中岩石上或石缝中。分布于重庆云阳、城口、铜梁、北碚、巫山、石柱等地。

| **资源情况** | 野生资源一般。药材来源于野生，自产自销。

| **采收加工** | 全年均可采收，鲜用或晒干。

| **药材性状** | 本品长约20cm。根茎短，被多数黑褐色鳞片，下部丛生极纤细的须根。叶簇生；叶柄与叶轴呈细长扁圆柱形，直径约 1mm，栗褐色而显光泽，有纵沟，上面两侧常可见全缘的膜质狭翅，质脆，易折断，断面常中空；叶片条状披针形，长约 15cm，小羽片黄棕色，多已皱缩破碎，完整者展开后呈斜卵形或扇状椭圆形，两侧边缘有小钝齿，背面可见孢子囊群。气无，味淡。

| **功能主治** | 淡，凉。清热利湿，解毒消肿，调经止血。用于小儿高热惊风，肾炎水肿，食积腹泻，痢疾，咳嗽，咯血，月经不调，带下，疮疖肿毒，毒蛇咬伤，烫火伤，外伤出血。

| **用法用量** | 内服煎汤，10 ~ 30g。外用适量，鲜品捣敷。

铁角蕨科 Aspleniaceae 铁角蕨属 Asplenium

三翅铁角蕨

Asplenium tripteropus Nakai

| 药 材 名 | 三翅铁角蕨（药用部位：全草）。

| 形态特征 | 多年生草本，植株高 15 ~ 30cm。根茎短而直立，先端密被线状披针形鳞片，长约 2mm，厚膜质，褐棕色或深褐色而有棕色狭边，全缘。叶簇生；叶柄长 3 ~ 5cm，乌木色，有光泽，基部密被与根茎上同样的鳞片，向上光滑，三角形，在上面两侧和下面的棱脊上各有 1 棕色的膜质全缘阔翅，质脆，通常叶片脱落而柄宿存；叶片长线形，长 12 ~ 28cm，中部宽 1 ~ 2.5cm，两端渐狭，1 回羽状；羽片 23 ~ 35 对，对生或上部的互生，平展，无柄，中部羽片同大，长 5 ~ 13mm，宽 2 ~ 7mm，椭圆形，浑圆头，基部不对称，上侧近平截并略呈耳状，与叶轴平行覆盖叶轴，下侧楔形，边缘除基部为全缘外，其余均有细钝锯齿；中部各对羽片相距 3 ~ 6mm，彼此

三翅铁角蕨

疏离，下部数对羽片向下逐渐远离并缩小，渐变为圆形、卵形或扇形。叶脉羽状，两面均不可见，小脉纤细，二叉，斜向上。叶纸质，干后草绿色或褐绿色；叶轴乌木色，有光泽，光滑，三角形，在上面两侧及下面的棱脊上各有 1 棕色的膜质全缘阔翅，叶轴向顶部常有 1 ~ 3 被鳞片的腋生芽胞，能在母株上萌发。孢子囊群椭圆形，长 1 ~ 2mm，锈棕色，斜向上，生于上侧小脉，位于主脉与叶缘之间，每羽片有 3 ~ 6（~ 11）；囊群盖椭圆形，膜质，灰绿色，全缘，开向主脉。

| 生境分布 | 生于海拔 400 ~ 1500m 的山坡林缘或路边岩石上。重庆各地均有分布。

| 资源情况 | 野生资源丰富。药材来源于野生，自产自销。

| 采收加工 | 夏、秋季采收，洗净，晒干。

| 药材性状 | 本品叶柄长 3 ~ 5cm，三角形；叶片长线形，长 12 ~ 28cm，宽 1 ~ 2.5cm，1 回羽状，草绿色或褐绿色。叶轴乌木色，有光泽，光滑，三角形。孢子囊群椭圆形，生于小脉上；囊群盖灰绿色。气微，味淡。

| 功能主治 | 微苦，平。舒筋活络，利水通淋。用于跌打损伤，腰痛，小便淋痛。

| 用法用量 | 内服煎汤，10 ~ 20g；或浸酒。

铁角蕨科 Aspleniaceae 铁角蕨属 Asplenium

半边铁角蕨 *Asplenium unilaterale* Lam.

| **药 材 名** | 半边铁角蕨（药用部位：全草）。

| **形态特征** | 多年生草本，植株高 25 ~ 40cm。根茎长而横走，褐色，先端密被褐色全缘披针形鳞片。叶疏生；叶柄长 11 ~ 20cm，栗褐色，基部疏被与根茎同样鳞片，向上光滑，上面有浅纵沟；叶片披针形，长 15 ~ 23cm，中部宽 3 ~ 6cm，1 回羽状，羽片 20 ~ 25 对，互生，近无柄，中部羽片同大，长 2 ~ 3.5cm，基部宽 0.6 ~ 1cm，半开式不等边四边形，渐尖头，基部斜楔形，上缘平截，略耳状，下侧窄楔形，内缘及下缘下部全缘，余有尖锯齿，下部羽片略疏离，略反折，与中部的同形同大或略小；叶脉羽状，明显，主脉下部与羽片下缘合一，小脉纤细，二叉，偶单一，基部上侧小脉常 2 回二叉，伸向锯齿先端，不达叶缘；叶干后灰绿色，草质或薄草质，两面无毛；叶

半边铁角蕨

轴栗褐色，有光泽，上面有浅纵沟，纵沟边缘灰绿色。孢子囊群线形，长 2.5 ~ 4mm，棕色，着生于小脉中部，位于主脉与叶缘间，每羽片 10 ~ 16（~ 18）；囊群盖线形，开向主脉或叶缘，宿存。

| 生境分布 |

生于海拔 500 ~ 2000m 的林下或溪边石上。分布于重庆丰都、巫溪、梁平、黔江、彭水、南川、江津、巴南等地。

| 资源情况 |

野生资源稀少。药材来源于野生，自产自销。

| 采收加工 |

夏、秋季采收，洗净，晒干。

| 功能主治 |

清肺止血，舒筋活络。用于感冒，咳嗽，腰痛，跌打损伤。

| 用法用量 |

内服煎汤，适量。

睫毛蕨科 Pleurosoriopsidaceae **睫毛蕨属** *Pleurosoriopsis*

睫毛蕨 *Pleurosoriopsis makinoi* (Maxim. ex Makino) Formin

睫毛蕨

| 药 材 名 |

睫毛蕨（药用部位：全草）。

| 形态特征 |

多年生草本，植株高 3 ~ 10cm。根茎细长横走，密被红棕色线状毛，近顶部还被深棕色的线形小鳞片。叶远生；叶柄长 1.5 ~ 3cm，纤细，禾秆色，连同叶轴及羽轴均密被棕色或红棕色的短节状毛；叶片披针形，长 1 ~ 8cm，宽 5 ~ 15mm，先端钝，基部阔楔形，2 回羽状深裂；羽片 4 ~ 7 对，互生，疏离，斜向上，有短柄，卵圆形至三角状卵形，基部 1 对略缩短或不缩短，中部羽片较大，长 5 ~ 15mm，宽 4 ~ 8mm，先端圆钝，基部为偏斜的楔形，深羽裂；裂片 1 ~ 3 对，互生，斜向上，近舌形，圆头，长 2 ~ 3mm，宽约 1mm，全缘，罕有不等的浅 2 裂。叶脉分离，每裂片有小脉 1，先端膨大成纺锤形，不达叶缘。叶薄草质，干后棕绿色或暗绿色，两面均密被棕色节状毛，边缘密被睫毛。孢子囊群短线形，沿叶脉着生，不达叶脉先端，无囊群盖。

| 生境分布 |

生于海拔 800 ~ 2000m 的林下较阴湿岩石上

或溪边苔藓丛中。分布于重庆城口、南川等地。

| **资源情况** | 野生资源稀少。药材来源于野生，自产自销。

| **采收加工** | 夏、秋季采收，洗净，晒干。

| **功能主治** | 祛风除湿。

| **用法用量** | 内服适量，浸酒。

球子蕨科 Onocleaceae 荚果蕨属 Matteuccia

中华荚果蕨 *Matteuccia intermedia* C. Chr.

| 药 材 名 | 中华荚果蕨（药用部位：根茎）。

| 形态特征 | 多年生草本，植株高达 1m。根茎短而直立，黑褐色，木质，坚硬，先端密被鳞片；鳞片阔披针形，长达 1.5cm，宽约 4mm，先端渐尖，全缘，厚膜质，褐棕色。叶多数簇生，二型，不育叶叶柄长 20 ~ 30cm，直径达 5mm，基部黑褐色，向上为深禾秆色，坚硬，疏被披针形鳞片，叶片椭圆形，长 40 ~ 60cm，宽 15 ~ 25cm，基部略变狭，2 回深羽裂，羽片 20 ~ 25 对，互生，彼此密接或略疏离，相距约 1.5cm，下部 2 ~ 3 对略缩短，裂片多数，长方形，圆头或近截头并具小凸尖，全缘；叶脉明显，在裂片为羽状，小脉单一，偶有二叉，斜向上，伸达叶缘；叶纸质，无毛，沿叶轴及羽轴下面被棕色线状披针形小鳞片，尤以叶轴较密；能育叶比不育叶小，叶柄

中华荚果蕨

长 20 ~ 25cm，直径 5 ~ 8mm，叶片椭圆形或椭圆状披针形，长 30 ~ 45cm，宽 8 ~ 15cm，1 回羽状分裂，羽片多数，斜展，彼此接近，线形，略呈镰状，通常长 3.5 ~ 6cm，宽 2 ~ 3mm，两侧强度反卷成荚果状，深紫色，平直，由羽轴伸出的侧脉二叉至三叉，在羽轴与叶边之间形成囊托，孢子囊群圆形，着生于囊托上，成熟时汇合成线形，无囊群盖，为变质的叶缘所包被。

| **生境分布** | 生于海拔 1200 ~ 2000m 的山谷林下。分布于重庆城口、云阳、巫山、南川、奉节等地。

| **资源情况** | 野生资源稀少。药材来源于野生，自产自销。

| **采收加工** | 秋季叶枯后或春季萌芽前，将根茎挖出，剪去叶柄、须根，洗净泥土，晒干。

| **药材性状** | 本品体长，长 5 ~ 11cm，直径 2.5 ~ 6cm。叶柄残基长 2.5 ~ 6cm，宽 5mm，厚 2 ~ 3mm，两侧各具 1 排长达 3mm 的扁形钩刺状突起，5 ~ 8 对，基部着生 1 ~ 4 须根；中上部断面中心有 1 裂隙，先端易开裂成 2 束。根茎断面多中空。气微，味苦。

| **功能主治** | 清热解毒，止血，杀虫。

| **用法用量** | 内服煎汤，5 ~ 15g，大剂量可用至 50g。外用适量，捣敷；或煎汤洗。

| **附　注** | 在 FOC 中，本种的拉丁学名被修订为 *Pentarhizidium intermedium* (C. Christensen) Hayata，属名被修订为东方荚果蕨属 *Pentarhizidium*。

东方荚果蕨

| 球子蕨科 | Onocleaceae | 荚果蕨属 | Matteuccia

东方荚果蕨
Matteuccia orientalis (Hook.) Trev.

| 药 材 名 |

东方荚果蕨（药用部位：根茎、茎叶。别名：大叶蕨、马来巴）。

| 形态特征 |

多年生草本，植株高达 1m。根茎短而直立，木质，坚硬，先端及叶柄基部密被鳞片；鳞片披针形，长达 2cm，先端纤维状，全缘，膜质，棕色，有光泽。叶簇生，二型，不育叶叶柄长 30 ~ 70cm，直径 3 ~ 9mm，基部褐色，向上呈深禾秆色或棕禾秆色，连同叶轴被相当多的鳞片，叶片椭圆形，长 40 ~ 80cm，宽 20 ~ 40cm，先端渐尖并为羽裂，基部不变狭，2 回深羽裂，羽片 15 ~ 20 对，互生，斜展或有时下部羽片平展，相距约 3cm，下部羽片最长，线状倒披针形，长 13 ~ 20cm，宽 2 ~ 3.5cm，先端渐尖，基部略变狭，无柄，深羽裂，裂片长椭圆形，斜展，通常下部裂片较短，中部以上的最长，叶脉明显，叶纸质，无毛，仅沿羽轴和主脉疏被纤维状鳞片；能育叶与不育叶等高或较矮，有长柄（长 20 ~ 45cm），叶片椭圆形或椭圆状倒披针形，长 12 ~ 38cm，宽 5 ~ 11cm，1 回羽状分裂，羽片多数，斜向上，彼此接近，线形，长达 10cm，宽达 5mm，两侧强度反卷成荚果状，深紫色，有光泽，平直而不呈念珠状，幼时完全包被孢子囊群，从羽轴伸出的侧脉二叉至三叉，在羽轴与叶缘之间形成囊托，孢子囊群圆形，着生于囊托上，成熟时汇合成线形，囊群盖膜质。

| 生境分布 | 生于海拔 1000 ~ 2000m 的山坡阴湿灌丛中或山谷路旁。分布于重庆城口、彭水、奉节、石柱、丰都、忠县、酉阳、云阳等地。

| 资源情况 | 野生资源一般。药材来源于野生，自产自销。

| 采收加工 | 全年均可采收，洗净，晒干或鲜用。

| 功能主治 | 苦，凉。祛风，止血。用于风湿痹痛，外伤出血等。

| 用法用量 | 内服煎汤，15 ~ 30g。外用适量，捣敷。

| 附 注 | 在 FOC 中，本种的拉丁学名被修订为东方荚果蕨 *Pentarhizidium orientale* Hayata，属名被修订为东方荚果蕨属 *Pentarhizidium*。

球子蕨科 Onocleaceae 荚果蕨属 Matteuccia

荚果蕨
Matteuccia struthiopteris (L.) Todaro

| 药 材 名 | 荚果蕨贯众（药用部位：带叶柄残基的根茎。别名：野鸡膀子、小叶贯众、黄瓜香）。

| 形态特征 | 多年生草本，植株高 70 ～ 110cm。根茎粗壮，短而直立，木质，坚硬，深褐色，密被鳞片；鳞片披针形，长 4 ～ 6mm，先端纤维状，膜质，全缘，棕色，老时中部常为褐色至黑褐色。叶簇生，二型，不育叶叶柄褐棕色，长 6 ～ 10cm，直径 5 ～ 10mm，上面有深纵沟，基部三角形，具龙骨状突起，密被鳞片，向上逐渐稀疏，叶片椭圆状披针形至倒披针形，长 50 ～ 100cm，中部宽 17 ～ 25cm，向基部逐渐变狭，2 回深羽裂，羽片 40 ～ 60 对，互生或近对生，斜展，相距 1.5 ～ 2cm，下部的向基部逐渐缩小成小耳形，中部羽片最大，披针形或线状披针形，长 10 ～ 15cm，宽 1 ～ 1.5cm，先端渐尖，无

荚果蕨

柄，羽状深裂，裂片 20 ～ 25 对，略斜展，彼此接近，为整齐齿状排列，椭圆形或近长方形，中部以下的同大，长 5 ～ 8mm，圆头或钝头，边缘具波状圆齿或为近全缘，通常略反卷，叶脉明显，在裂片上为羽状，小脉单一，斜向上，叶草质，干后绿色或棕绿色，无毛，仅沿叶轴、羽轴和主脉疏被柔毛和小鳞片，羽轴浅棕色或棕禾秆色，上面有浅纵沟；能育叶较不育叶短，有粗壮的长柄（长 12 ～ 20cm，下部直径 5 ～ 12mm），叶片倒披针形，长 20 ～ 40cm，中部以上宽 4 ～ 8cm，1 回羽状分裂，羽片线形，两侧强度反卷成荚果状，呈念珠形，深褐色，包裹孢子囊群，小脉先端形成囊托，位于羽轴与叶缘之间，孢子囊群圆形，成熟时连接而成线形，囊群盖膜质。

| 生境分布 | 生于海拔 600 ～ 2000m 的山谷林下或河岸湿地。分布于重庆开州、城口、武隆、北碚、巫溪、巫山等地。

| 资源情况 | 野生资源一般。药材来源于野生。

| 采收加工 | 秋季采挖，削去叶柄，除去须根、泥沙，晒干。

| 药材性状 | 本品根茎呈椭圆状倒卵形或长卵形，略弯曲，上端钝圆或截形，下端较尖，有的纵剖为 2 瓣，长 5 ～ 23cm，直径 3 ～ 9cm；表面棕褐色至黑褐色，密被螺旋状整齐排列的叶柄残基及鳞片，并有弯曲的圆柱形须根；断面淡棕色，略平坦，分体中柱数个至十余个，断续排列成环状，其外散有较多的叶基维管束。叶柄残基呈扁圆形，略向内弯曲，上部宽而扁，向下渐窄，两侧全缘，长 2 ～ 8cm，宽 5 ～ 15mm，厚 2 ～ 4mm，表面棕褐色至黑褐色，腹面平或略凹，具多数纵棱，背面圆凸，具纵棱，中间 1 棱线隆起，有的上端可见 "V" 形或 "M" 形隆起的皱纹；质硬而脆，易折断，断面平坦，棕色，呈扁三棱形或菱状四边形，分体中柱 2，呈倒 "八" 字形排列。鳞片披针形，膜质，棕色。气微，味微涩。

| 功能主治 | 苦、涩，微寒。归肝、胃经。清热解毒，散瘀止血，驱虫防疫。用于温热时疫，斑疹，吐衄，崩漏下血，虫积腹痛。

| 用法用量 | 内服煎汤，4 ～ 9g。

| 附　　注 | 本种喜凉爽湿润及半阴的环境，对土壤要求不严。栽培以疏松肥沃的微酸性土壤为宜。

乌毛蕨科 Blechnaceae 乌毛蕨属 Blechnum

乌毛蕨 *Blechnum orientale* L.

| 药 材 名 | 乌毛蕨贯众（药用部位：带叶柄残基的根茎。别名：贯众、黑狗脊、龙船蕨）、东方乌毛蕨叶（药用部位：嫩叶）。

| 形态特征 | 多年生草本，植株高 0.5 ~ 2m。根茎直立，粗短，木质，黑褐色，先端及叶柄下部密被鳞片；鳞片狭披针形，全缘，有光泽。叶簇生根茎先端；叶柄坚硬，基部往往为黑褐色，向上为棕禾秆色或棕绿色，无毛；叶片卵状披针形，1 回羽状分裂；羽片多数，二型，互生，无柄，下部羽片不育，彼此远离，向上羽片突然伸长，疏离，能育，至中上部羽片最长，斜展，线形或线状披针形，先端长渐尖或尾状渐尖，基部圆楔形，下侧往往与叶轴合生。叶脉上面明显，主脉两面均隆起。叶近革质，无毛；叶轴粗壮，棕禾秆色，无毛。孢子囊群线形，连续，紧靠主脉两侧，与主脉平行；囊群盖线形，开向主脉，宿存。

乌毛蕨

| 生境分布 | 生于海拔 250 ~ 1300m 的山坡灌丛中或酸性土中。分布于重庆万州、黔江、铜梁、永川、九龙坡、江津、巴南、北碚等地。

| 资源情况 | 野生资源较少。药材来源于野生，自产自销。

| 采收加工 | 乌毛蕨贯众：全年均可采收，削去叶柄、须根，洗净，晒干；或趁鲜时切成块片，晒干。

| 药材性状 | 乌毛蕨贯众：本品根茎呈圆柱形或棱柱形，切片者多为斜形片块，厚约 2cm；表面棕褐色或黑褐色，密布中空的叶柄残基，残基周围密生棕褐色鳞片及棕黑色须根。叶柄残基扁圆柱形，外侧有 1 瘤状突起，其上簇生须根超过 10，质硬如小竹枝，难折断，断面不平坦，横断面中央多呈空洞状，皮部薄，有超过 10 点状维管束，排列成环，内方的 2 个稍大。气微弱而特异，味微苦、涩。

| 功能主治 | 乌毛蕨贯众：苦，凉。归肝、胃经。清热解毒，凉血止血，驱虫。用于风热感冒，温热斑疹，吐血，肠风便血，血痢，血崩，带下，绦虫、蛔虫、蛲虫病等。

东方乌毛蕨叶：清热解毒。用于痈肿疮疖。

| 用法用量 | 乌毛蕨贯众：内服煎汤，3 ~ 12g。

东方乌毛蕨叶：外用适量，鲜品捣敷。

乌毛蕨科 Blechnaceae 荚囊蕨属 Struthiopteris

荚囊蕨
Struthiopteris eburnea (Christ) Ching

| 药 材 名 | 荚囊蕨（药用部位：根茎。别名：篦子草、天鹅抱蛋、梳子草）。

| 形态特征 | 多年生草本，植株高 18 ~ 60cm。根茎直立，粗短，或长而斜生，密被鳞片；鳞片披针形，先端纤维状，全缘或边缘偶有少数小齿牙，棕色或中部为深褐色，有光泽，厚膜质。叶簇生，二型；叶柄禾秆色，基部密被与根茎上同样的鳞片，向上渐变光滑；叶片线状披针形，两端渐狭，1 回羽状分裂；羽片多数，篦齿状排列，下部羽片向基部逐渐缩小，基部 1 对成为小耳形，向上的羽片为镰状披针形，尖头，基部与叶轴合生，全缘。叶脉不明显，在羽片上为羽状，小脉斜向上，二叉，不达叶缘。叶坚革质，无毛；叶轴禾秆色，光滑，上面有浅纵沟。能育叶与不育叶同形而较狭；孢子囊群线形，着生于主脉与叶缘之间，沿主脉两侧各 1 行，几与羽片等长；囊群盖纸质，拱形，宿存。

荚囊蕨

| 生境分布 |

生于海拔 500 ～ 1800m 的干旱石灰岩壁上。分布于重庆城口、石柱、武隆、彭水、酉阳、南川、云阳、奉节、巫溪等地。

| 资源情况 |

野生资源较丰富。药材来源于野生，自产自销。

| 采收加工 |

秋季采收，洗净，晒干或鲜用。

| 功能主治 |

苦，凉。清热利湿，散瘀消肿。用于淋证，疮痈肿痛，跌打损伤。

| 用法用量 |

内服煎汤，6 ～ 15g。外用适量，捣敷。

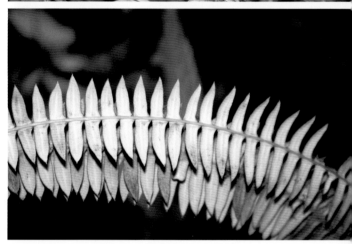

狗脊

Woodwardia japonica (L. f.) Sm.

| 药 材 名 | 狗脊贯众（药用部位：带叶柄残基的根茎。别名：金毛狮子、管仲、日本狗脊）。

| 形态特征 | 多年生草本，植株高（50 ~ ）80 ~ 120cm。根茎粗壮，横卧，暗褐色，直径 3 ~ 5cm，与叶柄基部密被红棕色、披针形大鳞片。叶簇生；叶柄长 30 ~ 50cm，深禾秆色，向上至叶轴有同样较小的鳞片；叶片厚纸质，长圆形至卵状披针形，长 30 ~ 80cm，宽 25 ~ 40cm，叶轴下面有小鳞片，2 回羽状分裂；裂片 10 对以上，顶部羽片急缩成羽状深裂，下部羽片长 11 ~ 18cm，宽 2.5 ~ 4cm，先端渐尖，向基部略变狭，基部上侧楔形，下侧圆形或稍呈心形，羽裂或深裂；裂片三角形或三角状长圆形，锐尖头，边缘有短锯齿；叶脉网状，有网眼 1 ~ 2 行，网眼外的小脉分离。孢子囊群长圆形，生于中脉

狗脊

两侧相对的网脉上，并嵌入网眼内叶肉中；囊群盖长肾形，以外侧边生于网脉上，开向中脉。

| **生境分布** | 生于疏林下或路边草丛中。重庆各地均有分布。

| **资源情况** | 野生资源丰富。药材来源于野生，自产自销。

| **采收加工** | 秋季采挖，削去叶柄、须根，除去泥土，晒干。

| **药材性状** | 本品呈长圆柱形，挺直或稍弯曲，长 6 ~ 26cm，直径 3 ~ 5cm，表面红棕色或黑褐色，密被粗短的叶柄残基，近先端鳞片较多，棕红色。叶柄残基近半圆柱形，镰状弯曲，背面呈肋骨状排列，下端膨大；横断面可见维管束 2 ~ 4，腹面的 1 对较大，呈"八"字形或略弯曲成双曲线形排列。质坚硬。气微，味微苦、涩。

| **功能主治** | 苦，寒。归肝、胃、肾、大肠经。清热解毒，杀虫止血。用于咽喉肿痛，温病血热，发斑，吐血，衄血，便血，血痢，血崩，湿热带下，阴痒等。

| **用法用量** | 内服煎汤，6 ~ 15g。外用适量。孕妇禁用。

| **附 注** | 狗脊来源复杂，在不同产地作狗脊贯众入药者尚有以下同属植物：①东方狗脊 *Woodwardia orientalis* Sw.，分布于台湾、浙江、江西、福建及广东；②珠芽狗脊 *Woodwardia prolifera* Hook. et Arn.，分布于广西、广东、湖南、江西、安徽、浙江、福建及台湾等地。应注意区别。

乌毛蕨科 Blechnaceae 狗脊属 Woodwardia

顶芽狗脊
Woodwardia unigemmata (Makino) Nakai

| 药 材 名 | 狗脊贯众（药用部位：根茎。别名：狗脊、虾公草、毛狗头）。

| 形态特征 | 多年生草本，植株高达 2m。根茎横卧，黑褐色，密被鳞片；鳞片披针形，先端纤维状，全缘，棕色，薄膜质。叶近生；叶柄基部褐色并密被与根茎上相同的鳞片，向上为棕禾秆色，略被少数较小的鳞片，鳞片脱落后留下弯线形的鳞痕；叶片长卵形或椭圆形，先端渐尖，基部圆楔形，2 回深羽裂；羽片互生或下部的近对生，略斜向上或弯拱斜向上；裂片互生，斜展，彼此接近，下部几对略缩短，不变形，披针形，有时呈镰状，先端渐尖。叶脉明显，羽轴两面及主脉上面隆起，与叶轴同为棕禾秆色。叶革质，无毛，叶轴及羽轴下面疏被棕色纤维状小鳞片，叶轴近先端具 1 被棕色鳞片的腋生大芽胞。孢子囊群粗短线形，挺直或略弯，着生于主脉两侧的狭长网眼上，彼此接近

顶芽狗脊

或略疏离，下陷于叶肉；囊群盖同形，厚膜质，棕色或棕褐色。

| **生境分布** | 生于海拔 300 ~ 2790m 的山坡林下或灌丛中。重庆各地均有分布。

| **资源情况** | 野生资源丰富。药材主要来源于野生。

| **采收加工** | 春、秋季采挖，削去叶柄、须根，除去杂质，喷淋清水，洗净，润透，纵切厚片，干燥，筛去灰屑。

| **药材性状** | 本品呈长圆柱形或柱状、方柱状，挺直或稍弯曲，上端较粗钝，下端较尖，长 6 ~ 30cm，直径 2 ~ 7cm。表面红棕色或黑褐色，密被短粗的叶柄残基、鳞叶，可见须根。叶柄残基坚硬，横断面半圆形，深棕色或棕红色，有黄棕色分体中柱 5 ~ 8，其中腹面 1 对较大，呈 "八" 字形排列。鳞叶棕红色，全缘。气微，味微苦、涩。

| **功能主治** | 苦、涩，寒。归肝、胃、肾、大肠经。清热解毒，杀虫止血。用于瘟疫，斑疹，吐血，衄血，肠风便血，血痢，血崩，带下，外伤出血，风湿痹痛等。

| **用法用量** | 内服煎汤，6 ~ 15g。外用适量。孕妇禁用。

耳羽岩蕨 *Woodsia polystichoides* Eaton

| 药 材 名 | 蜈蚣旗根（药用部位：根茎。别名：耳羽草）。

| 形态特征 | 多年生草本，植株高 15 ～ 30cm。根茎短而直立，先端密被鳞片；鳞片披针形或卵状披针形，长约 4mm，先端渐尖，棕色，膜质，全缘。叶簇生；叶柄长 4 ～ 12cm，直径 1 ～ 1.5mm，禾秆色或棕禾秆色，略有光泽，先端或上部有倾斜的关节，基部被与根茎上相同的鳞片，向上连同叶轴被狭披针形至线形的棕色小鳞片和节状长毛；叶片线状披针形或狭披针形，长 10 ～ 23cm，中部宽 1.5 ～ 3cm，渐尖头，向基部渐变狭，1 回羽状分裂，羽片 16 ～ 30 对，近对生或互生，平展或偶有略斜展，下部 3 ～ 4 对缩小并略向下反折，以阔间隔彼此分开，基部 1 对呈三角形，中部羽片较大，疏离，椭圆状披针形或线状披针形，略呈镰状，长 8 ～ 20mm，基部宽 4 ～ 7mm，急尖

耳羽岩蕨

头或尖头，基部不对称，上侧截形，与叶轴平行并紧靠叶轴，有明显的耳形突起，下侧楔形，边缘变异较大，或为全缘，或呈波状，有时为缺刻状或钝齿牙状浅裂，罕为浅羽裂。叶脉明显，羽状，小脉斜展，二叉（在羽片基部上侧耳形突起为简单的羽状），先端有棒状水囊，不达叶缘。叶纸质或草质，干后草绿色或棕绿色，上面近无毛或疏被长毛，下面疏被长毛及线形小鳞片；叶轴浅禾秆色或棕禾秆色，略有光泽。孢子囊群圆形，着生于二叉小脉的上侧分枝先端，每裂片有1（羽片基部上侧有3～6耳形突起），靠近叶缘；囊群盖杯形，边缘浅裂并有睫毛。

| 生境分布 | 生于海拔400～1400m的山坡林下石上或石缝中。分布于重庆綦江、丰都等地。

| 资源情况 | 野生资源较少。药材来源于野生，自采自用。

| 采收加工 | 全年均可采收，洗净，鲜用。

| 功能主治 | 舒筋活络。用于筋伤疼痛，活动不利。

| 用法用量 | 外用适量，鲜品捣敷。

鳞毛蕨科 Dryopteridaceae 复叶耳蕨属 Arachniodes

多羽复叶耳蕨 Arachniodes amoena (Ching) Ching

| 药 材 名 | 多羽复叶耳蕨（药用部位：根茎。别名：复叶耳蕨）。

| 形态特征 | 多年生草本。叶柄棕禾秆色，基部密被栗棕色、卵状披针形、渐尖头鳞片，向上略被同样的鳞片。叶片五角形，顶部有1具柄的羽状羽片，与其下侧生羽片同形，基部近圆形，4回羽状分裂；侧生羽片基部对生或近对生，向上的互生，基部1对最大，三角状长尾形，3回羽状分裂；1回小羽片互生，有柄，基部伸长，其中基部下侧1片尤长，披针形，尾状尖头，基部楔形，2回羽状分裂；2回小羽片互生，有短柄，长椭圆形，钝尖头，基部不对称，上侧截形，下侧斜切，边缘浅裂、深裂或仅有粗锯齿，先端具芒刺；第2对羽片披针形，2回羽状分裂，基部1对小羽片伸长，羽状；自第3对羽片起，以上各对羽片线状披针形。孢子囊群生于小脉先端；囊群盖棕色，

多羽复叶耳蕨

膜质，边缘啮蚀状，脱落。

| **生境分布** | 生于海拔 400 ～ 1400m 的山地林下、溪边阴湿岩上或泥土中。分布于重庆开州、涪陵、武隆、南川、北碚等地。

| **资源情况** | 野生资源稀少。药材主要来源于野生。

| **采收加工** | 全年均可采收，洗净，鲜用。

| **功能主治** | 祛风胜湿，止痛。

| **用法用量** | 外用适量，鲜品捣敷。

鳞毛蕨科 Dryopteridaceae 复叶耳蕨属 Arachniodes

南方复叶耳蕨 *Arachniodes australis* Y. T. Hsieh

南方复叶耳蕨

| 药 材 名 |

南方复叶耳蕨（药用部位：根茎）。

| 形态特征 |

多年生草本，植株高 45～92cm。叶柄禾秆色，基部密被褐棕色、线状披针形鳞片，向上略被小鳞片。叶片卵形，向顶部渐变狭成长三角形，基部 3 回羽状分裂；羽状羽片 5～6 对，基部 1 对对生，向上的互生，有柄，以锐角斜向上，基部 1 对较大，三角状披针形，渐尖头，2 回羽状分裂；小羽片互生，有短柄，基部下侧 1 片伸长，披针形，基部圆楔形，羽状；末回小羽片下部的分离，上部的基部与小羽轴合生，卵状长圆形，急尖头，上部边缘具有短芒刺的细锯齿；第 2～5 对羽片披针形，羽状，基部上侧 1 片小羽片略大，急尖头，浅羽裂；第 6 对羽片明显缩小，披针形，深羽裂，向上的各对羽片逐渐缩小。孢子囊群位于中脉与叶缘中间；囊群盖暗棕色。

| 生境分布 |

生于海拔 430～1500m 的山地林下。分布于重庆武隆、江津、南川、彭水、长寿、丰都、忠县、云阳、九龙坡、沙坪坝等地。

资源情况	野生资源稀少。药材来源于野生。
采收加工	全年均可采收，洗净，鲜用。
功能主治	祛风胜湿，止痛。
用法用量	外用适量，鲜品捣敷。
附　　注	在 FOC 中，本种被修订为中华复叶耳蕨 *Arachniodes chinensis* (Rosenst.) Ching。

鳞毛蕨科 Dryopteridaceae 复叶耳蕨属 Arachniodes

中华复叶耳蕨 *Arachniodes chinensis* (Rosenst.) Ching

| 药 材 名 | 中华复叶耳蕨（药用部位：根茎。别名：复叶耳蕨）。

| 形态特征 | 多年生草本，植株高 40 ~ 65cm。叶柄长 14 ~ 30cm，禾秆色，基部密被褐棕色、线状钻形、顶部毛髯状鳞片，向上连同叶轴被有相当多的黑褐色、线状钻形小鳞片。叶片卵状三角形，顶部略狭缩成长三角形，渐尖头，基部近圆形，2 回羽状或 3 回羽状；羽状羽片 8 对，基部 1 (~ 2) 对对生，向上的互生，有柄，斜展，密接，基部 1 对较大，三角状披针形；基部上侧 1 片小羽片比同侧的第 2 片略长，羽状或羽裂；第 2 ~ 5 对羽片披针形，羽状，基部上侧 1 片略大，羽裂；第 6 或第 7 对羽片明显缩短，披针形，长 5cm，深羽裂。叶干后纸质，暗棕色，光滑，羽轴下面被有相当多的黑褐色、线状钻形、基部棕色、阔圆形小鳞片。孢子囊群每小羽片 5 ~ 8 对 (耳片 3 ~ 5)，

中华复叶耳蕨

夹于中脉与叶缘之间；囊群盖棕色，近革质，脱落。

| **生境分布** | 生于海拔 450 ～ 1600m 的山谷林下或山坡灌丛中。分布于重庆开州、涪陵、北碚、南川、合川、奉节、石柱、铜梁、璧山、荣昌等地。

| **资源情况** | 野生资源丰富。药材主要来源于野生。

| **采收加工** | 全年均可采收，洗净，鲜用。

| **功能主治** | 清热止痢。

| **用法用量** | 内服煎汤，适量。

| **附　　注** | 刺头复叶耳蕨 *Arachniodes exilis* (Hance) Ching 与本种相近，区别在于其根茎长而横走，鳞片棕色，叶片 3 回羽状，末回小羽片较小，边缘有长芒刺的锯齿，应注意区别。

鳞毛蕨科 Dryopteridaceae 复叶耳蕨属 *Arachniodes*

镰羽复叶耳蕨 *Arachniodes falcata* Ching

镰羽复叶耳蕨

| 药 材 名 |

镰羽复叶耳蕨（药用部位：根茎）。

| 形态特征 |

多年生草本，植株高 47 ～ 65cm。叶柄禾秆色，基部密被深棕色、披针形、顶部线形鳞片，向上连同叶轴被有相当密的黑褐色、披针形、顶部毛发状小鳞片。叶片三角形，顶部伸长渐尖，2 回或 3 回羽状；羽片约 20 对，除顶部几对互生外，均为对生，有柄，略斜展，远离，基部 1 对特别大，长圆状披针形，渐尖头，基部近 2 回羽状；小羽片 15 ～ 16 对，互生，中部以下的有短柄，基部下侧 1 片略大，披针形，渐尖头，基部不对称，上侧截形并凸出呈耳状，下侧斜切，近羽状分裂。叶干后厚纸质、黄棕色，光滑，羽轴和主脉基部疏被黑褐色、披针形、顶部呈长髯状小鳞片。孢子囊群生于小脉先端，囊群盖暗棕色。

| 生境分布 |

生于海拔 300 ～ 1600m 的杉木林下。分布于重庆开州、巴南、南川、北碚、石柱、忠县、江津、綦江等地。

| 资源情况 | 野生资源稀少。药材来源于野生。

| 采收加工 | 全年均可采收，洗净，鲜用。

| 功能主治 | 清热止痢。

| 用法用量 | 内服煎汤，适量。

| 附　　注 | （1）在 FOC 中，本种被修订为中华复叶耳蕨 Arachniodes chinensis (Rosenst.) Ching。
（2）本种为金毛狗的主要伴生物种。

鳞毛蕨科 Dryopteridaceae 复叶耳蕨属 Arachniodes

斜方复叶耳蕨 *Arachniodes rhomboidea* (Wall. ex Mett.) Ching

| 药 材 名 | 大叶鸭脚莲（药用部位：根茎。别名：线鸡尾）。

| 形态特征 | 多年生草本。叶柄禾秆色，基部密被棕色、阔披针形鳞片。叶片长卵形，顶生羽状羽片长尾状，2回羽状，往往基部3回羽状；侧生羽片互生，有柄，斜展，密接，基部1对最大，三角状披针形，渐尖头，基部圆楔形，羽状或2回羽状；小羽片互生，有短柄，基部下侧1片不伸长或伸长，若伸长，则为披针形，尖头，基部圆楔形，羽状；末回小羽片菱状椭圆形，急尖头，基部不对称，上侧近截形，下侧斜切，上侧边缘具有芒刺的尖锯齿。叶褐绿色，光滑。孢子囊群生于小脉先端，近叶缘，通常上侧边1行，下侧边上部半行，耳片有时3～6；囊群盖棕色，膜质，边缘有睫毛，脱落。

斜方复叶耳蕨

| 生境分布 |

生于海拔 80 ~ 1200m 的林下或溪边。分布于
重庆南川、黔江、彭水、綦江、酉阳、忠县、
铜梁、南岸、梁平、巴南、荣昌、开州、石柱、
武隆、江津、渝北、江北等地。

| 资源情况 |

野生资源较丰富。药材主要来源于野生。

| 采收加工 |

全年均可采挖,除去叶,洗净泥土,鲜用或晒干。

| 功能主治 |

微苦,温。祛风止痛,益肺止咳。用于关节痛,
肺痨咳嗽。

| 用法用量 |

内服煎汤,10 ~ 15g,鲜品 30 ~ 60g。

| 附　注 |

（1）在 FOC 中,本种的拉丁学名被修订为
Arachniodes amabilis (Blume) Tindale。
（2）本种与全缘斜方复叶耳蕨和裂羽斜方复叶
耳蕨的区别在于,全缘斜方复叶耳蕨囊群盖全
缘,边缘不具睫毛;裂羽斜方复叶耳蕨叶片为
卵状披针形,小羽片边缘有裂片,囊群盖全缘,
边缘不具睫毛。

鳞毛蕨科 Dryopteridaceae 复叶耳蕨属 Arachniodes

异羽复叶耳蕨 *Arachniodes simplicior* (Makino) Ohwi

异羽复叶耳蕨

| 药 材 名 |

长尾复叶耳蕨（药用部位：根茎。别名：小叶金鸡尾巴草、稀羽复叶耳蕨）。

| 形态特征 |

多年生草本。叶柄禾秆色，基部被褐棕色、披针形鳞片，向上偶有同形鳞片。叶片卵状五角形，顶部有1片具柄的顶生羽状羽片，与其下侧生羽片同形，基部近平截，3回羽状；侧生羽片4对，基部1对对生，向上的互生，有柄，斜展，分开，基部1对最大，斜三角形，渐尖头，基部不对称，斜楔形，基部2回羽状；小羽片互生，有短柄，基部下侧1片特别伸长，披针形，渐尖头，基部近圆形，羽状；末回小羽片互生，几无柄，长圆形，钝尖头，基部不对称，上侧截形，下侧斜切，边缘具有芒刺的尖锯齿；第2～4对羽片披针形，羽状，基部上侧的小羽片较下侧的为大。叶轴和各回羽轴下面偶被褐棕色、钻形小鳞片。孢子囊群略近叶缘生；囊群盖深棕色，膜质，脱落。

| 生境分布 |

生于海拔400～1800m的山坡林下或溪边。分布于重庆丰都、垫江、石柱、南川、合川、璧山、彭水、城口、忠县、铜梁、荣昌等地。

| **资源情况** | 野生资源较丰富。药材主要来源于野生。

| **采收加工** | 全年均可采收，除去叶柄和须根，洗净，鲜用或晒干。

| **药材性状** | 本品呈圆柱形，表面具棕色叶柄残基及棕褐色鳞片；鳞片披针形或条状钻形，长 3 ~ 13mm。质较硬。气微，味淡。

| **功能主治** | 苦，寒。归胃、肾经。清热解毒。用于内热腹痛。

| **用法用量** | 内服煎汤，10 ~ 15g。

| **附　　注** | 在 FOC 中，本种的中文学名被修订为长尾复叶耳蕨。

鳞毛蕨科 Dryopteridaceae 复叶耳蕨属 *Arachniodes*

美丽复叶耳蕨 *Arachniodes speciosa* (D. Don) Ching

| 药 材 名 | 小狗脊（药用部位：根茎。别名：冷蕨萁、复叶耳蕨）。

| 形态特征 | 多年生草本。叶柄棕禾秆色，基部密被褐棕色、卵状披针形鳞片，向上近光滑。叶片阔卵状五角形，顶部略狭缩成长三角形，渐尖头，3回羽状；羽状复叶羽片基部1（～2）对对生，向上的互生，有柄，斜展，密接，基部1对最大，三角形，长24cm，基部宽约16cm，渐尖头，基部阔楔形，2回羽状；小羽片互生，有柄，基部1对较大，尤其下侧1片，阔披针形，渐尖头，基部阔楔形，羽状；末回小羽片互生，长圆形，基部上侧1片尖头，基部圆楔形，边缘浅裂至半裂，基部上侧1裂片全裂，椭圆形，先端具长尖芒刺，基部下侧1片较同侧第2片为小，第2对羽片阔披针形，2回羽状，基部上侧1片小羽片略较大，羽状或羽裂；第6对羽片明显缩短，披针形。孢

美丽复叶耳蕨

子囊群生于中脉与叶缘中间；囊群盖棕色，膜质，脱落。

| **生境分布** | 生于海拔 1550m 以下的山谷混交林下。分布于重庆九龙坡、南川等地。

| **资源情况** | 野生资源稀少。药材来源于野生。

| **采收加工** | 全年均可采挖，除去大部分叶柄及泥土等杂质，晒干或鲜用。

| **功能主治** | 清热解毒，祛风止痒，活血散瘀。用于热泻，风疹，跌打瘀肿。

| **用法用量** | 内服煎汤，5 ~ 10g。外用适量，捣敷。

鳞毛蕨科 Dryopteridaceae 柳叶蕨属 Cyrtogonellum

柳叶蕨
Cyrtogonellum fraxinellum (Christ) Ching

| 药 材 名 | 柳叶蕨（药用部位：全草）。

| 形态特征 | 多年生草本。根茎短，直立，先端连同叶柄密被鳞片；鳞片棕色，卵形，先端渐尖，边缘疏生睫毛。叶簇生；叶柄禾秆色；叶片长卵圆形，1回羽状；顶生羽片全缘或羽裂，侧生羽片 5 ~ 10 对，互生（有时基部 1 对对生），有柄，斜出，披针形，下部的渐尖头，基部近对称，楔形，近全缘或上部边缘呈波状。叶脉网结，在主脉两侧各有 1 行斜长方形网眼，有内藏小脉，向外小脉分离，两面可见。叶厚革质，干后暗绿色，上面光滑；叶轴和主脉下面疏被棕色、披针形小鳞片。孢子囊群大，圆形，生于内藏小脉先端，在主脉两侧各排成 1 行，位于主脉与叶缘中间；囊群盖圆形，盾状着生，棕色，厚膜质，全缘，以后脱落。

柳叶蕨

| 生境分布 |

生于海拔 500 ~ 1500m 的山坡灌木林、竹林或阔叶林下岩缝。分布于重庆开州、石柱、武隆、南川、丰都等地。

| 资源情况 |

野生资源稀少。药材主要来源于野生。

| 采收加工 |

全年均可采收，洗净，鲜用。

| 功能主治 |

清热解毒。

| 用法用量 |

内服煎汤，适量。

| 附　注 |

在 FOC 中，本种被修订为柳叶耳蕨 *Polystichum fraxinellum* (Christ) Diels，属名被修订为耳蕨属 *Polystichum*。

鳞毛蕨科 Dryopteridaceae 柳叶蕨属 Cyrtogonellum

斜基柳叶蕨 Cyrtogonellum inaequalis Ching

| 药 材 名 | 斜基柳叶蕨（药用部位：全草）。

| 形态特征 | 多年生草本，植株高达 54cm。根茎短，直立，先端连同叶柄密被鳞片；鳞片棕色、卵形，先端渐尖，边缘有睫毛。叶簇生；叶柄长 20 ~ 26cm，直径约 2mm，禾秆色；叶片线状披针形，长达 28cm，宽约 3.2cm，1 回羽状；顶生羽片渐尖，羽裂，侧生羽片 22 对，互生，有柄，下部的斜展，上部的近平展，斜长圆形，中部的长达 2.2cm，宽约 9mm，钝尖头，基部不对称，上侧近圆形，下侧楔形，边缘略有浅裂齿。叶脉羽状，侧脉分枝，下面可见。叶厚革质，干后上面暗绿色，光滑，下面黄绿色；叶轴和主脉下面疏被棕色、卵形、先端渐尖的小鳞片。孢子囊群大，圆形，生于小脉先端，在主脉两侧各排成 1 行，成熟时往往彼此密接，囊群盖圆形，盾状着生，棕色，

斜基柳叶蕨

厚膜质，全缘，以后脱落。

| **生境分布** | 生于 500 ～ 1500m 的山坡林下岩缝。分布于重庆南川等地。

| **资源情况** | 野生资源稀少。药材来源于野生。

| **采收加工** | 全年均可采收，洗净，鲜用。

| **功能主治** | 清热解毒。

| **用法用量** | 内服煎汤，适量。

| **附　　注** | 在 FOC 中，本种被修订为斜基柳叶耳蕨 *Polystichum minimum* (Y. T. Hsieh) Li Bing Zhang，属名被修订为耳蕨属 *Polystichum*。

鳞毛蕨科 Dryopteridaceae 贯众属 Cyrtomium

镰羽贯众 *Cyrtomium balansae* (Christ) C. Chr.

| 药 材 名 | 镰羽贯众（药用部位：根茎。别名：巴兰贯众、小贯众）。

| 形态特征 | 多年生草本。根茎直立，密被披针形棕色鳞片。叶簇生，叶柄禾秆色，腹面有浅纵沟，有狭卵形及披针形棕色鳞片，鳞片边缘有小齿，上部秃净；叶片披针形或宽披针形，先端渐尖，基部略狭，1回羽状；羽片互生，略斜向上，柄极短，镰状披针形，下部的先端渐尖或近尾状，基部偏斜，上侧截形并有尖的耳状凸，下侧楔形，边缘有前倾的钝齿或罕为尖齿；具羽状脉，小脉联结成2行网眼，腹面不明显，背面微凸起；叶为纸质，腹面光滑，背面疏生披针形棕色小鳞片或秃净；叶轴腹面有浅纵沟，疏生披针形及线形卷曲的棕色鳞片，羽柄着生处常有鳞片。孢子囊位于中脉两侧，各成2行；囊群盖圆形，盾状，全缘。

镰羽贯众

| 生境分布 |

生于海拔 250 ~ 1600m 的山谷溪边或林下。分布于重庆南川、武隆、江津、黔江、南岸、北碚、云阳、奉节等地。

| 资源情况 |

野生资源一般。药材主要来源于野生。

| 采收加工 |

全年均可采收，除去叶和泥沙，洗净，鲜用或晒干。

| 功能主治 |

微苦，寒。归肺、大肠经。清热解毒，驱虫。用于流行性感冒，肠寄生虫病。

| 用法用量 |

内服煎汤，15 ~ 30g。

| 附　注 |

（1）在 FOC 中，本种被修订为巴郎耳蕨 *Polystichum balansae* Christ，属名被修订为耳蕨属 *Polystichum*。

（2）广西等地有缺齿镰羽贯众，其根茎亦作镰羽贯众入药。

刺齿贯众

鳞毛蕨科 Dryopteridaceae 贯众属 Cyrtomium

刺齿贯众

Cyrtomium caryotideum (Wall. ex Hook. et Grev.) Presl

| 药 材 名 |

大昏鸡头（药用部位：根茎。别名：牛尾贯众、大叶贯众、大叶兰芝）。

| 形态特征 |

多年生草本，植株高 30 ~ 60cm。根茎直立，密被披针形黑棕色鳞片。叶簇生，叶柄长 16 ~ 32cm，基部直径 2 ~ 3cm，禾秆色，腹面有浅纵沟，下部密生卵形及披针形、黑棕色或棕色、中间为黑棕色的鳞片，鳞片边缘有睫毛状齿，向上部渐秃净；叶片矩圆形或矩圆状披针形，长 25 ~ 48cm，宽 12 ~ 18cm，先端钝，基部不变狭或略变狭，奇数 1 回羽状；侧生羽片 3 ~ 7 对，互生，斜向上，柄极短，卵状披针形，常向上弯成镰状，中部的长 9 ~ 14cm，宽 2.5 ~ 3.5cm，先端渐尖常成尾状，基部宽楔形或圆楔形，上侧有长而尖的三角形耳状突起，边缘有张开的小尖齿；具羽状脉，小脉联结成多行网眼，腹面不明显，背面微凸；顶生羽片卵形或菱状卵形，二叉或三叉状，长 10 ~ 16cm，宽 8 ~ 11cm。叶为坚纸质，腹面光滑，背面疏生披针形棕色小鳞片；叶轴腹面有浅纵沟，疏生线形棕色鳞片。孢子囊群遍布羽片背面；囊群盖圆形，盾状，边缘有齿。

| **生境分布** | 生于海拔 600 ~ 2500m 的林下。分布于重庆南川、万州、奉节、武隆、长寿、巴南等地。

| **资源情况** | 野生资源较少。药材来源于野生。

| **采收加工** | 全年均可采挖，除去泥沙和叶，晒干或鲜用。

| **功能主治** | 苦，微寒；有毒。清热解毒，活血散瘀，利水消肿。用于疔疮痈肿，瘰疬，毒蛇咬伤，崩漏带下，水肿，跌打损伤，蛔虫病。亦可用于预防流行性感冒，麻疹。

| **用法用量** | 内服煎汤，10 ~ 30g；或浸酒。外用适量，煎汤洗。

鳞毛蕨科 Dryopteridaceae 贯众属 Cyrtomium

全缘贯众 *Cyrtomium falcatum* (L. f.) Presl

全缘贯众

药材名

全缘贯众（药用部位：根茎）。

形态特征

多年生草本，植株高 30 ～ 40cm。根茎直立，密被披针形棕色鳞片。叶簇生，叶柄禾秆色，腹面有浅纵沟，下部密生卵形、棕色有时中间带黑棕色鳞片，鳞片边缘流苏状，向上秃净；叶片宽披针形，先端急尖，基部略变狭，奇数 1 回羽状；侧生羽片 5 ～ 14 对，互生，平伸或略斜向上，有短柄，偏斜的卵形或卵状披针形，常向上弯，先端长渐尖或成尾状，基部偏斜，圆楔形，上侧圆形，下侧宽楔形或弧形，全缘，常成波状；具羽状脉，小脉结成 3 ～ 4 行网眼，腹面不明显，背面微凸起；顶生羽片卵状披针形，二叉或三叉状。叶革质，两面光滑；叶轴腹面有浅纵沟。孢子囊群遍布羽片背面；囊群盖圆形，盾状，边缘有小齿缺。

生境分布

生于路旁。分布于重庆巫山、巫溪、开州、武隆、南川等地。

| **资源情况** | 野生资源稀少。药材来源于野生。

| **采收加工** | 春、秋季采挖，除去叶、须根及泥沙，鲜用或晒干。

| **功能主治** | 清热解毒，驱虫。

| **用法用量** | 内服煎汤，5 ~ 10g。

鳞毛蕨科 Dryopteridaceae 贯众属 Cyrtomium

贯众
Cyrtomium fortunei J. Sm.

| 药 材 名 | 小贯众（药用部位：带叶柄残基的根茎。别名：贯众、鸡脑壳、鸡公头）、公鸡头叶（药用部位：叶）。

| 形态特征 | 多年生草本。根茎直立，密被棕色鳞片。叶簇生，叶柄禾秆色，腹面有浅纵沟，密生卵形及披针形鳞片，棕色，有时中间为深棕色，鳞片边缘有齿，有时向上部秃净；叶片矩圆状披针形，先端钝，基部不变狭或略变狭，奇数1回羽状；侧生羽片互生，近平伸，柄极短，披针形，多少上弯成镰状，先端渐尖，少数成尾状，基部偏斜，上侧近截形，有时略有钝的耳状凸，下侧楔形，全缘，有时有前倾的小齿；具羽状脉，小脉联结成 2～3 行网眼，腹面不明显，背面微凸起；顶生羽片狭卵形，下部有时有浅裂片。叶纸质，两面光滑；叶轴腹面有浅纵沟，疏生披针形及线形棕色鳞片。孢子囊群遍布羽片

贯众

背面；囊群盖圆形，盾状，全缘。

| **生境分布** | 生于海拔 2000m 以下的空旷地石灰岩缝或林下。重庆各地均有分布。

| **资源情况** | 野生资源丰富。药材主要来源于野生。

| **采收加工** | 小贯众：春、秋季采挖，除去叶、须根及泥沙，鲜用或晒干。
公鸡头叶：全年均可采收，洗净，鲜用或晒干。

| **药材性状** | 小贯众：本品呈倒卵状，长 3 ~ 10cm，直径 3 ~ 6cm。表面密被黄棕色至棕褐色叶柄残基。叶柄残基近扁圆柱形，略弯曲，长 2 ~ 5cm，直径 0.3 ~ 0.5cm，表面具细微纹理；质硬，断面平坦，可见黄白色点状维管束 3 ~ 10，排列成环。气微，味涩。

| **功能主治** | 小贯众：苦，微寒；有小毒。归肝、肺、大肠经。清热解毒，凉血止血，杀虫。用于感冒头痛，黄疸，吐血，衄血，月经过多，血崩，肠道寄生虫。
公鸡头叶：苦，微寒。凉血止血，清热利湿。用于崩漏，带下，刀伤出血，烫火伤。

| **用法用量** | 小贯众：内服煎汤，5 ~ 10g。外用适量，研末调敷；或鲜品捣敷。
公鸡头叶：内服煎汤，9 ~ 15g；研末，3 ~ 6g。外用适量，捣绒敷；或研末调涂。

鳞毛蕨科 Dryopteridaceae 贯众属 Cyrtomium

单叶贯众 *Cyrtomium hemionitis* Christ

| 药 材 名 | 单叶贯众（药用部位：根茎）。

| 形态特征 | 多年生草本，植株高 4 ~ 28cm。根茎直立，密被披针形深棕色鳞片。叶簇生，叶柄长 4 ~ 28cm，基部直径 1 ~ 3mm，禾秆色，腹面有浅纵沟，通体有披针形及线形深棕色鳞片，鳞片全缘或边缘有睫毛状小齿，常扭曲；叶通常为单叶（即仅具 1 顶生羽片），三角状卵形，或心形，下部两侧常有钝角状突起，长 4 ~ 12cm，宽 3.5 ~ 10cm，先端急尖或渐尖，基部深心形，全缘；有时下部深裂成 1 对裂片或成 1 对分离的羽片；具三出脉或五出脉，小脉联结成多行网眼，腹面微凸出，背面不明显。叶革质，腹面光滑，背面有毛状小鳞片。孢子囊群遍布羽片背面；囊群盖圆形，盾状，边缘有小齿。

单叶贯众

| 生境分布 | 生于海拔 1100 ～ 1800m 的林下。分布于重庆南川、武隆、彭水等地。

| 资源情况 | 野生资源稀少。药材来源于野生。

| 采收加工 | 春、秋季采挖，除去叶、须根及泥沙，鲜用或晒干。

| 功能主治 | 清热解毒，止血，驱虫。

| 用法用量 | 内服煎汤，5 ～ 10g。外用适量，研末调敷；或鲜品捣敷。

鳞毛蕨科 Dryopteridaceae 贯众属 Cyrtomium

尖羽贯众
Cyrtomium hookerianum (Presl) C. Chr.

| **药 材 名** | 尖羽贯众（药用部位：根茎）。

| **形态特征** | 多年生草本。根茎直立，疏生披针形棕色鳞片。叶簇生，叶柄长25 ~ 54cm，基部直径4 ~ 5mm，禾秆色，腹面有浅纵沟，嫩时有卵形及披针形鳞片，棕色，中间黑棕色，后秃净；叶片卵状披针形，长42 ~ 78cm，宽12 ~ 20cm，先端渐尖，基部变狭，1回羽状；羽片15 ~ 20对，互生，略斜向上，有短柄，披针形，中部的长8 ~ 13cm，宽1 ~ 2cm，先端渐尖有时尾状，基部楔形近对称，全缘，有时边缘略成波状，近顶处有前倾的小齿；具羽状脉，小脉联结成1 ~ 2行网眼，腹面不明显，背面微凸起；叶坚纸质，腹面光滑，背面疏生披针形棕色小鳞片；叶轴腹面有浅纵沟，疏生披针形棕色鳞片。孢子囊群位于中脉两侧，各成1 ~ 3行；囊群盖圆形，盾状，全缘。

尖羽贯众

| **生境分布** | 生于海拔 1200 ～ 1500m 的林中或溪边。分布于重庆南川、武隆、丰都等地。

| **资源情况** | 野生资源稀少。药材来源于野生。

| **采收加工** | 春、秋季采挖，除去叶、须根及泥沙，鲜用或晒干。

| **功能主治** | 清热解毒，止血，驱虫。

| **用法用量** | 内服煎汤，5 ～ 10g。外用适量，研末调敷或鲜品捣烂敷。

| **附　　注** | 在 FOC 中，本种被修订为虎克耳蕨 *Polystichum hookerianum* (C. Presl) C. Christensen，属名被修订为耳蕨属 *Polystichum*。

鳞毛蕨科 Dryopteridaceae 贯众属 *Cyrtomium*

大叶贯众

Cyrtomium macrophyllum (Makino) Tagawa

| 药 材 名 | 大叶贯众（药用部位：根茎）。

| 形态特征 | 根茎直立，密被披针形黑棕色鳞片。叶簇生，叶柄禾秆色，腹面有浅纵沟，下部密生卵形及披针形黑棕色鳞片，鳞片边缘有齿，常扭曲，向上部渐秃净；叶片矩圆状卵形或狭矩圆形，先端钝，基部不变狭或略宽，奇数 1 回羽状；侧生羽片互生，略斜向上，有短柄，基部 1 或 2 对为卵形，常较大，其他为矩圆状卵形，中部先端渐尖或急尖成短尾状，基部宽楔形或圆楔形，全缘，有时近顶处有小齿；具羽状脉，小脉联结成多行网眼，腹面不明显，背面微凸起；顶生羽片卵形或菱状卵形，二叉或三叉状。叶坚纸质，腹面光滑，背面有时疏生披针形棕色小鳞片；叶轴腹面有浅纵沟，有披针形及线形黑棕色鳞片。孢子囊群遍布羽片背面；囊群盖圆形，盾状，全缘。

大叶贯众

| **生境分布** | 生于海拔 1000 ～ 2200m 的阔叶林下。分布于重庆石柱、黔江、南川、綦江、江津、城口、云阳等地。

| **资源情况** | 野生资源稀少。药材主要来源于野生。

| **采收加工** | 全年均可采收，除去叶和泥沙，洗净，鲜用或晒干。

| **功能主治** | 苦，微寒。清热解毒，凉血止血。用于流行性感冒，流行性乙型脑炎，崩漏。

| **用法用量** | 内服煎汤，9 ～ 15g。

鳞毛蕨科 Dryopteridaceae 贯众属 Cyrtomium

低头贯众 Cyrtomium nephrolepioides (Christ) Cop.

| 药 材 名 | 低头贯众（药用部位：根茎）。

| 形态特征 | 多年生草本，植株高 12 ~ 28cm。根茎直立，密被披针形棕色鳞片。叶簇生，禾秆色，有时下部带紫色，腹面有浅纵沟，密被卵形及披针形棕色鳞片，鳞片边缘有流苏状的齿；叶片线状披针形，先端渐尖，基部不变狭，奇数 1 回羽状；侧生羽片 10 ~ 26 对，互生，平伸或略斜向下，有柄，密接，卵形，先端圆形，基部心形，有时为偏斜的心形，全缘，常略反卷；具羽状脉，中脉两面下凹，侧脉联结，不明显；顶生羽片卵形。叶坚革质，两面秃净；叶轴腹面有浅纵沟，背面密生披针形、边缘有齿的棕色鳞片。孢子囊群位于中脉两侧各成 1 行；囊群盖圆形，盾状，边缘有不规则的齿缺。

低头贯众

| 生境分布 |

生于海拔 1000 ~ 1600m 的杂木林下岩石缝中。
分布于重庆开州、南川、彭水、酉阳、垫江等地。

| 资源情况 |

野生资源稀少。药材来源于野生。

| 采收加工 |

春、秋季采挖,除去叶、须根及泥沙,鲜用或晒干。

| 功能主治 |

清热解毒,消炎,杀虫。

| 用法用量 |

内服煎汤,适量。

鳞毛蕨科 Dryopteridaceae 贯众属 Cyrtomium

齿盖贯众

Cyrtomium tukusicola Tagawa

| 药 材 名 | 齿盖贯众（药用部位：根茎）。

| 形态特征 | 多年生草本。根茎直立，密被披针形黑棕色鳞片。叶簇生，叶柄禾秆色，腹面有浅纵沟，下部密生卵形及披针形黑棕色鳞片，鳞片边缘有齿，常扭曲，向上部渐秃净；叶片矩圆状卵形至矩圆状披针形，先端钝，基部不变狭或略宽，奇数 1 回羽状；侧生羽片 2 ~ 8 对，互生，斜向上，有短柄，基部 1 或 2 对卵形，较大，其他为矩圆状披针形或狭卵形，中部的先端渐尖或成尾状，基部宽楔形或圆楔形，全缘，有时上部有少数前倾的小齿；具羽状脉，小脉联结成多行网眼，腹面不明显，背面微凸起；顶生羽片倒卵形或菱状卵形。叶坚纸质，两面光滑；叶轴腹面有浅纵沟，疏生披针形及线形棕色鳞片。孢子囊群遍布羽片背面；囊群盖圆形，盾状，边缘有细齿。

齿盖贯众

| **生境分布** | 生于海拔 1000 ～ 2500m 的山谷阔叶林下。分布于重庆石柱、武隆、忠县、彭水、南川等地。 |

| **资源情况** | 野生资源一般。药材来源于野生。 |

| **采收加工** | 春、秋季采挖，除去叶、须根及泥沙，鲜用或晒干。 |

| **功能主治** | 清热解毒，消炎，杀虫。 |

| **用法用量** | 内服煎汤，适量。 |

鳞毛蕨科 Dryopteridaceae 贯众属 Cyrtomium

线羽贯众 *Cyrtomium urophyllum* Ching

| 药 材 名 | 线羽贯众（药用部位：根茎）。

| 形态特征 | 多年生草本，植株高 50 ~ 100cm。根茎直立，密被披针形棕色鳞片。叶簇生，禾秆色，腹面有浅纵沟，下部密被卵形及披针形棕色鳞片，鳞片边缘有齿，向上部渐秃净；叶片矩圆状披针形，长34 ~ 70cm，先端钝，基部略变狭，奇数 1 回羽状；侧生羽片 8 ~ 13对，互生，斜向上，有短柄，线状披针形，先端渐尖成尾状，基部楔形，全缘或上部有小齿；具羽状脉，小脉联结成多行网眼，腹背两面均不明显或微凸起；顶生羽片倒卵形或菱状卵形，二叉或三叉状。叶为纸质，两面光滑，囊群着生处叶腹面常凸出，背面下凹成小穴；叶轴腹面有纵沟，疏生披针形及线形棕色鳞片。孢子囊群遍布羽片背面；囊群盖圆形，盾状，边缘有小齿或近全缘。

线羽贯众

生境分布	生于海拔 300 ~ 1640m 的溪边阔叶林下。分布于重庆南川、江津、綦江等地。
资源情况	野生资源稀少。药材来源于野生。
采收加工	春、秋季采挖，除去叶、须根及泥沙，鲜用或晒干。
功能主治	清热解毒，散热。
用法用量	内服煎汤，适量。

鳞毛蕨科 Dryopteridaceae 贯众属 Cyrtomium

阔羽贯众
Cyrtomium yamamotoi Tagawa

| 药 材 名 | 冷蕨子草（药用部位：根茎）。

| 形态特征 | 多年生草本，植株高 40 ~ 60cm。根茎直立，密被披针形黑棕色鳞片。叶簇生，叶柄长 22 ~ 30cm，基部直径 2 ~ 3mm，禾秆色，腹面有浅纵沟，密生卵形及披针形鳞片，黑棕色或中间黑棕色，边缘棕色，鳞片边缘有小齿，上部渐稀疏；叶片卵形或卵状披针形，长 24 ~ 44cm，宽 12 ~ 18cm，先端钝，基部略狭，奇数 1 回羽状；侧生羽片 4 ~ 14 对，互生，略斜向上，有短柄，下部的较大，长 10 ~ 20cm，宽 4 ~ 5cm，镰状阔披针形，中部以上各羽片短披针形，先端短尾尖，边缘有不整齐的粗锯齿，基部圆楔形或为不对称楔形，上侧有耳状突起；叶脉网状。孢子囊群遍布羽片背面；囊群盖圆形，盾状，边缘有齿缺。

阔羽贯众

| **生境分布** | 生于海拔 400 ～ 2100m 的林下。分布于重庆城口、石柱、江津、武隆、南川等地。 |

| **资源情况** | 野生资源一般。药材主要来源于野生。 |

| **采收加工** | 全年均可采挖，除去叶，洗净泥土，鲜用或晒干。 |

| **功能主治** | 苦，寒。清热解毒，凉血，杀虫。用于感冒，流行性乙型脑炎，崩漏，蛔虫病。 |

| **用法用量** | 内服煎汤，9 ～ 15g。 |

鳞毛蕨科 Dryopteridaceae 贯众属 Cyrtomium

粗齿阔羽贯众

Cyrtomium yamamotoi Tagawa var. *intermedium* (Diels) Ching et Shing ex Shing

| **药 材 名** | 粗齿阔羽贯众（药用部位：根茎）。 |

| **形态特征** | 本种与原变种阔羽贯众的区别在于羽片边缘波状或具粗钝齿。 |

| **生境分布** | 生于海拔400～2000m的阴湿山地阔叶林下。分布于重庆巫溪、开州、南川、城口等地。 |

| **资源情况** | 野生资源稀少。药材来源于野生。 |

| **采收加工** | 春、秋季采挖，除去叶、须根及泥沙，鲜用或晒干。 |

| **功能主治** | 清热解毒，驱虫。 |

| **用法用量** | 内服煎汤，9～15g。 |

粗齿阔羽贯众

鳞毛蕨科 Dryopteridaceae 鳞毛蕨属 *Dryopteris*

多鳞鳞毛蕨 *Dryopteris barbigera* (T. Moore et Hook.) O. Ktze.

多鳞鳞毛蕨

药材名

多鳞鳞毛蕨（药用部位：根茎。别名：芒齿鳞毛蕨、髯毛鳞毛蕨）。

形态特征

多年生草本。根茎丛生，连同叶柄基部密被红棕色、卵圆状披针形鳞片。叶簇生；叶柄长 20 ~ 30cm，直径可达 1cm，密被同样鳞片及棕色纤维状鳞毛；叶片卵圆形或长圆状披针形，钝尖头，基部不狭缩，3 回羽状深裂；侧生羽片 20 对以上；披针形，长约 13cm，宽约 3cm，钝尖头，具短柄，2 回羽状分裂；小羽片约 20 对，长圆形，圆钝头，基部与羽轴合生，羽状深裂或半裂，边缘具三角形尖齿牙，干后常反折。叶干后黄绿色，叶脉两面明显，叶轴、羽轴及小羽轴均密被棕色纤维状鳞毛和狭披针形鳞片。孢子囊群生于小羽轴两侧，每裂片 1，囊群盖圆肾形，红棕色，常早落。

生境分布

生于高海拔地区的山坡、灌丛、草地。分布于重庆长寿、九龙坡等地。

| **资源情况** | 野生资源稀少。药材主要来源于野生。

| **采收加工** | 全年均可采收，除去叶和杂质，洗净，鲜用或晒干。

| **功能主治** | 苦，寒；有毒。驱虫，解毒。用于肠寄生虫病，食物中毒。

| **用法用量** | 内服煎汤，5 ～ 15g。

鳞毛蕨科 Dryopteridaceae 鳞毛蕨属 Dryopteris

阔鳞鳞毛蕨 *Dryopteris championii* (Benth.) C. Chr.

| **药 材 名** | 毛贯众（药用部位：根茎。别名：小龙骨、小贯众、蕨难脑）。

| **形态特征** | 多年生草本。根茎横卧或斜升，先端及叶柄基部密被披针形、棕色、全缘的鳞片。叶簇生；叶柄禾秆色，密被鳞片；鳞片阔披针形，先端渐尖，边缘有尖齿；叶片卵状披针形，2回羽状，小羽片羽状浅裂或深裂；羽片基部的近对生，上部互生，卵状披针形，基部略收缩，先端斜向叶尖，小羽片披针形，基部浅心形至阔楔形，具短柄，先端钝圆并具细尖齿，边缘羽状浅裂至羽状深裂，基部 1 对裂片明显最大而使小羽片基部最宽；裂片圆钝头，先端具尖齿。侧脉羽状，在叶片下面明显可见。叶轴密被棕色鳞片，基部阔披针形，先端毛状渐尖，边缘有细齿，羽轴具有较密的泡状鳞片。叶草质，孢子囊群大，位于中脉与叶缘之间或略靠近叶缘着生；囊群盖圆肾形，全缘。

阔鳞鳞毛蕨

| 生境分布 |

生于海拔 300 ～ 1500m 的疏林或灌丛中。分布于重庆丰都、垫江、涪陵、彭水、江津、酉阳、长寿、九龙坡、铜梁、忠县、云阳、城口、武隆、巫溪、梁平、大足、黔江、巴南、沙坪坝等地。

| 资源情况 |

野生资源丰富。药材主要来源于野生。

| 采收加工 |

夏、秋季采收,挖出全株,除去须根和叶柄,晒干。

| 功能主治 |

苦,寒。归肺、大肠经。清热解毒,平喘,止血敛疮,驱虫。用于感冒,目赤肿痛,气喘,便血,疮毒溃烂,烫伤,钩虫病。

| 用法用量 |

内服煎汤,15 ～ 30g。外用适量,捣敷。

鳞毛蕨科 Dryopteridaceae 鳞毛蕨属 Dryopteris

迷人鳞毛蕨
Dryopteris decipiens (Hook.) O.Ktze.

| 药 材 名 | 迷人鳞毛蕨（药用部位：根茎）。

| 形态特征 | 多年生草本，植株高达 60cm。根茎斜升或直立。叶簇生；叶柄除最基部为黑色外，其余部分为禾秆色，基部密被鳞片，向上鳞片逐渐稀疏；鳞片狭披针形，栗棕色，全缘；叶片披针形，1 回羽状，先端渐尖并为羽裂；羽片互生或对生，有短柄，基部通常心形，先端渐尖，边缘波状浅裂或具浅锯齿，中部的羽片较大，羽片的中脉上面具浅沟，下面凸起，侧脉羽状，小脉单一，上面不显，下面略可见，除基部上侧 1 小脉仅达羽片中部外，其余小脉均几达羽片边缘。叶纸质，叶轴疏被基部呈泡状的狭披针形鳞片，羽片上面无鳞片，下面具有淡棕色的泡状鳞片及稀疏的刺状毛。孢子囊群圆形，在羽片中脉两侧通常各 1 行，少有不规则 2 行，较靠近中脉着生；囊群盖圆肾形，全缘。

迷人鳞毛蕨

| **生境分布** | 生于海拔 300 ～ 1500m 的林下。分布于重庆南川、綦江、北碚、荣昌等地。

| **资源情况** | 野生资源稀少。药材主要来源于野生。

| **采收加工** | 春、秋季采挖，除去叶、须根及泥沙，鲜用或晒干。

| **功能主治** | 清热利水，杀虫，收敛。

| **用法用量** | 内服煎汤，适量。外用适量，捣敷。

| **附　　注** | 深裂迷人鳞毛蕨 Dryopteris decipiens (Hook.) O. Ktze. var. *diplazioides* (Christ) Ching 与本种的区别在于羽片半裂至羽状深裂，少数达全裂而呈二回羽状复叶。

鳞毛蕨科 Dryopteridaceae 鳞毛蕨属 Dryopteris

红盖鳞毛蕨 *Dryopteris erythrosora* (Eaton) O. Ktze.

| 药 材 名 | 红盖鳞毛蕨（药用部位：根茎）。

| 形态特征 | 多年生草本。根茎横卧或斜升。叶簇生；叶柄禾秆色或略呈淡紫色，基部密被栗黑色披针形鳞片，鳞片全缘，边缘和先端色较淡，中上部的鳞片较小、较稀疏；叶片长圆状披针形，2回羽状；羽片对生或近对生，披针形，小羽片披针形，斜向羽片先端，边缘具较细的圆齿或羽状浅裂，基部羽片的基部下侧第1对小羽片明显缩小，长不及相近小羽片的一半；裂片也明显地斜向小羽片先端并在前方具1～2尖齿。叶轴疏被小鳞片，或近光滑，羽轴和小羽片中脉密被棕色泡状鳞片。叶片上面无毛，下面疏被淡棕色毛状小鳞片。孢子囊群较小，在小羽片中脉两侧各1行至不规则多行，靠近中脉着生；囊群盖圆肾形，全缘，中央红色，边缘灰白色。

红盖鳞毛蕨

| 生境分布 | 生于海拔 200 ～ 2000m 的较干燥的松树林下。重庆各地均有分布。

| 资源情况 | 野生资源丰富。药材主要来源于野生。

| 采收加工 | 春、秋季采挖，除去叶、须根及泥沙，鲜用或晒干。

| 功能主治 | 清热解毒，杀虫，利水消肿，止血生肌。

| 用法用量 | 内服煎汤，适量。外用适量，捣敷。

■鳞毛蕨科■ Dryopteridaceae ■鳞毛蕨属■ *Dryopteris*

黑足鳞毛蕨 *Dryopteris fuscipes* C. Chr.

黑足鳞毛蕨

| 药 材 名 |

黑色鳞毛蕨（药用部位：根茎。别名：小叶山鸡尾巴草）。

| 形态特征 |

多年生草本，常绿植物。根茎横卧或斜升，连同残存的叶柄基部密被鳞片。叶簇生；叶柄除基部为黑色外，其余部分为深禾秆色，基部密被披针形、棕色、有光泽的鳞片，鳞片先端渐尖或毛状，全缘，叶柄上部至叶轴的鳞片较短小和稀疏；叶片卵状披针形或三角状卵形，2回羽状；羽片披针形；小羽片三角状卵形，基部最宽，有柄或无柄，先端钝圆，边缘有浅齿，基部羽片的基部小羽片通常缩小，基部羽片的中部下侧小羽片则通常较长，先端较尖。叶轴、羽轴和小羽片中脉上的上面具浅沟；侧脉羽状，上面不显，下面略可见。叶纸质。叶轴具有较密的披针形、线状披针形鳞片和少量泡状鳞片。孢子囊群大，在小羽片中脉两侧各1行，略靠近中脉着生；囊群盖圆肾形，全缘。

| 生境分布 |

生于海拔600～2000m的疏林下或灌丛中。分布于重庆合川、奉节、万州、南川、开州、石柱等地。

| **资源情况** | 野生资源一般。药材主要来源于野生。

| **采收加工** | 全年均可采收，除去叶和杂质，洗净，鲜用或晒干。

| **功能主治** | 清热解毒，生肌敛疮。用于目赤肿痛，疮疡溃烂，久不收口。

| **用法用量** | 内服煎汤，3 ~ 9g。外用适量，捣敷。

鳞毛蕨科 Dryopteridaceae 鳞毛蕨属 Dryopteris

黑鳞鳞毛蕨 *Dryopteris lepidopoda* Hayata

药 材 名	等宽鳞毛蕨（药用部位：根茎。别名：厚叶鳞毛蕨、喀西鳞毛蕨）。
形态特征	多年生草本。根茎粗壮，直立或斜升，密被红棕色、披针形、全缘鳞片。叶簇生；柄禾秆色，基部密被黑色或褐棕色、线状披针形鳞片，具毛发状尖头，向上渐稀疏；叶片卵圆状披针形或披针形，先端羽裂渐尖，基部不狭缩或略狭缩，2回羽状深裂；侧生羽片约20对，互生，彼此远离；中部羽片披针形，先端渐尖，基部最宽，有短柄，羽状深裂；裂片斜展，先端圆钝头，疏具三角形齿牙，侧边具缺刻状锯齿。叶干后淡绿色，纸质，沿叶轴及羽片背面羽轴被黑色、线状披针形、基部多分叉鳞片；侧脉羽状，分叉，背面明显。孢子囊群圆形，每裂片

黑鳞鳞毛蕨

4～6对，生于叶缘与中肋之间；囊群盖圆肾形，棕色，成熟后易脱落。

| 生境分布 | 生于海拔1000～1800m的山地阔叶林下。分布于重庆南川、黔江、綦江、秀山、沙坪坝、城口、酉阳、丰都、云阳、忠县、巴南等地。

| 资源情况 | 野生资源较丰富。药材主要来源于野生。

| 采收加工 | 全年均可采挖，除去叶及须根，洗净泥沙，鲜用或晒干。

| 功能主治 | 驱虫。用于绦虫病。

| 用法用量 | 内服煎汤，10～15g。

| 附　注 | 本种与大羽鳞毛蕨 *Dryopteris wallichiana* (Sw.) C. Chr.、川西鳞毛蕨 *Dryopteris rosthornii* (Diels) C. Chr. 非常接近，但叶柄和叶轴鳞片较狭，下部几对羽片不缩短或略缩短，裂片斜展，圆钝头，无半透明软骨质狭边，应注意区别。

鳞毛蕨科 Dryopteridaceae 鳞毛蕨属 Dryopteris

半岛鳞毛蕨 *Dryopteris peninsulae* Kitag.

| 药 材 名 | 辽东鳞毛蕨（药用部位：根茎）。

| 形态特征 | 多年生草本，植株高达 50cm。根茎粗短，近直立。叶簇生；叶柄长达 24cm，淡棕褐色，有 1 纵沟，基部密被棕褐色、膜质、线状披针形至卵状长圆形且具长尖头的鳞片，向上连同叶轴散生栗色或基部栗色上部棕褐色、边缘疏生细尖齿、披针形至长圆形的鳞片；叶片厚纸质，长圆形或狭卵状长圆形，长 13 ~ 38cm，宽 8 ~ 20cm，基部多少心形，先端短渐尖，2 回羽状；羽片 12 ~ 20 对，对生或互生，具短柄，卵状披针形至披针形，基部不对称，先端长渐尖且微镰状上弯，下部羽片较大，长达 11cm，宽达 4.5cm，向上渐次变小，羽轴禾秆色，疏生线形易脱落的鳞片；小羽片或裂片达 15 对，长圆形，先端钝圆且具短尖齿，基部几对小羽片的基部多少耳形，边缘具浅

半岛鳞毛蕨

波状齿，上部裂片基部近全缘，上部具浅尖齿；裂片或小羽片上的叶脉羽状明显。孢子囊群圆形，较大，通常仅叶片上半部生有孢子囊群，沿裂片中肋排成2行；囊群盖圆肾形至马蹄形，近全缘，成熟时不完全覆盖孢子囊群；孢子近椭圆形，外壁具瘤状突起。

| 生境分布 |

生于阴湿地杂草丛中。分布于重庆忠县、南川、巴南、酉阳、綦江等地。

| 资源情况 |

野生资源较少。药材来源于野生，自采自用。

| 采收加工 |

全年均可采收，除去叶柄和须根，洗净，鲜用或晒干。

| 功能主治 |

苦，凉。清热解毒，凉血止血，驱虫。用于流行性感冒，流行性乙型脑炎，吐血，衄血，崩漏，产后便血，肠寄生虫病。

| 用法用量 |

内服煎汤，10 ~ 15g。

| 鳞毛蕨科 | Dryopteridaceae | 鳞毛蕨属 | *Dryopteris*

无盖鳞毛蕨 *Dryopteris scottii* (Bedd.) Ching ex C. Chr.

| **药 材 名** | 无盖鳞毛蕨（药用部位：根茎。别名：裸果鳞毛蕨）。

| **形态特征** | 多年生草本，植株高 50 ~ 80cm。根茎直立，密生褐黑色、披针形的鳞片。叶簇生；叶柄长 18 ~ 35cm，禾秆色；叶片长 25 ~ 45cm，宽 15 ~ 25cm，长圆形或三角状卵形，先端羽裂渐尖，基部不变狭或略变狭，1 回羽状；羽片 10 ~ 16 对，长 10 ~ 12cm，宽 1.5 ~ 3cm，披针形或长圆状披针形，渐尖头，基部圆截形，有短柄或近无柄，边缘有前伸的波状圆齿；叶脉略可见，侧脉羽状分枝，每组有小脉 3 ~ 7；叶薄草质，干后褐绿色，上面光滑，下面沿羽轴及侧脉有 1 ~ 2 纤维状小鳞片，沿叶轴下面疏生边缘有刺齿、黑褐色或褐棕色的线形鳞片。孢子囊群圆形，生于小脉中部稍下处，在羽轴两侧各排列成不整齐的 2 ~ 3 (~ 4) 行，无盖。

无盖鳞毛蕨

| 生境分布 |

生于海拔 500 ~ 2200m 的阴湿杂木林下。分布
于重庆云阳、开州、万州、彭水、南川等地。

| 资源情况 |

野生资源稀少。药材主要来源于野生。

| 采收加工 |

全年均可采收，挖出后除去叶柄和须根，洗净，
鲜用或晒干。

| 功能主治 |

清热解毒，杀虫。

| 用法用量 |

内服煎汤，适量。

| 附　　注 |

远轴鳞毛蕨 Dryopteris dickinsii (Franch. et Sav.)
C. Chr. 形体与本种近似，区别在于前者鳞片褐
棕色，叶片向基部变狭，孢子囊群生于小脉中
部以上，远离主脉，有盖，应注意区别。

鳞毛蕨科 Dryopteridaceae **鳞毛蕨属** *Dryopteris*

两色鳞毛蕨 *Dryopteris setosa* (Thunb.) Akasawa

| 药 材 名 | 两色鳞毛蕨（药用部位：根茎。别名：两色耳蕨）。

| 形态特征 | 多年生草本。根茎横卧或斜升，先端密被黑色或黑褐色、狭披针形鳞片。叶簇生；叶柄禾秆色，基部密被黑色狭披针形鳞片，先端毛状卷曲。叶片卵状披针形，3回羽状，先端渐尖；羽片互生，基部具短柄，先端羽裂渐尖，基部1对羽片最大，披针形；小羽片披针形，下侧小羽片较大，基部1对最大，羽状全裂；末回小羽片披针形，先端短渐尖，边缘具粗齿至全缘。叶脉两面不明显；叶近革质，干后黄绿色，叶轴和羽轴密被基部棕色泡状、中上部黑色狭披针形鳞片，小羽轴和末回裂片中脉下面密被棕色泡状鳞片。孢子囊群大，靠近小羽片中脉或末回裂片中脉着生；囊群盖大，棕色，圆肾形，全缘

两色鳞毛蕨

或边缘有短睫毛。

| 生境分布 |

生于海拔 800 ~ 1800m 的常绿阔叶林下或沟边。
分布于重庆黔江、垫江、彭水、酉阳、铜梁、长寿、
奉节、石柱、南川等地。

| 资源情况 |

野生资源丰富。药材主要来源于野生。

| 采收加工 |

全年均可采收，除去叶及杂质，鲜用或晒干。

| 功能主治 |

苦，寒。归肺经。清热解毒。用于预防流行性感冒。

| 用法用量 |

内服煎汤，5 ~ 15g。

鳞毛蕨科 Dryopteridaceae 鳞毛蕨属 Dryopteris

密鳞高鳞毛蕨

Dryopteris simasakii (H. Ito) Kurata var. *paleacea* (H. Ito) Kurata

密鳞高鳞毛蕨

药材名

密鳞高鳞毛蕨（药用部位：根茎）。

形态特征

多年生草本。根茎横卧或斜升，先端及叶柄基部密被披针形、棕色鳞片。叶簇生；叶柄禾秆色，密被披针形、棕色的鳞片；叶片卵状披针形，2回羽状，小羽片羽状深裂或叶片基部的小羽片羽状全裂而使叶片变成3回羽状；羽片近对生，基部几对羽片的羽轴几乎垂直叶轴，长圆状披针形，先端渐尖，基部的1对小羽片略覆盖叶轴；小羽片披针形，基部浅心形，具短柄，先端短渐尖或钝圆，边缘羽状浅裂至羽状全裂；裂片圆头，在先端前方具1喙状齿，指向小羽片先端。小羽片的侧脉羽状，小羽单一或二叉，上面不显，下面可见。叶柄、叶轴和羽轴的鳞片密，在较大的阔披针形鳞片间还混杂有较小的狭披针形鳞片。孢子囊群靠近裂片边缘着生；囊群盖圆肾形，全缘。

生境分布

生于山谷林下。分布于重庆南川等地。

| **资源情况** | 野生资源稀少。药材主要来源于野生。 |

| **采收加工** | 全年均可采收，挖出后除去叶柄和须根，洗净，鲜用或晒干。 |

| **功能主治** | 清热利水，杀虫。 |

| **用法用量** | 内服煎汤，适量。 |

鳞毛蕨科 Dryopteridaceae 鳞毛蕨属 Dryopteris

稀羽鳞毛蕨 *Dryopteris sparsa* (Buch.-Ham. ex D. Don) O. Ktze.

| **药 材 名** | 稀羽鳞毛蕨（药用部位：根茎）。

| **形态特征** | 多年生草本，植株高 50 ～ 70cm。根茎短，直立或斜升，密被棕色、全缘的披针形鳞片。叶簇生；叶柄长 20 ～ 40cm，淡栗褐色或棕禾秆色，基部以上均无鳞片；叶片卵状长圆形至三角状卵形，长 30 ～ 45cm，宽 15 ～ 25cm，先端长渐尖，2 回羽状至 3 回羽裂；羽片 7 ～ 9 对，基部 1 对最大，三角状披针形或镰状，长 10 ～ 18cm，宽达 10cm；小羽片 13 ～ 15 对，互生，披针形或卵状披针形，基部 1 对的下侧 1 片小羽片较长，长 6 ～ 8cm，基部宽约 2cm，1 回羽状，其余向上各对小羽片逐渐缩短；裂片长圆形，先端钝圆并有几个尖齿，边缘有疏细齿；叶近纸质，两面光滑。孢子囊群圆形，着生于小脉中部；囊群盖圆肾形，全缘。

稀羽鳞毛蕨

| **生境分布** | 生于海拔 500 ~ 2000m 的林下或溪边。分布于重庆石柱、南川、江津、北碚、长寿、彭水、垫江、云阳、南岸、荣昌等地。 |

| **资源情况** | 野生资源较丰富。药材来源于野生。 |

| **采收加工** | 全年均可采收，挖出后除去叶柄和须根，洗净，鲜用或晒干。 |

| **功能主治** | 清热解毒。 |

| **用法用量** | 内服煎汤，适量。 |

鳞毛蕨科 Dryopteridaceae 鳞毛蕨属 *Dryopteris*

变异鳞毛蕨
Dryopteris varia (L.) O. Ktze.

| 药 材 名 | 变异鳞毛蕨（药用部位：根茎。别名：小叶金鸡尾巴草、小狗脊子）。

| 形态特征 | 多年生草本。根茎横卧或斜升，先端密被褐棕色、狭披针形鳞片，先端毛状卷曲。叶簇生；叶柄禾秆色，最基部密被与根茎先端相同的鳞片，向上密被棕色小鳞片或鳞片脱落后近光滑；羽片披针形，基部1对最大，先端羽裂渐尖，基部有短柄；小羽片披针形，基部羽片的小羽片上先出，下侧羽片较大，下侧第1片小羽片最大，羽状全裂，较小植株的基部下侧小羽片为羽状深裂，叶片中上部的小羽片为羽状半裂或边缘具锯齿；基部小羽片的末回裂片或末回小羽片披针形，先端短渐尖，边缘羽状浅裂或有齿。叶脉下面明显，裂片的叶脉羽状，小脉分叉或单一。叶近革质，叶轴和羽轴疏被黑色毛状小鳞片。孢子囊群较大，靠近小羽片或裂片边缘着生；囊群盖

变异鳞毛蕨

圆肾形，棕色，全缘。

| **生境分布** |

生于海拔 300 ~ 1800m 的林缘或林下。重庆各
地均有分布。

| **资源情况** |

野生资源较丰富。药材主要来源于野生。

| **采收加工** |

全年均可采收，除去叶柄和须根，洗净，鲜用
或晒干。

| **功能主治** |

微涩，凉。清热，止痛。用于内热腹痛，肺结核。

| **用法用量** |

内服煎汤，10 ~ 15g。

无盖肉刺蕨 *Nothoperanema shikokianum* (Makino) Ching

无盖肉刺蕨

药 材 名

无盖肉刺蕨（药用部位：根茎）。

形态特征

多年生草本。根茎粗，直立，先端连同叶柄下部密被暗棕色、卵形鳞片，先端渐尖，全缘。叶簇生，向上直达叶轴被暗棕色、卵状披针形鳞片；叶片卵状五角形，先端短渐尖，3回羽状；羽片基部1（～2）对对生，向上的互生，有柄，斜展，密接；小羽片互生，有柄，尖头，基部对称，圆形，羽状；末回小羽片长圆形，圆钝头，基部阔楔形，边缘浅裂至深裂；裂片4～5，长圆形，近截头，全缘；第2对羽片与基部的同形而略短，2回羽状；自第3对羽片起向上各对逐渐缩短，叶片顶部呈三角形。叶脉在末回小羽片上为羽状，伸达叶缘，下面可见。孢子囊群圆形，生于小脉顶部，位于主脉与叶缘中间，并在主脉两侧各排成1行；无囊群盖。

生境分布

生于海拔370～1800m的溪边杂木林或竹林下。分布于重庆南川、綦江等地。

资源情况

野生资源稀少。药材主要来源于野生。

采收加工

全年均可采收，挖出后除去叶柄和须根，洗净，鲜用或晒干。

功能主治

清热解毒，杀虫。

用法用量

内服煎汤，适量。

附 注

（1）在 FOC 中，本种被修订为东亚鳞毛蕨 *Dryopteris shikokiana* (Makino) C. Christensen，属名被修订为鳞毛蕨属 *Dryopteris*。

（2）本种为稀有的中国特有或准特有的鳞毛蕨科蕨类植物。

鳞毛蕨科 Dryopteridaceae 黔蕨属 *Phanerophlebiopsis*

粗齿黔蕨 *Phanerophlebiopsis blinii* (Lévl.) Ching

| **药 材 名** | 粗齿黔蕨（药用部位：根茎）。

| **形态特征** | 多年生草本，植株高 30 ~ 65cm。根茎长，横走，连同叶轴密被褐色、线形鳞片。叶近生，叶柄长 13 ~ 30cm，直径 2 ~ 3mm，禾秆色；叶片阔披针形，长 16 ~ 35cm，宽 9 ~ 14cm，1 回羽状；顶生羽片长卵形，先端尖，基部羽裂深达 1/2；侧生羽片 9 对，基部 1 对对生，向上的互生，有柄，斜展，远离，披针形，中部的长 6 ~ 12cm，宽 1.5 ~ 2cm，渐尖头并略呈尾状，基部不对称，楔形，边缘疏浅裂，裂片先端有 1 ~ 2 短尖齿。叶脉羽状，侧脉分枝，小脉伸达叶缘以内，可见。叶近革质，干后绿色，两面光滑；叶轴和主脉下面疏被棕色、线形小鳞片。孢子囊群圆形，生于小脉先端，在主脉两侧各排成 2 行；囊群盖圆肾形，以缺刻处着生，棕色，膜质，脱落。

粗齿黔蕨

┃生境分布┃

生于海拔 600 ~ 1400m 的山谷密林下阴湿处。分布于重庆秀山、南川等地。

┃资源情况┃

野生资源稀少。药材来源于野生。

┃采收加工┃

全年均可采收，挖出后除去叶柄和须根，洗净，鲜用或晒干。

┃功能主治┃

清热解毒。

┃用法用量┃

内服煎汤，适量。

┃附　注┃

在 FOC 中，本种被修订为粗齿黔蕨 *Arachniodes blinii* (H. Léveillé) T. Nakaike，属名被修订为复叶耳蕨属 *Arachniodes*。

鳞毛蕨科 Dryopteridaceae 耳蕨属 *Polystichum*

尖齿耳蕨 *Polystichum acutidens* Christ

| 药 材 名 | 尖齿耳蕨（药用部位：全草或根茎。别名：岩山鸡）。

| 形态特征 | 多年生草本。根茎直立，先端及叶柄基部密被棕色或深棕色、卵形或卵状披针形、全缘的厚膜质鳞片。叶簇生；叶柄禾秆色，上面有沟槽，向上疏被少数与基部相同的鳞片及较多渐缩小、披针形或长钻形、大多伏贴、边缘有疏长齿的棕色或深棕色膜质鳞片；叶片披针形，先端渐尖，基部不缩狭或略缩狭，1 回羽状；羽片无柄，互生或仅对生，平展，下部的间距较大，有时略斜向下，上部的接近，镰状披针形，先端渐尖，常有短芒刺，两侧显著不对称，基部上侧有三角形耳状突起，其外侧平截或略向外凸起成弧形，与叶轴平行，基部下侧狭楔形，通直或略向内弯，基部以上的两侧边缘有锯齿，齿端通常或多或少向内弯并有或长或短的芒刺。孢子囊群较小，生于较短的小脉先端；圆盾形的囊群盖小，深棕色，近全缘。

尖齿耳蕨

| 生境分布 |

生于海拔 600 ~ 1800m 的山地常绿阔叶林下，多见于阴湿的石灰岩山谷。分布于重庆彭水、涪陵、丰都、石柱、南川、綦江、北碚等地。

| 资源情况 |

野生资源较丰富。药材主要来源于野生。

| 采收加工 |

全年均可采收，洗净，鲜用或晒干；或除去叶，洗净，将根茎晒干。

| 药材性状 |

本品全草长 45 ~ 60cm。根茎密生披针形鳞片。叶柄长 18 ~ 28cm，深禾秆色，基部密生披针形鳞片，上部近光滑；叶片披针形，长 30 ~ 34cm，中部宽 4.5 ~ 5cm，基部不变狭，1 回羽状；羽片长 2.5 ~ 3cm，宽 6 ~ 8mm，镰状披针形，基部上侧凸起成三角形，下侧平切，边缘有前伸具芒刺的尖齿，叶脉羽状分叉。孢子囊群生于分叉的上侧小脉先端，囊群盖圆盾形，近全缘。

| 功能主治 |

平肝，和胃，止痛。用于头晕，胃痛，胃、十二指肠溃疡。

| 用法用量 |

内服煎汤，5 ~ 10g。

鳞毛蕨科 Dryopteridaceae 耳蕨属 Polystichum

角状耳蕨
Polystichum alcicorne (Bak.) Diels

| 药 材 名 | 石黄连（药用部位：全草。别名：牛毛七）。

| 形态特征 | 多年生草本。根茎短而斜升，先端及叶柄至叶轴密被通常伏贴的膜质鳞片。叶簇生；叶柄禾秆色，上面有沟槽；叶片长卵形，先端短渐尖，基部不缩狭或略缩狭，通常椭圆形，3～4回羽状细裂，羽裂渐尖的顶部以下有侧生羽片，叶轴上面有深沟槽；羽片向上斜展，镰状披针形，先端短渐尖，基部阔楔形，有短柄或无柄，羽轴两侧有自上往下渐变狭达中部以下的狭翅，上面有深沟槽，下面疏被与叶轴鳞片形态相似但较小的伏贴的鳞片；叶草质，上面色较深；叶轴禾秆色，上面有沟槽，下面被相当多的棕色、阔卵形、边缘啮蚀状、贴生的膜质鳞片；羽轴绿色，上面有沟槽，下面疏生与叶轴上相同但较小的鳞片；叶脉下面疏被狭披针形或近节毛状的细小棕色鳞片。

角状耳蕨

孢子囊群细小，生于小脉先端，无囊群盖。

| **生境分布** | 生于海拔 600 ~ 1000m 的山地常绿阔叶林下阴湿处石灰岩隙。分布于重庆南川、彭水、涪陵、奉节、武隆等地。

| **资源情况** | 野生资源稀少。药材主要来源于野生。

| **采收加工** | 夏、秋季采收，洗净，晒干。

| **功能主治** | 散瘀消肿，止血。用于外伤肿痛，出血。

| **用法用量** | 内服煎汤，5 ~ 10g。外用适量，捣敷；或研末调敷。

鳞毛蕨科 Dryopteridaceae **耳蕨属** Polystichum

鞭叶耳蕨 *Polystichum craspedosorum* (Maxim.) Diels

| **药 材 名** | 鞭叶耳蕨（药用部位：全草）。

| **形态特征** | 多年生草本，植株高 10 ~ 20cm。根茎直立，密生披针形棕色鳞片。叶簇生，禾秆色，腹面有纵沟，密生披针形棕色鳞片，鳞片边缘有齿，下部边缘为卷曲的纤毛状；叶片线状披针形或狭倒披针形，1 回羽状；羽片下部的对生，向上为互生，平展或略斜向下，矩圆形或狭矩圆形，中部先端钝或圆形，基部偏斜，上侧截形，耳状凸明显或不明显，下侧楔形，边缘有内弯的尖齿牙；具羽状脉，侧脉单一。叶纸质，背面脉上有或疏或密的线形及毛状黄棕色鳞片，鳞片下部边缘为卷曲的纤毛状；叶轴腹面有纵沟，背面密生狭披针形，基部边缘具纤毛状的鳞片，先端延伸成鞭状，先端有芽胞，能萌发新植株。孢子囊群通常位于羽片上侧边缘成 1 行，有时下侧也有；囊群盖大，圆形，全缘，盾状。

鞭叶耳蕨

| **生境分布** | 生于海拔 2300m 以下的林下阴湿石岩山。分布于重庆丰都、城口、奉节、巫山、巫溪、南川、江津等地。 |

| **资源情况** | 野生资源一般。药材来源于野生。 |

| **采收加工** | 全年均可采收，洗净，鲜用或晒干。 |

| **功能主治** | 苦，凉。归心、肝、大肠经。清热解毒。用于乳痈，疖肿，肠炎。 |

| **用法用量** | 内服煎汤，9 ~ 15g。外用适量，鲜品捣敷。 |

鳞毛蕨科 Dryopteridaceae 耳蕨属 Polystichum

对生耳蕨 *Polystichum deltodon* (Bak.) Diels

| 药 材 名 | 灰贯众（药用部位：全草或叶。别名：蜈蚣草、胃痛药、小牛肋巴）。

| 形态特征 | 多年生草本，植株高 13 ~ 42cm。根茎短而斜升至直立。叶簇生；叶柄禾秆色，上面有沟槽，长 3 ~ 16cm，基部以上疏被棕色至暗棕色的薄膜质鳞片；叶坚纸质或薄革质；叶片披针形或狭长椭圆状披针形，长 9 ~ 30cm，中部宽 2 ~ 4.5cm，先端羽裂渐尖，基部不缩狭或略缩狭，1 回羽状；中部羽片斜长方形或菱状三角形，锐尖头，基部上侧较宽，三角形凸起，下侧平切，边缘具三角状尖锯齿；叶脉羽状分叉。孢子囊群小，生于小脉先端，接近羽片边缘，通常多在主脉上侧自顶部至基部排成 1 行，多达 10，下侧仅在顶部有 1 ~ 3 或不育；圆盾形的囊群盖棕色，边缘啮蚀状，早落。孢子赤道面观豆形，周壁形成少数肌状褶皱。

对生耳蕨

| **生境分布** | 生于海拔 600 ~ 1800m 的山地阴湿处石灰岩隙。分布于重庆巫山、巫溪、石柱、黔江、酉阳、秀山、南川、江津、铜梁、北碚、綦江等地。

| **资源情况** | 野生资源较丰富。药材主要来源于野生。

| **采收加工** | 全年均可采收，洗净，鲜用或晒干。

| **功能主治** | 酸、涩，微寒。清热解毒，活血止血。用于感冒，跌打损伤，外伤出血，蛇咬伤。

| **用法用量** | 内服煎汤，15 ~ 30g。外用适量，捣敷；或研末撒。

鳞毛蕨科 Dryopteridaceae 耳蕨属 Polystichum

蚀盖耳蕨 *Polystichum erosum* Ching et Shing

| 药 材 名 | 蚀盖耳蕨（药用部位：全草）。

| 形态特征 | 多年生草本，植株高 5 ～ 15cm。根茎直立。密生披针形、深棕色、中央带黑色的鳞片。叶簇生，叶柄禾秆色，腹面有纵沟，密生披针形、红棕色鳞片；叶片线状披针形或倒披针形，先端渐狭，基部略狭，1 回羽状；羽片下部的对生，向上为互生，无柄，三角状卵形或矩圆形；具羽状脉，侧脉单一或基部的为二叉状，背面微凸。叶纸质，腹面疏生线形棕色鳞片，背面脉上有或疏或密的狭披针形及线形棕色鳞片，鳞片下部边缘为卷曲的纤毛状；叶轴腹面有纵沟，背面有或疏或密的狭披针形，基部边缘具纤毛状的鳞片，先端常有芽胞。孢子囊群生于主脉两侧，各成 1 行；囊群盖大，圆形，边缘啮蚀状，盾状。

蚀盖耳蕨

| **生境分布** | 生于海拔 1000 ~ 2000m 的林下岩石上。分布于重庆彭水、城口、云阳、巫溪、南川、綦江、开州、武隆、石柱、黔江等地。

| **资源情况** | 野生资源稀少。药材主要来源于野生。

| **采收加工** | 全年均可采收，洗净，鲜用或晒干。

| **功能主治** | 清热解毒，止血。

| **用法用量** | 外用适量，捣敷；或研末撒。

鳞毛蕨科 Dryopteridaceae 耳蕨属 Polystichum

芒齿耳蕨 *Polystichum hecatopteron* Diels

| **药 材 名** | 芒齿耳蕨（药用部位：全草）。

| **形态特征** | 多年生草本，植株高 25～60cm。根茎短而斜升至直立，先端密被棕色、全缘的膜质鳞片。叶簇生；叶柄禾秆色至深禾秆色，叶轴通体禾秆色或深禾秆色，密被棕色、膜质鳞片，边缘有疏齿或缘毛；叶片狭长椭圆状披针形，先端羽裂长渐尖，中部以下渐缩狭，1 回羽状；羽片互生或近对生，通体边缘有具芒刺头的整齐锯齿，耳状凸起的外侧边缘有少数浅锯齿；叶脉下面明显可见，羽状。叶纸质，上面色较深；羽片上面光滑，下面疏被浅棕色、披针形、边缘有疏齿的小鳞片。孢子囊群小，生于较短的小脉先端，在羽片主脉两侧各有 1 行，中生；圆盾形的囊群盖浅棕色，边缘波状或浅啮蚀状，易脱落。孢子周壁具褶皱，表面纹饰网状。

芒齿耳蕨

| 生境分布 |

生于海拔 1000 ～ 2300m 的山地阔叶林、竹林下阴湿土坎上或岩隙。分布于重庆巫山、巫溪、开州、石柱、南川等地。

| 资源情况 |

野生资源稀少。药材来源于野生。

| 采收加工 |

全年均可采收，洗净，鲜用或晒干。

| 功能主治 |

清热解毒。

| 用法用量 |

内服煎汤，适量。

| 附　注 |

在 FOC 中，本种被修订为芒刺耳蕨 *Polystichum hecatopterum* Diels。

鳞毛蕨科 Dryopteridaceae 耳蕨属 Polystichum

正宇耳蕨 *Polystichum liui* Ching

| 药 材 名 | 小耳蕨（药用部位：全草）。

| 形态特征 | 多年生草本，小型石生植物，植株高 7 ~ 25cm。根茎短而直立，先端及叶柄基部密被红棕色、卵状披针形的膜质鳞片。叶簇生；叶柄禾秆色，基部以上疏被鳞片；叶片长椭圆状披针形，先端羽状浅裂至深裂，通常短渐尖，1 回羽状；羽片互生或近对生，平展或略向上斜展，近矩圆形，先端截形或斜截形，略向上弯，上侧基部具芒刺头近三角形的耳状凸，下侧狭楔形，平截，全缘，顶部及上侧边缘有牙齿；叶脉两面可见，羽状。叶厚纸质或近革质；叶轴禾秆色，下面疏被红棕色膜质鳞片；羽片上面光滑，下面疏被浅棕色披针形小鳞片、鳞毛及短节毛。孢子囊群小，生于较短的小脉先端；圆盾形的囊群盖深棕色，边缘啮蚀状。

正宇耳蕨

| 生境分布 |

生于海拔 600 ～ 1700m 的山谷常绿阔叶林下阴湿处石灰岩隙。分布于重庆巫溪、开州、石柱、南川、酉阳、丰都等地。

| 资源情况 |

野生资源稀少。药材主要来源于野生。

| 采收加工 |

全年均可采收，洗净，鲜用或晒干。

| 功能主治 |

清热解毒，止血。

| 用法用量 |

内服煎汤，适量。外用适量，捣敷；或研末撒。

鳞毛蕨科 Dryopteridaceae 耳蕨属 Polystichum

长叶耳蕨
Polystichum longissimum Ching et Z. Y. Liu

| **药 材 名** | 长叶耳蕨（药用部位：全草。别名：大对生耳蕨）。

| **形态特征** | 多年生草本，植株高 50 ～ 70cm。根茎短而斜升至直立，先端被浅暗棕色、卵状矩圆形的厚膜质鳞片。叶簇生；叶柄浅禾秆色，上面有沟槽，下面疏被卵形渐尖头及阔披针形、边缘啮蚀状、浅暗棕色、膜质的贴生鳞片；叶片线状或近线状披针形，1 回羽状；羽片互生或近对生，平展，无柄；叶脉羽状，上面不明显，下面可见，侧脉常几达边缘，在羽片主脉上侧的自下而上羽状、二叉状至单一。叶纸质，上面色较深；叶轴浅禾秆色，上面有沟槽，两面疏被卵形渐尖头及狭长披针形、边缘啮蚀状、棕色或略带栗色的鳞片；羽片上面光滑，下面疏被细小的浅棕色或灰白色披针形鳞片。孢子囊群生于较短的小脉先端，在羽片主脉上侧通常有 1 行，近中生，主脉下

长叶耳蕨

侧不育或仅有 1 ～ 2。

| **生境分布** | 生于海拔 750 ～ 1400m 的山地溪边常绿阔叶林中阴湿处或岩壁上。分布于重庆武隆、南川等地。

| **资源情况** | 野生资源稀少。药材来源于野生。

| **采收加工** | 全年均可采收，洗净，鲜用或晒干。

| **功能主治** | 活血止痛，消肿利尿。

| **用法用量** | 内服煎汤，适量。

| **附　注** | 模式标本采自重庆金佛山。

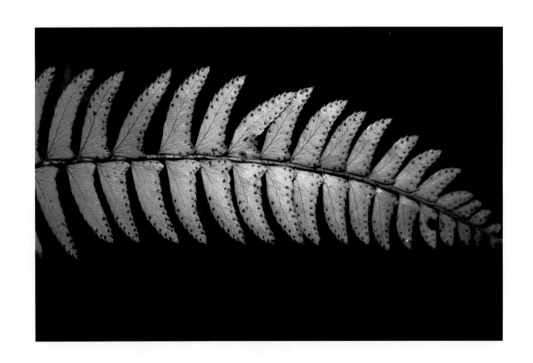

鳞毛蕨科 Dryopteridaceae 耳蕨属 Polystichum

黑鳞耳蕨 *Polystichum makinoi* (Tagawa) Tagawa

| **药 材 名** | 黑鳞大耳蕨（药用部位：嫩叶、根茎。别名：大叶山鸡尾巴草、冷蕨其）。

| **形态特征** | 多年生草本。根茎短而直立或斜升，密生线形棕色鳞片。叶簇生；叶柄黄棕色，腹面有纵沟，密生线形、披针形和较大鳞片，大鳞片卵形或卵状披针形，二色，中间黑棕色，有光泽，先端尾状，近全缘；叶片三角状卵形或三角状披针形，先端渐尖，能育，基部略狭，下部1～2对羽片常不育，2回羽状；羽片互生，平伸，具短柄，披针形，先端渐尖，基部不变狭，不对称，下部羽片1回羽状；小羽片互生，具短柄，镰状三角形至狭矩圆形，先端急尖，基部楔形，上侧具弧形耳状凸，全缘或近全缘，常具短芒，羽片基部上侧1片最大，具深缺刻或羽状浅裂；小羽片具羽状脉，侧脉二歧分叉，较明显。

黑鳞耳蕨

孢子囊群每小羽片 5 ～ 6 对，主脉两侧各 1 行；囊群盖圆形，盾状。

| 生境分布 |

生于海拔 500 ～ 1800m 的林下湿地、岩石上。分布于重庆黔江、綦江、酉阳、云阳、丰都、石柱、彭水、南川、秀山等地。

| 资源情况 |

野生资源较丰富。药材主要来源于野生。

| 采收加工 |

春季采收嫩叶，全年均可采挖根茎，鲜用或晒干。

| 功能主治 |

苦，凉。归肺经。清热解毒。用于痈肿疮疖，泄泻，痢疾。

| 用法用量 |

内服煎汤，10 ～ 15g。外用适量，捣敷。

革叶耳蕨
Polystichum neolobatum Nakai

| 药 材 名 | 革叶耳蕨（药用部位：根茎、嫩叶）。

| 形态特征 | 多年生草本。根茎直立，密生披针形棕色鳞片。叶簇生，叶柄禾秆色，腹面有纵沟，密生卵形及披针形鳞片，鳞片棕色至褐棕色，先端扭曲；叶片狭卵形或宽披针形，先端渐尖，基部圆楔形或近截形，略变狭，2回羽状；羽片互生，略斜向上，密接，线状披针形，有时呈镰状，先端渐尖，基部偏斜的宽楔形或浅心形，柄极短，羽状；小羽片互生，略斜向上，密接，斜卵形或宽披针形，先端渐尖成刺状，基部斜楔形，全缘或边缘有少数前倾的小尖齿，基部上侧第1片最大；小羽片具羽状脉，腹面平或略凹下，背面凹下。叶革质或硬革质，背面有纤维状分枝的鳞片；叶轴腹面有纵沟，背面密生披针形和狭披针形鳞片，鳞片棕色至黑棕色，强烈扭曲。孢子囊群位于主脉两侧；囊群盖圆形，盾状，全缘。

革叶耳蕨

| **生境分布** | 生于海拔 400 ~ 2200m 的山林下沟边或岩石缝中。分布于重庆南川、綦江、城口、云阳、铜梁、巫溪、石柱、开州、武隆等地。 |

| **资源情况** | 野生资源较丰富。药材主要来源于野生。 |

| **采收加工** | 全年均可采收。挖出后洗净，鲜用或晒干。 |

| **功能主治** | 清热解毒，凉血散瘀。用于痢疾，目赤肿痛，乳痈，疮疖肿毒，痔疮出血，烫火伤。 |

| **用法用量** | 内服煎汤，适量。外用适量，捣敷。 |

鳞毛蕨科 Dryopteridaceae 耳蕨属 *Polystichum*

中华对马耳蕨 *Polystichum sino-tsus-simense* Ching et Z. Y. Liu ex Z. Y. Liu

| 药 材 名 | 中华马祖耳蕨（药用部位：根茎。别名：中华对马耳蕨）。

| 形态特征 | 多年生草本，植株高 18 ~ 30cm。根茎直立，密被狭卵形深棕色或棕色鳞片。叶簇生，叶柄禾秆色，腹面有纵沟，下部有线状披针形的深棕色鳞片，鳞片边缘睫毛状，向上渐秃净；叶片披针形至宽披针形，先端渐尖，基部圆楔形，2 回羽状；羽片互生，平展或略斜向上，有时基部 1 对斜向下，有短柄，披针形，先端短渐尖，基部偏斜，上侧截形，下侧宽楔形，羽状；小羽片具羽状脉，腹面隐没，背面略凹下。叶为革质或薄革质，背面疏生毛状的黄棕色鳞片；叶轴腹面有纵沟，背面疏生鳞片，鳞片线形，基部扩大，边缘睫毛状，深棕色。孢子囊群位于小羽片主脉一侧或两侧，每小羽片 1 ~ 6；囊群盖圆形，盾状，边缘波状。

中华对马耳蕨

| **生境分布** | 生于海拔 1150 ～ 1750m 的林下石缝中。分布于重庆南川、城口等地。 |

| **资源情况** | 野生资源稀少。药材来源于野生。 |

| **采收加工** | 全年均可采收。挖出后洗净，鲜用或晒干。 |

| **功能主治** | 清热解毒，活血散瘀。用于疮疖肿毒，痔疮出血，烫火伤。 |

| **用法用量** | 内服煎汤，适量。外用适量，捣敷。 |

鳞毛蕨科 Dryopteridaceae 耳蕨属 Polystichum

戟叶耳蕨 *Polystichum tripteron* (Kunze) Presl

| 药 材 名 | 戟叶耳蕨（药用部位：根茎）。

| 形态特征 | 多年生草本，植株高 30 ~ 65cm。根茎短而直立，先端连同叶柄基部密被深棕色、有缘毛的披针形鳞片。叶簇生；叶柄基部以上禾秆色，连同叶轴和羽轴疏生披针形小鳞片；叶片戟状披针形，具 3 椭圆披针形的羽片；侧生 1 对羽片具短柄，斜展，羽状；中央羽片较大，有长柄，1 回羽状；小羽片均互生，近平展，下部的具短柄，向上近无柄，边缘有粗锯齿或浅羽裂，锯齿及裂片先端有芒状小刺尖；叶脉在裂片上羽状，小脉单一。叶草质，上面色较深，沿叶脉疏生卵状披针形或披针形的浅棕色小鳞片。孢子囊群圆形，生于小脉先端；囊群盖圆盾形。

戟叶耳蕨

| 生境分布 | 生于海拔 400 ～ 2000m 的林下石隙或石上。分布于重庆酉阳、南川、綦江等地。

| 资源情况 | 野生资源较少。药材来源于野生。

| 采收加工 | 全年均可采收，洗净，鲜用或晒干。

| 功能主治 | 清热解毒，利尿通淋。用于内热腹痛，痢疾，淋浊等。

| 用法用量 | 内服煎汤，适量。

| 附　　注 | 小戟叶耳蕨 Polystichum hancockii (Hance) Diels 与本种相似，但羽片较短小，下面近光滑。

鳞毛蕨科 Dryopteridaceae 耳蕨属 Polystichum

对马耳蕨 *Polystichum tsus-simense* (Hook.) J. Sm.

| 药 材 名 | 对马耳蕨（药用部位：根茎、嫩叶。别名：毛脚鸡、蕨萁、线鸡尾）。

| 形态特征 | 多年生草本。根茎直立，密被狭卵形深棕色鳞片。叶簇生，叶柄禾秆色，腹面有纵沟，下部密生披针形及线形黑棕色鳞片，向上部渐成为线形鳞片，鳞片边缘睫毛状；叶片宽披针形或狭卵形，2回羽状；羽片互生，平展或略斜向上，柄极短，线状披针形；小羽片互生，略斜向上，密接，先端急尖或钝，有小刺头，基部斜的宽楔形，上侧有三角形耳状凸，边缘有或长或短的小尖齿；基部上侧第1片增大，卵形或三角状卵形，有时羽状分裂；小羽片具羽状脉，侧脉常为二叉状，腹面隐没，背面微凹下或微凸起。叶为薄革质，背面疏生纤毛状、基部扩大的黄棕色鳞片；叶轴腹面有纵沟，背面密生鳞片，鳞片线形，基部扩大，边缘睫毛状，黑棕色间或为棕色。孢子囊群

对马耳蕨

位于小羽片主脉两侧；囊群盖圆形，盾状，全缘。

生境分布

生于海拔 200 ~ 2000m 的林下沟边或石岩缝中。重庆各地均有分布。

资源情况

野生资源丰富。药材主要来源于野生。

采收加工

全年均可采收根茎，以秋季采集较好，除去叶，洗净，鲜用或晒干。春季采集嫩叶，鲜用。

功能主治

苦，凉。清热解毒，凉血散瘀。用于痢疾，目赤肿痛，乳痈，疮疖肿毒，痔疮出血，烫火伤。

用法用量

内服煎汤，10 ~ 15g，大剂量可用至30g。外用捣敷；或研末调敷。

虹鳞肋毛蕨
Ctenitis rhodolepis (Clarke) Ching

| 药 材 名 | 虹鳞肋毛蕨（药用部位：根茎）。

| 形态特征 | 根茎粗壮，直立或斜升，顶部及叶柄基部密被鳞片；鳞片狭披针形，先端纤维状，全缘，开展，薄膜质，红棕色。叶簇生；叶柄棕色，向上禾秆色，上面有2纵沟，基部以上密被鳞片，鳞片阔披针形，先端渐尖，近全缘，贴生并为密覆瓦状，薄膜质，紫棕色并有红色光泽，基部着生，脱落后留下黑色的痕迹；叶片三角状卵形，先端渐尖，基部心形，4回羽裂；羽片下部几对近对生，向上的互生，彼此接近，稍斜向上，基部1对羽片最大，三角形，先端渐尖，基部圆截形而不对称，其下侧特别伸长；第2对起的羽片椭圆状披针形并稍呈镰状，先端渐尖，基部圆截形，2回羽裂；基部羽片的1回小羽片互生，近平展，基部下侧1片最大，长圆状披针形，先端

虹鳞肋毛蕨

渐尖，基部截形，羽轴上侧的小羽片比下侧的短；2回小羽片 10 ～ 12 对，互生，近平展，彼此接近，下部几对分离或有短柄，向上的近无柄，基部下侧 1 片与其上的同大或稍大，披针形短尖头，第 3 对以上的基部与 1 回小羽轴合生，深羽裂达有狭翅的 2 回小羽轴。孢子囊群圆形，生于小脉中部，位于主脉与叶缘之间。

| 生境分布 |

生于海拔 200 ～ 1800m 的常绿阔叶林下潮湿的岩石上。分布于重庆城口、巫溪、彭水、酉阳、南川、綦江、潼南、云阳、江津、黔江、涪陵、丰都、长寿等地。

| 资源情况 |

野生资源较丰富。药材来源于野生。

| 采收加工 |

全年均可采收，洗净，晒干。

| 功能主治 |

祛风除湿，止痛。用于风湿骨痛。

| 用法用量 |

外用适量，捣敷。

| 附　注 |

在 FOC 中，本种被修订为亮鳞肋毛蕨 Ctenitis subglandulosa (Hance) Ching。

叉蕨科 Tectariaceae 叉蕨属 Tectaria

大齿叉蕨
Tectaria coadunata (Wall. ex Hook. et Grev.) C. Chr.

| 药 材 名 | 犬齿三叉蕨（药用部位：根茎）。

| 形态特征 | 多年生草本，植株高 70 ~ 80cm。根茎斜升至直立，直径约 2cm，顶部及叶柄基部均密被鳞片；鳞片披针形，长 6 ~ 7mm，先端渐尖，全缘，膜质，褐棕色，边缘淡棕色。叶簇生；叶柄长 25 ~ 35cm，基部直径约 4mm，栗褐色，上面有浅沟；叶片三角状卵形，长 30 ~ 40cm，基部宽 20 ~ 25cm，先端渐尖，基部心形，3 回羽裂，向上部 2 回羽裂；羽片 2 ~ 5 对，下部的对生，向上部互生，稍斜向上，间隔 1 ~ 1.5cm，基部 1 对柄长 1 ~ 1.5cm，第 2 对以上的无柄；基部 1 对羽片最大，三角状卵形，长 10 ~ 20cm，基部宽 10 ~ 12cm，先端渐尖，基部浅心形，深羽裂达有阔翅的羽轴，有时下部有 1 ~ 2 对近分离而贴生的小羽片；中部的羽片披针形，长 12 ~ 14cm，中部宽 3 ~ 4cm，先端渐尖，基部稍狭并与叶轴合生，

大齿叉蕨

深羽裂达 1/2 ～ 2/3 处，成为披针形而具钝头或短尖头的裂片；基部羽片的小羽片约 8 对，互生，近平展，彼此密接并以阔翅相连，无柄，基部 1 对小羽片较大，镰状披针形，长 5 ～ 7cm，基部宽约 2cm，先端渐尖，基部不变狭并与小羽轴合生，深羽裂达 1/2；裂片约 8 对，斜向上，间隔约 1.5mm，镰状椭圆形，长 5 ～ 6mm，基部宽 4 ～ 5mm，圆钝头，全缘。叶脉联结成近六角形网眼，羽轴及小羽轴两侧有弧状脉形成的狭长网眼，有单一的内藏小脉或无，两面均疏被有关节的淡棕色短毛；裂片主脉禾秆色，两面均稍隆起并疏被有关节的淡棕色毛。叶薄纸质，干后暗绿色，上面密被有关节的淡棕色毛，下面疏被同样的毛，边缘被有关节的淡棕色睫毛；叶轴栗褐色并稍有光泽，上面有浅沟并疏被有关节的淡棕色毛，下面几光滑，上部两侧有阔翅；羽轴栗褐色，上面密被有关节的淡棕色毛，下面疏被同样的毛。孢子囊群圆形，生于内藏小脉先端，在小羽轴或主脉两侧各有 1 行；囊群盖圆盾形，全缘，膜质，棕色，宿存并略反卷。

| 生境分布 | 生于海拔 500 ～ 2000m 的山地常绿阔叶林下、石灰岩缝或沟边。分布于重庆南川、彭水、武隆、云阳等地。

| 资源情况 | 野生资源稀少。药材来源于野生。

| 采收加工 | 全年均可采收，洗净，晒干。

| 功能主治 | 祛风除湿，解毒，止血。

| 用法用量 | 内服煎汤，适量。

实蕨科 Bolbitidaceae 实蕨属 *Bolbitis*

长叶实蕨 *Bolbitis heteroclita* (Presl) Ching

| 药 材 名 | 长叶实蕨（药用部位：全草。别名：三叉剑、单刀石韦、三角枫）。

| 形态特征 | 多年生草本。根茎粗而横走，密被鳞片；鳞片卵状披针形，灰棕色，盾状着生，近全缘。叶近生；叶柄禾秆色，疏被鳞片，上面有沟；叶二型。不育叶变化大，或为披针形的单叶，或为三出，或为1回羽状；顶生羽片特别长大，披针形，先端常有1延长能生根的鞭状长尾；侧生羽片，近无柄，阔披针形，先端渐尖，基部圆楔形，近全缘或边缘呈浅波状而具少数疏刚毛状齿；侧脉明显，小脉联结成整齐的四角形或六角形网眼，网眼在侧脉之间排列成3行，无内藏小脉，近叶缘的小脉分离；叶薄草质，干后黑色。能育叶叶柄较长，叶片与不育叶同形而较小；孢子囊群初沿网脉分布，后满布能育叶下面。

长叶实蕨

生境分布

生于海拔 200 ～ 1500m 的密林下树干基部或岩石上。分布于重庆江津、忠县、璧山、涪陵、合川、大足、开州、长寿、巴南、南川、北碚等地。

资源情况

野生资源较丰富。药材主要来源于野生。

采收加工

秋、冬季采收，除去须根，洗净，晒干。

药材性状

本品根茎呈扁平长条状，长 6 ～ 15cm，直径 0.5 ～ 1cm；表面密生棕褐色小鳞片，两侧及上面有凸起的叶柄痕，下面有残留的短须根；质脆，断面有多数筋脉小点。叶常皱缩，二型：营养叶叶柄长 10 ～ 35cm，表面浅棕黄色，叶片长 30 ～ 40cm，表面褐色，形状多样，单叶、三出或羽状，先端具长尾，有的可见不定根，叶脉网状；孢子叶叶柄长 25 ～ 38cm，叶片与营养叶同形但狭小。孢子囊群布满叶背。气微，味淡。

功能主治

淡，凉。清热止咳，凉血止血。用于肺热咳嗽，咯血，痢疾，烫火伤，毒蛇咬伤。

用法用量

内服煎汤，9 ～ 15g。

肾蕨科 Nephrolepidaceae 肾蕨属 Nephrolepis

肾蕨 *Nephrolepis auriculata* (L.) Trimen

| 药 材 名 | 肾蕨（药用部位：块茎。别名：圆羊齿、篦子草、蜈蚣蕨）。

| 形态特征 | 多年生草本，附生或土生。根茎直立，被蓬松的淡棕色、长钻形鳞片，下部有匍匐茎向四方横展；匍匐茎棕褐色，不分枝，疏被鳞片，有纤细的褐棕色须根，匍匐茎上生有近圆形的块茎，密被与根茎上同样的鳞片。叶簇生，叶柄暗褐色，略有光泽，上面有纵沟，下面圆形，密被淡棕色线形鳞片；叶片线状披针形或狭披针形，先端短尖，叶轴两侧被纤维状鳞片，1回羽状，羽状多数，互生，常密集而呈覆瓦状排列，披针形，先端钝圆或有时为急尖头，基部心形，通常不对称，下侧为圆楔形或圆形，上侧为三角状耳形，几无柄，以关节着生于叶轴，叶缘有疏浅的钝锯齿，向基部的羽片渐短，常变为卵状三角形。孢子囊群成1行位于主脉两侧，肾形；囊群盖肾形，褐棕色，边缘色较淡，无毛。

肾蕨

| **生境分布** | 土生或附生于海拔 150 ~ 1500m 的林下、溪边、树干或路旁阴湿岩壁上。分布于重庆巫山、巫溪、开州、垫江、潼南、江津、丰都、忠县、涪陵、长寿、武隆、璧山、合川、梁平、荣昌等地。

| **资源情况** | 野生资源较丰富。药材来源于野生和栽培。

| **采收加工** | 全年均可采收，晒干或鲜用。

| **药材性状** | 本品鲜者呈球形或扁圆形，直径 1.5 ~ 3cm；表面多有棕色绒毛状鳞片，可见根茎脱落后的圆形疤痕，除去鳞片后表面呈亮黄色，有明显的不规则皱纹。干品极皱缩，表面黄棕色绒毛状鳞片明显。质硬脆，断面黄棕色至棕褐色。气香，味微甘。

| **功能主治** | 甘、淡、微涩，凉。归肝、肾、胃、小肠经。清热利湿，止咳通淋，消肿解毒。用于外感发热，肺热咳嗽，黄疸，淋浊，小便涩痛，泄泻，痢疾，带下，疝气，乳痈，疮疡，瘰疬痰核，烫火伤，金刃损伤。

| **用法用量** | 内服煎汤，6 ~ 15g，鲜品 30 ~ 60g。外用适量，捣碎外敷。

| **附　注** | 在 FOC 中，本种的拉丁学名被修订为 *Nephrolepis cordifolia* (L.) C. Presl。

骨碎补科 Davalliaceae 阴石蕨属 Humata

阴石蕨
Humata repens (L. f.) Diels

| 药 材 名 | 红毛蛇（药用部位：根茎。别名：小蕨其、一把针、平卧阴石蕨）。

| 形态特征 | 多年生草本，植株高 10 ~ 20cm。根茎长而横走，密被鳞片；鳞片披针形，红棕色，伏生，盾状着生。叶远生；叶柄棕色或棕禾秆色，疏被鳞片；叶片三角状卵形，上部伸长，向先端渐尖，2 回羽状深裂；羽片无柄，以狭翅相连，基部最大，近三角形或三角状披针形，钝头，基部楔形，两侧不对称，下延，常略向上弯弓，上部常为钝齿牙状，下部深裂，基部下侧 1 片最长，椭圆形，圆钝头，略斜向下，全缘或浅裂；从第 2 对羽片向上渐缩短，椭圆状披针形，斜展或斜向上，边缘浅裂或具不明显的疏缺裂。叶脉上面不见，下面粗而明显，褐棕色或深棕色，羽状。叶革质，两面光滑或下面沿叶轴偶有少数棕色鳞片。孢子囊群沿叶缘着生；囊群盖半圆形，棕色，全缘，质厚，基部着生。

阴石蕨

| **生境分布** | 生于海拔 500 ~ 1900m 的溪边树上或阴处石上。分布于重庆江津等地。

| **资源情况** | 野生资源稀少。药材主要来源于野生。

| **采收加工** | 全年均可采挖，洗净，除去叶和须根，鲜用或晒干。

| **功能主治** | 甘、淡，平。活血止血，清热利湿，续筋接骨。用于风湿痹痛，腰肌劳损，跌打损伤，牙痛，吐血，便血，尿路感染，带下，痈疮肿痛等。

| **用法用量** | 内服煎汤，30 ~ 60g。外用适量，鲜品捣敷。

双扇蕨科 Dipteridaceae 双扇蕨属 Dipteris

中华双扇蕨 *Dipteris chinensis* Christ

| **药 材 名** | 半边藕（药用部位：根茎。别名：铁凉伞）。

| **形态特征** | 多年生草本，植株高 60 ~ 90cm。根茎长而横走，木质，被钻状、黑色、披针形鳞片。叶远生；叶柄长 30 ~ 60cm，灰棕色或淡禾秆色；叶片纸质，下面沿主脉疏生灰棕色有节的硬毛，长 20 ~ 30cm，宽 30 ~ 60cm，中部分裂成 2 部分相等的扇形，每扇又再深裂为 4 ~ 5 部分，裂片宽 5 ~ 8cm，顶部再度浅裂，末回裂片短尖头，边缘有粗锯齿。主脉多回二歧分叉，小脉网状，网眼内有单一或分叉的内藏小脉。孢子囊群小，近圆形，散生于网脉交结点上，被浅杯状的隔丝覆盖。

| **生境分布** | 生于海拔 600 ~ 2000m 的山地或溪边灌丛中。分布于重庆江津等地。

中华双扇蕨

| **资源情况** | 野生资源稀少。药材主要来源于野生。

| **采收加工** | 夏、秋季采挖，洗净，除去附叶，鲜用或晒干。

| **功能主治** | 微苦，寒。清热利湿。用于小便淋沥涩痛，腰痛，浮肿。

| **用法用量** | 内服煎汤，9 ~ 15g。

水龙骨科 Polypodiaceae 节肢蕨属 Arthromeris

多羽节肢蕨 *Arthromeris mairei* (Brause) Ching

| 药 材 名 | 凤尾搜山虎（药用部位：根茎。别名：石连姜、地蜈蚣、搜山虎）。

| 形态特征 | 土生植物，植株高 50 ～ 70cm。根茎横走，直径 5 ～ 6mm，密被鳞片；鳞片卵状披针形，浅棕色或偶为灰白色，先端渐尖，边缘有睫毛。叶近生或远生；叶柄长 15 ～ 25cm，禾秆色或淡紫色，光滑无毛；叶片 1 回羽状，卵状披针形，长 30 ～ 50cm，宽 15 ～ 25cm；羽片可多达 12 对，卵状披针形，长 10 ～ 15cm，宽 2 ～ 3cm，先端渐尖，全缘或边缘波状，基部圆形而不对称；侧脉明显，小脉不明显；叶草质，两面光滑无毛。孢子囊群的大小和分布都变化较大，在羽片中脉两侧各多行或各 1 行，多行者，孢子囊群通常极小，单行者，孢子囊群通常极大；孢子具刺和疣状纹饰。

多羽节肢蕨

| **生境分布** |

生于海拔 1000 ～ 1500m 的山坡林下。分布于重庆巫山、奉节、江津、彭水、南川等地。

| **资源情况** |

野生资源稀少。药材主要来源于野生。

| **采收加工** |

秋、冬季采挖，洗净，除去须根，放火上燎去毛，刮去外皮，晒干或切片晒干。

| **药材性状** |

本品根茎呈长圆柱形，一端钻形，稍弯曲，长6 ～ 11cm，宽 5 ～ 6mm。表面暗棕褐色，具凹陷的叶痕、残留鳞片及点状根痕。质坚，味苦、涩。

| **功能主治** |

苦、微涩，微寒；有小毒。祛风活络，消积通便，降火，止痛，利尿。用于风湿筋骨痛，坐骨神经痛，骨折，食积腹胀，便秘，目赤，牙痛，头痛，小便不利，淋浊等。

| **用法用量** |

内服煎汤，3 ～ 6g；或泡酒；或配蜂蜜。年老、体虚者及孕妇慎服。

水龙骨科 Polypodiaceae　线蕨属 Colysis

线蕨 *Colysis elliptica* (Thunb.) Ching

| 药 材 名 | 线蕨（药用部位：全草。别名：羊七莲）。

| 形态特征 | 多年生草本，植株高 20 ~ 60cm。根茎长而横走，密生鳞片，只具星散的厚壁组织；根密生；鳞片褐棕色，卵状披针形，先端渐尖，基部圆形，边缘有疏锯齿。叶远生，近二型；不育叶的叶柄禾秆色，基部密生鳞片，向上光滑；叶片长圆状卵形或卵状披针形，先端圆钝，1 回羽裂深达叶轴；羽片或裂片对生或近对生，下部的分离，狭长披针形或线形，先端长渐尖，基部狭楔形而下延，在叶轴两侧形成狭翅，全缘或稍呈不明显浅波状；能育叶和不育叶近同形，但叶柄较长，羽片远较狭或有时近等大；中脉明显，侧脉及小脉均不明显；叶纸质，较厚，干后稍呈褐棕色，两面无毛。孢子囊群线形，斜展，在每对侧脉间各排列成 1 行，伸达叶缘；无囊群盖。孢子极面观为椭圆形，赤道面观为肾形。

线蕨

| 生境分布 |

生于海拔 100 ~ 1500m 的山坡林下或溪边岩石上。分布于重庆开州、石柱、武隆、黔江、彭水、南川等地。

| 资源情况 |

野生资源一般。药材主要来源于野生。

| 采收加工 |

全年均可采收，洗净，鲜用或晒干。

| 功能主治 |

微苦，凉。活血散瘀，清热利尿。用于跌打损伤，尿路感染，肺结核。

| 用法用量 |

内服煎汤，9 ~ 15g。外用适量，捣敷。

| 附　注 |

在 FOC 中，本种的拉丁学名被修订为 *Leptochilus ellipticus* (Thunb.) Noot.，属名被修订为薄唇蕨属 *Leptochilus*。

水龙骨科 Polypodiaceae 线蕨属 *Colysis*

曲边线蕨

Colysis ellipticus (Thunb.) Ching. var. *flexilobus* (Christ) L.

曲边线蕨

药材名

曲边线蕨（药用部位：全草。别名：波叶线蕨、线蕨）。

形态特征

多年生草本。本变种与原变种线蕨的区别在于叶轴两侧具有宽翅，翅宽达（0.2～）1（～3.2）cm，羽片边缘有较明显的波状褶皱。

生境分布

生于海拔 450～1000m 的林下。分布于重庆城口、武隆、黔江、彭水、酉阳、南川、秀山、北碚、云阳、涪陵、丰都等地。

资源情况

野生资源较丰富。药材主要来源于野生。

采收加工

全年均可采收，洗净，晒干。

功能主治

微苦，凉。清热解毒。用于尿路感染，肺结核，跌打损伤等。

| **用法用量** | 内服煎汤，适量。

| **附　　注** | （1）在 FOC 中，本种的拉丁学名被修订为 *Leptochilus ellipticus* (Thunb.) Noot. var. *flexilobus* (Christ) X. C. Zhang，属名被修订为薄唇蕨属 *Leptochilus*。

（2）注意将本种与掌叶线蕨 *Colysis digitata* (Baker) Ching 和胃叶线蕨 *Colysis hemitoma* 进行区别。掌叶线蕨羽片掌状分裂；胃叶线蕨叶片戟形，边缘条形分裂，叶柄有狭翅。

水龙骨科 Polypodiaceae　线蕨属 Colysis

矩圆线蕨
Colysis henryi (Baker) Ching

| 药 材 名 | 矩圆线蕨（药用部位：全草。别名：岩卜扇、一叶青）。

| 形态特征 | 多年生草本，植株高 20 ~ 70cm。根茎横走，密生鳞片；鳞片褐色，卵状披针形，先端渐尖，边缘有疏锯齿。叶一型，远生，草质或薄草质，光滑无毛；叶柄长 5 ~ 35cm，禾秆色；叶片椭圆形或卵状披针形，长 15 ~ 50cm，宽 3 ~ 11cm，先端渐尖或钝圆，向基部急变狭，下延成狭翅，全缘或略呈微波状；侧脉斜展，略可见，小脉网状，在每对侧脉间有 2 行网眼，内藏小脉通常单一或 1 ~ 2 回分叉。孢子囊群线形，着生于网脉上，在每对侧脉间排列成 1 行，从中脉斜出，多数伸达叶缘，无囊群盖。孢子极面观为椭圆形，赤道面观为肾形，单裂缝，裂缝长度为孢子全长的 1/4 ~ 1/3，周壁表面具球形颗粒和明显的缺刻状刺，刺表面密生粗糙的颗粒状物。

矩圆线蕨

| 生境分布 |

生于海拔 600 ～ 1200m 的林下或阴湿处，成片聚生。分布于重庆城口、石柱、武隆、黔江、彭水、酉阳、南川、大足、潼南、丰都、江津等地。

| 资源情况 |

野生资源一般。药材主要来源于野生。

| 采收加工 |

全年均可采收，洗净，鲜用或晒干。

| 功能主治 |

甘，微寒。凉血止血，利湿解毒。用于肺热咯血，尿血，小便淋浊，痈疮肿毒，毒蛇咬伤，风湿痹痛。

| 用法用量 |

内服煎汤，15 ～ 30g，鲜品 30 ～ 120g。外用适量，捣敷。

| 附　注 |

在 FOC 中，本种的拉丁学名被修订为 *Leptochilus henryi* (Baker) X. C. Zhang，属名被修订为薄唇蕨属 *Leptochilus*。

水龙骨科 Polypodiaceae 骨牌蕨属 Lepidogrammitis

披针骨牌蕨

Lepidogrammitis diversa (Rosent.) Ching

| 药 材 名 | 披针骨牌蕨（药用部位：全草。别名：万年青、克氏骨牌蕨）。

| 形态特征 | 多年生草本，植株高10cm。根茎细长横走，密被鳞片；鳞片棕色，钻状披针形，边缘有锯齿。叶远生，一型或近二型；叶柄变化大，长0.5~3cm，禾秆色，光滑；不育叶有时与能育叶无大区别，叶片通常为阔卵状披针形，短尖头，长约3.5cm，具短柄；能育叶外形变化大，通常呈狭披针形至阔披针形，具较长的叶柄，叶片长约9cm，中部宽1~2.8cm，短钝尖头，干后近革质，棕色，光滑；主脉两面明显隆起，小脉不显。孢子囊群圆形，在主脉两侧各成1行，略靠近主脉。

| 生境分布 | 生于海拔700~1200m的林缘岩石上。分布于重庆开州、石柱、綦江、

披针骨牌蕨

江津、南川等地。

| 资源情况 |

野生资源一般。药材主要来源于野生。

| 采收加工 |

全年均可采收，洗净，晒干或鲜用。

| 功能主治 |

微苦、涩，凉。归肺、肝经。清热止咳，祛风除湿，止血。用于小儿高热，肺热咳嗽，风湿性关节炎，外伤出血等。

| 用法用量 |

内服煎汤，6～15g。外用适量，捣敷。

| 附　注 |

在 FOC 中，本种的拉丁学名被修订为 *Lemmaphyllum diversum* (Rosenst.) De Vol et C. M. Kuo，属名被修订为伏石蕨属 *Lemmaphyllum*。

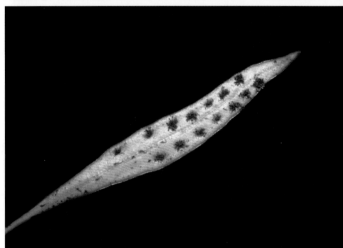

水龙骨科 Polypodiaceae 骨牌蕨属 Lepidogrammitis

抱石莲

Lepidogrammitis drymoglossoides (Baker) Ching

| 药 材 名 | 鱼鳖金星（药用部位：全草。别名：瓜子金、肉石斛、岩瓜子草）。

| 形态特征 | 多年生草本。根茎细长横走，被钻状有齿棕色披针形鳞片。叶远生，相距 1.5 ~ 5cm，二型；不育叶长圆形至卵形，长 1 ~ 2cm，圆头或钝圆头，基部楔形，几无柄，全缘；能育叶舌状或倒披针形，长 3 ~ 6cm，宽不及 1cm，基部狭缩，几无柄或具短柄，有时与不育叶同形，肉质，干后草质，上面光滑，下面疏被鳞片。孢子囊群圆形，沿主脉两侧各成 1 行，位于主脉与叶缘之间。

| 生境分布 | 生于海拔 200 ~ 1700m 的山坡阴湿林中树干或石上。分布于重庆云阳、梁平、涪陵、垫江、石柱、武隆、黔江、彭水、酉阳、秀山、南川、巴南、合川、大足、江津、潼南、永川、荣昌等地。

抱石莲

| 资源情况 | 野生资源稀少。药材主要来源于野生。

| 采收加工 | 全年均可采收，除去泥沙，洗净，晒干或鲜用。

| 药材性状 | 本品根茎细长，横走，疏被鳞片；鳞片淡棕色而薄，粗筛孔状，基部宽而有不整齐的分枝，先端钻形。叶二型，单叶，远生，肉质，深绿色至棕褐色，叶脉不明显；营养叶卵圆形至长椭圆状卵圆形，长 1 ~ 2cm，宽 2cm。孢子叶细长，舌形或匙形，长 3 ~ 6cm，宽不及 1cm，或与营养叶同形。孢子囊群中等大小，分离，排列于孢子叶背面，主脉两侧各 1 行。气微香，味苦。

| 功能主治 | 苦，凉。归肺、肝、膀胱经。清热解毒，消瘀，止血。用于小儿高热，疟腮，牙痛，痞块，臌胀，淋浊，咯血，吐血，衄血，便血，尿血，崩漏，外伤出血，疔疮痈肿，瘰疬，跌打损伤，高血压，鼻炎，气管炎。

| 用法用量 | 内服煎汤，9 ~ 15g。外用适量，捣敷。

| 附　　注 | 在 FOC 中，本种的拉丁学名被修订为 *Lemmaphyllum drymoglossoides* (Baker) Ching，属名被修订为伏石蕨属 *Lemmaphyllum*。

水龙骨科 Polypodiaceae 骨牌蕨属 *Lepidogrammitis*

长叶骨牌蕨 *Lepidogrammitis elongafa* Ching

| 药 材 名 | 长叶骨牌蕨（药用部位：全草）。

| 形态特征 | 多年生草本，植株高约 10cm。根茎细长横走，被钻状棕色有齿的披针形鳞片。叶远生，二型；不育叶通常阔披针形，短钝尖头，叶柄长约 2mm，叶片长 6 ~ 8cm，中部宽 1.5 ~ 2.5cm，淡棕色，下面疏被鳞片；能育叶狭长披针形，叶柄长 0.5 ~ 4cm，中部宽 5 ~ 11mm，棕色，短钝尖头，干后淡棕色，硬革质；主脉两面隆起，小脉不显。孢子囊群圆形，在主脉两侧各成 1 行，成熟时部分囊群汇合，不凸出叶缘外。

| 生境分布 | 生于海拔 1350 ~ 2200m 的林下岩石上。分布于重庆南川等地。

| 资源情况 | 野生资源稀少。药材主要来源于野生。

长叶骨牌蕨

| **功能主治** | 清热解毒，祛风化痰。

| **附　　注** | 在 FOC 中，本种被修订为披针骨牌蕨 *Lemmaphyllum diversum* (Rosenst.) De Vol et C. M. Kuo，属名被修订为伏石蕨属 *Lemmaphyllum*。

水龙骨科 Polypodiaceae 骨牌蕨属 *Lepidogrammitis*

中间骨牌蕨 *Lepidogrammitis intermedia* Ching

| 药 材 名 | 中间骨牌蕨（药用部位：全草。别名：石瓜米、仙人指壳、金星蕨）。

| 形态特征 | 多年生草本，植株高 3 ~ 7（~ 10）cm。根茎细长横走，疏被钻状有齿棕色披针形鳞片。叶远生，二型；不育叶长圆形至披针形，长 3 ~ 6cm，中部宽 0.8 ~ 2cm，向两端渐狭，钝头或钝圆头，基部楔形并下延，全缘，叶柄长 2mm；能育叶狭披针形，或线状披针形，钝圆头，长 4.5 ~ 8cm，宽 0.5 ~ 1cm，叶柄长约 5mm，干后近革质，下面疏被鳞片；主脉明显隆起，小脉不显。孢子囊群圆形，在主脉两侧各成 1 行，成熟时部分囊群汇合，不凸出叶缘外。

| 生境分布 | 生于海拔 800 ~ 1200m 的林下岩石上。分布于重庆黔江、城口、江津、云阳、酉阳、綦江、垫江、巴南、合川、北碚等地。

中间骨牌蕨

| 资源情况 |

野生资源较丰富。药材来源于野生。

| 采收加工 |

全年均可采收，洗净，晒干。

| 功能主治 |

甘、苦，平。归脾经。健脾益气。用于脾虚食积，消化不良，小儿疳积。

| 用法用量 |

内服煎汤，15 ～ 30g。

水龙骨科 Polypodiaceae 骨牌蕨属 Lepidogrammitis

骨牌蕨 Lepidogrammitis rostrata (Bedd.) Ching

| 药 材 名 | 上树咳（药用部位：全草。别名：瓜核草、桂寄生、骨牌草）。

| 形态特征 | 多年生草本，植株高约 10cm。根茎细长横走，直径约 1mm，绿色，被鳞片；鳞片钻状披针形，边缘有细齿。叶远生，一型；不育叶阔披针形或椭圆形，钝圆头，基部楔形，下延，长 6 ～ 10cm，中部以下最宽为 2 ～ 2.5cm，全缘，肉质，干后革质，淡棕色，两面近光滑；主脉两面均隆起，小脉稍可见，有单一或分叉的内藏小脉。孢子囊群圆形，通常位于叶片最宽处以上，在主脉两侧各成 1 行，略靠近主脉，幼时被盾状隔丝覆盖。

| 生境分布 | 附生于海拔 240 ～ 1700m 的林下树干上或岩石上。分布于重庆彭水、城口等地。

骨牌蕨

| **资源情况** | 野生资源较少。药材来源于野生。

| **采收加工** | 全年均可采收，洗净，晒干。

| **功能主治** | 甘、微苦，平。归肺、小肠经。清热利尿，止咳，除烦，解毒消肿。用于小便癃闭，淋沥涩痛，热咳，心烦，疮疡肿痛，跌打损伤。

| **用法用量** | 内服煎汤，15 ~ 24g。寒证病人禁服。

| **附　注** | 在 FOC 中，本种被修订为骨牌蕨 *Lemmaphyllum rostratum* (Beddome) Tagawa，属名被修订为伏石蕨属 *Lemmaphyllum*。

水龙骨科 Polypodiaceae 鳞果星蕨属 Lepidomicrosorum

鳞果星蕨
Lepidomicrosorum buergerianum (Miq.) Ching et Shing

鳞果星蕨

药材名

鳞果星蕨（药用部位：全草）。

形态特征

多年生草本，植株高达 20cm。根茎细长攀缘，密被深棕色披针形鳞片。叶疏生，近二型，相距 1.5 ~ 3cm；叶柄长 6 ~ 9cm，粗壮；能育叶长 8 ~ 12cm，披针形或三角状披针形，中部宽约 2cm，向下渐变宽，两侧通常扩大成戟形，基部圆截形，略下延形成狭翅，全缘；不育叶远较短，卵状三角形，长约 4cm，干后纸质，褐绿色，沿主脉下面两侧有 1 或 2 小鳞片，全缘；主脉两面隆起，小脉不显。孢子囊群小，星散分布于主脉下面两侧，幼时被盾状隔丝覆盖。

生境分布

生于海拔 450 ~ 2000m 的林中树干上或岩石上。分布于重庆奉节、石柱、黔江、南川、巴南等地。

资源情况

野生资源稀少。药材主要来源于野生。

| 采收加工 |

全年均可采收，洗净，晒干。

| 功能主治 |

清热利尿。用于小便癃闭、淋漓涩痛。

| 用法用量 |

内服煎汤，适量。

| 附 注 |

（1）在 FOC 中，本种的拉丁学名被修订为 *Lepidomicrosorium buergerianum* (Miquel) Ching & K. H. Shing ex S. X. Xu，属的拉丁学名被修订为 *Lepidomicrosorium*。

（2）本种与狭叶鳞果星蕨 *Lepidomicrosorium angustifolium* Ching & K. H. Shing、短柄鳞果星蕨 *Lepidomicrosorium brevipes* Ching & K. H. Shing、峨眉鳞果星蕨 *Lepidomicrosorium emeiense* Ching & K. H. Shing、南川鳞果星蕨 *Lepidomicrosorium nanchuanense* Ching & Z. Y. Liu、四川鳞果星蕨 *Lepidomicrosorium sichuanense* Ching & K. H. Shing 相似，应注意区别。

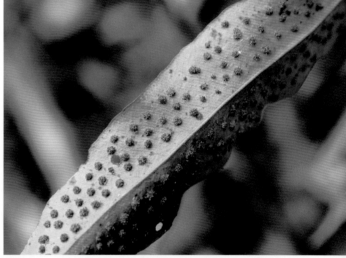

水龙骨科 Polypodiaceae 鳞果星蕨属 Lepidomicrosorum

南川鳞果星蕨 Lepidomicrosorum nanchuanense Ching et Z. Y. Liu

| 药 材 名 | 南川鳞果星蕨（药用部位：全草）。

| 形态特征 | 植株高达 38cm。根茎长而攀缘，直径约 2.4mm，密被深棕色卵状披针形鳞片。叶疏生；叶柄长 2 ～ 3cm；叶片长圆状披针形，长约 35cm，中部宽 2.1 ～ 2.5cm，渐尖头，基部楔形，长下延，全缘，干后革质，绿色；主脉两面均隆起，小脉不显。孢子囊群小，星散分布于主脉两侧，幼时被盾状隔丝覆盖。

| 生境分布 | 生于海拔 1600m 的林中，攀缘于树干上。分布于重庆南川等地。

| 资源情况 | 野生资源稀少。药材主要来源于野生。

| 采收加工 | 全年均可采收，洗净，晒干。

南川鳞果星蕨

| **功能主治** | 清热利尿。用于小便癃闭，淋沥涩痛。

| **用法用量** | 内服煎汤，适量。

| **附　　注** | 在 FOC 中，本种被修订为表面星蕨 *Lepidomicrosorium superficiale* (Blume) Li Wang。

水龙骨科 Polypodiaceae 瓦韦属 *Lepisorus*

狭叶瓦韦 *Lepisorus angustus* Ching

狭叶瓦韦

| 药 材 名 |

狭叶瓦韦（药用部位：全草。别名：七星凤尾蕨）。

| 形 态 特 征 |

多年生草本，植株高 12 ～ 25cm。根茎横走，密被披针形鳞片；鳞片中部不透明，棕色，边缘有 1 ～ 2 行狭长透明的网眼。叶近生；叶柄长 1.5 ～ 3cm，禾秆色；叶片狭长披针形，中部宽 3 ～ 5mm，长 10 ～ 22cm，长渐尖头，向基部渐变狭并长下延，干后淡绿色或淡黄绿色至灰绿色，革质；主脉上下隆起，小脉不见。孢子囊群椭圆形、圆形或短棒形，聚生于叶片上半部，位于主脉和叶缘之间，幼时被深棕色近圆形的隔丝覆盖。

| 生 境 分 布 |

生于海拔 900 ～ 1800m 的山地林缘阴湿岩石或树干上。分布于重庆南川、城口、巫溪、开州、江津等地。

| 资 源 情 况 |

野生资源一般。药材主要来源于野生。

| **采收加工** | 夏、秋季采收，洗净，晒干或鲜用。 |

| **功能主治** | 苦，凉。利尿通淋，活血调经，消肿止痛。用于热淋，石淋，月经不调，跌打损伤。 |

| **用法用量** | 内服煎汤，9 ~ 15g。外用适量，捣敷。 |

水龙骨科 Polypodiaceae 瓦韦属 Lepisorus

黄瓦韦

Lepisorus asterolepis (Baker) Ching

| 药 材 名 | 黄瓦韦（药用部位：全草或根。别名：旋鸡尾、七星剑、小瓦韦）。

| 形态特征 | 多年生草本，植株高 12 ～ 28cm。根茎长而横走，褐色，密被披针形鳞片；鳞片基部卵形，网眼细密，透明，棕色，老时易从根茎脱落。叶远生或近生；叶柄长 3 ～ 7cm，禾秆色；叶片阔披针形，长10 ～ 25cm，短圆钝头，下部 1/3 处为最宽，1.2 ～ 3cm，向基部突然狭缩成楔形并下延，干后两面通常呈黄色或淡黄色，光滑，或下面偶有稀疏贴生鳞片，边缘通常平直，或略呈波状，革质；主脉上下均隆起，小脉隐约可见。孢子囊群圆形或椭圆形，聚生在叶片的上半部，位于主脉与叶缘之间，在叶片下面隆起，在叶片背面呈穴状凹陷，相距较近，孢子囊群成熟后扩展而彼此密接或接触，幼时被圆形棕色透明的隔丝覆盖。

黄瓦韦

生境分布	生于海拔 600 ~ 1700m 的林下树干上或岩石上。分布于重庆巫溪、奉节、云阳、开州、黔江、秀山、南川、巫山、万州、石柱、武隆、北碚、江津、酉阳、彭水、垫江等地。
资源情况	野生资源较丰富。药材主要来源于野生。
采收加工	全年均可采收，洗净，晒干。
功能主治	苦，微寒。清热解毒，利尿通淋，止血。用于发热咳嗽，咽喉肿痛，小便淋痛，便秘，疮痈肿毒，外伤出血。
用法用量	内服煎汤，9 ~ 15g。外用适量，捣敷。

水龙骨科 Polypodiaceae 瓦韦属 Lepisorus

扭瓦韦 Lepisorus contortus (Christ) Ching

| 药 材 名 | 一皮草（药用部位：全草。别名：小肺筋）。

| 形态特征 | 多年生草本，植株高 10 ～ 25cm。根茎长而横走，密生鳞片；鳞片卵状披针形，中间有不透明深褐色的狭带，有光泽，边缘具锯齿。叶略近生；叶柄通常为禾秆色，少为褐色；叶片线状披针形或披针形，长 9 ～ 23cm，中部最宽，4 ～ 11（～ 13）mm，短尾状渐尖头，基部渐变狭并下延，自然干后常反卷扭曲，上面淡绿色，下面淡灰黄色，近软革质；主脉上、下均隆起，小脉不见。孢子囊群圆形或卵圆形，聚生于叶片中上部，位于主脉与叶缘之间，幼时被中部褐色圆形隔丝所覆盖。

| 生境分布 | 附生于海拔 170 ～ 2000m 的林下树干或岩石上。分布于重庆巫山、巫溪、奉节、开州、石柱、丰都、涪陵、武隆、巴南、江津、城口、

扭瓦韦

南川、綦江等地。

资源情况

野生资源较丰富。药材主要来源于野生。

采收加工

春、夏季采收，除去泥沙，洗净，晒干。

功能主治

微苦，微寒。清热解毒，活血止痛。用于烫火伤，化脓感染，热淋涩痛，咽喉肿痛，跌打损伤，外伤出血。

用法用量

内服煎汤，9 ~ 15g。外用适量，捣敷。

水龙骨科 Polypodiaceae 瓦韦属 Lepisorus

大瓦韦
Lepisorus macrosphaerus (Baker) Ching

| 药 材 名 | 大瓦韦（药用部位：全草。别名：金星凤尾草、凤尾金星、岩巫散）。

| 形态特征 | 多年生草本，植株高通常 20 ~ 40cm。根茎横走，密生鳞片；鳞片棕色、卵圆形，先端钝圆，中部网眼近长方形，其壁略加厚，颜色较深，边缘的网眼近多边形，色淡，老时易脱落。叶近生；叶柄长一般 4 ~ 15cm，多为禾秆色；叶片披针形或狭长披针形，长15 ~ 35cm，中部为最宽，1.5 ~ 4cm，短尾状渐尖头，基部渐变狭并下延，全缘或略呈波状，干后上面黄绿色或褐色，下面灰绿色或淡棕色，厚革质，下面常覆盖少量鳞片；主脉上、下均隆起，小脉通常不显。孢子囊群圆形或椭圆形，在叶片下面高高隆起，而在叶片背面呈穴状凹陷，紧靠叶缘着生，彼此间相距变化很大，远的距离约 1cm，近的彼此相接，甚至二者扩展为一，幼时被圆形棕色全

大瓦韦

缘的隔丝覆盖。

| 生境分布 |

生于海拔 800 ～ 1800m 的山地阴湿岩石或附生于树干上。分布于重庆奉节、黔江、酉阳、秀山、南川、巫溪、开州、武隆等地。

| 资源情况 |

野生资源一般。药材来源于野生。

| 采收加工 |

全年均可采收，洗净，晒干。

| 功能主治 |

苦，凉。清热解毒，利尿祛湿，止血。用于暴赤火眼，翳膜遮眼，热淋，水肿，血崩，月经不调，疔疮痈毒，外伤出血。

| 用法用量 |

内服煎汤，9 ～ 15g。外用适量，捣敷；或煎汤洗。

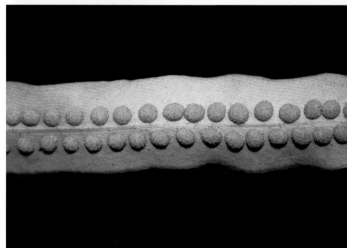

水龙骨科 Polypodiaceae 瓦韦属 Lepisorus

粤瓦韦
Lepisorus obscure-venulosus (Hayata) Ching

| **药 材 名** | 粤瓦韦（药用部位：全草。别名：小金刀、骨牌伸筋、剑丹）。 |

| **形态特征** | 多年生草本，植株高 10 ～ 25（～ 30）cm。根茎横走，密被阔披针形鳞片；鳞片网眼大部分透明，中部只有 1 褐色不透明的狭带，全缘。叶通常远生；叶柄通常褐栗色或禾秆色；叶片披针形或阔披针形，通常在下部 1/3 处为最宽，1 ～ 3.5cm，先端长尾状，向基部渐变狭并下延，长 12 ～ 25（～ 30）cm，干后淡绿色或淡黄绿色，近革质，下面沿主脉有稀疏的鳞片贴生；主脉上、下均隆起，小脉不见。孢子囊群圆形，体大，直径达 5mm，成熟后扩展，彼此近密接，幼时被中央褐色圆形隔丝覆盖。 |

| **生境分布** | 生于海拔 400 ～ 1700m 的林下树干或岩石上。分布于重庆石柱、南川、 |

粤瓦韦

江津、北碚等地。

| 资源情况 |

野生资源稀少。药材主要来源于野生。

| 采收加工 |

夏、秋季采收，洗净，晒干。

| 功能主治 |

苦，凉。归肝、脾、膀胱经。清热解毒，利水通淋，止血。用于咽喉肿痛，痈肿疮疡，烫火伤，蛇咬伤，小儿惊风，呕吐腹泻，热淋，吐血。

| 用法用量 |

内服煎汤，10 ~ 60g。外用适量，捣敷。

水龙骨科 Polypodiaceae 瓦韦属 Lepisorus

瓦韦
Lepisorus thunbergianus (Kaulf.) Ching

瓦韦

| 药 材 名 |

瓦韦（药用部位：全草。别名：千只眼、泡泡草、小肺筋）。

| 形态特征 |

多年生草本，植株高 8 ~ 20cm。根茎横走，密被披针形鳞片；鳞片褐棕色，大部分不透明，仅叶缘 1 ~ 2 行网眼透明，具锯齿。叶柄禾秆色；叶片线状披针形或狭披针形，中部最宽，0.5 ~ 1.3cm，渐尖头，基部渐变狭并下延，干后黄绿色至淡黄绿色，或淡绿色至褐色，纸质；主脉上下均隆起，小脉不见。孢子囊群圆形或椭圆形，彼此相距较近，成熟后扩展几密接，幼时被圆形褐棕色的隔丝覆盖。

| 生境分布 |

附生于海拔 400 ~ 2000m 的山坡林下树干或岩石上。分布于重庆奉节、石柱、城口、南川、涪陵、武隆、綦江、忠县、巫山、梁平、江津、璧山等地。

| 资源情况 |

野生资源较丰富。药材主要来源于野生。

| **采收加工** | 夏、秋季采收，洗净，鲜用或晒干。 |

| **功能主治** | 苦，寒。清热解毒，利尿通淋，止血。用于小儿高热，惊风，咽喉肿痛，痈肿疮疡，毒蛇咬伤，小便淋沥涩痛，尿血，咳嗽咯血。 |

| **用法用量** | 内服煎汤，9 ~ 15g。外用捣敷；或煅存性，研末撒。中寒泄泻者忌用。 |

阔叶瓦韦 | *Lepisorus tosaensis* (Makino) H. Ito

| **药 材 名** | 天牌草（药用部位：全草。别名：大骨牌草）。

| **形态特征** | 多年生草本，植株高 15 ~ 30cm。根茎短促横卧，密被卵状披针形鳞片；鳞片深棕色，大部分不透明，仅边缘有 1 ~ 2 行淡棕色透明的细胞。叶簇生或近生；叶柄长 1 ~ 5cm，禾秆色；叶片披针形，中部最宽，1 ~ 2cm，向两端渐变狭，先端渐尖头，基部渐狭并下延，长（10 ~ ）13 ~ 20cm，干后淡棕色或灰绿色，革质，两面光滑无毛；主脉上下均隆起，小脉不见。孢子囊群圆形，位于主脉与叶缘之间，聚生于叶片上半部，幼时被淡棕色圆形的隔丝覆盖。

| **生境分布** | 生于海拔 600 ~ 1700m 的溪边林下树干上或岩石上。分布于重庆城口、开州、南川、巴南、南岸、北碚等地。

阔叶瓦韦

| **资源情况** | 野生资源一般。药材主要来源于野生。

| **采收加工** | 夏、秋季采收带根茎全草，洗净，鲜用或晒干。

| **功能主治** | 苦，平。清热利尿，止血。用于淋证，痢疾，妇女乳头开裂疼痛，吐血，外伤出血，蛇咬伤。

| **用法用量** | 内服煎汤，9 ~ 15g。外用捣敷；或煅存性研末撒。

水龙骨科 Polypodiaceae 星蕨属 Microsorum

江南星蕨 *Microsorum fortunei* (T. Moore) Ching

| 药 材 名 | 大叶骨牌草（药用部位：带根茎全草。别名：旋鸡尾、七星草、金鸡尾）。

| 形态特征 | 附生，植株高 30 ~ 100cm。根茎长而横走，顶部被鳞片；鳞片棕褐色，卵状三角形，先端锐尖，基部圆形，有疏齿，筛孔较密，盾状着生，易脱落。叶远生，相距 1.5cm；叶柄禾秆色，上面有浅沟，基部疏被鳞片，向上近光滑；叶片线状披针形至披针形，长 25 ~ 60cm，宽 1.5 ~ 7cm，先端长渐尖，基部渐狭，下延于叶柄并形成狭翅，全缘，有软骨质的边；中脉两面明显隆起，侧脉不明显，小脉网状，略可见，内藏小脉分叉；叶厚纸质，下面淡绿色或灰绿色，两面无毛，幼时下面沿中脉两侧偶有极少数鳞片。孢子囊群大，圆形，沿中脉两侧排列成较整齐的 1 行或有时为不规则的 2 行，靠近中脉。孢子豆形，

江南星蕨

周壁具不规则褶皱。

| 生境分布 |

生于海拔 200 ~ 1800m 的山坡林下溪谷边树干
或岩石上。重庆各地均有分布。

| 资源情况 |

野生资源较丰富。药材主要来源于野生。

| 采收加工 |

全年均可采收，洗净，鲜用或晒干。

| 功能主治 |

苦，寒。归肝、脾、心、肺经。清热利湿，凉
血解毒。用于热淋，赤白带下，痢疾，黄疸，
咯血，衄血，痔疮出血，瘰疬痰核，痈肿疮毒，
毒蛇咬伤，风湿疼痛，跌打骨折。

| 用法用量 |

内服煎汤，15 ~ 30g；或捣汁。外用适量，鲜
品捣敷。虚寒者慎服。

| 附　注 |

在 FOC 中，本 种 的 拉 丁 学 名 被 修 订 为
Neolepisorus fortunei (T. Moore) Li Wang，属名
被修订为盾蕨属 *Neolepisorus*。

水龙骨科 Polypodiaceae 星蕨属 Microsorum

羽裂星蕨 *Microsorum insigne* (Blume) Copel.

羽裂星蕨

药材名

羽裂星蕨（药用部位：全草。别名：观音莲、海草、韩克星蕨）。

形态特征

多年生草本，植株高 40 ~ 100cm。根茎粗短，横走，肉质，密生须根，疏被鳞片；鳞片淡棕色，卵形至披针形，基部阔圆形，筛孔较密。叶疏生或近生，1 回羽状或分叉，有时为单叶，禾秆色，干后上面有沟槽，横切面为龙骨状，两侧有翅，下延近达基部，基部疏被鳞片，向上光滑；叶片卵形或长卵形，羽状深裂，叶轴两侧有阔翅，裂片对生，斜展，线状披针形，基部 1 对较大，先端渐尖或短渐尖，基部略狭，全缘或略呈波状，其余各对向上逐渐缩短，顶生裂片与侧生裂片同形；单一的叶片长椭圆形，全缘；主脉两面隆起，侧脉明显，曲折，仅伸达离叶缘 2/3 处，小脉网状，不甚明显，内藏小脉单一或分叉；叶纸质，干后绿色，两面无毛，近无鳞片。孢子囊群近圆形或长圆形，小而散生，着生于叶片网脉连接处，有时沿网脉延伸而多少汇合。孢子豆形，周壁浅瘤状，具球形颗粒状纹饰。

| 生境分布 |

生于海拔 600 ~ 800m 的林下沟边岩石上或山坡阔叶林下。分布于重庆南川、巫溪、开州、石柱、武隆、江津等地。

| 资源情况 |

野生资源一般。药材主要来源于野生。

| 采收加工 |

全年均可采收，洗净，鲜用或晒干。

| 功能主治 |

苦、涩，平。活血，祛湿，解毒。用于关节痛，跌打损伤，疝气，无名肿痛。

| 用法用量 |

内服煎汤，3 ~ 9g。外用适量，捣敷；或研末调敷。

| 附　注 |

星蕨属植物在我国共有9种，包括江南星蕨 *Microsorum fortunei* (T.Moore) Ching、羽裂星蕨 *M. insigne* (Blume) Copel.、膜叶星蕨 *M. membranaceum* (D. Don) Ching、有翅星蕨 *M. pteropus* (Blume) Copel.、星蕨 *M. punctatum* (L.) Copel.、网脉星蕨 *M. reticulatum* Ching ex L. Shi、广叶星蕨 *M. steerei* (Harr.) Ching、表面星蕨 *M. superficiale* (Blume) Ching、显脉星蕨 *M. zippelii* (Blume) Ching，这9种植物形态相似，应注意区别。

水龙骨科 Polypodiaceae 星蕨属 Microsorum

膜叶星蕨 *Microsorum membranaceum* (D. Don) Ching

膜叶星蕨

| 药 材 名 |

大瓦韦膜叶星蕨（药用部位：全草。别名：大风草、爬山姜、断骨粘）。

| 形态特征 |

附生或很少土生，植株高 50 ~ 80cm。根茎横走，粗壮，密被鳞片；鳞片暗褐色，卵形至三角形，渐尖头，近全缘，粗筛孔状，盾状着生。叶近生或近簇生；叶柄短，具棱，横切面近三角形，禾秆色，基部被鳞片；叶片阔披针形至椭圆状披针形，先端渐尖，基部下延成狭翅，几达叶柄基部，全缘或略呈波状；叶干后绿色，膜质或薄纸质；主脉下面隆起而有锐脊，侧脉明显，近平展，横脉在每对侧脉间有 4 ~ 6，在主脉两侧各构成 4 ~ 7 近四边形的大网眼，小脉在大网眼中联结成小网眼，内藏小脉分叉。孢子囊群小，圆形，着生于叶片小脉连接处，不规则地散布于侧脉间。孢子囊隔丝通常为 2 细胞，小而不明显。孢子豆形，周壁具孔穴状不规则褶皱。

| 生境分布 |

生于海拔 800 ~ 2000m 的荫蔽山谷溪边、林下潮湿的岩石或树干上。分布于重庆彭水、

南川等地。

| **资源情况** | 野生资源稀少。药材主要来源于野生。

| **采收加工** | 全年均可采收，洗净，鲜用或晒干。

| **功能主治** | 苦，寒。清热利尿，散瘀消肿，止血。用于膀胱炎，尿道炎，跌打损伤，外伤出血，疔疮痈肿。

| **用法用量** | 内服煎汤，9～15g，鲜品加倍。外用适量，鲜品捣敷。

水龙骨科 Polypodiaceae 星蕨属 Microsorum

星蕨
Microsorum punctatum (L.) Copel.

星蕨

药材名

星蕨（药用部位：全草。别名：野苦荬、尖凤尾、二郎剑）。

形态特征

附生植物，植株高 40 ~ 60cm。根茎短而横走，粗壮，直径 6 ~ 8mm，有少量的环形维管束鞘，多为星散的厚壁组织，根茎近光滑而被白粉，密生须根，疏被鳞片；鳞片阔卵形，长约 3mm，基部阔而成圆形，先端急尖，边缘稍具齿，盾状着生，粗筛孔状，暗棕色，中部的颜色较深，易脱落。叶近簇生；叶柄粗壮，短或近无柄，长不及 1cm，直径 3 ~ 4mm，禾秆色，基部疏被鳞片，有沟；叶片阔线状披针形，长 35 ~ 55cm，宽 5 ~ 8cm，先端渐尖，基部长渐狭而形成狭翅，或呈圆楔形或近耳形，全缘或叶缘有时略呈不规则的波状；侧脉纤细而曲折，两面均可见，相距 1.5cm，小脉联结成多数不整齐的网眼，两面均不明显，在光线下则清晰可见，内藏小脉分叉；叶纸质，淡绿色。孢子囊群直径约 1mm，橙黄色，通常只叶片上部能育，不规则散生或有时密集为不规则汇合，一般生于内藏小脉的先端。孢子豆形，周壁平坦至浅瘤状。

| **生境分布** | 生于海拔 500 ～ 1500m 的疏林阴处的树干上或墙垣上。分布于重庆黔江、巫溪等地。 |

| **资源情况** | 野生资源稀少。药材主要来源于野生。 |

| **采收加工** | 全年均可采收，洗净，鲜用或晒干。 |

| **功能主治** | 苦，凉。清热利湿，解毒。用于淋证，小便不利，跌打损伤，痢疾。 |

| **用法用量** | 内服煎汤，10 ～ 30g。 |

水龙骨科 Polypodiaceae 盾蕨属 Neolepisorus

戟叶盾蕨

Neolepisorus dengii Ching et P. S. Wang f. *hastatus* Ching et P. S. Wang

戟叶盾蕨

药材名

戟叶盾蕨（药用部位：全草）。

形态特征

多年生草本，植株高达 50cm。根茎长而横走，直径 4mm，连同叶柄基部密被披针形鳞片。叶远生，叶片戟形，基部有 1 对披针形裂片（有时向上有少数短裂片），中部以上全缘，尖三角形；叶柄长 25 ~ 30cm，直径 2mm，基部以上近光滑；叶片长 20 ~ 27cm，尖三角状披针形，基部宽 5 ~ 8cm，两侧斜切或多少呈戟形，特别是叶缘下半部多少呈浅波状，干后纸质，褐色或褐绿色；侧脉略斜展，相距 9mm。孢子囊群中等大小，圆形，在下部侧脉间 2 ~ 3，向上在主脉两侧各成 1 行。

生境分布

生于海拔 1260m 以下的岩石上。分布于重庆武隆、南川、巴南、南岸等地。

资源情况

野生资源稀少。药材主要来源于野生。

采收加工

全年均可采收，洗净，鲜用或晒干。

| **功能主治** | 清热解毒，利水通淋。用于小便短赤不利，水肿，尿血。

| **用法用量** | 内服煎汤，15 ~ 30g；或泡酒。外用适量，研末撒。

| **附　　注** | 在 FOC 中，本种被修订为三角叶盾蕨 *Neolepisorus ovatus* (Bedd.) Ching f. *deltoideus* (Baker) Ching。

剑叶盾蕨 *Neolepisorus ensatus* (Thunb.) Ching

| 药 材 名 | 剑叶盾蕨（药用部位：全草）。

| 形态特征 | 多年生草本，植株高 30 ～ 70cm。根茎极长而横走。叶疏生；叶柄长 20 ～ 30cm；叶片通常单一，披针形至阔披针形，长 20 ～ 50cm，宽 4 ～ 6cm，中部最宽，基部向下渐变狭，沿叶柄长下延；侧脉明显，广开展至略斜展。孢子囊群圆形，中等大，在主脉两侧排成不规则的 1 ～ 3 行，如为 1 行，则靠近主脉。

| 生境分布 | 生于海拔 700 ～ 1200m 的阔叶林下。分布于重庆南川、北碚、綦江等地。

| 资源情况 | 野生资源稀少。药材主要来源于野生。

剑叶盾蕨

| 采收加工 | 全年均可采收，洗净，鲜用或晒干。

| 功能主治 | 清热，利尿，止血。用于小便短赤不利，水肿，血尿，劳伤吐血，外伤出血。

| 用法用量 | 内服煎汤，15 ~ 30g；或泡酒。外用适量，研末撒。

| 附　注 | 应注意将本种与畸变剑叶盾蕨（变型）*Neolepisorus ensatus* (Thunb.) Ching. *monstriferus* Tagawa 进行区别。后者叶片有 1 对披针形裂片，向上有 1 至数对短裂片，中部以上全缘，不分裂部分为宽的 5 倍以上。

盾蕨
Neolepisorus ovatus (Bedd.) Ching

| 药 材 名 | 大金刀（药用部位：全草。别名：水石韦、银茶匙、牌坊草）。

| 形态特征 | 多年生草本，植株高 20 ~ 40cm。根茎横走，密生鳞片；鳞片卵状披针形，长渐尖头，边缘有疏锯齿。叶远生；叶柄密被鳞片；叶片卵形，基部圆形，宽 7 ~ 12cm，渐尖头，全缘或下部多少分裂，干后厚纸质，上面光滑，下面多少有小鳞片；主脉隆起，侧脉明显，开展直达叶缘，小脉网状，有分叉的内藏小脉。孢子囊群圆形，沿主脉两侧排成不整齐的多行，或在侧脉间排成不整齐的 1 行，幼时被盾状隔丝覆盖。

| 生境分布 | 生于海拔500 ~ 2000m 的山林下。分布于重庆巫溪、石柱、南川、酉阳、涪陵等地。

盾蕨

| 资源情况 |

野生资源稀少。药材主要来源于野生。

| 采收加工 |

全年均可采收，洗净，鲜用或晒干。

| 功能主治 |

苦，凉。清热利湿，止血，解毒。用于热淋，
小便不利，尿血，肺痨咯血，吐血，外伤出血，
痈肿，烫火伤。

| 用法用量 |

内服煎汤，15 ~ 30g；或泡酒。外用适量，鲜
品捣敷；或干品研末调敷。

■ 水龙骨科 ■ Polypodiaceae ■ 盾蕨属 ■ Neolepisorus

三角叶盾蕨 Neolepisorus ovatus (Bedd.) Ching f. deltoideus (Baker) Ching

| 药 材 名 | 三角叶盾蕨（药用部位：全草）。

| 形态特征 | 本种与原变型盾蕨的区别在于叶片三角形，不规则浅裂或羽状深裂，裂片 1 至多对，披针形，彼此有阔的间隔分开，基部以阔翅（宽约 1cm）相连。

| 生境分布 | 生于 600 ～ 2000m 的山地林下。分布于重庆城口、南川、合川、北碚、江津、丰都等地。

| 资源情况 | 野生资源稀少。药材主要来源于野生。

| 采收加工 | 全年均可采收，采挖后洗净，鲜用或晒干。

三角叶盾蕨

功能主治

苦、微甘，凉。清热利尿，止血。用于小便短赤不利，水肿，血尿，劳伤吐血，外伤出血，跌打损伤。

用法用量

内服煎汤，9 ~ 15g。外用捣敷；或煅存性研末撒。

金鸡脚假瘤蕨 *Phymatopteris hastata* (Thunb.) Pic. Serm.

| **药材名** | 金鸡脚（药用部位：全草。别名：辟瘟草、鸭脚金星草、独脚金鸡）。

| **形态特征** | 多年生草本。根茎长而横走，密被鳞片；鳞片披针形，棕色，先端长渐尖，全缘或边缘偶有疏齿。叶远生；叶柄禾秆色，光滑无毛；单叶，形态变化极大，叶片（或裂片）的边缘具缺刻和加厚的软骨质边，通直或呈波状；中脉和侧脉两面明显，侧脉不达叶缘，小脉不明显；叶纸质或草质，背面通常灰白色，两面光滑无毛。孢子囊群大，圆形，在叶片中脉或裂片中脉两侧各1行，着生于中脉与叶缘之间；孢子表面具刺状突起。

| **生境分布** | 生于海拔 300 ~ 1800m 的林下或少阴处。重庆各地均有分布。

| **资源情况** | 野生资源丰富。药材主要来源于野生。

金鸡脚假瘤蕨

| 采收加工 |

全年均可采收，除去杂质，洗净，鲜用或晒干。

| 药材性状 |

本品根茎呈圆柱形，细长，多折断，长短不一，直径 2 ~ 3mm，密生鳞片，棕红色或棕褐色。叶片多皱缩，润湿展平后多呈掌状 3 裂，也有 1 ~ 5 裂，裂片或叶片披针形，长 5 ~ 10cm，上表面棕绿色，下表面灰绿色，叶缘内卷，叶片厚纸质，易破碎；叶柄长 2 ~ 18cm。孢子囊群圆形，红棕色，稍近主脉，或有的已脱落。气微，味淡。

| 功能主治 |

甘、微苦、微辛，凉。清热解毒，祛风镇惊，利水通淋。用于外感热病，肺热咳嗽，咽喉肿痛，小儿惊风，痈肿疮毒，蛇虫咬伤，烫火伤，痢疾，泄泻，小便淋浊。

| 用法用量 |

内服煎汤，15 ~ 30g，大剂量可用至 60g，鲜品加倍。外用适量，研末撒；或鲜品捣敷。

| 附　　注 |

在 FOC 中，本种的拉丁学名被修订为 *Selliguea hastata* (Thunberg) Fraser-Jenkins，属名被修订为修蕨属 *Selliguea*。

水龙骨科 Polypodiaceae 假瘤蕨属 Phymatopteris

喙叶假瘤蕨 Phymatopteris rhynchophylla (Hook.) Pic. Serm.

| 药 材 名 | 喙叶假瘤蕨（药用部位：全草）。

| 形态特征 | 附生植物。根茎长而横走，直径 2mm，密被鳞片；鳞片披针形，棕色，长 5mm，先端渐尖，边缘有疏齿。叶远生，二型；不育叶的叶柄较短，长 1 ~ 2cm，叶片卵圆形，长 1 ~ 5cm，宽 1 ~ 2cm；能育叶的叶柄长 5 ~ 10cm，叶片长条形，长 5 ~ 20cm，宽 0.5 ~ 2cm，先端圆钝，基部楔形，边缘具软骨质边和缺刻；侧脉两面明显，先端分二叉，不达叶缘，小脉网状，具单一的内藏小脉；叶草质，两面光滑无毛，表面绿色，背面通常淡红色。孢子囊群圆形，着生于能育叶的中上部，在叶片中脉两侧各 1 行，略靠近叶缘着生；孢子表面具刺状突起。

| 生境分布 | 生于海拔 1000 ~ 2000m 的石上或树干上。分布于重庆南川、南岸、

喙叶假瘤蕨

巴南等地。

| **资源情况** | 野生资源稀少。药材主要来源于野生。

| **采收加工** | 全年均可采挖，除去须根，洗净，鲜用或晒干。

| **功能主治** | 清热止咳。

| **用法用量** | 内服煎汤，9 ~ 15g。

| **附　注** | 在 FOC 中，本种的拉丁学名被修订为 *Selliguea rhynchophylla* (Hooker) Fraser-Jenkins，属名被修订为修蕨属 *Selliguea*。

水龙骨科 Polypodiaceae 拟水龙骨属 *Polypodiastrum*

川拟水龙骨

Polypodiastrum dielseanum (C. Chr.) Ching

| **药 材 名** | 川水龙骨（药用部位：根茎。别名：假水龙骨）。

| **形态特征** | 附生植物。根茎横走，密被鳞片；鳞片卵状披针形，褐色，先端渐尖，边缘有细锯齿。叶远生；叶柄长 20 ~ 30cm，禾秆色，除最基部密被与根茎上相同的鳞片外，向上光滑无毛；叶片椭圆状披针形，长 40 ~ 60cm，宽 15 ~ 25cm，1 回羽状；羽片 20 ~ 30 对，基部 1 对略反折，中部羽片近平展，羽片之间间隔 2 ~ 3cm，线形或条形，长 10 ~ 15cm，先端长渐尖，基部与叶轴阔合生，上侧略上延，边缘有锯齿。叶脉网状，羽片中脉明显，侧脉不达叶缘，在中脉两侧各具 1 行网眼，有内藏小脉。叶草质，干后灰绿色，叶轴和羽片中脉基部被白色柔毛和稀疏的淡棕色阔披针形鳞片。孢子囊群圆形，在羽片中脉两侧各 1 行，着生于内藏小脉先端，位于中脉与叶缘之间，无盖。

川拟水龙骨

| 生境分布 | 生于海拔 1100 ～ 2300m 的山地阴湿杂木林中或路旁岩石上。分布于重庆开州、石柱、武隆、南川等地。 |

| 资源情况 | 野生资源稀少。药材主要来源于野生。 |

| 采收加工 | 全年均可采收，洗净，鲜用或晒干。 |

| 功能主治 | 苦，寒。清热解毒，利湿止痛。用于肺热咳嗽，疮痈肿毒，风湿疼痛。 |

| 用法用量 | 内服煎汤，15 ～ 30g。外用适量，煎汤洗；或鲜品捣敷。 |

水龙骨科 Polypodiaceae 水龙骨属 Polypodiodes

友水龙骨
Polypodiodes amoena (Wall. ex Mett.) Ching

| 药 材 名 | 土碎补（药用部位：根茎。别名：猴子蕨、水龙骨、细牛肋巴）。

| 形态特征 | 附生植物。根茎横走，密被鳞片；鳞片披针形，暗棕色，基部阔，盾状着生，上部渐尖，边缘有细齿。叶远生；叶柄禾秆色，光滑无毛；叶片卵状披针形，羽状深裂，基部略收缩，先端羽裂渐尖；裂片披针形，先端渐尖，边缘有锯齿，基部1～2对裂片向后反折。叶脉极明显，网状，在叶轴两侧各具1行狭长网眼，在裂片中脉两侧各具1～2行网眼，内行网眼具内藏小脉，分离的小脉先端具水囊，几达裂片边缘。叶厚纸质，干后黄绿色，两面无毛，背面叶轴及裂片中脉具有较多的披针形、褐色鳞片。孢子囊群圆形，在裂片中脉两侧各1行，着生于内藏小脉先端，位于中脉与叶缘之间，无盖。

友水龙骨

| 生境分布 |

生于海拔 400 ~ 2700m 的常绿阔叶林中树干或
岩石上。分布于重庆丰都、綦江、云阳、巫山、
巫溪、黔江、酉阳、南川等地。

| 资源情况 |

野生资源一般。药材主要来源于野生。

| 采收加工 |

全年均可采收，洗净，鲜用或晒干。

| 功能主治 |

微苦，凉。舒筋活络，清热解毒，消肿止痛。
用于风湿痹痛，跌打损伤，痈肿疮毒。

| 用法用量 |

内服煎汤，6 ~ 15g。外用适量，研末撒；或鲜
品捣敷。

水龙骨科 Polypodiaceae 水龙骨属 Polypodiodes

柔毛水龙骨

Polypodiodes amoena (Wall. ex Mett.) Ching var. *pilosa* (C. B. Clarke) Ching

| **药 材 名** | 柔毛水龙骨（药用部位：根茎。别名：土碎补、扁茎叶草）。 |

| **形态特征** | 本种与原变种友水龙骨的区别在于叶两面被毛或至少在叶轴及裂片中脉疏被短柔毛。 |

| **生境分布** | 生于海拔 1200 ~ 2300m 的岩石上或树干基部。分布于重庆黔江、武隆、南川等地。 |

| **资源情况** | 野生资源稀少。药材主要来源于野生。 |

| **采收加工** | 全年均可采收，洗净，鲜用或晒干。 |

| **功能主治** | 舒筋活络，清热解毒，消肿止痛。用于风湿关节痛，跌打损伤，疮痛肿毒。 |

柔毛水龙骨

| **用法用量** | 内服煎汤，15 ～ 30g。外用适量，煎汤洗；或鲜品捣敷。

水龙骨科 Polypodiaceae 水龙骨属 Polypodiodes

中华水龙骨 *Polypodiodes chinensis* (Christ) S. G. Lu

| 药 材 名 | 中华水龙骨（药用部位：根茎。别名：假水龙骨、鸡爪七）。

| 形态特征 | 附生植物。根茎长而横走，直径 2 ～ 3mm，密被鳞片；鳞片乌黑色，卵状披针形，先端渐尖，边缘有疏齿或近全缘。叶远生或近生；叶柄长 10 ～ 20cm，禾秆色，光滑无毛；叶片卵状披针形或阔披针形，长 15 ～ 25cm，宽 7 ～ 10cm，羽状深裂或基部几全裂，基部心形，先端羽裂渐尖或尾尖；裂片 15 ～ 25 对，线状披针形，长 3 ～ 5cm，宽 5 ～ 7mm，先端渐尖，边缘有锯齿，基部 1 对略缩短并略反折。叶脉网状，裂片的中脉明显，禾秆色，侧脉和小脉纤细，不明显。叶草质，两面近无毛，表面光滑，背面疏被小鳞片。孢子囊群圆形，较小，生于内藏小脉先端，靠近或较靠近裂片中脉着生，无盖。

中华水龙骨

生境分布	附生于海拔 900 ～ 1800m 的岩石或树干上。分布于重庆开州、丰都、石柱、武隆、黔江、酉阳、彭水、南川、城口等地。
资源情况	野生资源一般。药材主要来源于野生。
采收加工	全年均可采挖，除去杂质，洗净，鲜用或晒干。
功能主治	苦，平。行气活血，消肿散瘀。用于跌打损伤，骨折，劳伤腰腿痛，半身不遂，秃疮。
用法用量	内服煎汤，15 ～ 30g。外用适量，捣敷。

水龙骨科 Polypodiaceae 石韦属 Pyrrosia

光石韦
Pyrrosia calvata (Baker) Ching

| **药 材 名** | 光石韦（药用部位：全草。别名：牛皮凤尾草、大石韦、毛连草）。 |

| **形态特征** | 多年生草本，植株高 25 ~ 70cm。根茎短粗，横卧，被狭披针形鳞片；鳞片具长尾状渐尖头，边缘具睫毛，棕色，近膜质。叶近生，一型；叶柄长 6 ~ 15cm，木质，禾秆色，基部密被鳞片和长臂状的深棕色星状毛，向上疏被星状毛；叶片狭长披针形，长 25 ~ 60cm，中部最宽，达 2 ~ 5cm，向两端渐变狭，长尾状渐尖头，基部狭楔形并长下延，全缘，干后硬革质，上面棕色，光滑，有黑色点状斑点，下面淡棕色，幼时被 2 层星状毛，上层的为长臂状，淡棕色，下层的细长卷曲，灰白色，绒毛状，老时大多数脱落；主脉粗壮，下面圆形隆起，上面略下陷，侧脉通常可见，小脉时隐时现。孢子囊群近圆形，聚生于叶片上半部，成熟时扩张并略汇合，无盖，幼时略被星状毛覆盖。|

光石韦

生境分布	生于海拔 400 ~ 1750m 的阴湿山地、溪边岩石或树干上。分布于重庆城口、巫山、綦江、秀山、南川、渝北等地。
资源情况	野生资源稀少。药材主要来源于野生和栽培。
采收加工	全年均可采收，除去杂质，洗净，鲜用或晒干。
药材性状	本品叶多卷成压扁的管状或平展，革质，一型；叶片长披针形，先端渐尖，基部渐狭而不下延，全缘，长 20 ~ 50cm，宽 2 ~ 4cm，上表面黄绿色或黄棕色，有小凹点；用放大镜观察可见叶下表面有星状毛或细绒毛。孢子囊群密布于叶下表面的中部以上。叶柄 4 ~ 8cm，宽 3 ~ 4mm，有纵棱。气微，味微淡。
功能主治	苦、酸，凉。利尿通淋，清热止血。用于热淋，血淋，石淋，吐血，衄血，尿血，崩漏，肺热喘咳，颈淋巴结核，烫火伤，外伤出血。
用法用量	内服煎汤，6 ~ 12g。外用适量，研末撒或调敷。

水龙骨科 Polypodiaceae 石韦属 Pyrrosia

毡毛石韦

Pyrrosia drakeana (Franch.) Ching

| 药 材 名 | 小石韦（药用部位：叶）。

| 形态特征 | 多年生草本，植株高 25 ～ 60cm。根茎短粗，横卧，密被披针形棕色鳞片；鳞片具长尾状渐尖头，周身密被睫状毛，先端的睫状毛丛生，分叉和卷曲，膜质，全缘。叶近生，一型；叶柄长 12 ～ 17cm，粗壮，坚硬，基部密被鳞片，向上密被星状毛，禾秆色或棕色；叶片阔披针形，短渐尖头，基部通常扩展成为最宽处，近圆楔形，不对称，稍下延，长 12 ～ 23cm，宽 4 ～ 8（～ 10）cm，全缘，或下部呈波状浅裂，干后革面灰绿色，光滑无毛，但密布洼点，下面灰绿色，被 2 种星状毛；主脉下面隆起，上面平坦，侧脉可见，小脉不显。孢子囊群近圆形，整齐地呈多行排列，幼时被星状毛覆盖，呈淡棕色，成熟时孢子囊开裂，呈砖红色，不汇合。

毡毛石韦

| 生境分布 | 附生于海拔 1000 ～ 1800m 的山坡杂木林下树干上或岩石上。分布于重庆开州、巫溪等地。

| 资源情况 | 野生资源较少。药材来源于野生。

| 采收加工 | 全年均可采收，除去根茎及根，晒干或阴干。

| 药材性状 | 本品常皱缩，展开后呈长三角状卵形至三角状披针形，长 10 ～ 18cm，宽 3 ～ 7cm；先端钝尖，基部呈不等的耳形、圆形或偏斜；上表面黄绿色或浅棕色，下表面密生较厚而疏松的棕黄色星状毛；叶片革质。叶柄长 10 ～ 30cm。

| 功能主治 | 苦、甘，凉。归肺、膀胱经。清肺化痰，止咳平喘，利水通淋。用于肺热喘咳，痰多，热淋，血淋。

| 用法用量 | 内服煎汤，1.5 ～ 9g，包煎。

水龙骨科 Polypodiaceae 石韦属 Pyrrosia

西南石韦 *Pyrrosia davidii* (Gies.) Ching

| 药 材 名 | 石韦（药用部位：全草。别名：石皮、石耳朵、石兰）。

| 形态特征 | 多年生草本，植株高 10 ~ 20cm。根茎略粗壮，横卧，密被狭披针形鳞片；鳞片长渐尖头，幼时棕色，老时在中部变黑色，边缘具细齿。叶近生，一型；叶柄长 2.5 ~ 10cm，禾秆色，基部着生处被鳞片，向上疏被星状毛；叶片狭披针形，中部最宽，向两端渐狭，短钝尖头或长尾状渐尖头，基部以狭翅沿叶柄长下延，一般长 10 ~ 15cm，中部宽 0.8 ~ 1.5cm，全缘，干后近革质，上面淡灰绿色，光滑或疏被星状毛，密被洼点，下面棕色，密被星状毛；主脉在下面不明显隆起，在上面略凹陷，侧脉与小脉不显。孢子囊群均匀密布叶片下面，无盖，幼时被星状毛覆盖，呈棕色，成熟时孢子囊开

西南石韦

裂而呈砖红色。

| **生境分布** | 生于海拔 1000 ~ 1800m 的林下树干上或山坡岩石上。分布于重庆城口、巫溪、奉节、垫江、秀山、南川、綦江、潼南、酉阳等地。

| **资源情况** | 野生资源一般。药材来源于野生。

| **采收加工** | 全年均可采收，洗净，晒干。

| **药材性状** | 本品叶一型，软革质，叶片披针形，长 5 ~ 10cm；下表面被厚而疏松的星状毛，毛的分枝长，呈长针状，深褐色，略有光泽；叶柄长 5cm。孢子囊群多行。

| **功能主治** | 苦、甘，寒。归肺、肾、膀胱经。利尿通淋，清肺化痰，凉血止血。用于淋证，水肿，痰热咳喘，咯血，吐血，衄血，崩漏，外伤出血。

| **用法用量** | 内服煎汤，9 ~ 15g；或研末。外用适量，研末涂敷。

| **附　注** | 在 FOC 中，本种被修订为华北石韦 *Pyrrosia davidii* (Baker) Ching。

水龙骨科 Polypodiaceae 石韦属 Pyrrosia

石韦 *Pyrrosia lingua* (Thunb.) Farwell

| **药材名** | 石韦（药用部位：叶。别名：石皮、石苇、金星草）。

| **形态特征** | 多年生草本，植株通常高 10 ～ 30cm。根茎长而横走，密被鳞片；鳞片披针形，长渐尖头，淡棕色，边缘有睫毛。叶远生，近二型；叶柄与叶片大小和长短变化很大，能育叶通常远比不育叶长得高而较狭窄，两者的叶片略比叶柄长，少为等长，罕有短过叶柄的；不育叶叶片近长圆形，或长圆状披针形，下部 1/3 处为最宽，向上渐狭，短渐尖头，基部楔形，全缘，上面灰绿色，近光滑无毛，下面淡棕色或砖红色，被星状毛；主脉下面稍隆起，上面不明显下凹，侧脉在下面明显隆起，清晰可见，小脉不显。孢子囊群近椭圆形，在侧脉间整齐成多行排列，布满整个叶片下面，或聚生于叶片的大上半部，初时为星状毛覆盖而呈淡棕色，成熟后孢子囊开裂外露而呈砖红色。

石韦

| 生境分布 |

附生于海拔 100 ~ 1800m 的林下树干上或稍干的岩石上。重庆各地均有分布。

| 资源情况 |

野生资源丰富。药材主要来源于野生，亦有少量栽培。

| 采收加工 |

全年均可采收，除去根和根茎，晒干或阴干。

| 药材性状 |

本品叶片呈披针形或长圆状披针形，长 8 ~ 12cm，宽 1 ~ 3cm，基部楔形，对称；孢子囊群在侧脉间，排列紧密而整齐；叶柄长 5 ~ 10cm，直径 1.5mm。

| 功能主治 |

甘、苦，微寒。归肺、膀胱经。利尿通淋，清肺止咳，凉血止血。用于热淋，血淋，石淋，肺热喘咳，吐血，衄血，尿血，崩漏。

| 用法用量 |

内服煎汤，6 ~ 12g。

| 附　注 |

本种喜阴凉干燥的气候。种植宜选树下岩石上有苔藓植物的地方。

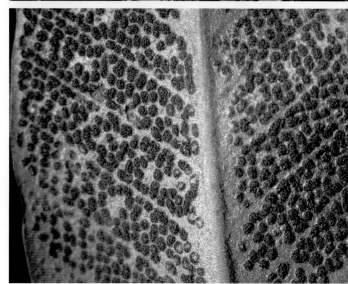

水龙骨科 Polypodiaceae 石韦属 Pyrrosia

有柄石韦 *Pyrrosia petiolosa* (Christ) Ching

| 药 材 名 | 参见"石韦"条。

| 形态特征 | 多年生草本，植株高 5 ～ 15cm。根茎细长横走，幼时密被披针形棕色鳞片；鳞片长尾状渐尖头，边缘具睫毛。叶远生，一型；具长柄，基部被鳞片，向上被星状毛，棕色或灰棕色；叶片椭圆形，急尖短钝头，基部楔形，下延，干后厚革质，全缘，上面灰淡棕色，有洼点，疏被星状毛，下面被厚层星状毛，初为淡棕色，后为砖红色；主脉下面稍隆起，上面凹陷，侧脉和小脉均不显。孢子囊群布满叶片下面，成熟时扩散并汇合。

| 生境分布 | 生于海拔 200 ～ 1800m 的山地干旱岩石上。重庆各地均有分布。

| 资源情况 | 野生资源较丰富。药材主要来源于野生。

有柄石韦

| 采收加工 | 参见"石韦"条。

| 药材性状 | 本品叶片多卷曲成筒状，展平后呈长圆形或卵状长圆形，长 3 ~ 8cm，宽 1 ~ 2.5cm，基部楔形，对称；下表面侧脉不明显，布满孢子囊群。叶柄长 3 ~ 12cm，直径 1mm。

| 功能主治 | 参见"石韦"条。

| 用法用量 | 参见"石韦"条。

水龙骨科 Polypodiaceae 石韦属 Pyrrosia

庐山石韦
Pyrrosia sheareri (Baker) Ching

| 药 材 名 | 参见"石韦"条。

| 形态特征 | 多年生草本，植株通常高 20 ~ 50cm。根茎粗壮，横卧，密被线状棕色鳞片；鳞片长渐尖头，边缘具睫毛，着生处近褐色。叶近生，一型；叶柄粗壮，直径 2 ~ 4mm，基部密被鳞片，向上疏被星状毛，禾秆色至灰禾秆色；叶片椭圆状披针形，近基部处为最宽，向上渐狭，渐尖头，先端钝圆，基部近圆截形或心形，长 10 ~ 30cm 或更长，宽 2.5 ~ 6cm，全缘，干后软厚革质，上面淡灰绿色或淡棕色，几光滑无毛，但布满洼点，下面棕色，被厚层星状毛；主脉粗壮，两面均隆起，侧脉可见，小脉不显。孢子囊群呈不规则的点状排列于侧脉间，布满基部以上的叶片下面，无盖，幼时被星状毛覆盖，

庐山石韦

成熟时孢子囊开裂而呈砖红色。

| **生境分布** | 生于海拔 200 ～ 1800m 的林中树干或石上。重庆各地均有分布。

| **资源情况** | 野生资源较丰富。药材主要来源于野生。

| **采收加工** | 参见"石韦"条。

| **药材性状** | 本品叶片略皱缩，展平后呈披针形，长 10 ～ 25cm，宽 3 ～ 5cm，先端渐尖，基部耳状偏斜，全缘，边缘常向内卷曲；上表面黄绿色或灰绿色，散布有黑色圆形小凹点；下表面密生红棕色星状毛，有的侧脉间布满棕色圆点状的孢子囊群。叶柄具 4 棱，长 10 ～ 20cm，直径 1.5 ～ 3mm，略扭曲，有纵槽。叶片革质。气微，味微涩、苦。

| **功能主治** | 参见"石韦"条。

| **用法用量** | 参见"石韦"条。

水龙骨科 Polypodiaceae 石蕨属 Saxiglossum

石蕨
Saxiglossum angustissimum (Gies.) Ching

| 药 材 名 | 石蕨（药用部位：全草。别名：金挖耳、鸭舌韦、鸭舌鱼鳖）。

| 形态特征 | 石附生小型蕨类，高 10 ～ 12cm。根茎细长横走，密被鳞片；鳞片卵状披针形，长渐尖头，边缘具细齿，红棕色至淡棕色，盾状着生。叶远生，相距 1 ～ 2cm，几无柄，基部以关节着生；叶片线形，长 3 ～ 9cm，宽 2 ～ 3.5cm，钝尖头，基部渐狭缩，干后革质，边缘向下强烈反卷，幼时上面疏生星状毛，下面密被黄色星状毛，宿存；主脉明显，上面凹陷，下面隆起，小脉网状，沿主脉两侧各构成 1 行长网眼，无内藏小脉，近叶缘的细脉分离，先端有 1 膨大的水囊。孢子囊群线形，沿主脉两侧各成 1 行，位于主脉与叶缘之间，幼时全被反卷的叶缘覆盖，成熟时张开，孢子囊外露；孢子椭圆形，单裂缝，周壁上面具有分散的小瘤，外壁光滑。

石蕨

| **生境分布** | 附生于海拔 400 ~ 2000m 的阴湿石壁上或树干上。分布于重庆城口、巫山、南川、丰都、开州等地。

| **资源情况** | 野生资源一般。药材主要来源于野生。

| **采收加工** | 全年均可采收，连根挖出，洗净，晒干。

| **功能主治** | 微苦，凉。清热，利湿，明目。用于肺热咳嗽，咽喉肿痛，目赤羞明，小儿惊风，小便不利，妇女带下，咯血，吐血，鼻衄。

| **用法用量** | 内服煎汤，15 ~ 30g。

| **附　　注** | 在 FOC 中，本种的拉丁学名被修订为 *Pyrrosia angustissima* (Giesenh. ex Diels) C. M. Kuo，石蕨属的拉丁学名被修订为 *Pyrrosia*。

槲蕨科 Drynariaceae 槲蕨属 Drynaria

槲蕨
Drynaria roosii Nakaike

| 药 材 名 | 骨碎补（药用部位：根茎。别名：过山龙、石良姜、爬岩姜）。

| 形态特征 | 多年生草本。通常附生岩石上，匍匐生长，或附生树干上，螺旋状攀缘。根茎密被鳞片；鳞片斜升，盾状着生，边缘有齿。叶二型，基生不育叶圆形，基部心形，浅裂至叶片宽度的1/3，全缘，黄绿色或枯棕色，厚干膜质，下面被疏短毛。正常能育叶叶柄具明显的狭翅；叶片深羽裂至距叶轴2～5mm处，裂片7～13对，互生，稍斜向上，披针形，边缘有不明显的疏钝齿，先端急尖或钝；叶脉两面均明显；叶干后纸质，仅上面中肋略被短毛。孢子囊群圆形、椭圆形，叶片下面全部分布，沿裂片中肋两侧各排列成2～4行，成熟时相邻2侧脉间有圆形孢子囊群1行，或幼时呈1行长形的孢子囊群，混生有大量腺毛。

槲蕨

| **生境分布** | 生于海拔 100 ~ 1800m 的树干上或岩石上。重庆各地均有分布。

| **资源情况** | 野生资源较丰富。药材来源于野生，亦有少量栽培。

| **采收加工** | 全年均可采挖，除去泥沙，干燥，或再燎去绒毛（鳞片）。

| **药材性状** | 本品呈扁平长条形，多弯曲，有分枝，长 5 ~ 15cm，宽 1 ~ 1.5cm，厚 0.2 ~ 0.5cm；表面密被深棕色至暗棕色小鳞片，柔软如毛，经火燎者呈棕褐色或暗褐色，两侧及上表面均具凸起或凹下的圆形叶痕，少数有叶柄残基或须根残留。体轻，质脆，易折断，断面红棕色，维管束呈黄色点状，排列成环。气微，味淡、微涩。

| **功能主治** | 苦，温。归肝、肾经。疗伤止痛，补肾强骨，消风祛斑。用于跌打闪挫，筋骨折伤，肾虚腰痛，筋骨痿软，耳鸣耳聋，牙齿松动。外用于斑秃，白癜风。

| **用法用量** | 内服煎汤，3 ~ 9g。

| **附　注** | 本种对环境条件要求较高，适生的温度、湿度和土壤酸碱度范围比较窄，人工栽培时以控制气温为 32℃左右、空气相对湿度 40% 左右、适当遮阴为最适宜。

剑蕨科 Loxogrammaceae 剑蕨属 Loxogramme

柳叶剑蕨 *Loxogramme salicifolia* (Makino) Makino

柳叶剑蕨

药材名

柳叶剑蕨（药用部位：全草。别名：肺痨草、石虎）。

形态特征

多年生草本，植株高 15 ～ 35cm。根茎横走，直径约 2mm，被棕褐色、卵状披针形鳞片。叶远生，相距 1 ～ 2cm；叶柄长 2 ～ 5cm 或近无柄，与叶片同色，基部有卵状披针形鳞片，向上光滑；叶片披针形，长 12 ～ 32cm，中部宽 1 ～ 1.5（～ 3）cm，先端长渐尖，基部渐缩狭并下延至叶柄下部或基部，全缘，干后稍反折；中肋上面明显，平坦，下面隆起，不达先端，小脉网状，网眼斜向上，无内藏小脉；叶稍肉质，干后革质，表面皱缩。孢子囊群线形，通常在 10 对以上，与中肋斜交，稍密接，多少下陷于叶肉中，分布于叶片中部以上，下部不育，无隔丝。孢子较短，椭圆形，单裂缝。

生境分布

生于海拔 200 ～ 1200m 的树干或岩石上。分布于重庆万州、梁平、丰都、涪陵、武隆、彭水、秀山、南川、黔江等地。

资源情况	野生资源一般。药材主要来源于野生。
采收加工	夏、秋季采收，洗净，除去须根及叶柄，晒干。
功能主治	微苦，凉。清热解毒，利尿。用于尿路感染，咽喉肿痛，胃肠炎，狂犬咬伤。
用法用量	内服煎汤，15 ~ 30g。

满江红 *Azolla imbricata* (Roxb.) Nakai

| 药 材 名 | 满江红（药用部位：叶。别名：水浮漂、浮漂、红浮萍）、满江红根（药用部位：根）。

| 形态特征 | 小型漂浮植物，植物体呈卵形或三角形。根茎细长横走，侧枝腋生，假二歧分枝，向下生须根。叶小如芝麻，互生，无柄，覆瓦状排列成2行，叶片深裂，分为背裂片和腹裂片2部分，背裂片长圆形或卵形，肉质，绿色，但在秋后常变为紫红色，边缘无色透明，上表面密被乳状瘤突，下表面中部略凹陷，基部肥厚形成共生腔；腹裂片贝壳状，无色透明，多少饰有淡紫红色，斜沉水中。孢子果双生于分枝处，大孢子果体积小，长卵形，顶部喙状，内藏1大孢子囊，大孢子囊只产1大孢子，大孢子囊有9浮胶，分上、下2排附生于孢子囊体上，上部3较大，下部6较小；小孢子果体积远较大，圆球形或桃形，

满江红

先端有短喙，果壁薄而透明，内含多数具长柄的小孢子囊，每个小孢子囊内有 64 小孢子，分别埋藏在 5 ~ 8 无色海绵状的泡胶块上，泡胶块上被丝状毛。

| 生境分布 | 生于水田或静水沟塘中。重庆各地均有分布。

| 资源情况 | 野生资源丰富。药材主要来源于野生。

| 采收加工 | 满江红：夏、秋季捞取全草后，除去须状根，晒干。
满江红根：夏、秋季捞取全草后，剪下须状根，晒干。

| 药材性状 | 满江红：本品叶小，三角形，密生于细枝上，皱缩成粒片状，直径约 4mm，上面黄绿色，下面紫褐色或红褐色；须根多数，泥灰色。体轻。气微。

| 功能主治 | 满江红：辛，凉。归肺、膀胱经。解表透疹，祛风胜湿，解毒。用于感冒咳嗽，麻疹不透，风湿疼痛，小便不利，水肿，荨麻疹，皮肤瘙痒，疮疡，丹毒，烫火伤。
满江红根：辛、微苦，寒。归肺经。润肺止咳。用于肺痨咳嗽。

| 用法用量 | 满江红：内服煎汤，3 ~ 15g，大剂量可用至 30g。外用适量，煎汤洗或热熨；或炒存性，研末，调油敷。
满江红根：内服煎汤，9 ~ 15g。

| 附 注 | 在 FOC 中，本种的拉丁学名被修订为 *Azolla pinnata* R. Brown subsp. *asiatica* R. M. K. Saunders et K. Fowler。

裸子植物

苏铁科 Cycadaceae 苏铁属 Cycas

苏铁 *Cycas revoluta* Thunb.

| 药 材 名 | 苏铁花（药用部位：大孢子叶。别名：凤尾蕉花、铁树花）、苏铁根（药用部位：根）、苏铁叶（药用部位：叶。别名：番蕉叶、铁树叶）。

| 形态特征 | 树干高约2m，稀达8m或更高，圆柱形，有明显螺旋状排列的菱形叶柄残痕。羽状叶从茎的顶部生出，整个羽状叶呈倒卵状狭披针形，长75～200cm，叶轴横切面四方状圆形，叶柄略成四角形，两侧有齿状刺，水平或略斜向上伸展，刺长2～3mm；羽状裂片达100对以上，条形，厚革质，坚硬，长9～18cm，宽4～6mm，向上斜展微成"V"字形，边缘显著地向下反卷，上部微渐窄，先端有刺状尖头，基部窄，两侧不对称，下侧下延生长，上面深绿色、有光泽，中央微凹，凹槽内有稍隆起的中脉，下面浅绿色，中脉显著隆起，两侧被疏柔毛或无毛。雄球花圆柱形，长30～70cm，直径8～15cm，有短梗，小孢子叶窄楔形，长3.5～6cm，先端宽平，其两角近圆形，宽1.7～2.5cm，

苏铁

有急尖头，尖头长约 5mm，直立，下部渐窄，上面近龙骨状，下面中肋及先端密生黄褐色或灰黄色长绒毛，花药通常 3 个聚生；大孢子叶长 14 ～ 22cm，密生淡黄色或淡灰黄色绒毛，上部的顶片卵形至长卵形，边缘羽状分裂，裂片 12 ～ 18 对，长 2.5 ～ 6cm，先端有刺状尖头，胚珠 2 ～ 6，生于大孢子叶柄的两侧，被绒毛。种子红褐色或橘红色，倒卵形或卵圆形，稍扁，长 2 ～ 4cm，直径 1.5 ～ 3cm，密生灰黄色短绒毛，后渐脱落，中种皮木质，两侧有 2 棱脊，上端无棱脊或棱脊不显著，先端有尖头。花期 6 ～ 8 月，种子 10 月成熟。

| **生境分布** | 栽培于庭院。重庆各地均有分布。

| **资源情况** | 栽培资源一般。药材来源于栽培。

| **采收加工** | 苏铁花：夏季采摘，鲜用或阴干。
苏铁根：全年均可采挖，晒干。
苏铁叶：全年均可采收，鲜用或晒干。

| **药材性状** | 苏铁花：本品略呈匙状，上部扁宽，下部圆柱形，长 10 ～ 20cm，宽 5 ～ 8cm。全体密被褐黄色绒毛，扁宽部分两侧羽状深裂成细条形，圆柱形部分两侧各生 1 ～ 5 近球形的胚珠。气微，味淡。
苏铁根：本品呈细长圆柱形，略弯曲，长 10 ～ 35cm，直径约 2mm，表面灰黄色至灰棕色，具瘤状突起；外皮易横断成环状裂纹。质略韧，不易折断，断面皮部灰褐色，木部黄白色。气微，味淡。
苏铁叶：本品叶大型，1 回羽状，叶轴扁圆柱形；叶柄基部两侧具刺，黄褐色，质硬，断面纤维性。羽片线状披针形，长 9 ～ 18cm，宽 4 ～ 6mm，黄色或黄褐色，边缘向背面反卷，背面疏生褐色柔毛；质脆，易折断，断面平坦。气微，味淡。

| **功能主治** | 苏铁花：理气祛湿，活血止血，益肾固精。用于胃痛，慢性肝炎，风湿疼痛，跌打损伤，咯血，吐血，痛经，遗精，带下。
苏铁根：祛风通络，活血止血。用于风湿麻木，筋骨疼痛，跌打损伤，劳伤吐血，腰痛，带下，口疮。
苏铁叶：理气止痛，散瘀止血，消肿解毒。用于肝胃气滞疼痛，经闭，吐血，便血，痢疾，肿毒，外伤出血，跌打损伤。

| **用法用量** | 苏铁花：内服煎汤，15 ～ 60g。
苏铁根：内服煎汤，10 ～ 15g；或研末。外用适量，煎汤含漱。
苏铁叶：内服煎汤，9 ～ 15g；或烧存性，研末。外用适量，烧灰敷；或煅存性，研末敷。

银杏
Ginkgo biloba L.

| 药 材 名 | 白果（药用部位：种子。别名：白果仁）、银杏叶（药用部位：叶。别名：飞蛾叶、鸭脚子）。

| 形态特征 | 乔木，高达 40m，胸径可达 4m。叶在一年生长枝上螺旋状散生，在短枝上 3 ～ 8 叶成簇生状，秋季落叶前变为黄色。球花雌雄异株，单性；雄球花葇荑花序状，下垂，雄蕊排列疏松，具短梗，花药常 2，长椭圆形，药室纵裂，药隔不发；雌球花具长梗，梗端常分二叉，稀三叉至五叉或不分叉，每分叉顶生 1 盘状珠座，胚珠着生其上，通常仅 1 个叉端的胚珠发育成种子，内媒传粉。种子具长梗，下垂，常为椭圆形或近圆球形，长 2.5 ～ 3.5cm，直径为 2cm；外种皮肉质，成熟时黄色或橙黄色，外被白粉，有臭叶；内种皮膜质，淡红褐色；胚乳肉质，味甘略苦；子叶 2，稀 3，发芽时不出土，初生叶 2 ～ 5，宽条形，长约 5mm，宽约 2mm，先端微凹，自第 4 或第 5 片之后生

银杏

叶扇形，先端具 1 深裂及不规则的波状缺刻，叶柄长 0.9 ～ 2.5cm；有主根。花期 3 ～ 4 月，种子 9 ～ 10 月成熟。

| **生境分布** | 栽培于公路两旁绿化带。重庆各地均有分布。

| **资源情况** | 野生资源稀少，栽培资源丰富。药材主要来源于栽培。

| **采收加工** | 白果：秋季种子成熟时采收，除去肉质外种皮，洗净，稍蒸或略煮后，烘干。
银杏叶：秋季叶尚绿时采收，及时干燥。

| **药材性状** | 白果：本品略呈椭圆形，一端稍尖，另一端钝，长 1.5 ～ 2.5cm，宽 1 ～ 2cm，厚约 1cm，表面黄白色或淡棕黄色，平滑，具 2 ～ 3 棱线。中种皮（壳）骨质，坚硬；内种皮膜质，种仁宽卵球形或椭圆形，一端淡棕色，另一端金黄色，横断面外层黄色，胶质样，内层淡黄色或淡绿色，粉性，中间有空隙。气微，味甘、微苦。

银杏叶：本品多皱折或破碎，完整者呈扇形，长 3 ～ 12cm，宽 5 ～ 15cm，黄绿色或浅棕黄色，上缘呈不规则的波状弯曲，有的中间凹入，深者可达叶长的 4/5；具二叉状平行叶脉，细而密，光滑无毛，易纵向撕裂。叶基部楔形，叶柄长 2 ～ 8cm。体轻。气微，味微苦。

| **功能主治** | 白果：甘、苦、涩，平；有毒。归肺经。敛肺定喘，止带缩尿。用于痰多喘咳，带下白浊，遗尿，尿频。

银杏叶：甘、苦、涩，平。归心、肺经。活血化瘀，通络止痛，敛肺平喘，化浊降脂。用于瘀血阻络，胸痹心痛，中风偏瘫，肺虚咳喘，高脂血症。

| **用法用量** | 白果：内服煎汤，5 ～ 10g。
生食有毒。
银杏叶：内服煎汤，9 ～ 12g。

南洋杉科 Araucariaceae 南洋杉属 Araucaria

南洋杉 *Araucaria cunninghamii* Sweet

| 药 材 名 | 南洋杉（药用部位：树皮）。

| 形态特征 | 乔木，在原产地高达 60 ~ 70m，胸径达 1m 以上。树皮灰褐色或暗灰色，粗糙，横裂；大枝平展或斜伸，近羽状排列。叶二型；幼树和侧枝的叶排列疏松，开展，钻状、针状、镰状或三角形，上面有多数气孔线，下面气孔线不整齐或近无，上部渐窄，先端具渐尖或微急尖的尖头；大树及花果枝上的叶排列紧密而叠盖，斜上伸展，微向上弯，卵形、三角状卵形或三角形，无明显的背脊或下面有纵脊，基部宽，上部渐窄或微圆，先端尖或钝，中脉明显或不明显，上面灰绿色，有白粉，有多数气孔线，下面绿色，仅中下部有不整齐的疏生气孔线。雄球花单生枝顶，圆柱形。球果卵形或椭圆形，长 6 ~ 10cm，

南洋杉

直径 4.5 ~ 7.5cm；苞鳞楔状倒卵形，两侧具薄翅，先端宽厚，具锐脊，中央有急尖的长尾状尖头，尖头显著向后反曲；舌状种鳞的先端薄，不肥厚；种子椭圆形，两侧具结合而生的膜质翅。

| **生境分布** | 栽培于庭院。分布于重庆南川、南岸、巴南、江北、万州、涪陵、渝北、垫江等地。

| **资源情况** | 栽培资源一般。药材来源于栽培。

| **采收加工** | 春、秋季采剥。切片，鲜用或晒干。

| **功能主治** | 用于皮肤过敏。

| **用法用量** | 外用适量，捣敷；或煎汤洗。

| **附　注** | 本种喜气候温暖，不耐寒，忌干旱，冬季需充足阳光，夏季避免强光暴晒，怕北方春季干燥的狂风和盛夏的烈日，在气温 25 ~ 30℃、相对湿度 70% 以上、空气清新湿润、光照柔和充足的环境条件下生长最佳。盆栽要求使用疏松肥沃、腐殖质含量较高、排水透气性强的培养土。

松科 Pinaceae 冷杉属 Abies

秦岭冷杉 *Abies chensiensis* Van Tiegh.

秦岭冷杉

药材名

朴松实（药用部位：球果。别名：冷杉果、蒲松果、松梅）。

形态特征

乔木，高达 50m。一年生枝淡黄灰色、淡黄色或淡褐黄色，无毛或凹槽中被稀疏细毛，二年生、三年生枝淡黄灰色或灰色；冬芽圆锥形，有树脂。叶在枝上成 2 列或近 2 列状，条形，长 1.5 ~ 4.8cm，上面深绿色，下面有 2 白色气孔带；果枝之叶先端尖或钝，树脂道中生或近中生；营养枝及幼树的叶较长，先端 2 裂或微凹，树脂管边生；横切面上面至下面两侧边缘有皮下细胞 1 层，连续或不连续排列，下面中部 1 ~ 2 层，2 层者内层不连续排列。球果圆柱形或卵状圆柱形，长 7 ~ 11cm，直径 3 ~ 4cm，近无梗，成熟前绿色，成熟时褐色，中部种鳞肾形，鳞背露出部分密生短毛；苞鳞长约为种鳞的 3/4，不外露，上部近圆形，边缘有细缺齿，中央有短急尖头，中、下部近等宽，基部渐窄；种子较种翅为长，倒三角状椭圆形，种翅宽大，倒三角形。

| 生境分布 |

生于海拔 1600 ~ 2450m 的亚高山针叶林中。分布于重庆开州、城口、巫溪等地。

| 资源情况 |

野生资源稀少。药材来源于野生。

| 采收加工 |

夏、秋季球果开始成熟时采摘，晒干。

| 药材性状 |

本品呈圆柱形或卵状圆柱形，长 7 ~ 11cm，直径 3 ~ 4cm，成熟时红褐色。种鳞肾形，长约 1.5cm，宽约 2.5cm。种子倒三角状椭圆形，种翅宽大，倒三角形，较种子短。气微，味微苦。

| 功能主治 |

甘、涩、微辛，平。平肝息风，调经活血，止带。用于高血压，头痛，头晕，心神不安，月经不调，崩漏，带下。

| 用法用量 |

内服煎汤，6 ~ 9g。

松科 Pinaceae 冷杉属 Abies

巴山冷杉

Abies fargesii Franch.

巴山冷杉

| 药 材 名 |

参见"秦岭冷杉"条。

| 形态特征 |

乔木，高达 40m。树皮粗糙，暗灰色或暗灰褐色，块状开裂。叶在枝条下面成 2 列，上面之叶斜展或直立，稀上面中央之叶向后反曲，条形，上部较下部宽，长 1 ~ 3cm（多为 1.7 ~ 2.2cm），宽 1.5 ~ 4mm，直或微曲，先端钝，有凹缺，稀尖，上面深绿色，有光泽，无气孔线，下面沿中脉两侧有 2 粉白色气孔带；横切面上面至下面两侧边缘有 1 层连续排列的皮下细胞，树脂道 2，中生。球果柱状矩圆形或圆柱形，长 5 ~ 8cm，直径 3 ~ 4cm，成熟时淡紫色、紫黑色或红褐色；中部种鳞肾形或扇状肾形，长 0.8 ~ 1.2cm，宽 1.5 ~ 2cm，上部宽厚，边缘内曲；苞鳞倒卵状楔形，上部圆，边缘有细缺齿，先端有急尖的短尖头，尖头露出或微露出；种子倒三角状卵圆形，种翅楔形，较种子为短或等长。

| 生境分布 |

生于海拔 1700 ~ 2790m 的高山地带。分布于重庆巫溪、城口等地。

| **资源情况** | 野生资源稀少。药材来源于野生。

| **采收加工** | 参见"秦岭冷杉"条。

| **药材性状** | 本品呈卵状长圆形，长 5 ~ 8cm，直径约 3.5cm，黑色或紫黑色，种鳞肾形或扇状肾形，长 0.8 ~ 1.2cm，宽 1.5 ~ 2cm，苞鳞先端凸尖，微露出。种子倒三角状卵圆形，种翅楔形。气微，味微苦。

| **功能主治** | 参见"秦岭冷杉"条。

| **用法用量** | 参见"秦岭冷杉"条。

松科 Pinaceae 银杉属 Cathaya

银杉

Cathaya argyrophylla Chun et Kuang

| **药 材 名** | 银杉（药用部位：树皮、叶）。

| **形态特征** | 乔木，高达 20m，胸径 40cm 以上。叶螺旋状着生，呈辐射状伸展，在枝节间的上端排列紧密，呈簇生状，边缘微反卷，在横切面上其两端为圆形，下面沿中脉两侧具极显著的粉白色气孔带，每条气孔带有 11 ～ 17 行气孔；叶条形，镰状弯曲或直，先端圆，基部渐窄成不明显的叶柄，上面深绿色，被疏柔毛。雄球花开放前长椭圆状卵圆形，盛开时穗状圆柱形，雄蕊黄色；雌球花基部无苞片，珠鳞近圆形或肾状扁圆形。球果成熟前绿色，成熟时由栗色变暗褐色，长卵圆形或长椭圆形，种鳞 13 ～ 16，近圆形或带扁圆形至卵圆形，背面密被微透明的短柔毛；苞鳞长为种鳞的 1/4 ～ 1/3；种子略扁，斜倒卵状圆形，基部尖，橄榄绿色带墨绿色，有不规则的浅色斑纹，种翅膜质。

银杉

| **生境分布** | 生于海拔 1600 ~ 1800m 的林中。分布于重庆武隆、南川等地。

| **资源情况** | 野生资源稀少。药材来源于野生。

| **采收加工** | 春、秋季采剥树皮，切片，鲜用或晒干。春、秋季采摘叶，鲜用或晒干。

| **功能主治** | 祛湿，涩肠，止血，消肿。

| **用法用量** | 内服煎汤，适量。外用适量，捣敷。

松科 Pinaceae 雪松属 Cedrus

雪松
Cedrus deodara (Roxb.) G. Don

雪松

| 药 材 名 |

雪松（药用部位：树干、枝叶）。

| 形态特征 |

乔木，高达 50m，胸径达 3m。树皮深灰色，裂成不规则的鳞状块片；枝平展、微斜展或微下垂，基部宿存芽鳞向外反曲，小枝常下垂。叶在长枝上辐射伸展，短枝之叶呈簇生状，针形，坚硬，淡绿色或深绿色，长 2.5 ~ 5cm，宽 1 ~ 1.5mm，稀背脊明显，叶之腹面两侧各有 2 ~ 3 气孔线，背面 4 ~ 6，幼时气孔线有白粉。雄球花长卵圆形或椭圆状卵圆形，长 2 ~ 3cm，直径约 1cm；雌球花卵圆形，长约 8mm，直径约 5mm。球果成熟前淡绿色，微有白粉，熟时红褐色，卵圆形或宽椭圆形，长 7 ~ 12cm，直径 5 ~ 9cm，先端圆钝，有短梗；中部种鳞扇状倒三角形，长 2.5 ~ 4cm，宽 4 ~ 6cm，上部宽圆，边缘内曲，中部楔状，下部耳形，基部爪状，鳞背密生短绒毛；苞鳞短小；种子近三角形，种翅宽大，较种子为长，连同种子长 2.2 ~ 3.7cm。

| 生境分布 |

栽培于庭园。重庆各地均有分布。

| **资源情况** | 栽培资源丰富。药材来源于栽培。

| **采收加工** | 全年均可采收树干，切片，鲜用或晒干。春、秋季采摘叶，鲜用或晒干。

| **功能主治** | 祛风活络，消肿生肌，活血止血。

| **用法用量** | 内服煎汤，适量。外用适量，捣敷。

松科 Pinaceae 油杉属 Keteleeria

铁坚油杉 *Keteleeria davidiana* (Bertr.) Beissn.

| 药 材 名 | 铁坚油杉（药用部位：种子）。

| 形态特征 | 乔木，高达 50m，胸径达 2.5m。树皮粗糙，暗深灰色，深纵裂；老枝粗，平展或斜展，树冠广圆形；幼树或萌生枝被密毛。叶较长，长达 5cm，宽约 5mm，先端有刺状尖头，稀果枝之叶亦有刺状尖头。球果圆柱形，长 8 ~ 21cm，直径 3.5 ~ 6cm；中部种鳞卵形或近斜方状卵形，长 2.6 ~ 3.2cm，宽 2.2 ~ 2.8cm，上部圆或窄长而反曲，边缘向外反曲，有微小细齿，鳞背露出部分无毛或疏生短毛；鳞苞上部近圆形，先端 3 裂，中裂窄，渐尖，侧裂圆而有明显的钝尖头，边缘有细缺齿，鳞苞中部窄短，下部稍宽；种翅中下部或近中部较宽，上部渐窄；子叶通常 3 ~ 4，但 2 ~ 3 连合，子叶柄长约 4mm，淡红色；初生叶 7 ~ 10，鳞形，近革质，长约 2mm，淡红色。花期 4 月，种子 10 月成熟。

铁坚油杉

| 生境分布 | 生于海拔 600 ~ 1500m 的砂岩、页岩或石灰岩山地。分布于重庆黔江、酉阳、城口、奉节、巫山、万州、石柱、南川等地。

| 资源情况 | 野生资源一般。药材来源于野生。

| 采收加工 | 秋季种子成熟时采摘，晒干。

| 功能主治 | 用于驱虫，消积，抗肿瘤。

| 用法用量 | 内服煎汤，适量。

松科 Pinaceae 云杉属 Picea

大果青扦
Picea neoveitchii Mast.

大果青扦

| 药 材 名 |

云杉球果（药用部位：球果。别名：杉塔）。

| 形 态 特 征 |

乔木，高 8 ~ 15m，胸径 50cm。树皮灰色，裂成鳞状块片脱落；一年生枝较粗，淡黄色或微带褐色，无毛，二年生、三年生枝灰色或淡黄灰色，老枝灰色或暗灰色；冬芽卵圆形或圆锥状卵圆形，微有树脂，芽鳞淡紫褐色，排列紧密，小枝基部宿存芽鳞的先端紧贴小枝，不斜展。小枝上面之叶向上伸展，两侧及下面之叶向上弯伸，四棱状条形，两侧扁，横截面纵斜方形，或近方形，常弯曲，先端锐尖，四边有气孔线。球果矩圆状圆柱形或卵状圆柱形，两端窄缩，或近基部微宽，成熟前绿色，有树脂，成熟时淡褐色或褐色，稀带黄绿色；种鳞宽大，宽倒卵状五角形、斜方状卵形或倒三角状宽卵形，先端宽圆或微呈三角状，边缘薄，有细缺齿或近全缘，中部种鳞长约 2.7cm，宽 2.7 ~ 3cm；苞鳞短小；种子倒卵圆形，种翅宽大，倒卵形。

| 生 境 分 布 |

生于海拔 1800m 的林中或岩缝中。分布于重庆城口等地。

| **资源情况** | 野生资源稀少。药材来源于野生。

| **采收加工** | 秋季球果开始成熟时采摘，晒干。

| **功能主治** | 苦，温。化痰，止咳。用于久咳，痰喘。

| **用法用量** | 内服煎汤，9 ~ 15g。

| **附　　注** | 本种稍喜光，根系发达，在湿度较大、空气湿润、土壤水分充足，腐殖质深厚，土壤酸性至微酸性。本种为濒危种，濒危等级为二级。因其种群年龄结构属于衰退型，极少见幼树幼苗，濒危情况严重。在有本种分布的自然保护区和林场内，应注意保护，积极繁殖。同时应禁止采伐，促进本种母树结实和天然更新，积极开展育苗、造林，扩大分布范围。本种对研究植物区系、云杉属分类和保护物种均有科学意义。

松科 Pinaceae 云杉属 Picea

青扦

Picea wilsonii Mast.

| **药 材 名** | 云杉球果（药用部位：球果。别名：杉塔）、扦木（药用部位：枝干结节和针叶。别名：扦、红扦）。 |

| **形态特征** | 乔木，高达 50m，胸径达 1.3m。树皮灰色或暗灰色，裂成不规则鳞状块片脱落；枝条近平展，树冠塔形；一年生枝淡黄绿色或淡黄灰色，无毛，二年生、三年生枝淡灰色、灰色或淡褐灰色；冬芽卵圆形，无树脂，芽鳞排列紧密，淡黄褐色或褐色，先端钝，背部无纵脊，光滑无毛，小枝基部宿存芽鳞的先端紧贴小枝。叶排列较密，在小枝上部向前伸展，小枝下面之叶向两侧伸展，四棱状条形，较短，先端尖，横切面四棱形或扁菱形，气孔线微具白粉。球果卵状圆柱形或圆柱状长卵圆形，成熟前绿色，成熟时黄褐色或淡褐色；中部种鳞倒卵形，先端圆或有急尖头，或呈钝三角形，或具凸起截 |

青扦

形之尖头，基部宽楔形，鳞背露出部分无明显的槽纹，较平滑；苞鳞匙状矩圆形，先端钝圆；种子倒卵圆形，种翅倒宽披针形，淡褐色，先端圆。花期 4 月，球果 10 月成熟。

| **生境分布** | 生于海拔 1400 ~ 2650m 的亚高山暗针叶林中。分布于重庆巫溪、开州、城口等地。

| **资源情况** | 野生资源稀少。药材来源于野生。

| **采收加工** | 云杉球果：参见"大果青扦"条。
扦木：全年均可采收，阴干。

| **药材性状** | 扦木：本品枝干结节呈瘤状。叶锥状四棱形，长 0.8 ~ 1.5cm，先端尖，四面各有气孔线 4 ~ 6，横切面菱形或扁菱形。

| **功能主治** | 云杉球果：参见"大果青扦"条。
扦木：苦（叶兼涩），温。祛风除湿，活络止痛。用于风湿关节痛，跌打肿痛，明目安神，高血压，夜盲症。

| **用法用量** | 云杉球果：参见"大果青扦"条。
扦木：内服煎汤，9 ~ 15g。外用适量，捣敷；或煎汤熏洗。

| **附　　注** | 本种耐阴，喜温凉气候及湿润、深厚而排水良好的酸性土壤，适应性较强。

松科 Pinaceae 松属 *Pinus*

华山松
Pinus armandii Franch.

华山松

| 药 材 名 |

松叶（药用部位：针叶。别名：猪鬃松叶、松毛、山松须）。

| 形态特征 |

乔木，高达 35m，胸径 1m。幼树树皮灰绿色或淡灰色，平滑，老则呈灰色，裂成方形或长方形厚块片固着于树干上，或脱落；枝条平展，形成圆锥形或柱状塔形树冠；一年生枝绿色或灰绿色（干后褐色），无毛，微被白粉；树脂道通常 3，中生或背面 2 边生、腹面 1 中生，稀具 4 ~ 7 树脂道，则中生与边生兼有；叶鞘早落。雄球花黄色，卵状圆柱形，长约 1.4cm，基部围有卵状匙形的鳞近 10，多数集生新枝下部呈穗状，排列较疏松。球果圆锥状长卵圆形，长10 ~ 20cm，直径 5 ~ 8cm，幼时绿色，成熟时黄色或褐黄色，种鳞张开，种子脱落，果梗长 2 ~ 3cm；中部种鳞近斜方状倒卵形，长 3 ~ 4cm，宽 2.5 ~ 3cm，鳞盾近斜方形或宽三角状斜方形，不具纵脊，先端钝圆或微尖，不反曲或微反曲，鳞脐不明显；种子黄褐色、暗褐色或黑色，倒卵圆形，长 1 ~ 1.5cm，直径 6 ~ 10mm，无翅或两侧及先端具棱脊，稀具极短的木质翅；子叶

10 ～ 15，针形，横切面三角形，长 4 ～ 6.4cm，直径约 1mm，先端渐尖，全缘或上部棱脊微具细齿；初生叶条形，长 3.5 ～ 4.5cm，宽约 1mm，上、下两面均有气孔线，边缘有细锯齿。花期 4 ～ 5 月，球果翌年 9 ～ 10 月成熟。

| **生境分布** | 生于海拔 600 ～ 2700m 的山地上。重庆各地均有分布。

| **资源情况** | 栽培资源丰富。药材主要来源于栽培。

| **采收加工** | 全年均可采收，以 12 月采者最好，晒干或鲜用。

| **药材性状** | 本品呈针状，长 6 ～ 18cm，直径约 1mm，5 针 1 束，基部有长约 0.5cm 的鞘，叶片深绿色或枯绿色，表面光滑，中央有 1 细沟。质脆。气微香，味微苦、涩。

| **功能主治** | 苦，温。归心、脾经。祛风燥湿，杀虫止痒，活血安神。用于风湿痹痛，脚气，湿疮，癣，风疹瘙痒，跌打损伤，神经衰弱，慢性肾炎，高血压，预防流行性乙型脑炎、流行性感冒。

| **用法用量** | 内服煎汤，6 ～ 15g，鲜品 30 ～ 60g；或浸酒。外用适量，鲜品捣敷；或煎汤洗。血虚及阴虚内燥者慎服。

松科 Pinaceae 松属 Pinus

海南五针松 *Pinus fenzeliana* Hand.-Mzt.

| 药 材 名 | 海南五针松（药用部位：根皮）。

| 形态特征 | 乔木，高达 50m，胸径 2m。冬芽红褐色，圆柱状圆锥形或卵圆形，芽鳞疏松。针叶 5 针 1 束，细长柔软，通常长 10 ~ 18cm，直径 0.5 ~ 0.7mm，先端渐尖，边缘有细锯齿，仅腹面每侧具 3 ~ 4 白色气孔线；横切面三角形，单层皮下层细胞，树脂道 3，背面 2 边生，腹面 1 中生。雄球花卵圆形，多数聚生新枝下部呈穗状，长约 3cm。球果长卵圆形或椭圆状卵圆形，单生或 2 ~ 4 生于小枝基部，成熟时种鳞张开，暗黄褐色，常有树脂；中部种鳞近楔状倒卵形或矩圆状倒卵形，上部肥厚，中、下部宽楔形；鳞盾近扁菱形，先端较厚，边缘钝，鳞脐微凹随同鳞盾先端边缘显著向外反卷；种子栗褐色，倒卵状椭圆形，先端通常具长 2 ~ 4mm 的短翅，稀种翅宽大，

海南五针松

种皮较薄。花期 4 月，球果翌年 10 ～ 11 月成熟。

| **生境分布** | 生于山脊或岩石之间。分布于重庆黔江、綦江、武隆、江津、涪陵、南川等地。

| **资源情况** | 栽培资源一般。药材主要来源于栽培。

| **采收加工** | 全年均可采收，去栓皮。

| **功能主治** | 祛风通络，活血消肿。

| **用法用量** | 内服煎汤，适量。外用适量，捣敷。

松科 Pinaceae 松属 Pinus

巴山松

Pinus henryi Mast.

巴山松

| 药 材 名 |

松节油（药材来源：树脂蒸馏提取的挥发油）。

| 形态特征 |

乔木，高达 20m。一年生枝红褐色或黄褐色，被白粉；冬芽红褐色，圆柱形，先端尖或钝，无树脂，芽鳞披针形，先端微反曲，边缘薄、白色丝状。针叶 2 针 1 束，稍硬，长 7 ~ 12cm，直径约 1mm，先端微尖，两面有气孔线，边缘有细锯齿，叶鞘宿存；横切面半圆形，单层皮下层细胞，树脂道 6 ~ 9，边生。雄球花圆筒形或长卵圆形，聚生新枝下部呈短穗状；一年生小球果的种鳞先端具短刺。球果显著向下，成熟时褐色，卵圆形或圆锥状卵圆形，基部楔形，长 2.5 ~ 5cm；直径与长几相等；种鳞背面下部紫褐色，鳞盾褐色，斜方形或扁菱形，纵脊通常明显，鳞脐稍隆起或下凹，有短刺；种子椭圆状卵圆形，微扁，有褐色斑纹，长 6 ~ 7mm，直径约 4mm，连翅长约 2cm，种翅黑紫色，宽约 6mm。

| 生境分布 |

生于海拔 1150 ~ 2000m 的山地。分布于重庆城口、巫溪、奉节、万州、石柱、南川、垫江、巫山、忠县、云阳等地。

| 资源情况 |

野生资源一般。药材来源于野生。

| 采收加工 |

5～10月采收,在距地面2m高的树干处开割口,刮面长度50～60cm,宽25～40cm;在刮面中央开割长35～50cm、宽1～1.3cm、深入木部1～1.2cm的中沟,中沟基部装一受脂器,再自中沟开割另一对侧沟,收集油树脂,再经蒸馏或提取挥发油。

| 功能主治 |

外用于肌肉酸痛,关节痛。

| 用法用量 |

外用适量,调敷。

| 附　注 |

在 FOC 中,本种的拉丁学名被修订为 *Pinus tabuliformis* var. *henryi* (Masters) C. T. Kuan。

松科 Pinaceae 松属 *Pinus*

华南五针松 *Pinus kwangtungensis* Chun ex Tsiang

华南五针松

| 药 材 名 |

华南五针松（药材来源：树脂）。

| 形态特征 |

乔木，高达 30m，胸径 1.5m。幼树树皮光滑，老树树皮褐色，厚，裂成不规则的鳞状块片；小枝无毛，一年生枝淡褐色，老枝淡灰褐色或淡黄褐色；冬芽茶褐色，微有树脂。针叶 5 针 1 束，长 3.5 ~ 7cm，直径 1 ~ 1.5mm，先端尖，边缘有疏生细锯齿，仅腹面每侧有 4 ~ 5 白色气孔线；横切面三角形，皮下层由单层细胞组成，树脂道 2 ~ 3，背面 2 边生，有时腹面 1 中生或无；叶鞘早落。球果柱状矩圆形或圆柱状卵形，通常单生，成熟时淡红褐色，微具树脂，通常长 4 ~ 9cm，直径 3 ~ 6cm，稀长达 17cm，直径 7cm，梗长 0.7 ~ 2cm；种鳞楔状倒卵形，通常长 2.5 ~ 3.5cm，宽 1.5 ~ 2.3cm，鳞盾菱形，先端边缘较薄，微内曲或直伸；种子椭圆形或倒卵形，长 8 ~ 12mm，连同种翅与种鳞近等长。花期 4 ~ 5 月，球果翌年 10 月成熟。

| 生境分布 |

生于气候温湿、雨量多、土壤深厚、排水良好的酸性土及多岩石的山坡与山脊上，常与

阔叶树及针叶树混生。分布于重庆忠县、奉节、开州等地。

资源情况

野生资源稀少。药材来源于野生,亦有少量栽培。

采收加工

5 ~ 10 月采收,在距地面 2m 高的树干处开割口,刮面长度 50 ~ 60cm,宽 25 ~ 40cm;在刮面中央开割长 35 ~ 50cm、宽 1 ~ 1.3cm、深入木质部 1 ~ 1.2cm 的中沟,中沟基部装一受脂器,再自中沟开割另一对侧沟,收集油树脂。

功能主治

用于肌肉酸痛,关节痛。

用法用量

外用适量,研末干掺或调敷。

附　注

本种喜温凉湿润气候,在土壤深厚、排水良好的酸性土上生长良好,也能耐瘠薄,在悬岩、石隙中也能生长。本种常在海拔 1000 ~ 1500m 的一些险坡山地组成纯林;也常与长苞铁杉、南方铁杉、多脉青冈、金毛柯、疏齿木荷、乐东拟单性木兰等混交成林,并高出于其他阔叶树林冠之上,为上层中的第 1 层树种。

松科 Pinaceae 松属 Pinus

马尾松
Pinus massoniana Lamb.

马尾松

药材名

油松节（药用部位：瘤状节或分枝节）、松叶（药用部位：叶）、松花粉（药用部位：花粉）。

形态特征

乔木，高达 45m，胸径 1.5m。树皮红褐色，下部灰褐色，裂成不规则的鳞状块片。针叶 2 针 1 束，稀 3 针 1 束，长 12 ～ 20cm，叶鞘初呈褐色，后渐变成灰黑色，宿存。初生叶条形，长 2.5 ～ 3.6cm，叶缘具疏生刺毛状锯齿。雄球花淡红褐色，圆柱形，弯垂，长 1 ～ 1.5cm，聚生新枝下部苞腋，穗状，长 6 ～ 15cm；雌球花单生或 2 ～ 4 聚生新枝近先端，淡紫红色，一年生小球果圆球形或卵圆形，直径约 2cm，褐色或紫褐色。球果卵圆形或圆锥状卵圆形，长 4 ～ 7cm，直径 2.5 ～ 4cm，有短梗；种子长卵圆形，长 4 ～ 6mm，连翅长 2 ～ 2.7cm；子叶 5 ～ 8，长 1.2 ～ 2.4cm。花期 4 ～ 5 月，球果翌年 10 ～ 12 月成熟。

生境分布

生于海拔 1500m 以下的丘陵或山地。重庆各地均有分布。

| **资源情况** | 资源丰富。药材主要来源于栽培。

| **采收加工** | 油松节：全年均可采收，锯取后阴干。

松叶：全年均可采收，除去杂质，鲜用或晒干。

松花粉：春季花刚开时，采摘花穗，晒干，收集花粉，除去杂质。

| **药材性状** | 油松节：本品呈扁圆节段状或不规则块状，长短、粗细不一，外表面黄棕色、灰棕色或红棕色，有时带有棕色至黑棕色油斑，或有残存的栓皮。质坚硬，横截面木部淡棕色，心材色稍深，可见明显的年轮环纹，显油性；髓部小，淡黄棕色，纵断面具纵直或扭曲纹理。有松节油香气，味微苦、辛。

松叶：本品呈针状，长 13 ～ 29cm。鲜品表面绿色，光滑，2 叶 1 束，稀 3 叶 1 束，基部包有长约 1cm 的叶鞘。灰白色至棕褐色，两叶相对面平直，干时凹陷成槽状；背面呈半圆状隆起，叶缘具细锯齿，先端锐尖成刺状。质轻而柔韧，不易折断，横切面呈半圆形。气微，味微苦、辛。

松花粉：本品为淡黄色的细粉。体轻，易飞扬，手捻有滑润感。气微，味淡。

| **功能主治** | 油松节：祛风除湿，通络止痛。用于风寒湿痹，关节痛，转筋挛急，跌打损伤。

松叶：祛风燥湿，杀虫止痒，活血安神。用于风湿痹痛，脚气，湿疮，癣，风疹瘙痒，跌打损伤，头风头痛，神经衰弱，慢性肾炎。还可用于预防流行性乙型脑炎、流行性感冒。

松花粉：燥湿敛疮，收敛止血。用于外伤出血，湿疹，黄水疮，皮肤糜烂，脓水淋沥。

| **用法用量** | 油松节：内服煎汤，9 ～ 15g。

松叶：内服煎汤，9 ～ 15g，鲜品 50 ～ 100g。外用适量，煎汤洗患处。

松花粉：外用适量，撒敷患处。

松科 Pinaceae 松属 Pinus

油松
Pinus tabuliformis Carr.

油松

| 药 材 名 |

油松节（药用部位：瘤状节或分枝节）、松针（药用部位：针叶）、松花粉（药用部位：花粉）。

| 形态特征 |

乔木，高达 25m，胸径可达 1m 以上。针叶 2 针 1 束，深绿色，粗硬，长 10 ~ 15cm，直径约 1.5mm，边缘有细锯齿，两面具气孔线，横切面半圆形，树脂道 5 ~ 8 或更多，边生，多数生于背面，腹面有 1 ~ 2，稀角部有 1 ~ 2 中生树脂道；叶鞘初呈淡褐色，后呈淡黑褐色。雄球花圆柱形，长 1.2 ~ 1.8cm，在新枝下部聚生成穗状。球果卵形或圆卵形，长 4 ~ 9cm，有短梗，向下弯垂，成熟前绿色，成熟时淡黄色或淡褐黄色，常宿存树上近数年之久；种子卵圆形或长卵圆形，淡褐色有斑纹，长 6 ~ 8mm，直径 4 ~ 5mm，连翅长 1.5 ~ 1.8cm；子叶 8 ~ 12，长 3.5 ~ 5.5cm；初生叶窄条形，长约 4.5cm，先端尖，边缘有细锯齿。花期 4 ~ 5 月，球果翌年 10 月成熟。

| 生境分布 |

生于海拔 250 ~ 2300m 的地带，多组成纯林。

分布于重庆城口、巫溪、江津、南川等地。

| **资源情况** | 野生资源一般。药材来源于野生。

| **采收加工** | 油松节：参见"马尾松"条。

松针：全年均可采收，以腊月最佳，阴干。

松花粉：参见"马尾松"条。

| **药材性状** | 油松节：参见"马尾松"条。

松针：本品呈针状，长 12 ~ 18cm，直径约 1mm，2 叶并成 1 束，基部外包长 5mm 的黑褐色叶鞘，表面光滑，灰暗绿色，中央有长纵细沟。体轻，质脆。气微香，味微苦、涩。

松花粉：参见"马尾松"条。

| **功能主治** | 油松节：参见"马尾松"条。

松针：苦，温。归心、脾经。祛风除湿，活血安神。用于风湿痹痛，跌打损伤，失眠等。

松花粉：参见"马尾松"条。

| **用法用量** | 油松节：参见"马尾松"条。

松针：内服煎汤，9 ~ 15g。

松花粉：参见"马尾松"条。

松科 Pinaceae 松属 Pinus

黑松 *Pinus thunbergii* Parl.

| 药 材 名 | 松针（药用部位：叶）、松花粉（药用部位：花粉）。

| 形态特征 | 乔木，高达 30m，胸径可达 2m。幼树树皮暗灰色，老则灰黑色，粗厚，裂成块片脱落；枝条开展，树冠宽圆锥形或伞形；一年生枝淡褐黄色，无毛；冬芽银白色，圆柱状椭圆形或圆柱形，先端尖，芽鳞披针形或条状披针形，边缘白色丝状。针叶 2 针 1 束，深绿色，有光泽，粗硬，长 6 ~ 12cm，直径 1.5 ~ 2mm，边缘有细锯齿，背腹面均有气孔线；横切面皮下层细胞 1 或 2 层，连续排列，两角上 2 ~ 4 层，树脂道 6 ~ 11，中生。雄球花淡红褐色，圆柱形，长 1.5 ~ 2cm，聚生新枝下部；雌球花单生或 2 ~ 3 聚生新枝近先端，直立，有梗，卵圆形，淡紫红色或淡褐红色。球果成熟前绿色，成熟时褐色，呈圆锥状卵圆形或卵圆形，长 4 ~ 6cm，直径 3 ~ 4cm，有短梗，向

黑松

下弯垂；中部种鳞卵状椭圆形，鳞盾微肥厚，横脊显著，鳞脐微凹，有短刺；种子倒卵状椭圆形，长 5 ～ 7mm，直径 2 ～ 3.5mm，连翅长 1.5 ～ 1.8cm，种翅灰褐色，有深色条纹；子叶 5 ～ 10（多为 7 ～ 8），长 2 ～ 4cm，初生叶条形，长约 2cm，叶缘具疏生短刺毛，或近全缘。花期 4 ～ 5 月，种子翌年 10 月成熟。

| 生境分布 | 栽培于风景园林区内。分布于重庆北碚、开州等地。

| 资源情况 | 野生资源稀少，栽培资源较少。药材主要来源于栽培。

| 采收加工 | 松针：春、秋季采摘，鲜用或晒干。
松花粉：春季花刚开时，采摘花穗，晒干，收集花粉，除去杂质。

| 功能主治 | 松针：苦、涩，温。祛风止痛，活血消肿，明目。用于流行性感冒，风湿关节痛，跌打肿痛，夜盲。外用于冻疮。
松花粉：甘，温。收敛，止血。用于胃痛，咯血，黄水疮，外伤出血。

| 用法用量 | 内服煎汤，适量。外用适量，捣敷。

金钱松
Pseudolarix amabilis (Nelson) Rehd.

| 药 材 名 | 金钱松叶（药用部位：枝叶。别名：金钱松枝叶）、土荆皮（药用部位：根皮、近根树皮。别名：土槿皮、荆树皮、金钱松皮）。

| 形态特征 | 乔木，高达 40m，胸径达 1.5m。树干通直，树皮粗糙，灰褐色，裂成不规则的鳞片状块片；枝平展，树冠宽塔形；一年生长枝淡红褐色或淡红黄色，无毛，有光泽，二年生、三年生枝淡黄灰色或淡褐灰色，稀淡紫褐色，老枝及短枝呈灰色、暗灰色或淡褐灰色；矩状短枝生长极慢，有密集成环节状的叶枕。叶条形，柔软，镰状或直，上部稍宽，长 2 ~ 5.5cm，宽 1.5 ~ 4mm（幼树及萌生枝之叶长达 7cm，宽 5mm），先端锐尖或尖，上面绿色，中脉微明显，下面蓝绿色，中脉明显，每边有 5 ~ 14 气孔线，气孔带较中脉带为宽或近于等宽；长枝之叶辐射伸展，短枝之叶簇状密生，平展成圆盘形，

金钱松

秋后叶呈金黄色。雄球花黄色，圆柱形，下垂，长 5 ～ 8mm，花梗长 4 ～ 7mm；雌球花紫红色，直立，椭圆形，长约 1.3cm，有短梗。球果卵圆形或倒卵圆形，长 6 ～ 7.5cm，直径 4 ～ 5cm，成熟前绿色或淡黄绿色，成熟时淡红褐色，有短梗；中部的种鳞卵状披针形，长 2.8 ～ 3.5cm，基部宽约 1.7cm，两侧耳状，先端钝有凹缺，腹面种翅痕之间有纵脊凸起，脊上密生短柔毛，鳞背光滑无毛；苞鳞长为种鳞的 1/4 ～ 1/3，卵状披针形，边缘有细齿；种子卵圆形，白色，长约 6mm，种翅三角状披针形，淡黄色或淡褐黄色，上面有光泽，连同种子几乎与种鳞等长。花期 4 月，球果 10 月成熟。

| 生境分布 | 生于海拔 100 ～ 1500m 的地带，散生于针叶树、阔叶树林中。分布于重庆万州、渝北、江北、渝中、沙坪坝、北碚等地。

| 资源情况 | 野生资源较少。药材来源于野生。

| 采收加工 | 金钱松叶：全年均可采收，随采随用。
土荆皮：夏季剥取，晒干。

| 药材性状 | 土荆皮：本品皮呈不规则的长条状，扭曲而稍卷，大小不一，厚 2 ～ 5mm；外表面灰黄色，粗糙，有皱纹和灰白色横向皮孔样突起，粗皮常呈鳞片状剥落，剥落处红棕色；内表面黄棕色至红棕色，平坦，有细致的纵向纹理。近根树皮呈板片状，厚约至 8mm，粗皮较厚；外表面龟裂状，内表面较粗糙。质韧，折断面呈裂片状，可层层剥离。气微，味苦而涩。

| 功能主治 | 金钱松叶：苦，微温。祛风，利湿，止痒。用于风湿痹痛，湿疹瘙痒。
土荆皮：辛，温；有毒。杀虫，疗癣，止痒。用于疥癣瘙痒。

| 用法用量 | 金钱松叶：外用适量，捣敷；或煎汤洗。
土荆皮：外用适量，醋或酒浸涂擦；或研末调涂患处。

| 附　　注 | 本种生长较快，喜生于温暖、多雨、土层深厚且肥沃、排水良好的酸性土山区。

松科 Pinaceae 黄杉属 Pseudotsuga

黄杉
Pseudotsuga sinensis Dode

黄杉

| 药 材 名 |

黄杉（药用部位：树皮）。

| 形态特征 |

乔木，高达50m。树皮灰色或深灰色，裂成不规则厚块片；一年生枝淡黄色或淡黄灰色，二年生枝灰色，侧枝被灰褐色短毛。叶条形，排列成2列，先端钝圆有凹缺，基部宽楔形，上面绿色或淡绿色。球果卵圆形或椭圆状卵圆形；中部种鳞近扇形或扇状斜方形，上部宽圆，基部宽楔形，两侧有凹缺，鳞背露出部分密生褐色短毛；苞鳞中裂窄三角形，侧裂三角状微圆形，较中裂为短，边缘常有缺齿；种子三角状卵圆形，微扁；子叶条状披针形，先端尖，深绿色，上面中脉隆起，有2白色气孔带，下面平，不隆起；初生叶条形，先端渐尖或急尖，上面平，无气孔线，下面中脉隆起，有2白色气孔带。花期4月，球果10～11月成熟。

| 生境分布 |

生于海拔900～1600m的山地针叶林中。分布于重庆城口、黔江、万州、南川、石柱等地。

|资源情况|

野生资源稀少。药材来源于野生。

|采收加工|

春、秋季采剥。切片,鲜用或晒干。

|功能主治|

祛风活络。

|用法用量|

外用适量,捣敷。

|附　　注|

本种喜光,耐干旱、瘠薄,对土壤、气候等因子的适应幅度较宽,具有较强的生态适应特性,但栽培土壤以有机质丰富、疏松且湿润的砂壤土或壤土为宜。

松科 Pinaceae 铁杉属 Tsuga

铁杉

Tsuga chinensis (Franch.) Pritz.

| 药 材 名 | 铁杉（药用部位：根、叶）。

| 形态特征 | 乔木，高达50m，胸径达1.6m。叶条形，排列成2列，长1.2～2.7cm，宽2～3mm，先端钝圆，有凹缺，上面光绿色，下面淡绿色，中脉隆起，无凹槽，气孔带灰绿色，全缘（幼树叶的中上部边缘常有细锯齿）。球果卵圆形或长卵圆形，长1.5～2.5cm，直径1.2～1.6cm，具短梗；中部种鳞五边状卵形、近方形或近圆形，稀短矩圆形，长0.9～1.2cm，宽0.8～1.1cm，上部圆或近于截形，边缘薄，微向内曲，基部两侧耳状；种子下表面有油点，连同种翅长7～9mm，种翅上部较窄；子叶3～4，条形，长约1cm，宽1～1.8mm，先端钝，全缘，上面中脉隆起，有散生白色气孔点，初生叶条形，长0.7～1.5cm，宽1～1.5mm，先端钝尖或尖，上面平，无气孔线，下面中脉隆起，

铁杉

有 2 白色气孔带，叶缘在 1/3 ~ 1/2 以上具齿毛状锯齿。花期 4 月，球果 10 月成熟。

| **生境分布** | 生于海拔 1100 ~ 2700m 的针、阔混交林中或针叶林中。分布于重庆城口、巫溪、巫山、万州等地。

| **资源情况** | 野生资源稀少。药材来源于野生。

| **采收加工** | 全年均可采挖根，切片，鲜用或晒干。春、秋季采摘叶，鲜用或晒干。

| **功能主治** | 祛风除湿。

| **用法用量** | 外用适量，捣敷。

杉科 Taxodiaceae 柳杉属 Cryptomeria

柳杉

Cryptomeria fortunei Hooibrenk ex Otto et Dietr.

| **药 材 名** | 柳杉（药用部位：树皮、根皮）、柳杉叶（药用部位：枝叶）。

| **形态特征** | 乔木，高达 40m，胸径可达 2m。树皮红棕色，纤维状，裂成长条片脱落；大枝近轮生，平展或斜展；小枝细长，常下垂，绿色，枝条中部的叶较长。叶钻形，略向内弯曲，先端内曲，四边有气孔线，长 1 ~ 1.5cm，果枝的叶通常较短，有时长不及 1cm，幼树及萌芽枝的叶长达 2.4cm。雄球花单生叶腋，长椭圆形，长约 7mm，集生小枝上部，呈短穗状花序状；雌球花顶生于短枝上。球果圆球形或扁球形，直径 1.2 ~ 2cm，多为 1.5 ~ 1.8cm；种鳞 20 左右，上部有 4 ~ 5（很少 6 ~ 7）短三角形裂齿，齿长 2 ~ 4mm，基部宽 1 ~ 2mm，鳞背中部或中下部有 1 三角状分离的苞鳞尖头，尖头长 3 ~ 5mm，基部宽 3 ~ 14mm，能育的种鳞有种子 2；种子褐色，近椭圆形，扁平，长 4 ~ 6.5mm，

柳杉

宽 2 ～ 3.5mm，边缘有窄翅。花期 4 月，球果 10 月成熟。

| 生境分布 |

人工造林或栽培于园林。重庆各地均有分布。

| 资源情况 |

栽培资源丰富。药材来源于栽培。

| 采收加工 |

柳杉：全年均可采收根皮，除去栓皮；春、秋季采剥树皮，切片，鲜用或晒干。

柳杉叶：春、秋季采摘，鲜用或晒干。

| 功能主治 |

柳杉：苦、辛，寒。解毒，杀虫，止痒。用于癣疮，鹅掌风，烫火伤。

柳杉叶：清热解毒。用于痈疽疮毒。

| 用法用量 |

柳杉：外用适量，捣敷或煎汤洗。

柳杉叶：外用适量，捣敷或煎汤洗。

| 附　　注 |

（1）在 FOC 中，本种的拉丁学名被修订为 *Cryptomeria japonica* var. *sinensis* Miquel。

（2）本种幼龄时稍耐阴，在温暖湿润，土壤酸性、肥厚而排水良好的山地生长较快；在寒凉较干、土层瘠薄的地方生长不良。

日本柳杉

Cryptomeria japonica (L. f.) D. Don

日本柳杉

| 药 材 名 |

日本柳杉（药用部位：根皮、树皮、叶）。

| 形态特征 |

乔木，在原产地高达 40m，胸径可达 2m 以上。树皮红褐色，纤维状，裂成条片状落脱；大枝常轮状着生，水平开展或微下垂，树冠尖塔形；小枝下垂，当年生枝绿色。叶钻形，直伸，先端通常不内曲，锐尖或尖，长 0.4 ~ 2cm，基部背腹宽约 2mm，四面有气孔线。雄球花长椭圆形或圆柱形，长约 7mm，直径 2.5mm，雄蕊有 4 ~ 5 花药，药隔三角形；雌球花圆球形。球果近球形，稀微扁，直径 1.5 ~ 2.5cm，稀达 3.5cm；种鳞 20 ~ 30，上部通常 4 ~ 5（~ 7）深裂，裂齿较长，窄三角形，长 6 ~ 7mm，鳞背有 1 三角状分离的苞鳞尖头，先端通常向外反曲，能育种鳞有 2 ~ 5 种子；种子棕褐色，椭圆形或不规则多角形，长 5 ~ 6mm，直径 2 ~ 3mm，边缘有窄翅。花期 4 月，球果 10 月成熟。

| 生境分布 |

造林或栽培于庭园。重庆各地均有分布。

| 资源情况 | 栽培资源丰富。药材来源于栽培。

| 采收加工 | 春、秋季采剥树皮或根皮，切片，鲜用或晒干。春、秋季采摘叶，鲜用或晒干。

| 功能主治 | 根皮或树皮，解毒，杀虫，止痒。用于癣疮，鹅掌风，烫火伤。叶，清热解毒。用于痈疽疮毒。

| 用法用量 | 内服煎汤，适量。外用适量，捣敷。

杉木 *Cunninghamia lanceolata* (Lamb.) Hook.

杉木

药材名

杉木根（药用部位：根皮、根。别名：杉树根）、杉木油（药材来源：木材所沥出的油脂。别名：杉树油、杉木脂、杉树脂）、杉材（药用部位：心材、树枝。别名：杉材木）、杉木叶（药用部位：叶、带叶嫩枝）、杉子（药用部位：种子。别名：杉果）、杉木果（药用部位：带叶未开裂的球果）。

形态特征

乔木，高达 30m，胸径可达 2.5 ~ 3m。叶在主枝上辐射伸展，侧枝之叶基部扭转成 2 列状，披针形或条状披针形，上面深绿色，有光泽。雄球花圆锥形，长 0.5 ~ 1.5cm，有短梗，通常超过 40 簇生枝顶；雌球花单生或 2 ~ 3（~ 4）集生，绿色，苞鳞横椭圆形，先端急尖，上部边缘膜质，有不规则的细齿，长、宽几相等，3.5 ~ 4mm。球果卵圆形，长 2.5 ~ 5cm，直径 3 ~ 4cm；成熟时苞鳞革质，棕黄色，先端有坚硬的刺状尖头，边缘有不规则的锯齿，向外反卷或不反卷，背面的中肋两侧有 2 稀疏气孔带；种鳞很小，先端 3 裂，侧裂较大，裂片分离，先端有不规则细锯齿，腹面着生 3 种子；种子扁平，子叶 2，发芽时出土。花期 4 月，球果 10 月下旬成熟。

| **生境分布** | 野生或栽培于山坡中下部或酸性土壤中。重庆各地均有分布。

| **资源情况** | 栽培资源丰富。药材来源于栽培。

| **采收加工** | 杉木根：全年均可采收，晒干或鲜用。

杉木油：全年均可采制，取碗，先用绳把碗口扎成"十"字形，后于碗口处盖以卫生纸，放杉木锯末，堆成塔状，从尖端点火燃烧杉木，待烧至接近卫生纸时，除去灰烬和残余锯末，碗中液体即为杉木油。

杉材：全年均可采收，鲜用或晒干。

杉木叶：夏、秋季采收，阴干。

杉子：7 ~ 8 月采摘球果，晒干，收集种子。

| **药材性状** | 杉木叶：本品枝稍呈圆柱形，直径 3 ~ 12mm；表面黄绿色；质坚，断面纤维性，木部白色，髓部黄色至黄棕色。叶挺直，坚硬，黄绿色，在枝上排成 2 列，条状披针形，长 2 ~ 6cm，宽 1.5 ~ 4mm，先端锐尖，基部与茎相连，无柄，两面无毛，下面中脉两侧有众多气孔，排列成 2 气孔带。气微，味苦、涩。

杉子：本品扁平，长 6 ~ 8mm；表面褐色，两侧有狭翅。种皮较硬，种仁含丰

富脂肪油。气香，味微涩。

杉木果：本品呈卵圆形，长 2.5 ～ 5cm，整个球果表面具覆瓦状鳞片数枚。苞鳞革质，扁平，三角状宽卵形，先端尖，边缘有细齿，宿存，淡褐色。种子扁平或卵状长圆形，深褐色，具窄翅。叶在侧枝上排成 2 列，条状披针形，坚硬，长 3 ～ 6cm，边缘有细齿，中脉两侧各有 1 白粉色气孔带。

| 功能主治 |　杉木根：辛，微温。祛风利湿，行气止痛，理伤接骨。用于风湿痹痛，胃痛，疝气痛，淋证，带下，血瘀崩漏，痔疮，骨折，脱臼，刀伤。

杉木油：苦、辛，微温。利尿排石，消肿杀虫。用于淋证，尿路结石，遗精，带下，顽癣，疔疮。

杉材：辛，微温。归肺、脾、胃经。辟恶除秽，除湿散毒，降逆气，活血止痛。用于脚气肿满，奔豚，霍乱，心腹胀痛，风湿毒疮，跌打肿痛，创伤出血，烫火伤。

杉木叶：辛，微温。祛风止痛，散瘀止血。用于慢性气管炎，胃痛，风湿关节痛，跌打损伤，烫火伤，外伤出血，过敏性皮炎，淋证，疥癣，蜈蚣咬伤，毒虫咬伤，风疹。

杉子：辛，微温。理气散寒，止痛。用于疝气疼痛。

杉木果：辛，微温。归脾、胃经。祛风止痛，散瘀止血。用于气血瘀滞，脘腹胀痛，嗳气泛酸。

│ 用法用量 │

杉木根：内服煎汤，30 ～ 60g。外用适量，捣敷或烧存性，研末调敷。

杉木油：内服煎汤，3 ～ 20g；或冲服。外用适量，搽患处。

杉材：内服煎汤，15 ～ 30g。外用适量，煎汤熏洗；或烧存性，研末调敷。不可久服或过量服。体虚者禁服。

杉木叶：内服煎汤，15 ～ 30g。外用适量，研粉外敷；或煎汤洗。

杉子：内服煎汤，5 ～ 10g。

杉木果：内服煎汤，30 ～ 60g；或入丸、散。

│ 附　注 │

本种属亚热带植物，喜生长在山的中、下部，喜土层深厚、质地疏松、富含有机质、排水良好的酸性土壤；忌盐碱地。在土壤瘠薄、干旱的地方生长不良。

杉科 Taxodiaceae 水杉属 Metasequoia

水杉
Metasequoia glyptostroboides Hu et Cheng

水杉

| 药 材 名 |

水杉（药用部位：叶、果实）。

| 形态特征 |

乔木，高达 35m，胸径达 2.5m。叶条形，长 0.8 ~ 3.5（常 1.3 ~ 2）cm，宽 1 ~ 2.5（常 1.5 ~ 2）mm，上面淡绿色，下面色较淡，沿中脉有 2 较边带稍宽的淡黄色气孔带，每带有 4 ~ 8 气孔线，叶在侧生小枝上列成 2 列，羽状，冬季与枝一同脱落。球果下垂，近四棱状球形或矩圆状球形，成熟前绿色，成熟时深褐色，长 1.8 ~ 2.5cm，直径 1.6 ~ 2.5cm，果梗长 2 ~ 4cm；种鳞木质，盾形，通常 11 ~ 12 对，交叉对生，鳞顶扁菱形，中央有 1 横槽，基部楔形，高 7 ~ 9mm，能育种鳞有 5 ~ 9 种子；种子扁平，倒卵形，间或圆形或矩圆形，周围有翅，先端有凹缺，长约 5mm，直径 4mm；子叶 2，条形，长 1.1 ~ 1.3cm，宽 1.5 ~ 2mm，两面中脉微隆起，上面有气孔线，下面无气孔线；初生叶条形，交叉对生，长 1 ~ 1.8cm，下面有气孔线。花期 2 月下旬，球果 11 月成熟。

| 生境分布 | 生于海拔 750 ~ 1500m 的山地黄壤或紫色土地带，多栽培。分布于重庆秀山、长寿、奉节、北碚、石柱、江津、云阳、酉阳、开州、黔江、垫江、铜梁、梁平、沙坪坝等地。

| 资源情况 | 栽培资源较丰富，无野生资源。药材主要来源于栽培。

| 采收加工 | 全年均可采收叶，晒干或鲜用。秋、冬季采摘果实，阴干备用。

| 功能主治 | 清热解毒，消炎止痛。用于痈疮肿毒，癣疮。

| 用法用量 | 外用适量，捣敷。

| 附   注 | 本种为国家一级保护植物。

柏科 Cupressaceae 柏木属 *Cupressus*

柏木

Cupressus funebris Endl.

柏木

药材名

柏树果（药用部位：球果。别名：柏树子、香柏树子）、柏树叶（药用部位：枝叶）、柏树油（药材来源：树脂。别名：柏油、寸柏香）、柏树根（药用部位：根）。

形态特征

乔木，高达 35m，胸径 2m。树皮淡褐灰色，裂成窄长条片；小枝细长下垂，生鳞叶的小枝扁，排成 1 平面，两面同形，绿色，宽约 1mm，暗褐紫色，略有光泽。鳞叶二型，长 1 ~ 1.5mm，先端锐尖，中央之叶的背部有条状腺点，两侧的叶对折，背部有棱脊。雄球花椭圆形或卵圆形，长 2.5 ~ 3mm，雄蕊通常 6 对，药隔先端常具短尖头，中央具纵脊，淡绿色，边缘带褐色；雌球花长 3 ~ 6mm，近球形，直径约 3.5mm。球果圆球形，直径 8 ~ 12mm，成熟时暗褐色；种鳞 4 对，先端为不规则五角形或方形，宽 5 ~ 7mm，中央有尖头或无，能育种鳞有 5 ~ 6 种子；种子宽倒卵状菱形或近圆形，扁，成熟时淡褐色，有光泽，长约 2.5mm，边缘具窄翅；子叶 2，条形，长 8 ~ 13mm，宽 1.3mm，先端钝圆。花期 3 ~ 5 月，种子翌年 5 ~ 6 月成熟。

| 生境分布 | 生于丘陵、石灰质土壤中。重庆各地均有分布。

| 资源情况 | 栽培资源丰富。药材来源于栽培。

| 采收加工 | 柏树果：8～10月，球果长大而未裂开时采收，晒干。

柏树叶：全年均可采收，阴干或鲜用。

柏树油：7～8月间砍伤树干，待树脂渗出凝结后收集。

柏树根：全年均可采挖，洗净泥土，切片，晒干。

| 药材性状 | 柏树果：本品呈圆球形，直径8～12mm，暗褐色；种鳞4对，先端为不规则五角形或方形，能育鳞有种子5～6。种子宽倒卵状菱形或近圆形，略扁，淡褐色，有光泽，长约2.5mm，边缘具窄翅。气微，味涩。

柏树叶：本品小枝扁平，棕褐色。叶细小，鳞片形，交互对生于小枝上，叶片先端锐尖，不紧贴生于枝上而成刺状突起，手触时有刺感，表面黄绿色或灰绿色。质脆，易折断。气淡，味涩。以枝叶嫩、色深绿者为佳。

| 功能主治 | 柏树果：苦、甘，平。祛风，和中，安神，止血。用于感冒发热，胃痛呕吐，烦躁，失眠，劳伤吐血。

柏树叶：苦、涩，平。凉血止血，敛疮生肌。用于吐血，血痢，痔疮，癞疮，烫火伤，刀伤，毒蛇咬伤。

柏树油：甘、微涩，平。祛风，除湿，解毒，生肌。用于风热头痛，带下，淋浊，痈疽疮疡，赘疣，刀伤出血。

柏树根：苦、辛，凉。清热解毒。用于麻疹身热不退。

| 用法用量 | 柏树果：内服煎汤，10～15g。或研末。

柏树叶：内服煎汤，9～15g；或研末。外用适量，捣敷；或研末调敷。

柏树油：内服煎汤，3～9g。外用适量，研末敷。

柏树根：内服煎汤，6～15g。

柏科 Cupressaceae 福建柏属 Fokienia

福建柏
Fokienia hodginsii (Dunn) Henry et Thomas

| 药 材 名 | 福建柏（药用部位：心材）。

| 形态特征 | 乔木，高达 17m。树皮紫褐色，平滑；生鳞叶的小枝扁平，排成 1 平面，二年生、三年生枝褐色，光滑，圆柱形。鳞叶 2 对交叉对生，呈节状，生于幼树或萌芽枝上的中央之叶呈楔状倒披针形，通常长 4 ~ 7mm，宽 1 ~ 1.2mm，两侧具凹陷的白色气孔带，背有棱脊，先端渐尖或微急尖，通常直而斜展，稀微向内曲，背侧面具 1 凹陷的白色气孔带；生于成龄树上之叶较小，先端稍内曲，急尖或微钝，常较中央的叶稍长或近于等长。雄球花近球形，长约 4mm。球果近球形，成熟时褐色，直径 2 ~ 2.5cm；种鳞顶部多角形，表面皱缩稍凹陷，中间有 1 小尖头凸起；种子先端尖，具 3 ~ 4 棱，长约 4mm，上部有 2 大小不等的翅，大翅近卵形，长约 5mm，小翅窄小，

福建柏

长约 1.5mm。花期 3 ～ 4 月，种子翌年 10 ～ 11 月成熟。

| **生境分布** | 生于海拔 900 ～ 1600m 的温暖湿润的山地森林中。分布于重庆綦江、巴南、江津、南川等地。

| **资源情况** | 野生和栽培资源均稀少。药材来源于栽培。

| **采收加工** | 全年均可采收，剥去树皮，取心材切段或切片，晒干。

| **功能主治** | 苦、辛，温。行气止痛，降逆止呕。用于脘腹疼痛，噎膈，反胃，呃逆，恶心呕吐。

| **用法用量** | 内服煎汤，6 ～ 15g。

柏科 Cupressaceae 刺柏属 *Juniperus*

刺柏
Juniperus formosana Hayata

刺柏

药材名

刺柏（药用部位：根、枝、叶）。

形态特征

乔木，高达 12m。树皮褐色，纵裂成长条状薄片脱落；枝条斜展或直展，树冠塔形或圆柱形；小枝下垂，三棱形。叶 3 叶轮生，条状披针形或条状刺形，长 1.2 ~ 2cm，很少长达 3.2cm，宽 1.2 ~ 2mm，先端渐尖，具锐尖头，上面稍凹，中脉微隆起，绿色，两侧各有 1 白色、很少紫色或淡绿色的气孔带，气孔带较绿色边带稍宽，在叶的先端汇合为 1 条，下面绿色，有光泽，具纵钝脊，横切面新月形。雄球花圆球形或椭圆形，长 4 ~ 6mm，药隔先端渐尖，背有纵脊。球果近球形或宽卵圆形，长 6 ~ 10mm，直径 6 ~ 9mm，成熟时淡红褐色，被白粉或白粉脱落，间或顶部微张开；种子半月圆形，具 3 ~ 4 棱脊，先端尖，近基部有 3 ~ 4 树脂槽。

生境分布

生于林中，可成小片稀疏纯林。分布于重庆城口、巫溪、巫山、奉节、南川、酉阳等地。

| **资源情况** | 野生资源稀少。药材来源于野生。

| **采收加工** | 全年均可采挖根部，洗去泥土，切片，晒干用。全年均可采收枝、叶，剪取枝、叶，阴干或鲜用。

| **功能主治** | 苦，寒。清热解毒，退热透疹，杀虫。用于低热不退，皮肤癣症，麻疹。

| **用法用量** | 内服煎汤，适量。

侧柏
Platycladus orientalis (L.) Franco

| 药 材 名 | 侧柏叶（药用部位：枝梢、叶）、柏子仁（药用部位：成熟种仁）。

| 形态特征 | 乔木，高超过 20m，胸径 1m。树皮薄，浅灰褐色，纵裂成条片；生鳞叶的小枝细，向上直展或斜展，扁平，排成 1 平面。叶鳞形，先端微钝，小枝中央的叶的露出部分呈倒卵状菱形或斜方形，背面中间有条状腺槽，两侧的叶船形，先端微内曲，背部有钝脊，尖头的下方有腺点。雄球花黄色，卵圆形，长约 2mm；雌球花近球形，直径约 2mm，蓝绿色，被白粉。球果近卵圆形，长 1.5 ~ 2（~ 2.5）cm，成熟前近肉质，蓝绿色，被白粉，成熟后木质，开裂，红褐色；中间 2 对种鳞倒卵形或椭圆形，鳞背先端的下方有 1 向外弯曲的尖头；种子卵圆形或近椭圆形，先端微尖，灰褐色或紫褐色，长 6 ~ 8mm，稍有棱脊，无翅或有极窄之翅。花期 3 ~ 4 月，球果

侧柏

10 月成熟。

| **生境分布** | 生于湿润肥沃地、石灰岩山地。重庆各地均有分布。

| **资源情况** | 栽培资源丰富。药材主要来源于栽培。

| **采收加工** | 侧柏叶：夏、秋季采收，阴干。

柏子仁：秋、冬季采收成熟种子，晒干，除去种皮，收集种仁。

| **药材性状** | 侧柏叶：本品多分枝，小枝扁平。叶呈细小鳞片状，交互对生，贴伏于枝上，深绿色或黄绿色。质脆，易折断。气清香，味苦、涩、微辛。

柏子仁：本品呈长卵形或长椭圆形，长 4 ~ 7mm，直径 1.5 ~ 3mm，表面黄白色或淡黄棕色，外包膜质内种皮，先端略尖，有深褐色小点，基部钝圆。质软，富油性。气微香，味淡。

| **功能主治** | 侧柏叶：苦、涩，寒。归肺、肝、脾经。凉血止血，生发乌发，化痰止咳。用于吐血，衄血，咯血，便血，崩漏下血，肺热咳嗽，血热脱发，须发早白。

柏子仁：甘，平。归心、肾、大肠经。养心安神，润肠通便，止汗。用于阴血不足，虚烦失眠，心悸怔忡，肠燥便秘，阴虚盗汗。

| **用法用量** | 侧柏叶：内服煎汤，6 ~ 12g。外用适量。

柏子仁：内服煎汤，3 ~ 10g。

柏科 Cupressaceae 圆柏属 Sabina

圆柏
Sabina chinensis (L.) Ant.

| 药 材 名 | 桧叶（药用部位：叶）。

| 形态特征 | 乔木，高达 20m，胸径达 3.5m。树皮深灰色，纵裂，呈条片开裂；幼树的枝条通常斜上伸展，形成尖塔形树冠，老则下部大枝平展，形成广圆形的树冠；树皮灰褐色，纵裂，裂成不规则的薄片脱落；小枝通常直或稍成弧状弯曲，生鳞叶的小枝近圆柱形或近四棱形，直径 1 ~ 1.2mm。叶二型，即刺叶及鳞叶；刺叶生于幼树之上，老龄树则全为鳞叶，壮龄树兼有刺叶与鳞叶；生于一年生小枝的 1 回分枝的鳞叶 3 叶轮生，直伸而紧密，近披针形，先端微渐尖，长 2.5 ~ 5mm，背面近中部有椭圆形微凹的腺体；刺叶 3 叶交互轮生，斜展，疏松，披针形，先端渐尖，长 6 ~ 12mm，上面微凹，有 2 白粉带。雌雄异株，稀同株；雄球花黄色，椭圆形，长 2.5 ~ 3.5mm，

圆柏

雄蕊 5 ~ 7 对，常有 3 ~ 4 花药。球果近圆球形，直径 6 ~ 8mm，2 年成熟，成熟时暗褐色，被白粉或白粉脱落，有 1 ~ 4 种子；种子卵圆形，扁，先端钝，有棱脊及少数树脂槽；子叶 2，出土，条形，长 1.3 ~ 1.5cm，宽约 1mm，先端锐尖，下面有 2 白色气孔带，上面则不明显。

| 生境分布 | 生于海拔 500 ~ 1000m 的中性土、钙质土及微酸性土壤中。分布于重庆城口、奉节、万州、石柱、酉阳、南川、巴南、南岸等地。

| 资源情况 | 野生和栽培资源均稀少。药材来源于栽培。

| 采收加工 | 全年均可采收，洗净，鲜用或晒干。

| 药材性状 | 本品生鳞叶的小枝近圆柱形或近四棱形。叶二型，即刺状叶及鳞叶，生于不同枝上，鳞叶 3 叶轮生，直伸而紧密，近披针形，先端渐尖，长 2.5 ~ 5mm；刺叶 3 叶交互轮生，斜展，疏松，披针形，长 6 ~ 12mm。气微香，味微涩。

| 功能主治 | 辛、苦，温；有小毒。祛风散寒，活血解毒。用于风寒感冒，风湿关节痛，荨麻疹，阴疽肿毒初起，尿路感染。

| 用法用量 | 内服煎汤，鲜品 15 ~ 30g。外用捣敷；或煎汤熏洗；或烧烟熏。

| 附 注 | （1）在 FOC 中，本种的拉丁学名被修订为 *Juniperus chinensis* Linnaeus，属名被修订为刺柏属 *Juniperus*。
（2）本种植物喜光，喜温凉、温暖气候及湿润土壤。

柏科 Cupressaceae 圆柏属 Sabina

龙柏
Sabina chinensis (L.) Ant. cv. 'Kaizuca'

龙柏

| 药 材 名 |

龙柏（药用部位：枝、叶）。

| 形态特征 |

为圆柏栽培变种之一，本变种与原变种圆柏的区别在于树冠圆柱形或柱状塔形；枝条向上直展，常有扭转上升之势，小枝密，在枝端呈几相等长之密簇；鳞叶排列紧密，幼嫩时淡黄绿色，后呈翠绿色；球果蓝色，微被白粉。

| 生境分布 |

栽培于庭园。重庆各地均有分布。

| 资源情况 |

栽培资源一般。药材来源于栽培。

| 采收加工 |

全年均可采收，剪取枝、叶，阴干或鲜用。

| 功能主治 |

用于杀虫止痒。

| 用法用量 |

外用煎汤洗。

| 附 注 | 本种喜阳，喜温凉、温暖气候，稍耐阴，以肥沃、深厚的土壤栽培为宜；对土壤酸碱度适应性强，较耐盐碱；对氧化硫和氯抗性强，但对烟尘的抗性较差。

柏科 Cupressaceae 圆柏属 Sabina

塔柏
Sabina chinensis (L.) Ant. cv. 'Pyramidalis'

药 材 名	塔柏（药用部位：枝、叶。别名：蜀桧、桧柏）。
形态特征	为圆柏的栽培变种之一，本变种与原变种圆柏的区别在于枝向上直展，密生，树冠圆柱形或圆柱状尖塔形；叶多为刺形，稀间有鳞叶。
生境分布	栽培于庭园。重庆各地均有分布。
资源情况	栽培资源一般。药材来源于栽培。
采收加工	全年均可采收，剪取枝、叶，阴干或鲜用。
功能主治	祛风活血。

塔柏

| **用法用量** | 内服煎汤，适量。

| **附　　注** | 本种植物喜光，喜温凉、温暖气候及湿润土壤。

柏科 Cupressaceae 圆柏属 Sabina

高山柏
Sabina squamata (Buch.-Hamilt.) Ant.

| **药 材 名** | 高山柏（药用部位：枝叶、球果。别名：大香桧、岩刺柏、陇桧）。

| **形态特征** | 灌木，高 1 ~ 3m，或呈匍匐状，或为乔木，高 5 ~ 10m，稀高达 16m 或更高，胸径可达 1m。树皮褐灰色；枝条斜伸或平展，枝皮暗褐色或微带紫色或黄色，裂成不规则薄片脱落；小枝直或弧状弯曲，下垂或伸展。叶全为刺形，3 叶交叉轮生，披针形或窄披针形，基部下延生长，通常斜伸或平展、下延部分露出，稀近直伸、下延部分不露出，直或微曲，先端具急尖或渐尖的刺状尖头，上面稍凹，具白粉带，绿色中脉不明显，或有时较明显，下面拱凸具钝纵脊，沿脊有细槽或下部有细槽。雄球花卵圆形。球果卵圆形或近球形，成熟前绿色或黄绿色，成熟后黑色或蓝黑色，稍有光泽，无白粉，内有种子 1；种子卵圆形或锥状球形，有树脂槽，上部常有钝纵脊。

高山柏

| 生境分布 | 生于海拔 1600 ～ 2750m 的高山地带，在上段常组成灌丛，在下段生于冷杉类、落叶松类及栋类等针叶树或针叶树阔叶树林内，或成小面积纯林。分布于重庆巫山、巫溪、城口、南川等地。 |

| 资源情况 | 野生资源稀少。药材主要来源于野生。 |

| 采收加工 | 8 ～ 9 月采收枝叶，晾干。10 月采收球果，熬膏。 |

| 药材性状 | 本品枝叶呈树枝状。叶呈刺状，3 叶交叉轮生，披针形，长 5 ～ 10mm，宽 1 ～ 1.3mm，先端急尖或渐尖成刺状尖头，基部下延。气微香，味微涩。 |

| 功能主治 | 苦，平。祛风除湿，解毒消肿。用于风湿痹痛，肾炎水肿，尿路感染，痈疮肿毒。 |

| 用法用量 | 内服煎汤，9 ～ 15g；或熬膏。 |

| 附　注 | 在 FOC 中，本种的拉丁学名被修订为 *Juniperus squamata* Buchanan-Hamilton ex D. Don，属名被修订为刺柏属 *Juniperus*。 |

柏科 Cupressaceae 崖柏属 Thuja

崖柏
Thuja sutchuenensis Franch.

| **药 材 名** | 崖柏（药用部位：枝叶、根）。

| **形态特征** | 灌木或乔木。枝条密，开展，生鳞叶的小枝扁。叶鳞形，生于小枝中央之叶斜方状倒卵形，有隆起的纵脊，有的纵脊有条形凹槽，长 1.5 ~ 3mm，宽 1.2 ~ 1.5mm，先端钝，下方无腺点，侧面之叶船形，宽披针形，较中央之叶稍短，宽 0.8 ~ 1mm，先端钝，尖头内弯，两面均为绿色，无白粉。雄球花近椭圆形，长约 2.5mm，雄蕊约 8 对，交叉对生，药隔宽卵形，先端钝。幼小球果长约 5.5mm，椭圆形，种鳞 8，交叉对生，最外面的种鳞倒卵状椭圆形，顶部下方有 1 鳞状尖头。未见成熟球果。

| **生境分布** | 生于海拔 1100 ~ 1400m 的山地阔叶林或溪谷悬崖岩石缝中。分布

崖柏

于重庆开州、城口等地。

| 资源情况 | 野生资源稀少。药材来源于野生。

| 采收加工 | 全年均可采收，秋、冬季采收为佳，剪下带叶枝梢，除去粗梗，阴干。

| 药材性状 | 本品生鳞叶的小枝扁。叶鳞形，生于小枝中央之叶斜方状倒卵形，有隆起的纵脊，有的纵脊有条形凹槽，先端钝，下方无腺点，侧面之叶船形，宽披针形，较中央之叶稍短，尖头内弯，两面均为绿色，无白粉。气微，味微涩。

| 功能主治 | 涩，平。活血散瘀，祛风除湿，解毒疗疮。用于跌打损伤，风湿痹痛，关节炎，转筋，牙齿肿痛，恶疮，疥癣。

| 用法用量 | 内服煎汤，10 ~ 20g。

| 附　　注 | （1）本种是我国特有的珍稀濒危裸子植物和白垩纪孑遗植物，位居重庆极小种群野生植物拯救保护名录首位，并在 2015 年被列入重庆第一批重点保护野生植物名录。

（2）本种喜阳，稍耐阴，耐瘠薄、干燥土壤，忌积水，喜湿润空气和钙质土壤，不耐酸性土和盐土；本种生长要求气温适中，超过 32℃时生长停滞，在 −10℃低温下持续 10 天即受冻害。

罗汉松科 Podocarpaceae 罗汉松属 *Podocarpus*

罗汉松
Podocarpus macrophyllus (Thunb.) D. Don

罗汉松

药材名

罗汉松实（药用部位：种子、花托）、罗汉松根皮（药用部位：根皮）、罗汉松叶（药用部位：枝叶）。

形态特征

乔木，高达 20m，胸径达 60cm。树皮灰色或灰褐色，浅纵裂，呈薄片状脱落；枝开展或斜展，较密。叶螺旋状着生，条状披针形，微弯，长 7 ~ 12cm，宽 7 ~ 10mm，先端尖，基部楔形，上面深绿色，有光泽，中脉显著隆起，下面带白色、灰绿色或淡绿色，中脉微隆起。雄球花穗状，腋生，常 3 ~ 5 簇生于极短的总梗上，长 3 ~ 5cm，基部有数枚三角状苞片；雌球花单生叶腋，有梗，基部有少数苞片。种子卵圆形，直径约 1cm，先端圆，成熟时肉质假种皮紫黑色，有白粉，种托肉质圆柱形，红色或紫红色，柄长 1 ~ 1.5cm。花期 4 ~ 5 月，种子 8 ~ 9 月成熟。

生境分布

栽培于庭园。分布于重庆璧山、长寿、南岸、万州、北碚、南川、涪陵、巴南等地。

| 资源情况 | 野生资源稀少，栽培资源一般。药材来源于栽培。

| 采收加工 | 罗汉松实：秋季种子成熟时连同花托一起摘下，晒干。
罗汉松根皮：全年或秋季采挖，洗净，鲜用或晒干。
罗汉松叶：全年或夏、秋季采收，洗净，鲜用或晒干。

| 药材性状 | 罗汉松实：本品种子呈椭圆形、类圆形或斜卵圆形，长 8 ～ 11mm，直径 7 ～ 9mm。外表面灰白色或棕褐色，多数被白霜，具凸起的网纹，基部着生于倒钟形的肉质花托上。质硬，不易破碎，折断面种皮厚，中心粉白色。气微，味淡。
罗汉松叶：本品除叶外，有的还具带叶小枝。枝条直径 2 ～ 5mm，表面淡黄色或褐色，粗糙，具似三角形的叶基脱落痕。叶条状披针形，长 7 ～ 12cm，宽 4 ～ 7mm，先端短尖或钝，上面灰绿色至暗褐色，下面黄绿色至淡棕色。质脆，易折断。气微，味淡。

| 功能主治 | 罗汉松实：甘，微温。行气止痛，温中补血。用于胃脘疼痛，血虚面色萎黄。
罗汉松根皮：甘、微苦，微温。活血祛瘀，祛风除温，杀虫止痒。用于跌打损伤，风湿痹痛，癣疾。
罗汉松叶：淡，平。止血。用于吐血，咯血。

| 用法用量 | 罗汉松实：内服煎汤，10 ～ 20g。
罗汉松根皮：内服煎汤，9 ～ 15g。外用适量，捣敷；或煎汤熏洗。
罗汉松叶：内服煎汤，10 ～ 30g。

罗汉松科 Podocarpaceae 罗汉松属 Podocarpus

竹柏
Podocarpus nagi (Thunb.) Zoll. et Mor. ex Zoll.

竹柏

药材名

竹柏（药用部位：叶）、竹柏根（药用部位：根、树皮）。

形态特征

乔木，高达 20m，胸径 50cm。树皮近平滑，红褐色或暗紫红色，呈小块薄片脱落；枝条开展或伸展，树冠广圆锥形。叶对生，革质，长卵形、卵状披针形或披针状椭圆形，有多数并列的细脉，无中脉，上面深绿色，有光泽，下面浅绿色，上部渐窄，基部楔形或宽楔形，向下窄成柄状。雄球花穗状圆柱形，单生叶腋，常呈分枝状，总梗粗短，基部有少数三角状苞片；雌球花单生叶腋，稀成对腋生，基部有数枚苞片，花后苞片不肥大成肉质种托。种子圆球形，成熟时假种皮暗紫色，有白粉，其上有苞片脱落的痕迹；骨质外种皮黄褐色，先端圆，基部尖，其上密被细小的凹点，内种皮膜质。花期 3 ~ 4 月，种子 10 月成熟。

生境分布

栽培于庭园。重庆各地均有分布。

| **资源情况** | 野生资源一般。药材来源于栽培。

| **采收加工** | 竹柏：全年均可采收，洗净，鲜用或晒干。
竹柏根：全年或秋季采挖根或剥取树皮，除去泥土、杂质，切段晒干。

| **功能主治** | 竹柏：止血，接骨。用于外伤出血，骨折。
竹柏根：淡、涩，平。祛风除湿。用于风湿痹痛。

| **用法用量** | 竹柏：外用适量，鲜品捣敷；或干品研末，调敷。
竹柏根：外用适量，捣敷。

| **附　　注** | （1）在 FOC 中，本种的拉丁学名被修订为 *Nageia nagi* (Thunberg) Kuntze，属名被修订为竹柏属 *Nageia*。
（2）本种喜温暖湿润环境，较耐阴、耐寒，最宜于在排水良好的酸性黄壤土和红黄壤土中生长。多在庭园栽培作观赏用，生产中主要采用播种繁殖方式。

罗汉松科 Podocarpaceae 罗汉松属 Podocarpus

百日青
Podocarpus neriifolius D. Don

药 材 名	百叶青（药用部位：根、枝叶、根皮）。

| **形态特征** | 乔木，高达 25m，胸径约 50cm。树皮灰褐色，薄纤维质，呈片状纵裂；枝条开展或斜展。叶螺旋状着生，披针形，厚革质，常微弯，长 7 ~ 15cm，宽 9 ~ 13mm，上部渐窄，先端有渐尖的长尖头，萌生枝上的叶稍宽，有短尖头，基部渐窄，楔形，有短柄，上面中脉隆起，下面微隆起或近平。雄球花穗状，单生或 2 ~ 3 簇生，长 2.5 ~ 5cm，总梗较短，基部有多数螺旋状排列的苞片。种子卵圆形，长 8 ~ 16mm，先端圆或钝，成熟时肉质假种皮紫红色，种托肉质，橙红色，梗长 9 ~ 22mm。花期 5 月，种子 10 ~ 11 月成熟。 |

| **生境分布** | 生于海拔 500 ~ 1300m 的山地，与阔叶树混生成林。分布于重庆开州、 |

百日青

石柱、酉阳、南川等地。

| **资源情况** | 野生资源稀少。药材来源于野生。

| **采收加工** | 全年或秋季采挖根部或剥取根皮，除净泥土、杂质，切断，晒干。全年均可采收枝、叶，洗净，鲜用或晒干。

| **功能主治** | 根，用于水肿。根皮，用于疥癣，痢疾。枝叶，用于骨质增生，关节肿痛。

| **用法用量** | 内服煎汤，适量。

| **附　注** | 本种喜充足阳光，即使是夏日艳阳照射也无害。

三尖杉科 Cephalotaxaceae 三尖杉属 Cephalotaxus

三尖杉

Cephalotaxus fortunei Hook. f.

三尖杉

药材名

三尖杉（药用部位：枝叶）、三尖杉根（药用部位：根）。

形态特征

乔木，高达 20m，胸径达 40cm。树皮褐色或红褐色，裂成片状脱落。叶排成 2 列，披针状条形，通常微弯，上部渐窄，先端有渐尖的长尖头，上面深绿色，中脉隆起，下面气孔带白色，较绿色边带宽 3 ～ 5 倍，绿色中脉带明显或微明显。雄球花 8 ～ 10 聚生成头状，直径约 1cm，总花梗粗，通常长 6 ～ 8mm，基部及总花梗上部有 18 ～ 24 苞片，每一雄球花有 6 ～ 16 雄蕊，花药 3，花丝短；雌球花的胚珠 3 ～ 8 发育成种子，总梗长 1.5 ～ 2cm。种子椭圆状卵形或近圆球形，长约 2.5cm，假种皮成熟时紫色或红紫色，先端有小尖头；子叶 2，条形，长 2.2 ～ 3.8cm，宽约 2mm，先端钝圆或微凹，下面中脉隆起，无气孔线，上面有凹槽，内有 1 窄的白粉带，下面有白色气孔带。花期 4 月，种子 8 ～ 10 月成熟。

生境分布

生于阔叶树、针叶树混交林中。分布于重庆

城口、石柱、彭水、长寿、涪陵、武隆、奉节、开州、巫溪、巫山等地。

| **资源情况** | 野生资源丰富。药材来源于野生。

| **采收加工** | 三尖杉：全年或夏、秋季采收，晒干。
三尖杉根：全年均可采挖，除去泥土，晒干。

| **药材性状** | 三尖杉：本品小枝对生，基部有宿存芽鳞。叶螺旋状排成 2 列，常水平展开，披针状条形，长 4 ~ 13cm，宽 3 ~ 4mm，先端尖，基部楔形，上面深绿色，中脉隆起，下面中脉两侧有白色气孔带。气微，味微涩。

| **功能主治** | 三尖杉：苦、涩，寒；有毒。抗肿瘤。用于恶性淋巴瘤，白血病，肺癌，胃癌，食管癌，直肠癌等。
三尖杉根：苦、涩，平。抗肿瘤，活血，止痛。用于直肠癌，跌打损伤。

| **用法用量** | 三尖杉：一般用于提取生物碱，制成注射剂使用。
三尖杉根：内服煎汤，10 ~ 60g。

三尖杉科 Cephalotaxaceae 三尖杉属 Cephalotaxus

篦子三尖杉 *Cephalotaxus oliveri* Mast.

| 药 材 名 | 篦子三尖杉（药用部位：种子、枝叶）。

| 形态特征 | 灌木，高达4m。树皮灰褐色。叶条形，质硬，平展成2列，排列紧密，通常中部以上向上方微弯，稀直伸，长1.5～3.2（多为1.7～2.5）cm，宽3～4.5mm，基部截形或微呈心形，几无柄，先端凸尖或微凸尖，上面深绿色，微拱圆，中脉微明显或中下部明显，下面气孔带白色，较绿色边带宽1～2倍。雄球花6～7聚生成头状花序，直径约9mm，总梗长约4mm，基部及总梗上部有超过10苞片，每一雄球花基部有1广卵形的苞片，雄蕊6～10，花药3～4，花丝短；雌球花的胚珠通常1～2发育成种子。种子倒卵圆形、卵圆形或近球形，长约2.7cm，直径约1.8cm，先端中央有小凸尖，有长梗。花期3～4月，种子8～10月成熟。

篦子三尖杉

| **生境分布** | 生于阔叶林或针叶林内。分布于重庆武隆、巫溪、巫山、梁平、南川等地。

| **资源情况** | 野生资源稀少。药材来源于野生。

| **采收加工** | 全年均可采收枝叶，秋季采收成熟种子，晒干。

| **功能主治** | 苦、涩，寒。抗肿瘤。用于血液系统肿瘤及其他一些恶性实体瘤。

| **用法用量** | 内服煎汤，适量。

粗榧

Cephalotaxus sinensis (Rehd. et Wils.) Li

| 药 材 名 | 粗榧枝叶（药用部位：枝叶）、粗榧根（药用部位：根、树皮）。

| 形态特征 | 灌木或小乔木，高达 15m，少为大乔木。树皮灰色或灰褐色，裂成薄片状脱落。叶条形，排列成 2 列，通常直，稀微弯，基部近圆形，几无柄，上部通常与中下部等宽或微窄，先端通常渐尖或微凸尖，稀凸尖，上面深绿色，中脉明显，下面有 2 白色气孔带，较绿色边带宽。雄球花 6 ~ 7 聚生成头状，基部及总梗上有多数苞片，雄球花卵圆形，基部有 1 苞片。种子通常 2 ~ 5 着生于轴上，卵圆形、椭圆状卵形或近球形，很少成倒卵状椭圆形，先端中央有 1 小尖头。花期 3 ~ 4 月，种子 8 ~ 10 月成熟。

| 生境分布 | 生于海拔 2000m 以下的山地。分布于重庆云阳、丰都、巫山、城口、

粗榧

开州、石柱、南川、江津等地。

| **资源情况** | 野生资源稀少。药材来源于野生。

| **采收加工** | 粗榧枝叶：全年或夏、秋季采收，晒干。
粗榧根：全年均可采收，洗净，刮去粗皮，切片，晒干。

| **功能主治** | 粗榧枝叶：苦、涩，寒。抗肿瘤。用于白血病，恶性淋巴瘤。
粗榧根：淡、涩，平。祛风除湿。用于风湿痹痛。

| **用法用量** | 粗榧枝叶：一般用于提取生物碱，制成注射剂使用。
粗榧根：内服煎汤，15～30g。

| **附　　注** | 本种喜温暖湿润气候及黄壤、黄棕壤、棕色木林土壤。

宽叶粗榧

Cephalotaxus sinensis (Rehd. et Wils.) Li var. *latifolia* Cheng et L. K. Fu

| 药 材 名 | 宽叶粗榧（药用部位：种子、根皮、枝、叶）。

| 形态特征 | 本变种与原种的主要区别在于小枝粗壮；叶较宽厚（宽达 5 ~ 6mm），
先端常急尖，叶干后边缘向下反曲。

| 生境分布 | 生于海拔 280 ~ 2400m 的山地林缘或路旁。分布于重庆巫溪、奉节、
石柱、南川等地。

| 资源情况 | 野生资源稀少。药材来源于野生。

| 采收加工 | 全年或秋季采挖根部或剥取根皮，除净泥土、杂质，切断，晒干。
全年均可采收枝、叶，洗净，鲜用或晒干。秋季成熟时采收种子，

宽叶粗榧

晒干。

| **功能主治** | 根皮、枝、叶，苦、涩，寒。祛风湿，抗肿瘤。用于淋巴癌，白血病。种子，甘、涩，平。润肺止咳，驱虫，消积。用于食积，咳嗽，蛔虫病，钩虫病，咳嗽。

| **用法用量** | 内服煎汤，适量。

| **附　注** | 在FOC中，本种的拉丁学名被修订为 *Cephalotaxus latifolia* W. C. Cheng et L. K. Fu ex L. K. Fu et al.。

红豆杉科 Taxaceae 穗花杉属 Amentotaxus

穗花杉
Amentotaxus argotaenia (Hance) Pilger

穗花杉

药材名

穗花杉种子（药用部位：种子。别名：硬壳虫、杉枣）、穗花杉叶（药用部位：叶）、穗花杉根（药用部位：根、树皮）。

形态特征

灌木或小乔木，高达 7m。树皮灰褐色或淡红褐色，裂成片状脱落；小枝斜展或向上伸展，圆或近方形，一年生枝绿色，二年生、三年生枝绿黄色、黄色或淡黄红色。叶基部扭转列成 2 列，条状披针形，直或微弯成镰状，长 3 ~ 11cm，先端尖或钝，基部渐窄，楔形或宽楔形，有极短的叶柄，边缘微向下曲，下面白色气孔带与绿色边带等宽或较窄；萌生枝的叶较长，通常镰状，稀直伸，先端有渐尖的长尖头，气孔带较绿色边带为窄。雄球花穗 1 ~ 3 穗，长 5 ~ 6.5cm，雄蕊 2 ~ 5。种子椭圆形，成熟时假种皮鲜红色，长 2 ~ 2.5cm，直径约 1.3cm，先端有小尖头露出，基部宿存苞片的背部有纵脊，扁四棱形。花期 4 月，种子 10 月成熟。

生境分布

生于海拔 600 ~ 1700m 的阴湿溪谷两旁或林内。分布于重庆开州、石柱、武隆、酉阳、南川、巫山、巫溪、奉节、城口等地。

| 资源情况 |

野生资源稀少。药材来源于野生。

| 采收加工 |

穗花杉种子：秋季种子成熟时采收，晒干。

穗花杉叶：夏、秋季采收，鲜用或晒干。

穗花杉根：全年或秋季采收，洗净，鲜用或晒干。

| 功能主治 |

穗花杉种子：驱虫，消积。用于虫积腹痛，小儿疳积。

穗花杉叶：清热解毒，祛湿止痒。用于毒蛇咬伤，湿疹。

穗花杉根：活血，止痛，生肌。用于跌打损伤，骨折。

| 用法用量 |

穗花杉种子：内服煎汤，6 ~ 15g。

穗花杉叶：外用适量，煎汤熏洗；或鲜品捣敷。

穗花杉根：外用适量，捣敷；或研末撒。

| 附　　注 |

本种喜温凉潮湿、雨量充沛、光照较弱、多散射光的环境，土壤以 pH4.5 ~ 5.5、富含腐殖质的黄壤、黄棕壤为宜。本种以种子繁殖，但种子有休眠期，采种后须层积贮藏数月之久，通过后熟方可播种。也可采用扦插法繁殖，幼苗期注意蔽荫，保持土壤湿润。

红豆杉科 Taxaceae 红豆杉属 *Taxus*

红豆杉 *Taxus chinensis* (Pilger) Rehd.

| 药 材 名 | 红豆杉（药用部位：枝、叶、树皮、果实）。

| 形态特征 | 乔木，高达 30m，胸径达 60 ~ 100cm。树皮灰褐色、红褐色或暗褐色，裂成条片脱落；芽鳞三角状卵形，背部无脊或有纵脊，脱落或少数宿存于小枝的基部。叶排列成 2 列，条形，微弯或较直，长 1 ~ 3（多为 1.5 ~ 2.2）cm，宽 2 ~ 4（多为 3）mm，上部微渐窄，先端常微急尖，稀急尖或渐尖，上面深绿色，有光泽，下面淡黄绿色，有 2 气孔带。雄球花淡黄色，雄蕊 8 ~ 14，花药 4 ~ 8（多为 5 ~ 6）。种子生于杯状红色肉质的假种皮中，间或生于近膜质盘状的种托（即未发育成肉质假种皮的珠托）之上，常呈卵圆形，上部渐窄，稀倒卵形，长 5 ~ 7mm，直径 3.5 ~ 5mm，微扁或圆，上部常具 2 钝棱脊，稀上部三角状具 3 钝脊，先端有凸起的短钝尖头，种脐近圆形或宽

红豆杉

椭圆形，稀三角状圆形。

| 生境分布 | 生于海拔 1000 ~ 2600m 的阔叶林中。分布于重庆綦江、彭水、酉阳、城口、石柱、南川、武隆、忠县、黔江、璧山、巫山、梁平等地。

| 资源情况 | 野生和栽培资源均稀少。药材主要来源于栽培。

| 采收加工 | 全年均可采收枝、叶，洗净，鲜用或晒干。春、秋季采剥树皮，切片，鲜用或晒干。秋季采收果实，晒干。

| 功能主治 | 微苦，温。枝、叶及树皮，利水消肿。用于肾炎浮肿，小便不利，糖尿病。果实，消积食，驱蛔虫。用于食积腹痛，消化不良，蛔虫病。

| 用法用量 | 内服煎汤，适量。

| 附　注 | 在 FOC 中，本种的拉丁学名被修订为 *Taxus wallichiana* var. *chinensis* (Pilger) Florin。

红豆杉科 Taxaceae 红豆杉属 *Taxus*

南方红豆杉 *Taxus chinensis* (Pilger) Rehd. var. *mairei* (Lemée et Lévl.) Cheng et L. K. Fu

| **药 材 名** | 南方红豆杉（药用部位：带叶枝条）。

| **形态特征** | 本变种与原种的区别主要在于，叶常较宽长，多呈弯镰状，通常长 2 ~ 3.5（~ 4.5）cm，宽 3 ~ 4（~ 5）mm，上部常渐窄，先端渐尖，下面中脉带上无角质乳头状突起，或局部有成片或零星分布的角质乳头状突起，或与气孔带相邻的中脉带两边有 1 至数条角质乳头状突起，中脉带明晰可见，其色泽与气孔带相异，呈淡黄绿色或绿色，绿色边带亦较宽而明显；种子通常较大，微扁，多呈倒卵圆形，上部较宽，稀柱状矩圆形，长 7 ~ 8mm，直径 5mm，种脐常呈椭圆形。

| **生境分布** | 生于海拔1200m以下的阔叶林中。分布于重庆黔江、彭水、秀山、江津、丰都、綦江、武隆、云阳、垫江、北碚等地。

南方红豆杉

| **资源情况** | 野生和栽培资源均稀少。药材主要来源于栽培。

| **采收加工** | 冬季剪取带叶枝条，除去杂质，洗净，于通风处晾干。

| **药材性状** | 本品茎呈细圆柱形，多分枝，小枝不规则互生，直径约2mm，表面黄绿色至黄褐色。叶易脱落，呈螺旋状着生，排成2列，条形，微弯，黄绿色至黄褐色，长1.5 ~ 3cm，宽0.25 ~ 0.35cm，上部渐窄，先端急尖或渐尖，叶柄短，叶基扭转，叶片全缘，近革质，上面中脉明显隆起。质脆，易折断。气微，味苦、涩。

| **功能主治** | 微甘、苦，平；有小毒。归肾、心经。消肿散结，通经利尿。用于癥瘕积聚，水肿，小便不利，风湿痹痛等。

| **用法用量** | 内服煎汤，6 ~ 10g。

| **附　　注** | 在 FOC 中，本种的拉丁学名被修订为 *Taxus wallichiana* var. *mairei* (Lemée et H. Léveillé) L. K. Fu et Nan Li。

巴山榧树

Torreya fargesii Franch.

| 药 材 名 | 巴山榧树（药用部位：种子、根皮、花）。

| 形态特征 | 乔木，高达 12m。树皮深灰色，不规则纵裂。叶条形，稀条状披针形，通常直，稀微弯，长 1.3 ～ 3cm，宽 2 ～ 3mm，先端微凸尖或微渐尖，具刺状短尖头，基部微偏斜，宽楔形，上面亮绿色，无明显隆起的中脉，通常有 2 条较明显的凹槽，延伸不达中部以上，稀无凹槽，下面淡绿色，中脉不隆起，气孔带较中脉带为窄，干后呈淡褐色，绿色边带较宽，约为气孔带的 1 倍。雄球花卵圆形，基部的苞片背部具纵脊，雄蕊常具 4 花药，花丝短，药隔三角状，边缘具细缺齿。种子卵圆形、圆球形或宽椭圆形，肉质假种皮微被白粉，直径约 1.5cm，先端具小凸尖，基部有宿存的苞片；骨质种皮的内壁平滑；胚乳周围显著向内深皱。花期 4 ～ 5 月，种子 9 ～ 10 月成熟。

巴山榧树

| 生境分布 | 生于海拔 1000 ～ 1800m 的林中。分布于重庆城口、巫溪、巫山、奉节、南川、开州等地。 |

| 资源情况 | 野生资源稀少。药材来源于野生。 |

| 采收加工 | 秋季种子成熟时采收种子，晒干。全年或秋季采收根皮，洗净，鲜用或晒干。春季采收花，晒干。 |

| 功能主治 | 种子，甘、涩，平。驱虫，消积，润燥。用于虫积腹痛，食积痞闷，便秘，蛔虫病。根皮，用于风湿肿痛。花，苦。去水气，驱蛔虫。 |

| 用法用量 | 种子、花，内服煎汤，适量。根皮，外用适量，捣敷。 |

红豆杉科 Taxaceae 榧树属 *Torreya*

榧树
Torreya grandis Fort. et Lindl.

| 药 材 名 | 榧子（药用部位：种子。别名：香榧、榧树、玉榧）、榧根皮（药用部位：根皮）、榧花（药用部位：球花）、榧枝叶（药用部位：枝叶）。

| 形态特征 | 乔木，高达 25m，胸径 55cm。树皮浅黄灰色、深灰色或灰褐色，不规则纵裂；一年生枝绿色，无毛，二年生、三年生枝黄绿色、淡褐黄色或暗绿黄色，稀淡褐色。叶条形，列成 2 列，通常直，长 1.1 ~ 2.5cm，宽 2.5 ~ 3.5mm，先端凸尖，上面光绿色，无隆起的中脉，下面淡绿色，气孔带常与中脉带等宽，绿色边带与气孔带等宽或稍宽。雄球花圆柱形，长约 8mm，基部的苞片有明显的背脊，雄蕊多数，各有 4 花药，药隔先端宽圆有缺齿。种子椭圆形、卵圆形、倒卵圆形或长椭圆形，长 2 ~ 4.5cm，直径 1.5 ~ 2.5cm，成熟时假种皮淡紫褐色，有白粉，先端微凸，基部具宿存的苞片，胚乳微皱；

榧树

初生叶三角状鳞形。花期 4 月，种子翌年 10 月成熟。

| 生境分布 | 生于海拔 650 ～ 1400m 的山地或溪边阔叶林中。分布于重庆开州、南川等地。

| 资源情况 | 野生资源稀少。药材来源于野生。

| 采收加工 | 榧子：秋季种子成熟时采收，除去肉质假种皮，洗净，晒干。
榧根皮：秋、冬季采挖根，剥取根皮，晒干。
榧花：春季球花将开放时采收，晒干。
榧枝叶：全年均可采收，鲜用。

| 药材性状 | 榧子：本品呈卵圆形或长卵圆形，长 2 ～ 3.5cm，直径 1.3 ～ 2cm，表面灰黄色或淡黄棕色，有纵皱纹，一端钝圆，可见椭圆形种脐，另一端稍尖。种皮质硬，厚约 1mm。种仁表面皱缩，外胚乳灰褐色，膜质；内胚乳黄白色，肥大，富油性。气微，味微甘而涩。

| 功能主治 | 榧子：杀虫消积，润肺止咳，润燥通便。用于钩虫、蛔虫、绦虫病，虫积腹痛，小儿疳积，肺热咳嗽，大便秘结。
榧根皮：祛风除湿。用于风湿肿痛。
榧花：利水，杀虫。用于水气肿满，蛔虫病。
榧枝叶：祛风除湿。用于风湿疮毒。

| 用法用量 | 榧子：内服煎汤，9 ～ 15g。
榧根皮：内服煎汤，9 ～ 15g。
榧花：内服煎汤，6 ～ 9g。
榧枝叶：外用适量，煎汤浸洗。

| 附　注 | 本种适宜生长于凉爽多雾、潮湿的环境，以土层深厚、疏松肥沃、排水良好的酸性或微酸性壤土栽培为好，干旱瘠薄的地方不宜栽培。

被子植物

杨梅科 Myricaceae 杨梅属 Myrica

毛杨梅
Myrica esculenta Buch.-Ham.

| 药 材 名 | 毛杨梅根皮（药用部位：根皮）、毛杨梅皮（药用部位：树皮）。

| 形态特征 | 常绿乔木或小乔木，高 4 ~ 10m，胸径超过 40cm。树皮灰色；小枝和芽密生毡毛，皮孔密而明显。单叶互生，聚生枝的上部，革质，楔状倒卵形至倒披针状倒卵形，长 5 ~ 18cm，宽 1.5 ~ 4cm，先端钝，基部楔形，全缘或偶在中部以上有少数圆齿或锯齿，叶下面有极稀疏的金黄色腺体。穗状圆锥花序，腋生；雄花序长 6 ~ 8cm，苞片密，覆瓦状排列，每苞片腋内有 1 雄花，雄蕊 3 ~ 7；雌花序因分枝极缩短，仅有 1 ~ 4 能孕苞片而似穗状，长 2 ~ 3.5cm，每苞片腋内生 1 雌花，子房有 2 细长鲜红色花柱枝。核果椭圆形，略压扁，成熟时红色，外面有乳头状突起，外果皮肉质，多汁液及树脂。9 ~ 10 月开花，翌年 3 ~ 4 月果实成熟。

毛杨梅

生境分布

生于海拔 280 ～ 2500m 的稀疏杂木林内或干燥的山坡上。分布于重庆武隆、南川、綦江、江津、大足、铜梁、合川、北碚等地。

资源情况

野生资源稀少。药材来源于野生，亦有少量栽培。

采收加工

毛杨梅根皮：全年均可采收，多在栽培整修时采挖，剥取根皮，鲜用或晒干。

毛杨梅皮：全年均可采收，或结合栽培砍伐整枝，趁鲜剥取茎皮和枝皮，鲜用或晒干。

功能主治

毛杨梅根皮：苦、涩，温。收涩止泻，活血止痛，杀虫，敛疮。用于泄泻，痢疾，腰肌劳损，跌仆伤痛，秃疮，湿疹，溃疡不敛。

毛杨梅皮：涩，平。涩肠止泻，止血，止痛。用于泄泻，痢疾，崩漏，胃痛。

用法用量

毛杨梅根皮：内服煎汤，9 ～ 15g；或泡酒。外用适量，研末撒；或煎膏调敷。

毛杨梅皮：内服煎汤，9 ～ 15g。

附 注

本种适应性强，一般山地均可种植。但因其喜温暖湿润环境，且本种根系能与好气性放线菌共生，故在通透性好的微酸性砂壤土中栽培较为适宜。

杨梅

杨梅科 Myricaceae 杨梅属 Myrica

杨梅 *Myrica rubra* (Lour.) Sieb. et Zucc.

药材名

杨梅树皮（药用部位：树皮）。

形态特征

常绿乔木，高可达 15m 以上，胸径达 60cm 以上。树皮灰色，老时纵向浅裂；树冠圆球形；小枝及芽无毛，皮孔通常少而不显著，幼嫩时仅被圆形而盾状着生的腺体。叶革质，无毛，生存至 2 年脱落，常密集于小枝上端部分；生于萌发条上者多为长椭圆状或楔状披针形，长达 16cm 以上，先端渐尖或急尖，边缘中部以上具稀疏的锐锯齿，中部以下常为全缘，基部楔形；生于孕性枝上者为楔状倒卵形或长椭圆状倒卵形，长 5 ~ 14cm，宽 1 ~ 4cm，先端圆钝或具短尖至急尖，基部楔形，全缘或偶有在中部以上具少数锐锯齿，上面深绿色，有光泽，下面浅绿色，无毛，仅被稀疏的金黄色腺体，干燥后中脉及侧脉在上、下两面均显著，在下面更为隆起；叶柄长 2 ~ 10mm。花雌雄异株。雄花序单生或数条丛生叶腋，圆柱形，长 1 ~ 3cm，通常不分枝呈单穗状，稀在基部有不显著的极短分枝现象，基部的苞片不孕，孕性苞片近圆形，全缘，背面无毛，仅被有腺体，长约 1mm，每苞片腋内生 1 雄花。雄花具 2 ~ 4

卵形小苞片及 4 ~ 6 雄蕊；花药椭圆形，暗红色，无毛。雌花序常单生叶腋，较雄花序短而细瘦，长 5 ~ 15mm，苞片和雄花的苞片相似，密接而成覆瓦状排列，每苞片腋内生 1 雌花。雌花通常具 4 卵形小苞片；子房卵形，极小，无毛，先端极短的花柱及 2 鲜红色、细长的柱头，其内侧为具乳头状突起的柱头面。每一雌花序仅上端 1（稀 2）雌花能发育成果实。核果球形，外表面具乳头状突起，直径 1 ~ 1.5cm，栽培品种可达 3cm 左右，外果皮肉质，多汁液及树脂，味酸甜，成熟时深红色或紫红色；核常为阔椭圆形或圆卵形，略呈压扁状，长 1 ~ 1.5cm，宽 1 ~ 1.2cm，内果皮极硬，木质。4 月开花，6 ~ 7 月果实成熟。

| 生境分布 | 生于海拔 125 ~ 1500m 的山坡或山谷林中，或栽培于庭园及果园。分布于重庆江津、永川、綦江、南川、北碚、璧山、武隆等地。

| 资源情况 | 野生和栽培资源均一般。药材来源于野生和栽培。

| 采收加工 | 春初剥取，晒干。

| 药材性状 | 本品呈弯曲或卷筒状，多切成斜段，厚度 0.2 ~ 1cm，外表面灰褐色或灰棕色，粗糙，皱缩，可见裂纹，栓皮多成鳞片状脱落，去栓皮者表面呈红褐色，可见许多横向沟纹及小孔；内表面较光滑，红褐色，具细密纹理。质坚硬，不易折断，断面纤维状。气微，味苦、涩。

| 功能主治 | 辛、苦、涩，温。归心、肝、大肠经。行气活血，通关开窍，消肿解毒。用于跌打损伤，目翳牙痛，烫火伤，痢疾，恶疮疥癞等。

| 用法用量 | 内服煎汤，15 ~ 21g；或浸酒；或入丸剂。外用烧存性，研末调敷；或煎汤熏洗。孕妇忌服。

| 附　注 | 本种喜酸性土壤。

青钱柳
Cyclocarya paliurus (Batal.) Iljinsk.

| 药 材 名 | 青钱柳叶（药用部位：叶）。

| 形态特征 | 落叶乔木，高 10 ~ 30m。树皮厚，灰色，深纵裂；枝条黑褐色，具灰黄色皮孔；髓心薄片状；冬芽裸露，密生褐色鳞片。奇数羽状复叶，叶片革质，长椭圆状卵形至阔披针形，长 5 ~ 14cm，宽 2 ~ 6cm，先端急尖或渐尖，基部偏斜，边缘有锐锯齿，上面有盾状腺体，下面网状脉明显，有灰色细小的鳞片及盾状腺体。花单性，雌雄异株；雄荑黄花序簇生短花梗上，雄花苞片小不明显，2 小苞片与 2 ~ 3 花被片形状相似；雌荑黄花序单独顶生，雌花 7 ~ 10，雌花苞片与 2 小苞片贴生至子房中部，花被片 4，生于子房上端，子房下位，花柱短，柱头 2 裂，裂片羽毛状。果序长 20 ~ 30cm，坚果，扁球形。花期 4 ~ 5 月，果期 7 ~ 9 月。

青钱柳

| 生境分布 |

生于海拔 800 ～ 2100m 的山地或溪边阴湿杂木林中。分布于重庆奉节、北碚、城口、南川、彭水等地。

| 资源情况 |

野生资源稀少。药材来源于野生。

| 采收加工 |

春、夏季采收，洗净，鲜用或干燥。

| 药材性状 |

本品多破碎，完整者宽披针形，长 5 ～ 14cm，宽 2 ～ 6cm，先端渐尖，基部偏斜，边缘有锯齿。上面灰绿色，下面黄绿色或褐色，有盾状腺体，革质。气清香，味淡。以叶多、色绿、气清香者为佳。

| 功能主治 |

辛、微苦，平。祛风止痒。用于皮肤癣疾。

| 用法用量 |

外用适量，鲜品捣烂，取汁涂搽。

| 附　注 |

本种喜阳光，耐旱，在土壤深厚、疏松肥沃的地方生长较好。生产中采用扦插、嫁接、压条、分株、播种 5 种繁殖方式，其中以扦插法较为普遍，但其繁殖量次于嫁接、播种。

胡桃科 Juglandaceae 黄杞属 Engelhardia

黄杞
Engelhardia roxburghiana Wall.

| **药 材 名** | 黄杞皮（药用部位：树皮。别名：土厚朴、假玉桂）、黄杞叶（药用部位：叶）。

| **形态特征** | 半常绿乔木，高超过 10m，全体无毛，被橙黄色盾状着生的圆形腺体。偶数羽状复叶，小叶 3 ~ 5 对，叶片革质，长椭圆状披针形至长椭圆形，全缘，两面具光泽，侧脉 10 ~ 13 对。雌雄同株或稀异株，雌花序 1 条及雄花序数条长而俯垂，先端为雌花序，下方为雄花序，或雌雄花序分开则雌花序单独顶生。雄花无柄或近无柄，花被片 4，兜状，雄蕊 10 ~ 12，几乎无花丝。雌花有长约 1mm 的花柄，苞片 3 裂而不贴于子房，花被片 4，贴生于子房，子房近球形，无花柱，柱头 4 裂。果序长达 15 ~ 25cm；果实坚果状，球形，直径约 4mm，外果皮膜质，内果皮骨质，3 裂的苞片托于果实基部；苞片的中间裂片长约为两

黄杞

侧裂片长的 2 倍，长矩圆形，先端钝圆。5 ~ 6
月开花，8 ~ 9 月果实成熟。

| 生境分布 |

生于海拔 200 ~ 1500m 的林中。分布于重庆石
柱、彭水、酉阳、南川、江津、綦江、北碚等地。

| 资源情况 |

野生资源稀少。药材来源于野生。

| 采收加工 |

黄杞皮：夏、秋季剥取，洗净，鲜用或晒干。
黄杞叶：春、夏、秋季采收，洗净，鲜用或晒干。

| 药材性状 |

黄杞皮：本品呈单卷筒状或双卷筒状，长短不
一，厚 3 ~ 4mm；外表面灰棕色或灰褐色，粗
糙，皮孔椭圆形；内表面紫褐色，平滑，有纵浅
纹。质坚硬而脆，易折断，断面不平整，略呈
层片状。

| 功能主治 |

黄杞皮：微苦、辛，平。理气化湿，导滞。用
于脾胃湿滞，湿热泄泻。
黄杞叶：微苦，凉。清热，止痛。用于疝气腹痛，
感冒发热。

| 用法用量 |

黄杞皮：内服煎汤，6 ~ 15g。
黄杞叶：内服煎汤，9 ~ 15g。

胡桃科 Juglandaceae 胡桃属 Juglans

野核桃
Juglans cathayensis Dode

野核桃

| 药 材 名 |

野核桃仁（药用部位：种仁）、野核桃油（药材来源：种仁的脂肪油）。

| 形态特征 |

乔木或有时呈灌木状，高达 12 ~ 25m，胸径达 1 ~ 1.5m。幼枝灰绿色，被腺毛，髓心薄片状分隔；顶芽裸露，锥形，长约 1.5cm，黄褐色，密生毛。奇数羽状复叶，叶柄及叶轴被毛；小叶近对生，无柄，硬纸质，卵状矩圆形，先端渐尖，基部斜圆形或稍斜心形，边缘有细锯齿，两面均被星状毛，上面稀疏，下面浓密，侧脉 11 ~ 17 对。雄性葇黄花序生于去年生枝先端叶痕腋内，长可达 18 ~ 25cm，花序轴被疏毛；雄花被腺毛，雄蕊约 13，花药黄色，长约 1mm，被毛，药隔稍伸出。雌性花序直立，生于当年生枝先端，花序轴密生棕褐色毛；雌花排列成穗状，密生棕褐色腺毛，子房卵形，长约 2mm，花柱短，柱头 2 深裂。果序常具 6 ~ 10（~ 13）果实或因雌花不孕而仅有少数，但果序轴上有花着生的痕迹；果实卵形或卵圆形，长 3 ~ 4.5（~ 6）cm，外果皮密被腺毛，先端尖，核卵形或阔卵形，先端尖，内果皮坚硬，有 6 ~ 8 纵向棱脊，棱脊之间有不规则排列的尖锐的刺状突起和凹陷，仁小。花期 4 ~ 5 月，果期 8 ~ 10 月。

| 生境分布 | 生于海拔 1000 ~ 2400m 的杂木林中。分布于重庆城口、丰都、石柱、巫山、开州、巫溪、奉节、酉阳、武隆、南川、綦江等地。

| 资源情况 | 野生资源丰富。药材来源于野生。

| 采收加工 | 野核桃仁：10 月果实成熟时采收，堆置 6 ~ 7 天，待果皮霉烂后，擦去果皮，洗净，晒至半干，再击碎果核，拣取种仁，晒干。
野核桃油：除去果壳，取仁，榨油。

| 功能主治 | 野核桃仁：甘，温。归肺、肾、大肠经。补养气血，润燥化痰，益命门，利三焦，温肺润肠。用于虚寒咳嗽，下肢酸痛。
野核桃油：缓泻，驱绦虫。外用于皮肤瘙痒，冻疮，腋臭。

| 用法用量 | 野核桃仁：内服煎汤，30 ~ 50g；或捣碎嚼，10 ~ 30g；或捣烂冲酒。外用捣烂，涂搽。
野核桃油：内服 3 ~ 5ml，温开水送服。外用涂搽。

| 附　注 | 在 FOC 中，本种被修订为胡桃楸 *Juglans mandshurica* Maxim.。

胡桃 *Juglans regia* L.

| **药 材 名** | 胡桃隔（药用部位：内果皮中的木质隔膜）、胡桃仁（药用部位：种仁）、青胡桃（药用部位：幼果）、胡桃壳（药用部位：成熟果实的内果皮）。

| **形态特征** | 乔木，高达 20 ～ 25m。树冠广阔；树皮幼时灰绿色，老时灰白色而纵向浅裂。奇数羽状复叶长 25 ～ 30cm，叶柄及叶轴幼时被极短腺毛及腺体；小叶通常 5 ～ 9，稀 3，椭圆状卵形至长椭圆形，全缘或在幼树上者边缘具稀疏细锯齿，上面深绿色，无毛，下面淡绿色，侧脉 11 ～ 15 对，腋内被簇短柔毛。雄性柔荑花序下垂，长 5 ～ 10cm，稀达 15cm。雄花的苞片、小苞片及花被片均被腺毛；雄蕊 6 ～ 30，花药黄色，无毛。雌性穗状花序通常具 1 ～ 3（～ 4）雌花。雌花的总苞被极短腺毛，柱头浅绿色。果序短，俯垂，具 1 ～ 3 果实；果

胡桃

实近球形，直径 4 ~ 6cm，无毛；果核稍具皱曲，有 2 纵棱，先端具短尖头；隔膜较薄，内里无空隙；内果皮壁内具不规则的空隙，或无空隙而仅具皱曲。花期 5 月，果期 10 月。

| **生境分布** | 生于海拔 300 ~ 2500m 的山坡及丘陵地带，或栽培于山坡。重庆各地均有分布。

| **资源情况** | 野生和栽培资源均较丰富。药材来源于野生和栽培。

| **采收加工** | 胡桃隔：剖取核桃仁时，拣取隔膜，晒干。
胡桃仁：秋季果实成熟后采摘，晒干，除去肉质外果皮，击破硬壳，取出种仁。
青胡桃：夏季采收，洗净，晒干或鲜用。

胡桃壳：果实成熟时采收，取果核壳，晒干。

| **药材性状** | 胡桃隔：本品多呈破碎薄片状，稍不平坦，边缘不整齐，黄棕色至棕褐色，略有光泽。完整者由3互相垂直的膜质薄片组成，中间为"Y"字形的肋，薄片即是由肋内向外延伸而成，肋处较厚，约1.5mm，有纵向细皱纹，向外渐薄。木质，质坚而脆，易折断。气微，味微苦、涩。

胡桃仁：本品多破碎成不规则块状，完整者呈类球形，由2种仁合成，皱缩、多沟槽，形似猪脑。外披棕褐色或淡褐色薄膜状种皮，剥去种皮显黄白色。质脆，富有油性。气微，味甘，种皮味涩。

青胡桃：本品呈类球形，黑绿色，具褐色斑点，直径2～3.5cm。表面较光滑，在放大镜下可见绒毛，基部具圆形果梗痕。断面不平坦，外果皮、中果皮及内果之间均不易剥离，中心可见脑状子叶。气微，味苦、涩。

胡桃壳：本品为半球形或不规则形碎块，直径约 3cm，厚 1 ~ 2mm。外表面灰褐色至棕褐色，光滑，具不规则网状纹理；内表面棕褐色，可见木质隔膜。质坚硬，不易折断。

| **功能主治** | 胡桃隔：固肾涩精。用于遗精滑泄，淋病，尿血，遗溺，崩中，带下，泻痢。

胡桃仁：甘、涩，温。温补肺肾，定喘，化痰，润肠，涩精。

青胡桃：清热解毒，消肿止痛。用于牙痛，腹痛。

胡桃壳：苦、涩，平。解毒疗痈，杀疥疗癣。用于血崩，乳痈，疥癣等。

| **用法用量** | 胡桃隔：内服煎汤，3 ~ 6g。

胡桃仁：内服煎汤，3 ~ 10g。

青胡桃：内服煎汤，5 ~ 10g。外用适量。

胡桃壳：内服煎汤，9 ~ 15g；或煅存性，研末，3 ~ 6g。外用适量，煎汤洗。

| **附　注** | 本种喜肥沃、湿润的砂壤土，常生于山区河谷两边土层深厚的地方。

化香树
Platycarya strobilacea Sieb. et Zucc.

| 药 材 名 | 化香树果序（药用部位：成熟果序）。

| 形态特征 | 落叶小乔木，高 2 ~ 6m。树皮灰色；芽卵形或近球形，芽鳞阔，边缘被细短睫毛；嫩枝被褐色柔毛。叶长 15 ~ 30cm，叶总柄显著短于叶轴，小叶纸质，侧生小叶无叶柄，对生或生于下端，卵状披针形至长椭圆状披针形，长 4 ~ 11cm，宽 1.5 ~ 3.5cm，不等边，顶生小叶具长 2 ~ 3cm 的小叶柄，基部对称，小叶上面绿色，下面浅绿色。两性花序和雄花序在小枝先端排列成伞房状花序束，直立；两性花序通常 1，着生于中央先端，长 5 ~ 10cm；雌花序位于下部，长 1 ~ 3cm；雄花序部分位于上部，通常 3 ~ 8，位于两性花序下方四周，长 4 ~ 10cm。雄花苞片阔卵形，先端渐尖而向外弯曲，外面的下部、内面的上部及边缘被短柔毛，长 2 ~ 3mm；雄蕊 6 ~ 8，

化香树

花丝短，稍被细短柔毛，花药阔卵形，黄色。雌花苞片卵状披针形，先端长渐尖，硬而不外曲，长 2.5 ～ 3mm；花被 2，位于子房两侧并贴于子房，先端与子房分离，背部具翅状的纵向隆起，与子房一同增大。果序球果状，卵状椭圆形至长椭圆状圆柱形，长 2.5 ～ 5cm，直径 2 ～ 3cm；宿存苞片木质，略具弹性，长 7 ～ 10mm；果实小坚果状，背腹压扁状，两侧具狭翅，长 4 ～ 6mm，宽 3 ～ 6mm；种子卵形，种皮黄褐色，膜质。5 ～ 6 月开花，7 ～ 8 月果成熟。

| 生境分布 | 生于海拔 400 ～ 2200m 的向阳山坡或杂木林中。分布于重庆长寿、万州、黔江、璧山、潼南、忠县、城口、酉阳、涪陵、彭水、巫山、合川、梁平、丰都、巫溪、云阳、铜梁、垫江、南川、武隆、北碚、开州、奉节、石柱、大足等地。

| 资源情况 | 野生和栽培资源均较丰富。药材来源于野生和栽培。

| 采收加工 | 秋季采收，除去杂质，晒干。

| 药材性状 | 本品呈球果状，卵状椭圆形至长椭圆状圆柱形，长 2.5 ～ 5cm，直径 2 ～ 3cm，黄棕色至棕褐色。宿存苞片木质，密集成覆瓦状排列，略具弹性，长 0.7 ～ 1cm。果实小坚果状，背腹压扁状，两侧具狭翅，长 0.4 ～ 0.6cm，宽 0.3 ～ 0.6cm。种子卵形，种皮黄褐色，膜质。

| 功能主治 | 清热解毒，散风止痛，活血化瘀，通窍排脓。用于鼻渊，头痛，内伤胸胀，腹痛，筋骨疼痛，痈肿，疥癣。

| 用法用量 | 内服煎汤，9 ～ 30g。

胡桃科 Juglandaceae 枫杨属 Pterocarya

枫杨
Pterocarya stenoptera C. DC.

枫杨

药材名

枫杨（药用部位：枝叶）。

形态特征

高大乔木，高达 30m，胸径达 1m。叶多为偶数或稀奇数羽状复叶，叶柄长 2 ~ 5cm，叶轴具翅至翅不甚发达、与叶柄一样被疏或密的短毛；小叶 10 ~ 16（稀 6 ~ 25），无小叶柄，对生或稀近对生，长椭圆形至长椭圆状披针形，先端常钝圆或稀急尖，基部歪斜，上方一侧楔形至阔楔形，下方一侧圆形，边缘有向内弯的细锯齿。雄性葇荑花序单独生于去年生枝条上叶痕腋内，花序轴常被稀疏的星芒状毛。雄花常具 1（稀 2 或 3）发育的花被片，雄蕊 5 ~ 12。雌性葇荑花序顶生，花序轴密被星芒状毛及单毛，下端不生花的部分长达 3cm，具 2 长达 5mm 的不孕性苞片。雌花几乎无梗，并密被腺体。果序轴常被宿存的毛；果实长椭圆形，果翅狭。花期 4 ~ 5 月，果熟期 8 ~ 9 月。

生境分布

生于海拔 200 ~ 2000m 的沿溪涧河滩、阴湿山坡地的林中。重庆各地均有分布。

| 资源情况 | 野生和栽培资源均较丰富。药材来源于野生和栽培。

| 采收加工 | 夏、秋季采收，晒干或叶鲜用。

| 功能主治 | 辛、苦，温。杀虫止痒，利尿消肿。用于慢性支气管炎，关节痛，疮疽疔肿，疥癣风痒，皮炎湿疹，烫火伤。

| 用法用量 | 内服煎汤，6～9g。外用适量，鲜叶捣敷或搽患处。